Werner Bartens / Martin Halter / Rudolf Walther

LETZTES LEXIKON

DIE ANDERE BIBLIOTHEK

Herausgegeben von Hans Magnus Enzensberger

Werner Bartens / Martin Halter / Rudolf Walther

LETZTES LEXIKON

Mit einem Essay zur Epoche der Enzyklopädien

Eichborn Verlag Frankfurt am Main 2002

ISBN 3-8218-4512-0

ZUR EPOCHE DER ENZYKLOPÄDIEN

Wer in alten Lexika blättert, wird den »Kreis des Wissens« – nichts anderes bedeutet das griechische Wort »Enzyklopädie« – für sich kaum erweitern können. Was die Urgroß- und Großväter noch wußten, weiß heute fast niemand mehr oder jedes Kind; was einst zum Bildungskanon gehörte, ist nur noch als bibliophile Kuriosität oder als gelehrtes Vorzeigestück lieb und teuer. »Ein Land, ein Volk und ein Staat, seit tausend Jahren fast nur durch Unglück denkwürdig«: So charakterisierte der Brockhaus 1819 Polen. Das ist schön und womöglich sogar treffend gesagt, aber keine Definition, die den Begriffen von lexikalischer Nüchternheit und Objektivität standhielte. Den alten Konversationslexika kann man entnehmen, wie man einst Knoten knüpfte und Nähmaschinen baute, warum diese untergegangene Rasse häßlich und dumm und jener längst verblichene Schriftsteller ein gefährlicher Schwätzer war, warum die Eisenbahn der »sittlichen und intellektuellen Vervollkommnung der Menschheit« diente und die Frauenfrage nur durch eine vernünftige Heiratspolitik zu lösen war. Man kann sich über derlei überholte Vor- und Werturteile, verjährte Prophezeiungen und unpraktische Handreichungen amüsieren oder auch dank der Gnade sehr später Geburt erhaben fühlen: Als Wissen nach Hause tragen kann man daraus wenig, daraus lernen jedoch melancholische Demut hinsichtlich der Beständigkeit von Wissen überhaupt. Und doch geht ein großer Zauber von den alten Brockhaus- oder Meyer-Ausgaben aus, die in den Bücherregalen alphabetisch strammstehen: eine Kompanie von Zeitgeist-Soldaten, die mit Goldschnitt und reich ornamentierten Paradeuniformen noch einmal den Bildungsdrill vergangener Jahrhunderte vorexerzieren. Es ist nicht nur der »kräftige, markierte, frische Styl«, den Joseph Meyer 1839 in der Vorrede zu seinem Lexikon versprach, jener anekdotenreiche und gesinnungsstarke Erzählton, der »den Leser zu erwärmen sucht«, indem er »die rechte Mitte hält zwischen der abstrusen Compendienform und dem laxen Ton der Unterhaltungsliteratur«. In dem Maße, wie Bildung auf das Niveau einer anachronistischen Sekundärtugend oder eines »Marschgepäcks« (Dietrich Schwanitz) für den *discours à la mode* am Tresen heruntergeredet wird, gewinnen die veralteten Lexika an Leben.

Es ist nicht nur die Einsicht in die Vergänglichkeit und Veränderlichkeit allen Wissens, die über private und öffentliche Bildungskatastrophen hinwegtrösten kann. Lexika bewahren stofflich wie in der Darstellung den Geist ihrer Epoche auf, und selbst flüchtiges Blättern und unsystematisches Schmökern lassen die langen und verschlungenen Wege ermessen, auf denen diese Wissensbestände von den Anfängen des enzyklopädischen Zeitalters im 18. Jahrhundert bis in die Gegenwart transportiert wurden. Der Vergleich verschiedener Ausgaben und Auflagen erschließt das Denken, das Lebensgefühl und die moralischen Wechselfälle vergangener Generationen. Gewinne und Verluste an Wissen, Definitionsmacht und Leidenschaft lassen sich dadurch bilanzieren. So sind die vergilbten Folianten scharf geschliffene Spiegel ihrer Zeit, und der Blick hinein konfrontiert den Leser mit den Erwartungen und Hoffnungen eines optimistischen Omnipotenz- und Fortschrittsglaubens, der die Welt noch auf den Begriff bringen zu können glaubte.

Das Konversationslexikon ist wie die wissenschaftliche Enzyklopädie ein Geschöpf der Aufklärung und daher auch mit deren Geburtsmakeln und Widersprüchen behaftet. Aus der Verachtung der Originalgenies und Geistesriesen für das »Maschinenwesen« der Enzyklopädien spricht die Trauer über den Verlust einer sozial, moralisch und intellektuell verbindlichen Universalbildung, aber oft genug auch nur das Ressentiment einer privilegierten Klasse, die um ihr exklusives Herrschaftswissen fürchtete: Wissen war Macht, seine Popularisierung, Demokratisierung und Trivialisierung Verrat. Der Tempel der Vernunft sollte nicht von einem Pöbel entweiht werden, der das Nachschlagen dem Selberdenken, die schnelle Definition der sauren Arbeit des Begriffs vorzog. Lessing pflegte Enzyklopädien mit eigener Hand zu verbessern. Schopenhauer hielt ihre Autoren für »schlechte Skribler«. Für Heinrich von Treitschke waren Konversationslexika bloß »massenhafte Eselsbrücken-Literatur«, und selbst Friedrich Engels verhöhnte sie in seltener Übereinstimmung als »Eselsbrücke des Bildungsphilisters«. Aber man sollte diesen vernichtenden Urteilen nicht allzusehr trauen. Goethe, sonst ein Freund der konkreten Anschauung und des schönen Dilettantismus, verachtete die Konversationslexika zwar als die »großen Krambuden der Literatur, wo jeder einzeln sein Bedürfnis pfennigweise nach dem Alphabet abholen kann«, besaß und benutzte aber selber nicht weniger als dreißig von ihnen. Noch auf dem Totenbett quälte ihn im Fieberdelirium der böse Verdacht, sein Diener Friedrich habe ihm den siebten Band seines kostbaren Brockhaus entwendet, um ihn zu verkaufen. In den Romanen Fontanes gilt das Prahlen mit lexikalischen Prachtausgaben und der daraus gewonnenen Bildung als Erkennungsmerkmal des neureichen Parvenüs; dabei nutzte Fontane selber gern Lexika für die »Behängung« seiner Romanskelette mit Wissensplunder.

Die Autoren des *Letzten Lexikons* machen dieses doppelmoralische Naserümpfen nicht mit. Für uns ist ein hundertpfündiges Konversationslexikon kein stumpfsinniger, unbeholfener Dinosaurier aus einer fernen Zeit, sondern gleich nah zu Gott wie die zwölf Gramm schwere Silberscheibe der CD-Rom, um von den Archiven des Internet, der vollends immateriellen Enzyklopädie des 21. Jahrhunderts, zu schweigen. Karl Kraus bewunderte das Konversationslexikon für seine anachronistische Diskretion und einen geistesaristokratischen Stolz, der sich vom Bildungsdünkel wie von der Dummheit fernhält. Im Gegensatz zum polyhistorischen Vielwisser, der sich von selbst umblättere, halte sich das Konversationslexikon nobel und reserviert zurück: »Es wartet ab und gibt nie mehr, als man will.« Der konservative Soziologe Hans Freyer verwahrte sich schon 1963 gegen die Vision eines lexikalischen »Elektronengehirns«. Er bescheinigte guten Nachschlagewerken eine ganz andere Haltung: »Verzeih, lieber Leser, aber dazu bin ich nicht da, sondern das ist und bleibt deine Sache. Ich will nicht eine Programmierung, sondern ich will dich selbst – dich als einen, der von sich aus Fragen stellt … und dabei seine Fragestellung frei wechselt.« Von dieser Freiheit haben die Autoren des *Letzten Lexikons* immer wieder Gebrauch gemacht.

Vor den wissenschaftlichen Enzyklopädien zeichnet sich das Konversationslexikon durch seine Verständlichkeit und eine manchmal fast abenteuerliche Buntheit, vor den allerneusten Medien durch seine beeindruckende sinnliche Anmutung aus: Wer einmal die legendäre sechste Auflage des Brockhaus von 1824 in Händen hielt, weiß, wovon wir sprechen. Noch die Ausgaben aus dem späten 19. Jahrhundert haben mit ihren Stichen, aufklappbaren Karten und von Pergamentpapier geschützten Farbtafeln einen ganz eigentümlichen Zauber, neben dem alle Audio- und Videoschnipsel der neuesten multimedialen Version und selbst die byzantinische Pracht von Hundertwassers Brockhaus-Edition verblassen.

Wir schätzen die alten Lexika nicht nur als Gesamtkunstwerke aus verlegerischem Wagemut, Buchdruckkunst, intellektuellem und sprachlichem Glanz, sondern auch als Summe dessen, was frühere Epochen und Generationen für wissens- und überliefernswert hielten. Aus synoptischen Quer- und diachronen Längsschnitten, aus der Aneinanderreihung und Gegenüberstellung von Zitaten aus verschiedenen Ausgaben ergibt sich ein bald funkelndes, bald trübes Kaleidoskop der deutschen Geschichte. Das *Letzte Lexikon* versammelt in diesem Sinne Kurioses und Bedenkliches, Geistesblitze und Stilblüten. Es ist der Reader's Digest, das lebendige Poesiealbum und der nostalgische Abgesang auf ein großes literarisches Genre, ein Kompendium mithin, das den lexikalischen Gedanken ernsthaft zu Ende und gleichzeitig lustvoll ad absurdum führen will: ein ideales Lexikon, welches das Erste mit dem Letzten verknüpft und so das Lexikonideal aufhebt, ohne es darum zu verwerfen.

Das letzte ist unser Lexikon nicht in dem Sinne, daß wir endgültige Wahrheiten zu verkünden hätten oder gar alle anderen Lexika zur Makulatur machen wollten. Wir sind nicht so vermessen, das Ende der Enzyklopädien ausrufen oder auch nur beschleunigen zu wollen; das überlassen wir der Zeit und jenen Medien der Wissensvermittlung, die an ihrer Selbstabschaffung arbeiten. Wenigstens solange man in den Quiz-Shows des Fernsehens mit der richtigen Antwort auf Trivial-Pursuit-Fragen viel Geld verdienen kann, bleiben Lexika vermutlich unentbehrlich, sei es auch nur für die Redakteure oder Joker hinter den Kulissen. Verglichen mit der marktschlüpfrigen Art und Weise, wie dort Wissen prätendiert und präsentiert wird, kommt unser *Letztes Lexikon* altmodisch und bescheiden daher.

Formal halten wir uns an die alphabetische Ordnung, die Systematik und auch an den erzählerisch-essayistischen Stil des klassischen Konversationslexikons. Freilich ging es uns nicht darum, die »Kunst der geselligen Unterhaltung« zu befördern, von der Friedrich Arnold Brockhaus 1814 spricht; noch weniger können und wollen wir mit seinem Anspruch auf Vollständigkeit und wissenschaftliche Genauigkeit konkurrieren. Letztes Wissen in diesem Sinne erklärt nichts und läßt sich auch nicht fertig nach Hause tragen. Das *Letzte Lexikon* will seine Leser aber sehr wohl dazu anleiten, hin und wieder auch skeptische, ironische, kritische und selbstkritische Blicke hinter die Kulissen der Wissensproduktion und -verbreitung zu werfen.

Das Konversationslexikon versammelte das Wissen seiner Epoche in alphabetischer Form, um es für die eher bescheidenen Ansprüche geselliger Konversation und privater Lektüre einzurichten. Der Ungebildete, schrieb Brockhaus 1822, wird in der besseren Gesellschaft nur »ein Figurant bleiben, oder, wenn er Dünkel genug hat, der sich freilich mit Unwissen gewöhnlich paart, ein leerer Schwätzer seyn, die man in wahrhaft feinen und gebildeten Cirkeln höchstens duldet, wenn man etwa aus Rücksichten muß«. Noch 1879, in der Vorrede zur zwölften Auflage, beschrieben seine Erben die »Flüssigmachung und Popularisierung« aller wissenschaftlichen, künstlerischen und technischen Erkenntnisse als eine Aufgabe, die »die edelsten Culturinteressen« berühre und jedenfalls weit entfernt sei von jener »inneren Uncultur«, die mit den erborgten Urteilen und unbegriffenen Notizen des Lexikons prahle: »Jener Frivolität und Trivialität, von der es hier und da vielleicht gemißbrauchet worden ist, wollte es doch darum niemals mit Absicht Vorschub leisten.« Das von allen »Parteitendenzen« unberührte, allein dem »wissenschaftlich-humanen Standpunkt« verpflichtete Lexikon war freilich schon damals eine Fiktion. Das Konversationslexikon war längst ein Dekorationsstück des bildungsbürgerlichen Haushalts geworden, der Rettungsanker jener Halbgebildeten, die nicht auf den sozialen Distinktionsgewinn gebildeter Konversation in den Salons, Lesehallen und Kaffeehäusern verzichten wollten, was freilich bereits das Vorwort als »Scheincultur« anprangerte.

Brockhaus wollte in sympathischer Selbstbeschränkung nur »das Wissenswerteste für allgemeine Bildung aus dem Umfange der Wissenschaften, der Natur, der Kunst und des öffentlichen Lebens auf eine der Gestalt, dem Charakter und dem Bedürfnisse der neuesten Zeit entsprechende Art kurz und deutlich darstellen«. Kurz war dabei allerdings ein relativer Begriff: Der erste Brockhaus (1796–1808) behandelte auf nicht einmal dreitausend Oktavseiten 4300 Stichwörter, der zwanzigste und neueste (1996) auf 18 000 Seiten mehr als 200 000.

Die akademischen Mandarine ließen sich vom stetig wachsenden Umfang und Anspruch der Konversationslexika nicht blenden; aber ihre Abscheu trägt ein eigentümliches Janusgesicht. Einerseits nötigt die aktuelle Brockhaus-Werbephrase von den »24 Bänden, die die Welt bedeuten« jedem Intellektuellen ein müdes Lächeln ab; andererseits sucht bis heute jeder Professor verstohlen die neueste Auflage darauf hin ab, ob sein Name Eingang und seine Verdienste eine angemessene Würdigung gefunden haben. Max Weber machte da keine Ausnahme. Als man ihn 1912 um ein Bild für *Meyers Großes Konversations-Lexikon* bat, schrieb er halb belustigt, halb empört zurück: »Offen gesagt: ich wollte Ihnen erst einen Brief mit Invektiven schreiben. In der Annahme, daß Sie sich über mich lustig machten – denn was tue ich im Konversationslexikon?? Dahin gehören Beautés: Sombart etc. oder ›bedeutsam‹ aussehende Kollegen: Wenckstern, oder – Leute mit ›großem Namen‹. All das bin ich weder, noch wünsch' ich es zu werden. Ich lachte also stark.« Der Gelehrte ließ sich dann aber doch dazu herab, ein mephistophelisch verwegenes Porträtphoto an die Redaktion zu senden, um »die Eitelkeit der Frauen« zu befriedigen.

Historische Erfahrung und der tägliche Umgang mit Lexika lehrten die Autoren des *Letzten Lexikons* Vor- und Nachsicht im Umgang mit dem Wissen und seinen Siegelbewahrern. Nicht nur Biographien und Urteile, auch scheinbar gesicherte Fakten unterliegen ideologischen Perspektivverschiebungen und Umwertungen, Moden und Konjunkturen. Ein durch Selbstreflexion und spielerische Ironie konstituiertes Verhältnis zum lexikalischen Material ist aber nicht identisch mit dem Gestus historistischer Abgehobenheit oder gar postmoderner Gleichgültigkeit. Lexika sind, energisch dechiffriert, Lehrbücher der Kritik und Selbstkritik: Noch das harmloseste Stichwort führt die Vergänglichkeit und Relativität »ewigen Wissens« vor.

In den Enzyklopädien des 18. Jahrhunderts kam es auf Aktualität nicht an: Ein Jahrzehnt war wenig im gemessenen Gang der Geschichte und nichts im Auge Gottes. Die Autoren hatten weder den Ehrgeiz noch die Kommunikationsmittel, um an der Spitze des Zeitgeists zu reiten. Wer ins Walhall des kanonisierten Wissens aufgenommen zu werden verdiente, würde der Lauf der Zeit schon erweisen. Renatus Gotthelf Löbel, der Johannes des Messias Brockhaus, entschuldigte sich 1806 dafür, daß Napoleon erst jetzt, zehn Jahre und vier Bände nach dem Start seines »Conversationslexicons mit vorzüglicher Rücksicht auf die gegenwärtigen Zeiten«, Erwähnung finden könne. »Damals, als der erste Theil unseres Lexicons erschien«, schrieb der Verleger zerknirscht, »konnte noch keine Ahnung von dem Helden des Tages sein, der seitdem die ganze Welt in Erstaunen und in banges Erwarten der Dinge, die noch kommen sollten, gesetzt hat.« Inzwischen reagiert das Lexikon schneller auf die Helden des Tages. Monica Lewinskys unschickliche Beziehung zu Bill Clinton fand 1998 in Band 13 der zwanzigsten Auflage von Brockhaus' Enzyklopädie noch keinen Eingang. Aber schon ein Jahr später, in Band 23, brachte es die Praktikantin im Artikel »Vereinigte Staaten von Amerika« zu Brockhauswürden.

Brockhaus arbeitete, wie ein Titelzusatz von 1814 bezeugt, von jeher »mit besonderer Rücksicht auf die älteren und neuesten merkwürdigen Zeitereignisse«. Sein Lexikon sollte »seinem Plane nach mit der Zeit übereinstimmen«, ohne sich ihr ganz in die Arme zu werfen; das erste war ein Gebot verlegerischer Klugheit, das zweite Rücksichtnahme auf die Zensur und wohl auch Ausfluß der goethezeitlichen Überzeugung, daß wie das Individuum auch das Lexikon »von innen sich mehr ausbilden« müsse und sich nicht gar zu sklavisch den Interessen der Zeit beugen dürfe. Mehr noch als parteiliche Befangenheit war es bildungsbürgerliche Politikferne – die Trennung von Geist und Macht –, die sich im späten 19. Jahrhundert verhängnisvoll auswirken sollte.

Aber die Nähe zu Staat und Gesellschaft ist den Lexika noch weniger bekommen, wie ihre Geschichte im Dritten Reich zeigt. Noch der erste Nachkriegs-Brockhaus von 1952 zollte dem Geist der Restauration Tribut, wie Otto Köhler 1975 in einem Aufsatz in den *Frankfurter Heften* dargelegt hat. Dem Theologen Paul Althaus (1888–1966) etwa, der zwischen 1934 und 1936 Werke wie *Die deutsche Stunde der Kirche* oder *Obrigkeit und Führertum* verfaßt hatte, wurden seine Sünden durch großzügige Auslassung verziehen, und selbst der jüngste Brockhaus von 1996 erweckt den Eindruck, als habe der Mann im Alter von sechzig Jahren – 1948 – erstmals ein Buch publiziert.

Die Lexika sind, im Guten wie im Bösen, Teil der deutschen Geschichte. Sie machten sich immer wieder zu Verstärkern und Lautsprechern des Zeitgeistes und riskierten nicht allzu oft – am ehesten noch im Vormärz – oppositionelle Töne. Das *Letzte Lexikon* verfolgt beide Spuren.

Es reagiert auf die erhöhte Umlauf- und Rezeptionsgeschwindigkeit des Wissens nicht mit atemloser Hektik, sondern im Gegenteil mit der Wiederentdeckung enzyklopädischer Langsamkeit. Wir schreiben in der prekären Gewißheit, daß es heute auch darauf ankommt, zu wissen, was man nicht wissen kann und muß, was vor dem Verschwinden gerettet zu werden verdient und was nicht. Wir sind nicht fixen Wahrheiten, sondern deren Zeitkernen auf der Spur. Unser Projekt leistet sich den Luxus, Einsichten und Erkenntnisse ohne ängstliche Seitenblicke auf ihr Verfallsdatum zu sammeln und einer vergeßlichen Zeit wieder in Erinnerung zu bringen.

Die Lücken und Untiefen, Verstiegenheiten und Bocksprünge, Stilblüten und Stilbrüche älterer Lexika registrieren wir dabei mit Staunen und heiterer Gelassenheit, aber ohne Häme, Besserwisserei oder Triumphgeschrei. Das *Letzte Lexikon* entdeckt in den Lücken und Leerstellen seiner Vorgänger weniger Mängel und Kalküle als Sedimente der Geschichte. Es reiht sich in die aufklärerischen Traditionen des Genres ein, glossiert und ironisiert aber auch die Widersprüche und Exzesse jenes Prozesses der Vermehrung und Verfeinerung des Wissens, die ohne Konzessionen an Markt und Macht nicht zu haben waren.

Nicht das geringste Zugeständnis besteht darin, daß das »weiche« literarische, historische und politische Wissen bereits im 19. Jahrhundert mehr und mehr den »harten« naturwissenschaftlichen und technischen Realien und ihrer praktischen Verwertbarkeit geopfert wurde. An die Stelle von Meinungen, Stimmungen und Anekdoten traten ideologisch und ethisch scheinbar neutralisierte Fakten, Fakten, Fakten. Joseph Meyer schrieb 1834 in seinem »Reglement für die Herren Mitarbeiter« (weibliche Autoren waren selbst im *Damen-Conversationslexikon* des Brockhaus-Zöglings Herloßsohn von 1835 seltene Gäste), daß die »Gesinnung des Verfassers in der Färbung seiner Rede sich deutlich abspiegeln soll«. Aber der gesinnungstüchtige, narrativ ab- und essayistisch ausschweifende Konversationston der frühen Jahre wich bald einem trockenen, knapp und nüchtern referierenden Fachjargon, der sich mit seinem umständlichen Nominalstil und seinen Abkürzungen mehr zum Nachschlagen als zur Lektüre eignete.

Mit dem Wissen und seiner Wahrnehmung änderte sich auch die Sprache der Beschreibung und der Zweck der Lexika. Erfindungen wie das Telefon oder der Elektromotor ließen sich kaum mehr im geselligen Plauderton vermitteln: Man führe sich nur einmal die umständlichen Funktionsbeschreibungen, Skizzen und Blaupausen zu Gemüte, mit denen Brockhaus und Meyer einem bildungsbürgerlichen Publikum die neuesten technischen Errungenschaften zu vermitteln versuchten, um die Vermessenheit des Anspruchs zu erkennen, das ganze Weltwissen für die Bedürfnisse des Salons einzurichten. Noch zu Beginn des 20. Jahrhunderts lesen sich Artikel wie »Dampfmaschine«, als hätten die Autoren jedem Jungen das Rüstzeug zum Nachbau an die Hand geben wollen. Seither ist den Lexikographen mit dem Glauben an die Vollkommenheit von Technik und Naturwissenschaften auch die Fähigkeit abhanden gekommen, interessierten Laien ihre Hervorbringungen »kurz und deutlich« erklären zu können. Anhand neuerer Lexika wird sich nur ein mathematisches Wunderkind über den Unterschied zwischen Differential- und Integralrechnung schlau machen können; unter dem Lemma »Diagnose« wird der Patient nicht einmal mehr erwähnt, wohl aber Dutzende technischer Hilfsmittel. Das ist wohl auch die Krankheit der neueren Lexika: Ihr Adressat ist nicht mehr der gebildete Mensch, sondern der Spezialist.

So ging mit den Stätten und der Kunst der Konversation, mit der zunehmenden Komplexität und dem rasant wachsenden Umfang des Wissens auch das Konversationslexikon als Medium der Orientierung und Selbstverständigung einer gebildeten bürgerlichen Öffentlichkeit zugrunde. Die digitalen Enzyklopädien von heute prunken zwar mit Web-Links, Datenbanken, Wissensnavigatoren und computergenerierten »intuitiven« Suchfunktionen, aber ihre glatte Benutzeroberfläche kann über ihre geistige, sprachliche und haptische Verarmung nicht hinwegtäuschen.

Lexika vom Kaliber eines Brockhaus oder Meyer waren immer mehr als Sammlungen von Wissensbruchstücken. Sie versuchten ihr Material begrifflich zu durchdringen und politisch zu organisieren, auch wenn es vieler Verschlüsselungen und aufmerksamer

Leser bedurfte, um die Fallstricke der Zensur zu umgehen: Brockhaus etwa übersetzte 1817 den anrüchigen Begriff »Volkssouveränität« mit dem unverfänglicheren deutschen Wort »Grundgewalt«. In ihren heroischen Anfängen wollten die Konversationslexika den einer lichten Zukunft entgegenstrebenden Geist nicht bloß registrieren und widerspiegeln, sondern – Brockhaus mehr im progressiv-liberalen, Meyer in einem demokratisch-republikanischen Sinne – bilden und prägen. Sie verstanden sich nicht nur als Echo, sondern als Verstärker, nicht als unbeteiligte Beobachter und Sammler, sondern als Akteure und durchaus parteiische Subjekte an vorderster Front des Zeitgeistes. Meyer erklärte »Bildung macht frei« zu seinem Slogan: Sein *Großes Conversations-Lexicon für die gebildeten Stände,* das zwischen 1839 und 1855 in 44 Bänden erschien, verstand sich mit volkspädagogischer Verve ausdrücklich als »Werkzeug der intellectuellen Emancipation«, das »die Fahne der Humanität, des Rechts und des Lichtes« aufpflanzen sollte: »Der Aristokratie des Wissens freilich ist eine populäre Enzyklopädie ein Dorn im Auge, und sie wird auch unserm Beginnen nicht hold sein. ›Intellektuelle Gleichheit‹ liest sie auf unserem Panier, und in jedem Kämpfer für jene gewahrt sie einen Feind, der an ihrem Throne rüttelt, und ihr das Benefiz des Privilegiums zu entziehen trachtet. So wollen auch diejenigen unsere Bestrebungen nicht, welche in der unermeßlichen Entwicklung der Volks-Intelligenz und in allgemeiner Bildung nur neue Keime zu Revolutionen erblicken. Sie mögen sich beruhigen. Wir schleudern keine Blitze, die blenden oder tödten. Das Licht des Könnens und Wissens, welches wir verbreiten, wirkt wohlthätig für alle, denen es leuchtet, und selbst die, die es hassen, nehmen an seinen Segnungen theil.« Spuren dieses bildungsdemokratischen Anspruchs haben sich bis heute erhalten und mit ihnen auch die Trümmer ihrer Verleugnung.

Die großen Konversationslexika von Meyer und Brockhaus waren legitime Kinder der Aufklärung; ihre Eltern waren Diderots *Encyclopédie* und die kurzgefaßten Staats- oder »Zeitungslexika« des 18. Jahrhunderts. Der legendäre Hübner etwa wollte in 31 Auflagen zwischen 1709 und 1825 Gelehrten, Ungelehrten und Frauenzimmern, kurz, allen, die »zwar wenig Gelehrsamkeit, aber doch viel Curiosität an sich haben«, schwierige Vokabeln »zu sonderbarem Nutzen klar und deutlich« beschreiben. Als Haupttitel eines Nachschlagewerks taucht das Wort »Encyclopaedia« erstmals in Johann Heinrich Alsteds *Scientiarum omnium encyclopaedia* (1620) auf. Der *Dictionnaire historique et critique* (1697) von Pierre Bayle war eher ein Literatur- und Philosophielexikon, aber seine lexikographische Maxime »Wir rekonstruieren das Vergangene, wir stellen nichts Neues her« machte Schule. Die Enzyklopädien der Aufklärung flößen allein durch ihre schiere Größe Ehrfurcht ein. Johann Heinrich Zedlers *Großes vollständiges Universallexicon aller Wissenschaften und Künste* brachte zwischen 1732 und 1754 in 68 voluminösen Bänden 750000 Stichwörter. D'Alemberts und Diderots berühmte *Encyclopédie ou dictionnaire raisonnée des sciences, des arts et des métiers* (1751–1780) war mit ihren 35 Bänden vergleichsweise kompakt. Namentlich im deutschen Sprachraum, wo die Monumente des Gelehrtenfleißes traditionell noch monströser als anderswo ausfielen, geriet der Vollständigkeitswahn den enzyklopädischen Projekten zum Verhängnis. Die *Deutsche Enzyklopädie, oder Allgemeines Real-Wörterbuch aller Künste und Wissenschaften* (1778–1804) mußte nach 23 Bänden beim Buchstaben K abgebrochen werden. Die *Oeconomische Encyclopädie oder allgemeines System der Land-, Haus- und Staatswirthschaft*, eine Fachenzyklopädie von Johann Georg Krünitz, von der zwischen 1773 und 1858 immerhin 247 Bände erschienen waren, gab beim Buchstaben L ihren Geist auf, der Legende nach just als Krünitz über dem Artikel »Leiche« verstarb. Der »Krünitz« ist nicht einmal das größte Lexikon der Welt – der Ruhm gebührt einer angeblich 5020bändigen chinesischen Enzyklopädie –, aber ein bis heute unerreichtes Riesenwerk, in dem man nachlesen konnte, wie vor fünfhundert Jahren Körbe geflochten oder Kuchen gebacken wurden; Schiller soll den Artikel »Glockenguß« für sein »Lied von der Glocke« konsultiert haben. Von der *Allgemeinen Enzyklopädie der Wissenschaften und Künste* von Johann Samuel Ersch und Johann Gottfried Gruber erschienen zwischen 1818 und 1889 immerhin 167 Bände, ehe den Autoren beim Buchstaben P die Puste ausging. Die 44 Bände des ersten »Wundermeyer« wurden schon in der zweiten Auflage von 1871 auf ein bibliothekskompatibles Maß eingedampft.

Die Lexikographen sahen sich zunehmend in der Rolle des Hasen im Wettlauf mit dem Igel: Das Wissen vermehrte und veränderte sich viel rascher, als die gewissenhaften Gelehrten ihm zu folgen vermochten; so waren ihre Enzyklopädien oft schon vor ihrer Drucklegung überholt. Hegels *Enzyklopädie der philosophischen Wissenschaften* war 1830 der letzte Versuch eines einzelnen, die Phänomenologie des Weltgeistes in ihrer ganzen abschreckenden Totalität und logischen Unerbittlichkeit als einen in sich zurückkehrenden »Kreis von Kreisen« darzustellen. Hegel hatte sich jeden Einspruch bloß empirischer Wissenschaften verbeten: Was die Welt im Innersten zusammenhält, mußte mehr sein als »Aggregate« disparater, zufälliger Stichwörter, und wenn die konkreten Tatsachen und das positive Wissen sich nicht in sein System fügen wollten: um so schlimmer für die Tatsachen. Aber das exponentielle Wachstum des Wissens, seine Ausdifferenzierung und Spezialisierung ließen sich nicht mehr aufhalten und nicht mehr einholen: An die Stelle der systematischen Monumental- und Universalwerke traten alphabetisch geordnete, spezialisierte Nachschlage- und Handbücher für bestimmte Wissenszweige und Zielgruppen wie Frauen, Militärs, Chemiker oder Jäger.

Auch der Große Brockhaus begann einmal ganz klein. 1796 hatte Renatus Gotthelf Löbel ein *Conversations-Lexicon mit vorzüglicher Rücksicht auf die gegenwärtigen Zeiten* angekündigt, das, wie dem geneigten Leser in der Vorrede versprochen wurde, alles bringen werde, »was ein gebildeter Mensch wissen muß, wenn er an einer guten Conversation theilnehmen oder ein Buch lesen will«; nicht umsonst sollte das Werk ursprünglich *Frauenzimmer-Lexicon zur Erleichterung der Conversation und Lektüre* heißen. Dem Projekt war kein durchschlagender Erfolg beschieden: Trotz dreimaligen Verlagswechsels war Löbel 1808 pleite und sein Werk immer noch ein Torso. Dringender noch als enzyklopädischen Fleiß brauchte das Lexikon einen tüchtigen Verleger, der den Zeitgeist nicht bloß beschreiben, sondern auch erspüren und vollmundig in Worte kleiden konnte. Friedrich Arnold Brockhaus war der richtige Mann dafür. Am 25. August 1808 kaufte er Löbel auf der Leipziger Buchmesse für 1800 Franken die Rechte an seinem Lexikon ab, stellte es eigenhändig fertig und warf alsbald Neu- und Nachdrucke in so rascher Folge auf den Markt, daß selbst Bibliographen heute leicht den Überblick verlieren. Mit der fünften Auflage von 1819 steuerte der Brockhaus dann in ruhigeres Fahrwasser; die sechste, Brockhaus' Vermächtnis und für viele immer noch die geschlossenste und großartigste Ausgabe, versammelte 1824 das Wissen der Weimarer Kunstperiode in beinahe klassischer Form.

Brockhaus' Conversationslexikon, das 1817 in *Allgemeine Hand-Encyclopädie für die gebildeten Stände* umgetauft wurde, fand offenbar die rechte Mitte zwischen enzyklopädischem Wahn und Handlichkeit: Es präsentierte nicht mehr unverrückbare Wahrheiten und ewiges Wissen, sondern handelte auch vom »Gemeininteressanten« und den »gegenwärtigen Zuständen«; vor allem aber pries es sich als Dietrich für die Tür zu den »feineren Cirkeln« an. »Konversationslexikon heißt's mit Recht«, höhnte Goethe in einem holprigen Vers der »Zahmen Xenien«, »weil, wenn die Conversation ist schlecht, / Jedermann / Zur Conversation es nutzen kann.«

Schon ihrer stattlichen Preise wegen konnten die Konversationslexika keine Volksbücher werden. Nach der gescheiterten Revolution von 1848 verkam das einstige Werkzeug der politischen Emanzipation mehr und mehr zum repräsentativen Dekorationsstück der bürgerlichen Hausbibliothek. Die Verleger kannten ihre Pappenheimer nur zu gut: »Die Aristokratie des Geschmacks, die Aristokratie des Standes, die Aristokratie des Geldes«, schrieb Hermann Julius Meyer 1874 in einer internen Anweisung an seine Kolporteure, »verstehen sich weniger gegen den Aufdringling mit der Bücherofferte abzuschließen als der Standes- oder Geburtsaristokrat, und ihre Eitelkeit verführt sie leicht, die Attribute der Bildung und die Allüren des Vornehmthuns sich zuzulegen. Sie lieben den Schein, es (das Lexikon) zu gebrauchen, um so mehr, wenn letzterer sich in so auffallend glänzender Weise breit macht wie in dieser Ausgabe.«

Auch darum war die Geschichte des Konversationslexikons eine verlegerische Erfolgsstory. Schon von der fünften Auflage des Brockhaus wurden 32 000 Exemplare abgesetzt; gegen Ende des Jahrhunderts gingen die Auflagen in die Hunderttausende. »Seit der Erfindung der Buchdruckerkunst«, schrieb Brockhaus schon 1830 stolz, sei »kein Beispiel gleichen Erfolgs bei einem Werke dieses Umfangs in irgendeinem Lande bekannt« geworden. Derlei Triumphmeldungen riefen Raubdrucker und Nachahmer, aber auch seriöse Konkurrenten wie Heinrich August Pierer oder Bartholomä Herder auf den Plan. Brockhaus und Meyer aber, von jeher gern mit dem Dioskurenpaar Goethe und Schiller verglichen, teilten sich den Markt weitgehend untereinander auf. »Wie gut«, schrieb Alfred Dove 1896, »daß in Deutschland nicht bloß ein unversiegbarer Strom des Wissens, sondern dass ihrer zwei mit gleich majestätischem Gang, verschwistert und friedlich, dem Ocean der gebildeten Unterhaltung zurollen«. Seit der Fusion von 1984 fließen beide Ströme in Mannheim zusammen.

Aktualität, Objektivität, Selektivität und Präzision, die vier Grundanforderungen, die an jedes lexikographische Unternehmen gestellt werden, ließen sich nicht so leicht verschwistern. Lexikographie war immer ein schwieriger Jonglierakt mit diesen vier Kugeln, heute ist das Spiel unmöglich geworden. Das klassische Konversationslexikon als Kompendium und Kanon einer verbindlichen Allgemeinbildung ist jedenfalls tot: Die jüngste Brockhaus-Enzyklopädie definiert es knapp als »im 19. Jahrhundert übliche, heute veraltete Bezeichnung für eine alphabetisch gegliederte Enzyklopädie«. Rettungsversuche sind nicht in Sicht, und auch neuere Versuche, das gesamte Bildungsgut kompakt und handlich in einem Band zu verpacken, sind keine befriedigende Alternative zum alten Konversationslexikon. Die multimedialen Ausgaben und Internet-Wissensportale, mit denen Encyclopaedia Britannica und Brockhaus längst experimentieren, haben die Sehnsucht nach klassisch gediegenen Nachschlagewerken nur um so fühlbarer gemacht.

Die Zeit ist also gekommen, ein *Letztes Lexikon* zu verfassen. Es durchstöbert, auf Zufall, Glück und den Spürsinn seiner Autoren vertrauend, einen riesigen Bücherberg, um ein paar stechende oder glänzende Nadeln im Heuhaufen zutage zu fördern. Es ist im strengen Sinne nicht zu gebrauchen, schon gar nicht für die feinere Konversation. Sein Wissen ist überholt und untergegangen, glücklich überwunden oder zu Unrecht vergessen; der Wahrheitsgehalt ist manchmal zweifelhaft, die Absicht eher satirisch als wissenschaftshistorisch. Zeitgemäß ist es allenfalls durch seine Unzeitgemäßheit, nützlich durch seine praktische Nutzlosigkeit. Das *Letzte Lexikon* führt die Eitelkeit allen Wissens und die seiner Hüter vor Augen. Sein ironischer Gestus verdankt sich der Heiterkeit der Nachgeborenen, seine Melancholie dem Bewußtsein der Verluste, das aus der Begegnung mit verjährten Ansprüchen und verlorenen Hoffnungen herrührt. Oft genügten schon die Collage oder Montage von Zitaten, um die Texte zum Sprechen zu bringen und für unseren Erfahrungshorizont zu entstauben. Gelegentlich haben wir mit Glossen, Ergänzungen oder Korrekturen nachgeholfen, um Tragisches und Komisches, Hinter- und Unsinniges, Erbauliches, Verblüffendes oder auch Entsetzliches aus der lexikalischen Gelehrsamkeit, ihrem Pathos und ihrem philiströsen Bildungsdünkel zu entbinden. Brockhaus beschrieb 1819 ein Dilemma seiner Arbeit: »daß bei neuen Ausgaben, um Raum für das Neue zu finden, das allmählig Veraltende, insofern es nicht in der Geschichte der Zeit oder der Literatur einen bleibenden Platz behält, weggelassen oder zusammengezogen werden müsse«. Wir machen auf stumme Bereinigungen, Schrumpfprozesse, Blähungen und Eintagsfliegen aufmerksam und versuchen hin und wieder auch, aus dem an- oder abschwellenden Umfang und dem wechselnden Tonfall der Einträge Begriffsgeschichten abzuleiten und nachzuerzählen. Wir haben uns dabei von politisch korrekter Überheblichkeit und der Herablassung des spätgeborenen Besserwissers freizuhalten versucht und lieber unserer Lust an Entdeckungen, spielerischen Kombinationen und polemischen Konfrontationen Raum gegeben. Was Löbel 1796 dem ersten deutschen Konversationslexikon mit auf den Weg gab, möge auch für unser letztes gelten: »Bei einem Werke wie diesem, welches nur durch wiederholte Bemühungen den gehörigen Grund von Vollkommenheit erreichen kann, dürfen wir hoffen, daß der billige Beurteiler neben demjenigen, was er darin vermißt, dasjenige nicht vergessen werde, was er findet.«

Einige Hinweise zur Benutzung

Wir haben für unser Buch Konversationslexika und einige andere Lexika aus den letzten zweihundertfünfzig Jahren durchgesehen, vor allem diverse Brockhaus- und Meyer-Ausgaben. Panoptische Überblicke darf der Leser aber nicht erwarten. Schon um die begrifflichen und systematischen Ausdifferenzierungen, die politischen, sozialen, alltagssprachlichen Um- und Neubewertungen eines einzigen Haupt- und Staatsworts wie »Aufklärung«, »Gesundheit« oder »Bildung« auch nur einigermaßen darzustellen, hätte es dickleibiger Monographien bedurft. Das *Letzte Lexikon* kann und will nicht mit den Heerscharen der Spezialisten und der profunden Sachkenntnis seriöser Enzyklopädien konkurrieren. Es ersetzt keinen einzigen Band eines ordentlichen Lexikons, flüstert aber allem Wissen und allen Wißbegierigen ein leises Memento mori ins geneigte Ohr. Wir gleiten über einen unermeßlich großen Ozean gefrorenen enzyklopädischen Wissens, bohren, mit stets unzulänglichen Mitteln, hier und da neugierig ein paar Löcher, um Trouvaillen, versunkene Schätze, Strandgut und den Bodensatz der Geistesgeschichte ans Tageslicht zu fördern. Als Arrangeure und Collageure bedienten sich die Autoren dabei aller Mittel der Kritik, Ironie und Polemik, um eingefrorene Wissensbestände aufzutauen und für die Gegenwart flüssig zu machen.

Werner Bartens suchte die Gewässer von Medizin, Technik und Naturwissenschaften ab; Martin Halter tummelte sich in denen von Hoch- und Alltagskultur; Rudolf Walther fischte in den trüben Wassern von Politik und Geschichte. Hin und wieder führten uns unsere Tauchgänge auch in die wärmeren Gewässer von Ethnographie, Moral und Psychologie; ab und zu steigen Luftblasen aus Sport, Sexualität oder Theologie auf. Große Teile des lexikalischen Wissens – so etwa die biographischen Porträts oder auch die Enzyklopädien der DDR – wurden von vornherein ausgeschlossen und tauchen nur sporadisch in unvermuteten Zusammenhängen und paradoxen Verbindungen auf. Lesbarkeit war uns wichtiger als enzyklopädische Gründlichkeit oder gar historisch-kritische Philologie; doktrinäre Belehrung liegt uns so fern wie ein streng wissenschaftlicher Anspruch. Dafür haben wir gelegentlich den stilistischen Gestus und die erzählerisch-anekdotische Buntheit der alten Lexika zu retten versucht.

Aus alldem folgt: Zitate werden in der Regel ungekürzt und nach der historischen Rechtschreibung wiedergegeben. Verzichtet haben wir auf die Wiedergabe von Anmerkungen, Sperrungen, Abkürzungen, Verfasser- und Literaturangaben; dagegen haben wir einige lexikalische Eigentümlichkeiten wie das Verweissystem oder die Schreibweise der Namen übernommen. Die Lexikonausgaben werden, um dem Leser Verwirrung und häufiges Zurückblättern zu ersparen, nach dem Erscheinungsjahr des ersten Bandes einer Auflage zitiert: »Brockhaus 1892« steht also für die vierzehnte Auflage des Brockhaus, die in sechzehn Bänden und einem Supplementband zwischen 1892 und 1898 erschienen ist. In einigen wenigen Fällen sind wir von dieser Regel abgewichen: Wenn der Erscheinungszeitraum – wie im Falle der Enzyklopädie von Ersch/Gruber oder der ersten Auflage des Meyer – mehrere Jahrzehnte umfaßt oder – wie im Falle der 15. Auflage des Brockhaus (1928 bis 1935) – eine kritische Epochenschwelle überspringt, geben wir das Erscheinungsjahr des zitierten Bandes an. Wer mehr über die verwickelte Publikationsgeschichte erfahren will, sei an Anja zum Hingst (*Die Geschichte des Großen Brockhaus*, Wiesbaden 1995) verwiesen. Wir haben für unsere Recherchen die Lexika im Brockhaus-Archiv des Bibliographischen Instituts in Mannheim, in der Freiburger Universitätsbibliothek sowie im Privatbesitz befindliche Ausgaben benutzt; nähere bibliographische Angaben dazu finden sich weiter unten. Zu danken haben die Autoren Thomas Karlauf, der das Projekt angeregt und unterstützt hat.

W. B. / M. H. / R. W.

1. Zitierte Lexika (Brockhaus und Meyer)

Brockhaus 1796–1808: Conversationslexikon mit vorzüglicher Rücksicht auf die gegenwärtigen Zeiten, 6 Bde., Leipzig 1796–1808.

Brockhaus 1812: Conversations-Lexicon oder Hand-Wörterbuch für die gebildeten Stände über die in der gesellschaftlichen Unterhaltung und bei der Lectüre vorkommenden Gegenstände, Namen und Begriffe, in Beziehung auf Völker und Menschengeschichte; Politik und Diplomatik; Mythologie und Archäologie; Erd-, Natur-, Gewerb- und Handlungs-Kunde; die schönen Künste und Wissenschaften; mit Einschluß der in die Umgangssprache übergegangenen ausländischen Wörter und mit besonderer Rücksicht auf die älteren und neuesten merckwürdigen Zeitereignisse, 2. Aufl., 10 Bde., Leipzig 1812–1819.

Brockhaus 1819: Allgemeine deutsche Real-Encyclopädie für die gebildeten Stände, 5. Aufl., 10 Bde., Leipzig 1819–20.

Brockhaus 1827: Allgemeine deutsche Real-Encyclopädie für die gebildeten Stände (Conversations-Lexikon), 7. Aufl., 12 Bde., Leipzig 1827.

Brockhaus 1833: Allgemeine deutsche Real-Encyclopädie für die gebildeten Stände (Conversations-Lexikon), 8. Aufl., 12 Bde., Leipzig 1833–37.

Brockhaus Bilder-Conversations-Lexikon 1837: Bilder-Conversations-Lexikon für das deutsche Volk. Ein Handbuch zur Verbreitung gemeinnütziger Kenntnisse und zur Unterhaltung, 4 Bde., Leipzig 1837–41.

Brockhaus 1843: Allgemeine deutsche Real-Enzyklopädie für die gebildeten Stände. Conversations-Lexikon, 9. Aufl., 15 Bde., Leipzig 1843–48.

Brockhaus 1851: Allgemeine deutsche Real-Enzyklopädie für die gebildeten Stände. Conversations-Lexikon, 10. Aufl., 15 Bde., Leipzig 1851–55.

Brockhaus 1864: Allgemeine deutsche Real-Enzyklopädie für die gebildeten Stände, Conversations-Lexikon, 11. Aufl., 15 Bde., Leipzig 1864–68.

Brockhaus 1875: Conversations-Lexikon. Allgemeine deutsche Real-Enzyklopädie, 12. Aufl., 15 Bde., Leipzig 1875–79.

Brockhaus 1882: Brockhaus' Conversations-Lexikon. Die Allgemeine deutsche Real-Enzyklopädie, 13. Aufl., 16 Bde., Leipzig 1882–87.

Brockhaus 1892: Brockhaus' Konversationslexikon, 14. Aufl., 16 Bde., Leipzig 1892–96.

Brockhaus 1928: Der Große Brockhaus. Handbuch des Wissens, 15. Aufl., 20 Bde., Leipzig 1928–35.

Brockhaus 1952: Der Große Brockhaus, 16. Aufl., 12 Bde., Wiesbaden 1952–57.

Brockhaus 1967: Brockhaus Enzyklopädie, 17. Aufl., 20 Bde., Wiesbaden 1967–74.

Brockhaus 1996: Brockhaus. Die Enzyklopädie, 20. Aufl., 24 Bde., Leipzig, Mannheim 1996–99.

Meyer 1839–55: Das Große Conversationslexikon für die gebildeten Stände, 44 Bde., Hildburghausen 1839–55.

Meyer 1872: Neues Konversations-Lexikon, 3. Aufl., 19. Bde., Leipzig 1872–79.

Meyer 1902: Großes Konversations-Lexikon. Ein Nachschlagewerk des allgemeinen Wissens, 6. Aufl., 20 Bde., Leipzig 1902–08.

Meyer 1908: Großes Konversations-Lexikon. Ein Nachschlagewerk des allgemeinen Wissens, 7. Aufl., 20 Bde., Leipzig, Wien, 1908 bis 1909.

Meyer 1936: Lexikon, 8. Aufl., 9 Bde., Leipzig 1936–42.

Meyer 1971: Enzyklopädisches Lexikon, 9. Aufl., 25 Bde., Mannheim, Wien, Zürich 1971–75.

2. Andere zitierte Lexika

Damen-Conversationslexikon: Hg. v. Carl Herloßsohn im Verein mit Gelehrten und Schriftstellerinnen, 2. Abdruck, 10 Bde., Adorf 1835–1838.

Deutsche Enzyklopädie: Deutsche Encyklopädie, oder Allgemeines Real-Wörterbuch aller Künste und Wissenschaften, 23 Bde. Frankfurt 1778–1804.

Ersch/Gruber: Johann Samuel Ersch/Johann Gottfried Gruber, Allgemeine Encyclopädie der Wissenschaften und Künste, 167 Bde., Leipzig 1818–1889.

Neues Natur- und Kunstlexicon, enthaltend die wichtigsten und gemeinnützigsten Gegenstände aus der Naturgeschichte, Naturlehre, Chemie und Technologie. Zum bequemen Gebrauch insonderheit auch für Ungelehrte und für gebildete Frauenzimmer ausgearbeitet von G. H. C. Lippold und hg. v. C. Ph. Funke, 3 Bde., Weimar 1801–1803.

Pierer 1888: Konversations-Lexikon, Mit Universal-Sprachen-Lexikon, 7. Aufl., 12 Bde., Berlin, Stuttgart 1888–93.

Zedler: Johann Heinrich Zedler, Großes vollständiges Universal-Lexicon aller Wissenschaften und Künste, welche bishero durch menschlichen Verstand und Witz erfunden und verbessert worden, 68 Bde., Halle, Leipzig 1732–54.

3. Sekundärliteratur

Haltern, Utz: Politische Bildung und bürgerlicher Liberalismus. Zur Rolle des Konversationslexikons in Deutschland, Hist. Zeitschrift, Bd. 223 (1996), S. 61ff.

Hingst, Anja zum: Die Geschichte des Großen Brockhaus. Vom Conversationslexikon zur Enzyklopädie, Wiesbaden 1995.

Köhler, Otto: Der Brockhaus und sein Weltbild, Frankfurter Hefte, 9 (1975), S. 39ff.

Lenz, Werner: Kleine Geschichte großer Lexika, Gütersloh 1972.

Meyer, Georg: Das Konversationslexikon – eine Sonderform der Enzyklopädie, phil. Diss. Göttingen 1965.

A BIS Z

ABENTEUER. Alte Bezeichnung für den edlen Tatendrang eines »Volkes in der Jugend seines Nationallebens, wo sein Leiden und Genießen, sein Begehren und Verabscheuen Leidenschaft ist« (*Brockhaus* 1827). Frau Aventiure schickte Recken aus, die sich im Minnedienst oder in sinnlosen Kämpfen mit Zauberern, Drachen und fremden Rittern bewähren mußten. Später wurde das Abenteuer dann als das »unnatürlich oder ungereimt Große«, das »falsche Wunderbare«, »seltsam Thörichte« und »aufs Gerathewohl Unternommene« verurteilt, das »zu glauben Verzichtleistung auf den gesunden Verstand erfordert«. Das »Streben nach dem Hohen ohne zureichende Kraft«, der Wunsch, das »Unmögliche möglich zu machen«, verlangt vom aufgeklärten Subjekt heute ein »Abweichen von den ewigen Gesetzen der Vernunft, der Wahrheit, Möglichkeit und Wahrscheinlichkeit« und nötigt ihm bestenfalls romantisches Augenzwinkern, in der Regel aber nur ein »Gefühl des Komischen« ab. Abenteurer nennt das *Damen-Conversationslexikon* 1835 daher den »vom ebenen Pfade der Convention abirrenden« Phantasten, der »von der Thorheit der Leichtgläubigen sein Dasein fristet«. Für *Brockhaus* ging das Abenteuer 1892 auch »gern mit dem Beigeschmack des Gefährlichen oder Lüsternen« einher. Der kühne Ritter fand sich als Konquistador und Kaufmann wieder und kam im Zeitalter Cagliostros und Casanovas vollends zum betrügerischen Glücksritter und Schürzenjäger herab: Karikaturen des Renaissancemenschen, der »durch Spiel, Liebesintrigen, Duelle, gesellschaftliche Talente und persönliche Bekanntschaften in der ganzen Welt Mittel für Lebensgenuß oder Ansehen zu gewinnen wußte«. Heute sucht der Abenteurer im Himalaja den Yeti oder im Fernsehen neue Herausforderungen. Nichts ist unmöglich.

ABERGLAUBE. »Da aber, was den ›wahren Glauben‹ ausmacht, für verschiedene Völker und Zeiten sehr verschieden ist, so erscheint einem als Aberglaube, was dem andern wahrer Glaube ist.« (*Brockhaus* 1892).

ABERWITZ ist der »falsche Witz, der nach Ähnlichkeiten hascht, wo keine sind. Während der Witz Vergnügen erregt, bringt der Aberwitz nur Langeweile hervor« (*Damen-Conversationslexikon* 1835). Der verständige *Brockhaus* verstand 1827 unter Aberwitz jedes »falsche, oder übertriebene, oder durchaus mangelhafte Wissen«, das den gesunden Menschenverstand beleidigt; er befällt mit Vorliebe »gernwitzige Dichter, die überall Pointen nachjagen«. Vom groben →**Unfug** unterscheidet er sich durch seinen »Anspruch auf Witz und Verstand«; aber wenn die ihm inhärente →**Dummheit** (»wie wenn z. B. jemand meint und behauptet, eine große Entdeckung gemacht zu haben, die nichts anderes als ein haltloser Einfall ist, oder tiefsinnig über Problemen grübelt, die in sich selbst widersprechend sind«, *Brockhaus* 1864) auf »größere Partien des Gedankenkreises« übergreift, nähert er sich stracks »dem Wahnsinn, in welchen er auch übergehen kann« (*Brockhaus* 1882). Der *Brockhaus* stellt 1864 eine epidemiologische Behauptung auf, die jedoch leider nicht mit Zahlenangaben näher belegt wird: »Particulärer und momentaner Aberwitz ist übrigens viel häufiger, als man erwarten sollte, wenn man Verstand und Vernunft als ein ursprüngliches Eigenthum und nicht als ein mühsam erworbenes und sorgfältig zu hütendes Gut ansieht.«

ABFALL. Lange vor der Existenz von Mülltrennung, Tiermehlverfütterung oder des Seuchenschutzgesetzes gab es bereits sachdienliche Hinweise, wie eine sinnvolle Resteverwertung vorzunehmen sei. In dem Artikel »Aas« etwa findet sich 1892 im *Brockhaus* eine entsprechende Mahnung: »Es ist von größter wirtschaftlicher Bedeutung, dafür zu sorgen, daß die Kadaver unserer Haustiere möglichst ausgenutzt werden, denn die einfache Verscharrung zahlreicher Kadaver an einem beschränkten, der Bodenkultur dabei unzugänglichen Ort bedeutet eine Verschwendung an wertvollem Materiale.« Auch die Zunahme des Mülls war bereits vor mehr als hundert Jahren als Problem bekannt: »Die Menge der Abfälle erreicht oft einen sehr hohen Betrag, und es ist eine wichtige Aufgabe der Technik, durch eine zweckmäßige Einrichtung der Fabrikationsprozesse die Abfälle entweder zu vermindern oder nutzbar zu machen« (*Brockhaus* 1892). Abfall bezeichnet im *Brockhaus* 1864 »die Lossagung Einzelner oder ganzer Gemeinschaften von ihrem bisherigen Glauben«, ohne daß ersichtlich wird, wie das weitere Schicksal der Abgefallenen aussah. Dabei bleibt tröstlich, daß »nicht jeder Abfall schlechthin verwerflich (ist), sondern nur ein solcher, welcher entweder aus Schwäche des Verstandes oder des Charakters, oder gar aus äußern, eigennützigen Beweggründen geschieht«.

ABFÜHREN. Viele Menschen starten mit guten Vorsätzen in ein neues Jahr. Sie wollen gesünder leben und abnehmen. Hier gibt es allerdings ein paar Regeln zu beachten. Manche Menschen benutzen nämlich zur Beschleunigung des Gewichtsverlusts abführende Mittel. Hier gilt nach dem *Brockhaus* von 1843: »Die geeignetste Zeit für die Verwendung sämmtlicher Abführmittel ist der Morgen, wo überhaupt der Verflüssigungsproceß und mit ihm die Excretionen vorherrschen.« Allerdings wird bereits im *Brockhaus* von 1892 vor der unsachgemäßen Verwendung der Abführmittel gewarnt: »Die Laien aber bedienen sich zu diesem Zweck oft zu ihrem großen Schaden starker drastischer, vorzugsweise aloehaltiger Geheimmittel, z. B. der Morrisonschen Pillen, der Schweizer Pillen, der Salzunger Tropfen, der Augsburger Lebensessenz u. dgl.« Zehn Jahre später werden die zahlreichen Produzenten von Abführmitteln zwar leider nicht mehr namentlich erwähnt, doch auch im *Meyer* aus dem Jahr 1902 dominieren eindeutige Warnungen, die heute nur unzureichend durch das verharmlosende Kauderwelsch auf den Packungsbeilagen ersetzt worden sind: Abführende Mittel »wirken, nicht am rechten Platz angewendet, oft recht schädlich«. Besonders ist »vor dem Gebrauch drastischer Tinkturen und Pillen, welche die geschäftige Industrie dem Publikum anbietet, ernstlich zu warnen«. Schließlich gibt es auch andere Wege zum Gewichtsverlust. Man kann beispielsweise versuchen, weniger zu essen. Wenn dadurch die Kilos purzeln, hat dies einen durchaus erwünschten Nebeneffekt, wie unter dem Artikel »Abmagerung« im *Brockhaus* von 1892 dargelegt wird: Denn da das Fett »hauptsächlich in dem unter der äußern Haut gelegenen sog. Unterhautzellgewebe angehäuft ist, so verrät sich sein Schwinden sehr bald auch äußerlich«. Das läßt hoffen. Die typischen Problemzonen schienen dem Autor ebenfalls nicht unbekannt zu sein, denn er bemerkt »die Eigentümlichkeit, dass das Fett an verschiedenen Körperstellen eine sehr verschiedene Disposition zum Schwinden hat, so dass die allgemeine Abmagerung stets eine ungleichmäßige ist«. Wer während einer Diät unbedingt auf Ersatzbefriedigungen zurückgreifen muß, sollte sich allerdings nicht »die bei vielen Völkern beobachtete Gewohnheit« zu eigen machen, »Erden von gewisser Beschaffenheit zu essen. Diese Gewohnheit findet sich z. B. in den Sandsteingruben des Kyffhäuser und im Lüneburgischen, wo die Arbeiter einen feinen Ton, die sogen. Steinbutter, auf das Brot streichen« (*Meyer* 1902, Artikel »Erdeessen«). »Charakteristisch für den pathologischen Erdeesser ist der Hängebauch, allgemeine Abmagerung, Anschwellung der Leber und Milz.« Außerdem »kann das Erdeessen auch einen perversen Nahrungstrieb darstellen, wie er sich bei Bleichsüchtigen und Hysterischen, auch bei jüngeren Mädchen findet, die z. B. Kreide, Schiefer, Griffel in den Mund nehmen und daran kauen, auch alten Mörtel essen«. Man sieht, wohin exzessive Diätbemühungen führen können.

ABHÄRTUNG mutet zwar heute etwas altfränkisch an, doch in keinem Land wird bis in unsere Zeit so stark an die Wirkung von kalten Güssen, Wechselduschen und anderen abhärtenden Maßnahmen geglaubt wie im verweichlichten Deutschland. Ratschläge zur Abhärtung, noch ganz im Zeichen der Diätetik, finden sich im *Brockhaus* von 1827: »Zur Ertragung von Ungemach bereitet vor: einfache, doch kräftige Kost, Aufenthalt in freier, reiner Luft und starke Bewegung. Man verbanne Alles, was bloß die Sinne schmeichelt; man muss vor Allem die innere Heiterkeit des Geistes erhalten und dessen höhere Richtung vor Augen haben.« Allerdings kann die physische Belastung zwecks Abhärtung auch Schäden verursachen, gerade während der empfindlichen Phasen des Wachstums. Deswegen darf die Abhärtung »eigentlich erst nach völliger Ausbildung des organischen Körpers stattfinden; daher ist das jetzt in Kriegen so allgemein gewordene Bivouakiren in jedem Klima zerstörend für die Gesundheit vieler junger Individuen« (*Brockhaus* 1827). Der *Brockhaus* führt 1843 die Techniken der Abhärtung genauer aus: »Oft aber, und namentlich bei weniger cultivierten Völkern, z. B. Russen, Tataren, Irokesen u.s.w., wird die Abhärtung der Kinder durch Eintauchen der Neugeborenen in kaltes Wasser, leichte Bekleidung, Entziehung der Nahrung für einige Zeit, Tattowiren und andere Mittel absichtlich herbeigeführt.« Diese Sitten werden nicht ausdrücklich verurteilt, doch die Einschätzung der Risiken durch derart barbarische Abhärtungsmethoden fällt eindeutig aus: »Denn sie ist unsern Culturverhältnissen nicht angemessen und der Natur entgegen, die für das jüngere Lebensalter einen gewissen Wärmegrad, Weichheit und Bequemlichkeit fordert.« Die Abhärtung wirkt schließlich »eher nachtheilig und zerstörend auf den Organismus ein, besonders bei schwächlichen Kindern; sie bringt die zarten Wesen um die Weichheit und Süßigkeit ihres Kindesalters; sie ertödtet die Zartheit und Sanftheit des Gemüthes und macht unempfindlich wie gegen den Schmerz, so gegen die Freude; sie raubt selbst dem Körper Biegsamkeit, Geschmeidigkeit und Gewandtheit.« Fünfzig Jahre später (*Brockhaus* 1892) unterscheidet das Lexikon zwischen geistiger und körperlicher Abhärtung: »Die geistige Abhärtung besteht wesentlich in der Erziehung der Kinder oder der Selbsterziehung des Erwachsenen zur Charakterstärke, zur Standhaftigkeit gegen Mißgeschick, zur Beherrschung der Leidenschaften, zum Maßhalten in Freud und Leid.« Verändert hat sich auch die Einschätzung der Abhärtungstechniken, die mit der Ernährung zu tun haben. Im *Meyer* von 1902 steht beispielsweise noch: »Dem gesunden Magen soll auch die Bewältigung schwerverdaulicher Speisen zugemutet werden.« Doch schon der nächste Satz bringt zeittypische Ratschläge zum Schutz gegen →**Nervenschwäche** und andere Überlastungen: »Empfehlenswert aber ist die Abhärtung gegen Erregungen, wie sie das tägliche Leben so häufig bringt. Wer den geistigen Menschen widerstandsfähig macht gegen allerlei große und kleine Unbill, gewinnt an Sicherheit vor Erkrankung des Körpers, und wer den Körper zweckmäßig abhärtet, wird im Stande sein, den Nerven Erhebliches zuzumuten.« Heute wird unter Abhärtung nur noch eine körperliche, »Steigerung der Anpassungsfähigkeit an veränderte Umwelt- und Lebensbedingungen« verstanden, wie etwa »die Gewöhnung an äußere Belastungen, bes. an Wärme, Kälte und Nässe, oder an Entbehrungen und Anstrengungen« (*Brockhaus* 1996). Reichlich diffus bleiben die Ausführungen über Vor- und Nachteile (»Schutz des Körpers, z. B. vor Auskühlung, und der Vorbeugung, z. B. gegen Erkältung«) oder die Anleitungen zum Wann und Wie. Dafür liefert der *Brockhaus* von 1996 einen Hinweis auf den physiologischen Mechanismus der Abhärtung, die angeblich »auf einem Training der Elastizität und Kraft der Muskelfaserschicht in der Wand der

Blutgefäße beruht«. Diese mag bei heute weitgehend akzeptierten Kulturtechniken wie Tätowieren und Piercing dazu beitragen, daß aus zarten Wesen noch während der Weichheit und Süßigkeit ihres Kindesalters abgehärtete Gören werden.

ABORT. Die Gestaltung des stillen Örtchens (→**Groß-Popo**) ist von Architekten häufig vernachlässigt worden. Im *Brockhaus* 1892 finden sich Ermahnungen zur Besserung: »Die richtige Einordnung des Aborts in den Grundriß namentlich der Wohnhäuser bildet eine der schwierigsten Aufgaben des Baumeisters. Zu beachten ist: 1) Der Abort ist nicht zu weit von den eigentlichen Wohnräumen entfernt anzulegen; 2) muß er vor allem gut erleuchtet und gut ventiliert sein, da nur so vollkommene Reinlichkeit zu erreichen ist; 3) muß er hinreichend geräumig sein, damit der Benutzer sich frei in ihm bewegen kann; 4) muß er aus Materialien hergestellt sein, die dem zerstörenden Einfluß der menschlichen Abfallstoffe sowie den sich aus diesen entwickelnden Gasen widerstehen.«

ABPROTZEN »sagt man vom Geschütz, wenn die Protze – das Vordergestell der Laffetirung – von der Laffete, auf welcher die Kanone ruht, durch das Ausknebeln der Protzkette, ausgehoben und seitwärts geführt wird« (*Brockhaus* 1812). Protzkette? Vordergestell der Laffetirung? Unweigerlich denkt man an Arno Schmidts Kurzgeschichte *Sommermeteor*, in der er seine Erfahrung mit »J. A. E. Schmidt, *Handwörterbuch der Französischen Sprache*, 1855« schildert: »Ich schlug aufs geratewohl auf, Seite 33: ›Auget = Leitrinne, in welcher die Zündwurst liegt‹ – ich kniff mich in den Oberschenkel, um mich meiner Existenz zu vergewissern: Zündwurst??!! (und dieses ›auget‹ würde ich nun nie mehr in meinem Leben vergessen; ein gußeisernes Gedächtnis ist eine Strafe!).–«

ABSCHRECKUNGSTHEORIE. Nicht erst seit Thomas Hobbes' Rede vom »terror of the law« geistert der Gedanke der Abschreckung durch strafrechtliche Diskurse, aber seither und bis heute gilt Abschreckung noch häufig als Grund und Grundlage des Strafens. *Brockhaus* (1864) hat die Untiefen der Argumentation früh erkannt und kritisiert. Strafen sollen nicht nur der Sühne und der Vergeltung in der Gegenwart, sondern auch der Abschreckung in der Zukunft dienen. »Aber man konnte sich der Einsicht nicht lange verschließen, daß diese Argumentation zu stets härteren Strafen führe, sobald sich die Unzulänglichkeit der zugefügten Strafe durch Begehung neuer Verbrechen, sei es von demselben Individuum oder anderen, herausgestellt hat. Die Neueren betrachten daher jene Abschreckung mit ihrer Argumentation als eine historische Reminiszenz.« Die »historische Reminiszenz« hat sich als ziemlich zählebig erwiesen, zumindest im Alltagsbewußtsein und am Stammtisch. Die empirische Basis der Abschreckungstheorie ist dürftig geblieben und zehrt nach wie vor von sozialpsychologischen Spekulationen der gröberen Art.

ABSINTH scheint ein teuflisch Ding zu sein und bezeichnet in der »Volkssprache« den »gemeinen Wermut« (*Brock-*

haus 1864, Artikel »Absynthium«). In frühen Lexikonausgaben wird noch seine Heilkraft in »verschiedenen zusammengesetzten Arzneien« betont. So wird er »von Personen genossen, welche die natürliche Wiederkehr des Appetits vor Tische nicht abwarten wollen oder wirklich an Verdauungsschwäche leiden«. In späteren Ausgaben wird seine schädliche Wirkung indes nicht verschwiegen. Einerseits hilft Absinth zwar »als magenstärkendes und wurmwidriges Mittel in der Medizin« (*Brockhaus* 1892). Andererseits erzeugt »übermäßiger Genuß« eine »bis zu Krämpfen sich steigernde Nervenreizung mit späterer Lähmung (Absinthismus)«. Diese Risiken und Nebenwirkungen müssen auf allgemeines Interesse gestoßen sein, denn der *Meyer* von 1902 kennt »die Stunde des Absinths (l'heure de l'absinthe), in Paris die Zeit von 4 bis 6 Uhr nachmittags«. Seit Alfred de Musset »heißt der Absinth in Paris Muse verte«, und zwar »weil er die mangelnde Begeisterung ersetzen soll«. Derartige Bestrebungen wurden der Obrigkeit bald suspekt, so wurden »Herstellung und Genuß des Absinths in verschiedenen Ländern (Schweiz, Italien, Frankreich, Belgien, Holland, Deutschland)« angeblich »wegen seiner Schädlichkeit« verboten (*Brockhaus* 1928). In der Schweiz nutzte eine unheilige Allianz aus Abstinenzlern und Weinlobby die Gunst der Stunde nach einem unter Alkoholeinfluß begangenen Kapitalverbrechen, um erfolgreich ein bis heute bestehendes Absinthverbot durchzusetzen.

ABSITZEN »ist ein Heruntersteigen vom Pferde, das Gegentheil vom Aufsitzen. Wenn das Pferd an der Kandare gezäumt ist, ergreift der Reiter einen hinlänglichen Theil der Mähne, umfasst solchen dergestalt mit den vier Fingern der linken Hand, daß der kleine Finger auf dem Kamm des Pferdes ruht, wickelt ihn alsdann um den aufwärts gerichteten linken Daumen und schließt die Hand fest zu; die rechte Hand stützt sich so auf den rechten Pistolenhalfter, daß der Daumen links gestellt ist; der rechte Fuß verlässt den Bügel. Hierauf überschreitet der rechte Schenkel mit gestrecktem Knie die Kruppe des Pferdes, ohne sie zu berühren, wobei die aufgestützte Hand dem Körper zur Stütze dient; während der rechte Fuß die Kruppe passirt, verlässt die rechte Hand den Pistolenhalfter, um den Kranz (Knopf) des Sattels anzufassen…« Und so weiter. Die *Allgemeine Encyclopädie der Wissenschaften und Künste,* genauer: ein Herr von Bieberstein, widmet 1818 Begriff und Praxis des Absitzens 37 zügellos ausschweifende Zeilen: genug, um auch hippologische Laien in die Reitkunst einzuführen, aber vergleichsweise wenig, wenn man bedenkt, daß das monumentalste Nachschlagewerk deutscher Zunge acht Bände und 3668 Seiten auf das Stichwort »Griechenland« verwendete. Das von den Herren Ersch und Gruber herausgegebene Mammutwerk wurde 1818 nach Art des Tunnelbaus an mehreren Stellen des Alphabets begonnen; nach 167 Bänden mußten die Bohrungen 1889 beim Buchstaben P abgebrochen werden. So blieb *Zedlers Grosses vollständiges Universal-Lexicon aller Wissenschaften und Künste,* das zwischen 1732 und 1754 in 68 Folianten erschien, der

Rekordhalter unter den deutschsprachigen Lexika. Absitzen zum Gebet: Auf 62 571 Seiten behandelte der Zedler 750 000 Stichwörter. Noch kolossaler war nur die 5020bändige Enzyklopädie, die der Kaiser von China 1726 in Auftrag gab. Die Schweizer Miliz kennt übrigens noch heute das Absitzen vom Militärfahrzeug.

ABSOLUT. Dieser Begriff wird bereits im *Brockhaus* von 1812 absolut präzise erklärt: »Absolut heißt, was in aller Beziehung, ohne Rücksicht und Beschränkung, das und so ist, was und wie es ist.« Im *Brockhaus* des Jahres 1996 klingt die Erläuterung weniger elegant: »Für sich betrachtet, unbedingt, unbeschränkt, vollkommen, was schlechthin oder in einer bestimmten Hinsicht losgelöst ist von der Beziehung zu anderem; Ggs.: relativ.«

ABTREIBUNG ist im *Brockhaus* von 1812 bis 1843 kein eigener Artikel gewidmet. 1864 bezeichnet der *Brockhaus* die »Abtreibung der Leibesfrucht« als »jede rechtswidrige, das Leben des Kindes hindernde Entfernung der Frucht aus dem Mutterleibe«, erkennt aber an, daß »z. B. aus Sorge für die Mutter oder für das Kind« eine »vorzeitige Förderung der Geburt« veranlaßt werden kann, wobei dabei keinesfalls von einer A. die Rede sein darf. Im *Brockhaus* von 1892 wird noch nicht auf die vielfältigen Gründe für eine Abtreibung und die mögliche Notlage der Frauen eingegangen; 1928 weiß *Brockhaus*, daß Abtreibung »aus sozialer Not« auch »durch das Gesetz verboten« ist. Dafür weist der Autor im *Brockhaus* von 1892 ausführlich auf die Strafbestimmungen und die Mittel zur Abtreibung hin: »äußere oder mechanische, innere oder dynamische (Abortivmittel im engern Sinne). Auch psychische – Erregung von Angst, Furcht, Schrecken – sind nicht ausgeschlossen.« Die Tradition des Bangemachens der Frauen ist lexikalisch beibehalten worden und konnte auf eine lange Geschichte zurückblicken. Im alten Rom war der Strafgrund für die Abtreibung nicht der Schutz des Embryos, »sondern die Besorgnis vor einer weiteren Zerrüttung des Familienlebens, welche bei der unter den röm. Frauen verbreiteten Abneigung gegen die Übernahme der mütterlichen Pflichten gerechtfertigt schien. Auch in der heutigen Gesellschaft fehlt es nicht an Anzeichen dafür, daß ähnliche Abneigungen wie zur röm. Kaiserzeit vorkommen.« Im *Brockhaus* von 1928 wird bei der Abtreibung, diesem »kriminellen Abort«, die antike Tradition beiseite gelassen, dabei aber vor jeglicher Kurpfuscherei gewarnt, da »oft falsche Wege gebohrt werden«. Aber auch »medikamentöse Mittel helfen zu diesem Zwecke so gut wie nichts, ebensowenig Malträtierung des Körpers«.

AEROBIC. Der neueste *Brockhaus* definiert »Aerobic« 1996 als »im Rhythmus von Discomusik betriebene intensive Form der Gymnastik«. Die Vorgeschichte erzählt *Meyer* (1839–55) im Artikel »Gymnastik« ausführlich. Die Herren Jahn, Gutsmuths und Eiselen sorgten Anfang des 18. Jahrhunderts dafür, daß die patriotisch imprägnierte Gymnastik »im deutschen Volksleben jene bedeutungsvolle Stelle« einnahm, »welche sie einst im alten Hellenenthume inne gehabt«. Aber dann kam bald der Artillerieoffizier Clias aus Bern, der die »dortige akademische Jugend« trimmte. Mit seinem grundlegenden Werk *Principes de Gymnastique* (1819) fand er in Paris, Mailand und London Beachtung. »Als Clias nach seiner Rückkehr in Bern den am Wasserkopf und Unterleib leidenden siebenjährigen Sohn des englischen Gesandten, zu dessen Heilung schon alle ärztlichen Mittel vergeblich erschöpft worden waren, mit glücklichem Erfolge in der Gymnastik übte« schoß sein Ruhm in die Höhe. Der Offizier kam auf die Idee, auch Mädchen – »unter den nötigen Beschränkungen« – gymnastisch zu schulen, und gab seiner »für die weibliche Jugend berechneten Gymnastik den Namen Kallisthenie« (→**Frauenfrage**). Der gelehrte Kunstausdruck »Kallisthenie« kombiniert für das Riesengeschäft von, mit und nach Jane Fonda die griechischen Wörter für »Schönheit« und »Kraft« und zielt damit weit über die profanen Zwecke männlicher Gymnastik hinaus. Die erschöpften sich nämlich im Pädagogischen und Militärischen. →**Gymnastik.**

AFFEN. Kafka hatte unrecht: »Umgang und Bildung (kann) aus dem rohen Wilden einen gebildeten Menschen, aus dem gelehrigsten Affen aber immer nur ein etwas klügeres Thier bilden« (*Brockhaus* 1827); alle Berichte, wonach er Braten wenden oder mit Messer und Gabel essen könne, sind Märchen aus Afrika, »wo der Mensch lieber sagen hört als selbst forscht«. Selbst der aufrechte Gang fällt dem Affen schwer: »Kein Affe hat jemals eine Wade.« 1892 billigt *Brockhaus* wenigstens den jungen Affen »hohe Intelligenz« zu, »während im höhern Alter die tierischen Affekte vorwiegen«: Lüsternheit, Wachsamkeit, List, Neugier und selbst Mut, beim Menschenaffen sogar Melancholie. Funkes *Neues Natur- und Kunstlexicon* fand schon 1801 den Affen »bei aller Verschlagenheit doch ungelehrig, oder viel mehr widerspenstig ... Er ist so wenig Herr seiner Begierden, daß auch die heftigsten Schläge, so sehr er sie fürchtet, nichts über ihn vermögen. Der Schlauheit nach, die der Affe beim Stehlen zeigt, sollte man glauben, es müsse ihm gar nicht an Ueberlegung fehlen; allein man irrt sich!« Er kann uns nur nachäffen und »wäscht sich, wenn er Menschen sich waschen sahe, mit hingesetztem Leimwasser das Gesicht, und verkleistert die Augen so, daß er im Dunkeln umhertappt und seinem Feinde nicht entgehen kann«. Immerhin sah man zahme Affen auch schon Bier und Branntwein pokulieren und Paviane, »vielleicht die geilsten Affen« überhaupt, »in Ermangelung anderer Waffen mit ihren Excrementen« werfen. Brüll- oder Predigeraffen versammeln sich, so man Funke glauben darf, zu einer Art Gottesdienst oder vielmehr Parlamentsdebatte: »Einer von ihnen stellt sich auf einen erhabenen Ort und gibt den andern mit der Hand ein Zeichen, daß sie sich um ihn her niedersetzen und zuhören sollen. Es hebt hierauf ein solches Geschrei an, daß man glauben sollte, die ganze Versammlung stimme ein. Gleichwohl schweigen die übrigen ganz still, bis der Redner mit der Hand ein neues Zeichen gibt, dass sein Vortrag zu Ende sei.« Diese »Affenpredigt« ist der Säkularisation zum

Opfer gefallen; heute halten die Affen Kunstwerke und Maulaffen feil oder arbeiten als Moderatoren beim Fernsehen.

AFRIKA. Mit den Völkern Afrikas hatten die Lexika ihr Kreuz. Und an diesem trugen sie einmal leichter, einmal schwerer. 1902 kündigte *Meyer* den Hottentotten im entsprechenden Artikel den »Rassentod« an, wenn sie weiterhin »die Sitten und noch mehr Unsitten der Europäer« annähmen. Während das Lexikon in der ersten Auflage von 1839–55 noch feststellte, »der europäische Branntwein, ganz allgemein unter ihnen, hat großen Schaden angerichtet«, heißt es gut sechzig Jahre später: »Für den Genuß von Branntwein und Tabak gibt der Hottentotte alles hin.« So oder so: Europa war für Afrika immer eine tödliche Gefahr. →**Buschmänner.**

AKKLIMATISATION. Seit ältesten Zeiten hat der Mensch das Bedürfnis, »für sich in andern, weniger bevölkerten Klimaten neue Wohnsitze zu erringen« (*Brockhaus* 1892). Dabei gilt es bestimmte Empfehlungen zu beachten, etwa wenn der Urlaub an der Nordsee verbracht wird: In den ersten Ferientagen sollen besonders Kinder es ruhig angehen lassen. Wegen der Akklimatisation, was immer das auch bedeutet. Im Ringen um neue Wohnsitze wie Sandburg und Strandkorb versuchen sich manche Gäste einen Standortvorteil zu sichern, indem sie ihren bissigen Mischlingsköter am Strandkorb anleinen. Dieses Verhalten steht allerdings in bester evolutionärer Tradition, wie der *Brockhaus* von 1892 bestätigt, denn der Mensch pflegt »auch Tiere und Pflanzen, welche ihm nützlich sein könnten, in solchen Klimaten einzubürgern, in welchen sie ursprünglich nicht vorkommen. Diese Angewöhnung an ein fremdes Klima kann nur nach einem gewissen Kampfe geschehen, und es tritt stets eine Verschiedenheit zwischen den einzelnen Arten und Rassen hinsichtlich der Leichtigkeit hervor, womit die Anschmiegung an das neue Klima stattfindet.« Versuche der Anschmiegung gehen auch in anderen Gegenden der Welt nicht spurlos an den Menschen vorüber. Wer sich etwa heute den Ureinwohnern des beliebtesten Reiseziels deutscher Pauschaltouristen zu sehr anschmiegt, läuft Gefahr, daß seine Haut sich nicht der Gerbung der Mallorciner anpaßt, sondern sich sonnenpickelig verändert, zur sogenannten Mallorca-Akne. Andere Auswirkungen der Akklimatisation konnten vor mehr als 100 Jahren auch in der Neuen Welt beobachtet werden, wie der *Brockhaus* 1892 feststellt: »So bemerkt man, dass die in Nordamerika eingewanderten Europäer in den folgenden Generationen straffe Haare, einen dünnen langen Hals und magereren Körper erhalten und echte Yankees werden.« Das mag zwar nicht gewollt sein, ist aber für die Yankees immer noch erträglicher als die Schäden an Leib und Leben, die bei einem Wechsel vom Norden in den Süden (und umgekehrt) drohen. Der *Brockhaus* vermerkt dazu 1843, daß »der Nordländer mit seinem vorherrschenden arteriellen Brustleben plötzlich die wenig tätige Hautrespiration in Gang bringen« muß, »wenn er nach dem Süden kömmt«. Zumeist reagiert er darauf mit »Ruhr und anderen Darmleiden« (→**Abort**). Der Südländer dagegen »mit seinem vorherrschenden venösen Bauchleben soll plötzlich die rege Hautrespiration mit erhöhter Lebenstätigkeit aufgeben, wenn er nach dem Norden kömmt« (→**Leben**). Ihn plagen in fremder Umgebung eher Blutungen und Erkrankungen der Lungen. Als Fazit bemerkt der *Brockhaus* 1843: »Im Allgemeinen akklimatisieren sich Pflanzen leichter als Menschen und Tiere.«

AKTIENGESELLSCHAFT. August Ludwig von Schlözer, Staatstheoretiker, entzauberte den Staat Ende des 18. Jahrhunderts zur Versicherungsanstalt, wörtlich zur »BrandCasse«, an die jeder nach seinen Möglichkeiten und seinem Besitz Beiträge abführe und dafür entsprechende Leistungen erwarten könne. Dem widerspricht *Meyer* mit Berufung auf das bürgerliche Selbstverständnis ebenso energisch wie zwiespältig – nämlich nicht vom Standpunkt des Rechts aus, sondern von jenem des Besitzes: »Wer den Staat als eine Aktienanstalt ansieht, in welcher jeder nach seinem Einsatz an dem Stimmrecht und dem Gewinn Teil nimmt, der begeht den Unsinn, das, was der einzelne hat und ist, als eine vorstaatliche und vorgesellschaftliche Existenz anzuschauen, während doch Staat und Gesellschaft sich ineinander entwickeln und ihre Entwicklung die Entwicklung des Besitzes ist.« Von dieser Basis aus konnte rechtliche Ungleichheit nicht kritisiert werden, ja nicht einmal ins Blickfeld kommen, denn auch diese war im Ergebnis darstellbar als die Art, »wie Staat und Gesellschaft sich ineinander entwickeln« (*Meyer* 1839 bis 55, Artikel »Konstitution«). Neben dem besitzenden, rechtsfähigen und mitredenden Bürger blieb »die Masse zurück, welche nur regiert wird«. Das war freilich nicht *Meyer*s letztes Wort. →**Masse, unberechtigte.**

ALHAMBRA. 1837 war der maurische Baukomplex in Granada noch »verödet ... Zeit und Wetter arbeiten an seiner gänzlichen Zerstörung. Von den alten äußeren Mauern sind nur noch wenige Spuren vorhanden« (*Brockhaus' Bilder-Conversations-Lexikon* 1837). Mehr als »Zeit und Wetter« haben dem prächtigen Palast Karl V. und seine katholischen Truppen zugesetzt. Er ließ Teile des Palastes zerstören und durch einen Palast im »christlichen« Renaissancestil ersetzen. Das liest man freilich erst siebzig Jahre später bei *Meyer* (1902). Der Legende nach soll Karl V., als er in Cordoba sah, wie barbarisch christliche Herrscher in die monumentale Omaijaden-Moschee (La Mezquita) eine christliche Kirche hineingebaut hatten, sehr nachdenklich geworden sein und ausgerufen haben: »Ich sehe, was Ihr gebaut habt. Seht Ihr auch, was Ihr zerstört habt?«

ALP. Beängstigender Traumzustand, bei dem sich nach altem Aberglauben Unholde, In- oder Sukkuben auf die Brust der Schlafenden setzen, um sie zu ersticken. »Ohnmacht oder Gefühl des Todes will eben das dunkle Bewußtsein vernichten, da erwacht man mit klopfendem Herzen und von Angstschweiß gebadet, und alle Empfindung verschwindet bei dem schönen Gefühl, auf seinem gewohnten Lager zu liegen, und sich durch Betastung und Bewegung als unbeschädigt wieder zu erkennen« (*Damen-Conversationslexikon* 1835). 1827 rechnete *Brockhaus* »Unterdrückung periodischer Ausleerungen« zu den Ursachen des Alpdrükkens, 1892 auch »intensives geistiges Arbeiten oder ein weiter Marsch in den späten Abendstunden«. Zur Beruhigung empfahl er »womöglich einen Schlafgenossen«.

ALPENBEWOHNER scheinen kräftiger und zumindest körperlich widerstandsfähiger zu sein als die übrigen Europäer. Die Erfolge von Luis Trenker, Reinhold Messner und Arnold Schwarzenegger sprechen für sich. Der *Brockhaus* erwähnt 1882 (Artikel »Arsenikesser«) eine mögliche Ursache für das enorme Leistungsvermögen mancher Älpler: denn »obwohl das Arsen in fast allen seinen chem. Verbindungen ein sehr heftiges Gift ist«, können »kräftige Personen selbst den oft wiederholten Genuß desselben ertragen«. Ja, »in Steiermark, Salzburg und Tirol ist sogar die Unsitte, Arsenik zu essen, ziemlich verbreitet«. Zweck des nicht ganz ungefährlichen Unternehmens ist, »ein gesundes, frisches Aussehen, Wohlbeleibtheit, größere Ausdauer, insbesondere beim Bergsteigen, zu erlangen, und wirklich scheint es, als ob dies wenigstens teilweise erreicht würde«. Doch das Arsendoping muß nur bei wenigen Individuen dauerhaft zum Erfolg geführt haben, denn »kräftige und unverwüstliche Naturen, wie man sie unter den Älplern findet, ertragen solche Gewohnheit oft sehr lange, ausnahmsweise bis ins hohe Alter, sofern sie darin Maß zu halten wissen; andere verfallen früher oder später dem Siechtum einer chronischen Arsenikvergiftung.« Trotz dieser Erfahrungen mit →Arsen schreckten die Älpler selbst vor einer anderen Unsitte nicht zurück: »Auch Pferden und Schlachtvieh wird dort vielfach Arsenik gereicht, um ihnen ein besseres Aussehen und mehr Fülle zu geben« (*Brockhaus* 1882), das heißt vulgo, sie »glatt, fett und feurig erscheinen zu lassen« (*Meyer* 1902).

AMAZONEN. Kriegerischer Frauenstamm, der mit »Männern Gemeinschaft bloß der Fortpflanzung wegen« pflog. Die rechte Brust hatten sich die Amazonen ausgebrannt, um den Bogen freier spannen zu können; die Mädchen blieben Jungfrauen, bis sie drei Männer erlegt hatten. In der griechischen Kunst erscheinen sie jedoch »in ideal schönen Formen, keineswegs bloß mit einer Brust« (*Brockhaus* 1892). Das *Damen-Conversationslexikon* hielt 1835 die »hochbusigen Jungfrauen« für Priesterinnen der Diana, die in der »begeisterten Raserei ihres orgischen Götterdienstes ernsten Gebrauch von den Waffen« machten. Als Papageien bezeugen die Amazonen »bedeutendes Verständnis« für Worte, Personen und Dinge. »Gut abgerichtete Sprecher« kosteten 1892 nach *Brockhaus'* Preisliste bis zu 300 Mark, ungebildete Exemplare der bepuderten, gelbscheiteligen oder Müller-Amazonen gab es schon für 20 Mark.

AMERIKA hatte es von jeher besser: Seine »jugendliche Naturkraft war und ist für den gedrückten Europäer der willkommenste Boden, in dem sich die alternde Welt des Ostens nach Körper und Geist verjüngt« (*Brockhaus* 1827).

Auf diesem Humus gedeihen Leib, Seele und vor allem Teint der Frauen fast so schön wie bei uns. Nach Beobachtungen des *Damen-Conversations-lexikons* von 1835 haben die englischstämmigen Damen »alle Prüderien«, die Französinnen ihre Pariser Koketterie beibehalten, und auch die »deutschen Frauen Amerika's, von Tugendgleisnerei und Gefallsucht weit entfernt, sind ihrem Charakter treu geblieben: Sie sind gesittete Jungfrauen und keusche, brave Hausfrauen.« Der Spanierin kommt ein »durch die Kunst nicht verbildeter Geist« zu Hilfe: Sie kann »kaum nähen, nur im Gebetbuch lesen, etwas Clavierspielen, aber leicht und anmuthig tanzen«; das genügt ihr in den Tropen vollkommen. Auch die Kreolinnen sind zu »reizender Unthätigkeit« verurteilt. Zwar gebricht es ihnen an »Kraft und Frische der Incarnation«; aber man kann ihnen »Eitelkeit und Putzsucht, welcher doch selbst die Negersclavin ergeben ist, wohl verzeihen«.

AMTSBELEIDIGUNG wird als »Verletzung der Amtsehre« auch ohne Strafantrag des beleidigten Beamten verfolgt. »Voraussetzung hierbei ist aber, daß die Beleidigung noch zu Lebzeiten zugefügt worden ist; denn die Beleidigung Verstorbener folgt besondern Regeln.« (*Brockhaus* 1892). Übrigens muß man sich in Preußen, wo, wie wir wissen, eine Bürokratie »im guten Sinne« herrscht, »davor hüten, aus Angst vor Bureaukratie den Segen eines pflichtbewußten, strengen und bedürfnislosen Beamtenstandes zu unterschätzen« (*Brockhaus* 1892, Artikel »Bureaukratie«).

ANARCHISMUS. »Eine kritische Beurteilung des Anarchismus wird zweckmäßig an die verwandten Anschauungen der Socialdemokratie anknüpfen. Beide stimmen darin überein, daß sie die heutige Gesellschaftsordnung als die besitzenden Klassen eindeutig begünstigend und zur Ausbeutung des Arbeiters führend bekämpfen … Im allgemeinen haben sich die bestehenden Gesetze gegen den Anarchismus als ausreichend erwiesen. Im deutschen Reiche führte das Reinsdorffsche Attentat zum Erlaß des Gesetzes gegen den verbrecherischen und gemeingefährlichen Gebrauch von Sprengstoffen vom 9. Juni 1884.« (*Brockhaus* 1892). Vom Ausnahmegesetz gegen die Sozialdemokratie, das zwischen 1878 und 1890 galt, war im ganzen Artikel nicht mehr die Rede. Daraus erklärt sich, warum die Intellektuellen unter den deutschen Sozialdemokraten im Kaiserreich ein zwiespältiges Verhältnis hatten zu den Konversationslexika. Sie hielten sie gleichermaßen für unentbehrlich wie bürgerlich-parteiisch, ja demagogisch. →**Sozialistengesetz**, →**Ausnahmegesetze.**

ANNEXION. Wenn Verrat eine Frage des Datums ist, so die Annexion eine der Gelegenheit: Als »Einverleibung eines Gebiets in einen anderen Staat, die nicht auf einem völkerrechtlichen Akt der förmlichen Abtretung« beruht, definiert *Brockhaus* 1882 den Begriff. So weit die völkerrechtlich trennscharfe Abgrenzung von Abtretung und Annexion. Im semantischen Alltagsgeschäft waren die Lexikographen milder gestimmt: »Die Annexion der standesherrlichen und der reichsritterschaftlichen Gebiete durch die Rheinbundstaaten« (Bayern, Baden, Württemberg) »im Jahre 1806 war ein Bruch des geschichtlichen Reichsrechts, aber durch die Notwendigkeit der Verhältnisse gerechtfertigt.« Bei *Meyer* wird in der Auflage von 1902 weiter relativiert. Die Annexionen des Königreichs Hannover, des Kurfürstentums Hessen, des Herzogtums Nassau und der Stadt Frankfurt im Jahre 1866 durch Preußen erscheinen als »Vereinigung ... mit der preußischen Monarchie« und die Annexion von Elsaß-Lothringen fünf Jahre später als »Rückeroberbung und Wiedervereinigung dieser Länder mit Deutschland«.

ANTHROPOLOGIE wurde gegen Ende des 19. Jahrhunderts zur »Lieblingswissenschaft zahlreicher Forscher«, was sofort zu »Popularisierungen« führte. Blumenbachs *Einteilung des Menschengeschlechts in fünf Rassen* (1795) orientierte sich noch an den geographischen Begebenheiten der damals bekannten Kontinente. »Einen gewaltigen Umschwung bewirkte das System des schwedischen Anatomen Retzius, welcher je nach dem zwischen Längs- und Querdurchmesser des Schädels bestehenden Verhältnisse die Völker in Lang- und Kurzschädler (Dolichocephali und Brachycephali) eintheilte, jede dieser beiden Hauptclassen wieder, je nach dem stärkeren oder schwächeren Vorspringen der Kiefer und Zähne, in Gerade- und Schiefzähner (Orthognathi und Prognathi).« Die Ordnungswut zeitigte bescheidene Ergebnisse: »Dieses Eintheilungssystem besitzt durch seine Einfachheit, durch die Bestimmtheit seiner Bezeichnungen etwas sehr ansprechendes und hat sich längere Zeit großen Anklangs erfreut. Nur ergibt sich leider, daß das System ein durchaus künstliches ist, und daß eine konsequente Durchführung desselben der Natur vielfältig den äußersten Zwang antut. Die einander fremdartigsten Völker geraten in dieselben Gruppen (z.B. Neger und Eskimos, beides ausgeprägte Dolichocephali prognathi)« (*Brockhaus* 1875). In die gleiche Gruppe kamen so auch Deutsche, Franzosen, Spanier, Esten, Chinesen, Japaner »und die Mehrzahl der Indianer« wegen ihrer »mittleren Schädelform«. Diese »mesocephalen Völker« machen demnach etwa die Hälfte der Menschheit aus, was die Ordnung etwas unpraktikabel macht. → **Kriminalanthropologie.**

ANTISEMITISMUS. Die Konversationslexika, von den nach 1933 entstandenen abgesehen, sind ziemlich frei davon. *Meyer* 1839–55, Artikel »Judentum«: »An Anschuldigungen hat es nie gemangelt, und auf solchem Grunde ruhen zum Teil die rohen Gesetze und Anstalten, die gegen die Juden ins Leben traten. Die bigotte wie die fanatische Verfolgung der Juden, andererseits der Meinungskampf unter den Juden selbst haben in neuester Zeit die Entwicklung des Judentums hauptsächlich in Deutschland wesentlich gefördert. Eine unbefangene Würdigung des jüdischen Lebens hat dargetan, daß die Bekenner des Judentums anderen Staatsbürgern nicht nachstehen und durch ihre Glaubensvorschriften an den Pflichten des Menschen und des Bürgers nicht verhindert werden.« Nach der Reichsgründung von 1870/71 entsteht der organisierte Antisemitismus, die Lexika registrieren ihn sachlich, vermeiden starke Wertungen und verhelfen dem Antisemitismus so – ungewollt und indirekt – zu Respektabilität, um so mehr, als Teile der antisemitischen Bewegung den oberen Gesellschaftsschichten angehören: »Die antisemitische Bewegung, in Rußland, Rumänien, Österreich und Ungarn, auch im östlichen und mittleren Deutschland, also in den Ländern verbreitet, wo die Juden in größerer Zahl wohnen, allmählich aber auch nach anderen Ländern übergreifend, ist durch den wachsenden wirtschaftlichen und politischen Einfluß der von den früheren Schranken befreiten jüdischen Bevölkerung beeinflußt und strebt danach, diese Schranken wieder aufzurichten und die Juden aus den öffentlichen Ämtern zu verdrängen oder ganz zu vertreiben. ... Die Agitation begann 1878 durch den Berliner Hofprediger Stöcker... Im Frühjahr 1886 wurde eine Allgemeine deutsche antisemitische Vereinigung (mit Sitz in Kassel) begründet. Als erster Antisemit zog Böckel in den Reichstag.« Bei den Wahlen von 1890 waren es bereits fünf Abgeordnete, 1893 elf, um die Jahrhundertwende 16 (*Meyer* 1902). Nach 1933 reihte sich *Meyer* in die rassistisch begründete »Volksgemeinschaft« ein: »Der Antisemitismus bezeichnet den Gegensatz und die Fremdheit der Rasse zwischen den Gastvölkern und den Juden.« Dann folgt ein historischer Rückblick, an den die Beschreibung der jüngsten Vergangenheit anschließt: »Die letzte Entwicklung des Antisemitismus beginnt 1918 mit dem beherrschenden Einfluß des Judentums in Deutschland, besonders durch die unmittelbare und mittelbare Führung in der SPD und in der KPD... Der neue Antisemitismus wird unterbaut durch die Erkenntnisse der allgemeinen Rassenkunde, besonders der H. F. K. Günthers ... Der Nationalsozialismus begann mit der Machtergreifung die Lösung der Judenfrage.« Das Programm war mithin früh bekannt. → **Judenfrage.**

ARABER sind selten krank, gut in den »gymnastischen Künsten« und überaus gastfreundlich: »›Sei willkommen! was brauchst du‹ ist die Anrede an einen Fremden, der mit einem ›Gott vergelt's euch!‹ die Zehrungskosten abträgt.« (*Brockhaus* 1827) Noch heimischer fühlte sich das *Damen-Conversations-lexikon* 1835 unter den Araberinnen: »Schön wie die Engel des Paradieses, sind sie, poetisch, voll der tiefsten Empfindung, voll des edelsten Stolzes und doch kindlich naiv, tändelnd mit der anmuthigen Gazelle, mit dem Spiegel, unschuldig und rein, die Liebe und ihre süße Gewalt kaum ahnend, bis sie in ihnen aufblüht in aller Seligkeit und mit aller Gluth, welche das Land der Palmenhaine und des ewig heitern, wolkenlosen Himmels erweckt ... Der Tod für den Geliebten oder mit dem treuen Freunde ist ihnen ein Spiel, ist ihnen Wonne!« Die Dichtkunst Arabiens sprießt daher auch in »der reinen Brust der Frauen«, denn der Himmel über der Wüste erweckt »ja das Dichterfeuer selbst in dem weniger empfänglichen Gemüthe. Warum sollte dies nicht bei dem glücklichsten Volke und bei der edleren Hälfte desselben Statt finden?« Allerdings bekommt der ungläubige Giaur die Blumen des Morgenlandes selten zu Gesicht: »Der

Fremde sieht sie nicht; nur ein seltener Zufall führt – und immer mit Gefahr des Lebens – zu diesem Glücke.« Unglücklich der Fremde, der an die unedlere Hälfte der Araber gerät: »Räuber von Geburt, sind sie stolz darauf, es zu sein. Fast immer jedoch respektiert man die Frauen bei den kriegerischen oder räuberischen Überfällen, und nie macht man Gefangene.« (*Brockhaus* 1882).

ARBEIT. »Die Verwandlung der Sklavenarbeit in freie Lohnarbeit ist eine große Tendenz der Zeit«, jubelte *Brockhaus* 1843; der Schlachtruf aller Völker Europas heiße jetzt »Arbeit, aber freie Arbeit und für eigene Rechnung!«. Arbeit war der ideologische Legitimations- und Integrationsbegriff, mit dem das Bürgertum sich gegen die aristokratische *leisure class* definierte. Hegel sah in ihr den »Beginn der wahrhaften Freiheit«, und die *Gartenlaube* frohlockte 1858: »Je mehr Arbeit bei einem Volke, desto höher steht es in seiner Sittlichkeit.« »Durch Arbeit allein wird der Mensch zum Manne, und das Leben des Mannes ist kein Spiel«, dozierte *Meyer* 1872 streng. »Das Leben ist ein ernstes Ringen, und nur wer gelernt hat, seinen unendlichen Anforderungen sich zu unterziehen, kann in ihm einen Preis erlangen.« Durch Hausarbeit allein konnte sich die Frau natürlich nicht zum Manne emanzipieren. Das *Damen-Conversationslexikon* verweist den Leser 1835 vom Stichwort »Weibliche Arbeiten« weiter zu den »Handarbeiten«, deren sich keine »fleißige, echte Hausfrau« schämt. Es gibt hier freilich viel »unbedeutende Tändelei« wie Bändchensticken, Becherhäkeln und Strohhutflechten, ganz zu schweigen vom »Frivolitätenknüpfen« der Französinnen; inzwischen gehört es aber zum »Ton unsrer Zeit, die geringsten Geräthschaften zum Gegenstand einer zierlichen Handarbeit für Damen zu machen«. Dabei kommt es, wie *Brockhaus* 1892 unter dem Stichwort »Handarbeitsunterricht« ergänzt, weniger auf technische Vollendung als auf ästhetische, moralische und nationalökonomische Gesichtspunkte an. Der dänische Rittmeister a.D. Clausen-Kaas wirkte durch seine »Hausfleißgesellschaft« zwar in ganz Europa »sehr anregend«, doch zeigten die mit Laubsägearbeiten und Bürstenbinderei beschäftigten Knaben später nur noch wenig Lust, den »Anteil der Arbeit an der Menschwerdung des Affen« (Engels) durch anthropologisch überflüssige Tändeleien aufs Spiel zu setzen. Heute kann Arbeit »ihren Sinn allenfalls in dem haben, was durch ihre Ableistung gewonnen wird, die Freizeit« (*Brockhaus* 1996). So macht die Abschaffung der Arbeit, die der junge Marx erträumte und der alte Helmut Kohl im Freizeitpark Deutschland heraufdämmern sah, den arbeitslosen Mann zuletzt zur weibischen Memme.

ARBEITERDICHTER, »Dichter, die nach Herkunft oder freier Wahl selbst Arbeiter sind« (*Brockhaus* 1952). Das Lexikon nennt dann auch einige, darunter Max Barthel und den »bedeutendsten Erzähler unter den Arbeiterdichtern« – August Winnig –, ohne ein Wort darüber zu verlieren, daß es sich bei beiden um Sozialdemokraten bzw. Kommunisten handelt, die sich nach 1933 zumindest zeitweise als Anhänger Hitlers profilierten. Im Artikel »Winnig, August« erscheint dessen Weg als »Wendung vom Marxismus zum Christentum«.

ARBEITSERSPARNIS →Maschine.

ARISTOKRATIE. Der Rassismus *avant la lettre* heißt »Aristokratie der Haut«. In mancher Hinsicht tragen die Konversationslexika ein Doppelgesicht. Sie sind buchstäblich im gleichen Moment, das heißt im gleichen Artikel, kritisch und dumpf. Bevor es den Begriff »Rassismus« überhaupt gab, denunzierte *Meyer* (1839–55) im Artikel »Aristokratie« die »Aristokratie der Haut, welche so lange der Fluch der amerikanischen Kolonien gewesen ist, und deren Vernichtung bei den entscheidenden Schritten, welche jetzt zum Ruhm der Civilisation dafür geschehen sind, endlich zu erwarten steht«. Die Prognose war etwas forsch, denn der Bürgerkrieg stand erst noch bevor, und bis zur rechtlichen und faktischen Gleichberechtigung der indigenen und aus Afrika deportierten schwarzen Bevölkerung dauerte es noch lange. Unmittelbar darauf folgte jedoch der Satz: »Ein Streben nach Geburtsaristokratie ist es auch, was noch heute die Stämme des vor vieler Zeit von Herd und Heimat vertriebenen Judenvolks in schroffer Absonderung von den übrigen Völkerstämmen und dem lächerlichen Glauben an die Vorzüge unbekannter Voreltern zusammenhält und sie in unverzeihlichem Dünkel über andere Völkerstämme erhebt.« Der gleichsam vorausgreifende Antirassismus vermochte den uralten Antijudaismus nicht auszutreiben.

ARMENIEN. Prügelknaben der Lexikographie gibt es viele. Immer kamen die Armenier schlecht weg. 1837 waren sie »kriechend und unterwürfig, schlau und voll Trug und Ränke«, obendrein von »grenzenloser Unwissenheit« *(Brockhaus' Bilder-Conversations-Lexikon).* 1902 werden die Armenier bei *Meyer* »intelligent« und mit »reicher Literatur« ausgestattet, erhalten jedoch »extrem hohe Kurzschädel, dicke große Nasen, dunkle Harre und Augen«. Auf dem Weg zum Nazi-*Meyer* (1936) verlieren sie ihre Intelligenz, dafür sind die »Kurzschädel« nicht mehr »extrem hoch«, sondern nur noch »hoch«. Ersatzweise erhalten sie ein zeitgemäßes Accessoire in Form der »alarodischen Rasse«.

ARSEN ist »ein zu den Metalloiden gezählter einfacher Körper« weiß der *Brockhaus* von 1882, außerdem kommt es »in der Natur gediegen vor«. Es findet sich fast überall, »so hat man es in sehr vielen natürlichen Mineralwässern und den sich daraus abscheidenden Niederschlägen, in der Ackerkrume, im Flußschlamm, in Steinkohlen, ja selbst in manchen Pflanzen nachgewiesen«. Im *Meyer* wird 1902 auf eine einfache und gleichzeitig effektive Möglichkeit hingewiesen, Vergiftungen im Umkreis des Erzabbaus und Hüttenwesens zu vermeiden: »Die Umgebung der Arsenhütten ist meist bis auf 150 und mehr Schritte unbewohnt, die nächsten Bewohner sind Arbeiter und Beamte, die an die Aufnahme minimaler Arsenmengen gewöhnt sind.« Doch trotz aller Beamtenwälle und anderer Distanzierungsbemühungen kommt es leicht zu Vergiftungen (»mit ängstlichen Träumen«), denn »die Ähnlichkeit des weißen Arseniks mit Zucker, seine Farbe und Geruchlosigkeit, der schwache, bei Vermischung mit Speisen ganz verschwindende Geschmack machen ihn zu einem besonders gefährlichen Gifte«. Dabei ist es leicht nachzuweisen, wobei allerdings der Hausrat in Mitleidenschaft gezogen werden könnte: Denn »selbst Laien können dasselbe, z. B. in Tapeten, Kleiderstoffen usw. mit Sicherheit finden, da schon der Knoblauchgeruch beim Verbrennen das Vorhandensein des Giftes anzeigt«. Vergiftungen mit Arsen nach Verschlucken des Giftes (laut *Brockhaus* 1996 »meist Arsentrioxid, sog. Arsenik«) waren seit jeher gefürchtet, im *Brockhaus* kommt es 1882 zum qualvollen Tod allerdings erst durch eine zeittypische Komplikation: »Schon früher oder erst jetzt stellen sich Gliederschmerzen, Zittern, Zuckungen oder Lähmungen ein, das Gedächtnis und alle Geisteskräfte nehmen ab, und endlich tritt, bisweilen infolge hinzukommender Lungentuberkulose, der Tod ein.« Zur Therapie empfiehlt der *Brockhaus* 1882 »reichliches Trinken von lauem Wasser, lauer Milch, Eiweißlösung, Olivenöl oder irgendwelchem schleimigen Getränke«. Ansonsten gilt: »Bis der Arzt kommt, befördere man das Brechen auf alle Weise und reiche, wenn die Ankunft des Arztes sich verzögert, das Gegengift, sofort selbst.« Der *Brockhaus* betont 1996 zwar, daß bei schwerer Arsenvergiftung der Tod bereits innerhalb von 24 Stunden eintritt, »wird die Behandlung nicht rechtzeitig eingeleitet«, erwähnt aber weder unter den Lemmata Arsen, Arsenverbindungen noch unter Arsenvergiftungen, welche Therapie hilfreich sein könnte. Im *Brockhaus* findet sich 1928 die Arsenvergiftung nicht nur »häufig als Gewerbekrankheit bei Berg- und Hüttenarbeitern«, sondern auch bei »Feuerwerkern, Tapetenfabrikarbeitern, bei Schneiderinnen, Putzmacherinnen, Blumenmacherinnen und anderen Gewerben, die mit arsenikhaltigen Stoffen zu tun haben«. Geradezu auf homöopathischen Grundsätzen scheint die Behandlung mit Arsen zu beruhen: Einerseits äußert sich die Vergiftung mit Arsen zwar in Schwäche, »dauernder Störung der Verdauung, Appetitlosigkeit, Darmkatarrh, Hautausschlägen, Kopfschmerzen und Lähmungen«, andererseits wird die Arsenkur (→**Alpenbewohner**) empfohlen zur »allgem. Kräftigung bei Asthenikern und Nervösen, bei verschiedenen Blut- und Hautkrankheiten« sowie bei »mangelhaftem Eiweiß- und Fettansatz« (*Brockhaus* 1928, Artikel »Arsenkur«).

ARZNEI. Wir wissen nicht, was Ihr Arzt oder Apotheker empfiehlt. Der *Brockhaus* rät 1892 (Artikel »Arzneimittel«) jedenfalls: »Bei den meisten Arzneimitteln muß man sich freilich an die Erfahrung halten, welche zeigt, daß dies oder das in der oder jener Krankheit heilsam ist. Aber diese Erfahrung ist schwer zu erwerben.« Ein ebenso kostengünstiger wie ungemütlicher Bescheid.

ARZT war im *Brockhaus* von 1812 noch derjenige, »welcher im Besitz aller zur Erhaltung der Gesundheit und Abwehrung der Krankheit, oder wenn letztere eingetreten ist, zur Erkenntniß und Heilung derselben gehörigen Wissenschaften (ist), die Gesundheit des

Menschen zu erhalten«, »und im Fall sie verloren ist, wieder herzustellen sucht«. Derartig umfassend ausgebildet sind heutige Mediziner nur noch selten, auch als »Heilkünstler«, die »nicht bloß im Besitze der Heilwissenschaft sondern auch der Heilkunde« sind, können nicht mehr alle Ärzte bezeichnet werden. Dafür werden die Ärzte und ihr Verhältnis zum Geld zu einem leidigen Thema. Der *Brockhaus* beschwört 1843 die Zeit, als die Ärzte »ihre Kunst nicht allein des Erwerbes wegen übten«, 1892 stellt der *Brockhaus* lapidar fest: »Die Honorierung bleibt freier Vereinbarung überlassen.« Über die zunehmende Spezialisierung der Mediziner, die immer mehr über immer weniger wissen, klagt *Brockhaus* bereits vor mehr als hundert Jahren: »Andererseits spaltet sich die ärztliche Thätigkeit wissenschaftlich und praktisch immer mehr in einzelne Zweige; es treten Specialärzte für besondere Klassen von Krankheiten auf. Eine solche Beschränkung des ärztlichen Forschen und Handelns würde, wenn sie schon dem Studierenden der Medizin gestattet wäre, zu Einseitigkeit und schablonenmäßigem Handeln führen, während sie, wenn jeder zuvor die gesamte Heilkunde studiert und einigermaßen eingeübt hat, als großer Fortschritt für die Wissenschaft und als eine für die Leidenden sehr wohltätige Einrichtung zu betrachten ist.« (*Brockhaus* 1892).

ASPHALTKULTUR. Laut *Meyer* 1936 eine »Mode- und Verfallserscheinung z.T. artfremder Herkunft«. »Asphaltliteratur« ist demnach das Werk »wurzelloser großstädtischer Literaten«. 1892 rühmte *Brockhaus* die »Asphaltmalerei« noch »wegen der schönen braunen Bisterfarbe, der vollkommenen Durchsichtigkeit und des leichten Auftrags«. Von den Versuchen, Asphalt »für die Aquarellmalerei verwendbar zu machen«, hat man seither aber nichts mehr gehört.

ASTRALGEIST ist der »eigentliche Hokuspokusmacher, der in allen alten und modernen Geisterseherereien spukt, der Vater der Ahnungen, prophetischen Träume und der unsichtbaren Maulschellen« (*Damen-Conversationslexikon* 1835). *Brockhaus* hielt 1827 nichts von Origines' Dämonologie, Frau Stutterheims Sideromagnetismus, Demoiselle Lenormands Nekromantie und anderen Ohrfeigen für den aufgeklärten Geist: »Man gewinnt Respect vor der Intelligenz unserer Zeit, wenn man solchen Unsinn der Vorzeit liest.« Und doch sieht man immer noch »fanatische Gaukler von der Höhe ihrer hyperboräischen Grundsätze auf den bescheidenen Forscher nach wahren physischen Ursachen mit Verachtung herabsehen«.

ASTROLOGIE ist »die eitle Kunst«, aus der Stellung der Gestirne »besonders die Schicksale der Menschen vorherzusagen«, orakelt der *Brockhaus* von 1812. Achtzig Jahre später ist aus eitler Kunst vermeintliche Kunst geworden: Im *Brockhaus* von 1892 ist die Astrologie »Sterndeutung, jetzt Bezeichnung für die vermeintliche Kunst, aus der Stellung der Sterne zukünftige Ereignisse und besonders Schicksale der Menschen vorauszusagen«. 1928 spricht der *Brockhaus* von »widersprechendsten Wegweisern und Wahrsagertesten« innerhalb der Astrologie, widmet dem Stichwort aber dennoch drei Spalten und zwei ganzseitige Abbildungen.

ASYLRECHT, »rechtlicher Anspruch eines Verfolgten auf Aufnahme in einem Zufluchtsort. Das Asylrecht ist, soziologisch betrachtet, eine Einrichtung, die als eine Art Heilmittel der Blutrache angewendet wird« (*Brockhaus* 1928). Besonders verbreitet scheint das Recht nicht gewesen zu sein, denn verwiesen wird nur darauf, daß die Schweiz »wegen politischer Vergehen verfolgten Ausländern Asyl« gewährt, freilich ohne daß darauf ein Rechtsanspruch bestehe (Gesetz vom 22. Januar 1892). Ohnehin war das Wort Asyl »am meisten noch gebräuchlich in Obdachlosenasyl«. Kurze Zeit danach verschwand der Artikel Asylrecht, dafür bekam man bei *Meyer* (1936) im Artikel »Auslieferung« einen zeitgemäßen Bescheid: »Asylrecht, d. h. das Recht, politischen Verbrechern Schutz zu gewähren und sie nicht auszuliefern.« Bereits über 100 Jahre zuvor sah *Brockhaus* (1833) im Asyl eine »Freistätte, wo Verbrecher Sicherheit suchen«, um »die landesherrliche Gerichtsbarkeit zu umgehen … Daher ward es in neueren Zeiten von den meisten Regenten abgeschafft.«

ATHEISMUS. Der ist für die Lexikographie ein ziemlich weites Feld für Pirouetten und Eiertänze. Nach Kant konnte zwar noch von der Wünschbarkeit und Nützlichkeit Gottes die Rede sein, aber nicht mehr länger von einer logisch herleitbaren »demonstrativen Gewißheit« oder gar davon, eine auf Vernunft begründete Moral sei auf den Glauben an einen Gott angewiesen (*Meyer* 1839–55, Artikel »Atheismus«). An dieser grundlegenden These ändert sich bis weit ins 20. Jahrhundert fast nichts. Ein Doppelgesicht behalten diese Artikel trotzdem. Zunächst wird entschieden aufklärerisch festgehalten: »Der Atheismus hat überall ein mächtiges Vorurteil gegen sich, das wir im Interesse der Wahrheit bekämpfen müssen. Man meint, er sei immer mit Immoralität verbunden oder führe wenigstens notwendig dahin.« Von solcher Einsicht ausgeschlossen bleiben die »frivol« genannten französischen Aufklärer und Enzyklopädisten. Noch zu Beginn des 20. Jahrhunderts heißt es in bezug auf diese: »Entschieden verwerflich, wenn auch aus der Opposition gegen das hierarchische und in den Dienst weltlicher Interessen sich stellende Kirchentum erklärlich, ist der frivole Atheismus der französischen Enzyklopädisten und Materialisten.« (*Meyer* 1902). Freud und Nietzsche sind dieser Generation von Lexikographen noch nicht über den Weg gelaufen.

ATOME sind nach Meinung »mehrerer Naturforscher« die »nicht weiter theilbaren, wiewohl selbst noch körperlichen Grundbestandtheile der Materie«, behauptet der *Brockhaus* 1812 und verweist auf »Moschus von Sidon« und andere antike Atomforscher, die auch schon dieser Meinung waren. Der *Brockhaus* ist 1864 ungleich zeitgeschichtlicher und erwähnt zwar die Bedeutung der Atome für die »Entwickelung der Philosophie des Alterthums«, wo sie »einen wichtigen Wendepunkt« ausmachten. Doch in der Neuzeit bürgerte sich der Atom-Begriff

»ganz allgemein in die Physik« ein, »jedoch unbeschadet der Geistphilosophie, welche daneben ungestört ihre eigenthümlichen Bahnen lief«. Diesen zwei Kulturen *avant la lettre* ist die Beschaffenheit der Atome letztlich egal, auch wenn »noch nicht festgestellt« ist, »ob die jetzt angenommenen Elementaratome wirklich absolut untheilbar und einheitlich sind« (*Brockhaus* 1892). Immerhin ist die Theorie bestens geeignet, um über die Grenzen unserer Wahrnehmung zu spekulieren: »Die Atome sind jedenfalls so klein, daß sie niemals einzeln sinnlich wahrgenommen werden können.« Diese Wahrnehmung ist auch nach der genaueren physikalischen Charakterisierung und Spaltung der Atome nicht möglich. Dennoch reichte die offensichtliche Demonstration der Atomkraft dazu aus, sie für ein paar Jahrzehnte zum Inbegriff eines angeblich kontrollierbaren technischen Fortschritts zu machen.

ATTITÜDE. Vorläufer des Ausdruckstanzes bzw. Striptease, eigentlich jede »ausdrucksvolle, künstlerischen Eindruck erstrebende Stellung lebender Figuren«, bei der die »Formen der Körper und die umhüllenden Gewänder in einem vortheilhaften Bilde« (*Brockhaus* 1892) oder bedeutungsvollen Augenblick erscheinen. Lady Hamilton und Frau Hendel-Schütz haben, durch einen »wohlgebauten Körper begünstigt«, diese pantomimische Schaustellungskunst zu hoher, »das gebildete Auge erfreuender« Vollkommenheit (*Brockhaus* 1827) ausgebildet; Männer reüssierten in dieser Kunst selten. Die Franzosen haben die Attitüde »bis zum Äußersten« getrieben, ehe sie in Berlin zu einer »auf die Sinnlichkeit berechnete Schaustellung« (*Brockhaus* 1892) herabgewürdigt wurde. Im Ballett heißt Attitüde jede ausdrucksvolle Pose auf einem Bein »ohne Rücksicht auf deren Bedeutung«.

AUFKLÄRUNG. In *Löbels Conversationslexikon,* der Keimzelle des *Brockhaus,* figuriert Aufklärung 1796 noch lakonisch als »Freiheit von Vorurtheilen, Berichtigung der Begriffe, hellere Einsicht«. 1812 bedeutete Aufklärung für *Brockhaus,* »daß man über die wichtigsten Angelegenheiten der Menschheit nach deutlichen und richtigen Vorstellungen denkt und urtheilt«, womit sich bereits die folgenreiche Unterscheidung zwischen richtiger und falscher Aufklärung ankündigte. »An und für sich kann die Aufklärung nie schädlich oder gefährlich seyn«, denkt und urteilt *Brockhaus* 1827, »sie kann es nur dadurch werden, daß man beim Streben, Andere aufzuklären, keine Rücksicht auf ihre Lage nimmt und ihnen daher mehr Licht gibt, als sie ertragen können.« Nicht für alle ist »derselbe Grad von Aufgeklärtheit möglich und erforderlich«; die Russen zum Beispiel haben einen Minister der Aufklärung, »es wird jedoch darunter nichts Andres als Volksbildung verstanden«. »Die echte Aufklärung«, präzisiert 1837 *Brockhaus' Bilder-Conversations-Lexikon,* »will die Menschheit belehren über Gott und ihr Verhältnis zu ihm, damit wir weder blindgläubig noch abergläubisch und furchtsam, sondern mit ehrerbietig kindlichem Sinne ihn durch unser ganzes Leben verehren ... Oft aber wird der Name Aufklärung gar sehr gemißbrauchet. Wer seine Geistesgröße darin sucht, daß er sich über alles Heilige und Göttliche wegsetzt, über Religion und Sittlichkeit spottet; wer von einer Freiheit und Gleichheit schwatzt, wie sie nie möglich ist; wer Aufruhr predigt, alles tadelt und verwirft, weil es nicht von ihm herrührt und in seinem Sinne ist; wer über dem Streben nach Wissen alles Handeln vergißt, der ist nicht aufgeklärt, sondern im Irrtum.« 1843 rühmt *Brockhaus,* den Vormärz witternd, die Aufklärung dann wieder als Begriff, »dessen Bedeutung und Wahrheit so groß und so einleuchtend ist, daß man kaum begreift, wie er habe in übeln Ruf kommen können«. 1853 beschreibt der liberale *Meyer* (im Artikel »Bibliothek«) Aufklärung der Massen als »das sicherste und einfachste Mittel, ein gesundes Staatsleben hervorzubringen, während überall, wo die herrschende Gewalt in der Verdummung des Volkes die Stütze ihrer Macht erkennt, das Verderben den Staatsorganismus unterwühlt und zerklüftet.« 1892 bemerkt *Brockhaus* stirnrunzelnd, daß die von Kant überwundene »Meinung, daß es auf die Entfesselung des Verstandes allein ankomme, die Forderungen der Religion und Sittlichkeit einer eigenen Kultur nicht bedürften ... im Volksleben gerade in neuerer Zeit verbreiteter als je zuvor« sei. *Meyer,* der Kant nur noch »in gewisser Weise« zur Aufklärung rechnet, unterscheidet 1902 wieder feinsinnig zwischen »notwendiger und überflüssiger Aufklärung«; letzterer »Aufklräricht« wolle nämlich auch »wohltätige Illusionen wie Märchen und Volksaberglaube« ausrotten. 1936 spitzt *Meyer* die Dialektik der Aufklärung brutalstmöglich zu. Aufklärung als »Prozeß innerer Disziplinierung« habe in ihrer »kritischen und negativen Rolle« durchaus Verdienste erworben, jetzt aber ihre Berechtigung verloren: »Der bindungslose Verstand maßt sich eingebildete Herrenrechte an, Erziehung hört auf, es zu sein, da sie Form und Zucht einbüßt ... Das Recht entartet intellektualistisch. ... Die Gesellschaft zerfällt individualistisch, die Wirtschaft entartet kapitalistisch und ruft als Folgeerscheinung den Marxismus hervor.« Selbst mit der sexuellen Aufklärung sei vor 1933 »vielfach Mißbrauch getrieben« worden. Richtig verstandene Aufklärung ist jetzt militärisch organisiert: Sie dient der »Ermittlung der Lage beim Feind« und als »Grundlage für die Entschlüsse der Führung«. 1996 hat *Brockhaus* seinen Frieden mit dem Ausgang des Menschen aus seiner selbstverschuldeten Unmündigkeit gemacht, vorsichtshalber aber um eine »zweite Aufklärung« ergänzt, die aus den Fehlern des alten »Vernunft- und Fortschrittsoptimismus« lernt.

AUFSTAND. »Die Aufstände der neuesten Zeit seit 1830« zählt *Meyer* (1839 bis 55) quer durch Europa mit viel Liebe zum Detail auf und füllt damit 32 Seiten des Lexikons. Über 50 Seiten umfaßt der Artikel »Auswanderung« im selben Band. Das zeigt zumindest, wo die sozialen Probleme lagen und in welche politische Perspektive man sie rückte – zugespitzt gesagt, gab das Lexikon den Ratschlag: aufstehen oder auswandern. Gleich der erste Satz im Artikel »Aufstand« enthält den Tenor fürs Ganze: »Der Kampf des zum Gefühl der Selbständigkeit und Autonomie erwachten Volksbewußtseins, gegen die aus der Vorzeit stammende, von privilegierten Ständen gegen die große Masse der Staatsbürger ausgeübte Bevormundung und das demokratische Anstreben der Nationen gegen die absolute Gewalt eines einzigen, ist das hervorstechendste Merkmal der neuesten Geschichte Europas und das bewegende Element in allen bedeutenderen politischen Ereignissen unserer Tage.« Später wurde »das bewegende Element« des »Aufstandes« zum Synonym für »Aufruhr« und damit zum Straftatbestand. →**Revolution.**

AUFTRAGSARBEIT. Das ist ein weites Feld zwischen Börsengeschäft und Mord. Letzteres hielt man bei *Meyer* (1839–55, Artikel »Bandit«) allerdings für eine italienische Spezialität. »Fast in allen bedeutenden italienischen Städten gab es sonst solche Menschen, die sich für Geld dingen ließen, einen ihnen bezeichneten Dritten zu töten. Hatten sie das Versprechen einmal gegeben, so hielten sie Wort und wenn sie das Schlachtopfer auch eine weite Strecke verfolgen mußten.« »Italien« hat sich mittlerweile weltweit durchgesetzt, denn gewerbsmäßig betriebenes Verbrechen gibt es überall. Mit purem Ressentiment erklärbar ist jedoch die Vermutung, italienische Banditen »ließen sich oft selbst nicht durch den Auftraggeber, wenn er, anderen Sinnes geworden, seinen Auftrag« zum Mord zurücknehmen wollte, von der Tat abbringen. In der *»commercial society«* (Adam Smith) ist kein Killer gratis, und den Mörder als Komponente des italienischen »Nationalcharakters« haben sich nicht einmal die Erfinder der Physiognomik oder Cesare Lombroso einfallen lassen, der die Erblichkeit von Anomalien »entdeckte«, die Menschen angeblich von Geburt an zu Verbrechern disponieren. →**Kriminalanthropologie.**

AUSNAHMEGESETZE »sind immer bedenklich und gefährlich, weil sie die Ohnmacht der normalen Rechtsordnung voraussetzen und leicht zu Parteizwecken und zur Tyrannei mißbraucht werden können« (*Brockhaus* 1882). Auf das mutige Wort, das man mühelos auf Bismarcks Gesetze gegen Katholiken und Sozialdemokraten beziehen kann, die im Artikel »Ausnahmegesetze« auch genannt werden, folgt die Relativierung mit einem alles erlaubenden Vergleich – bezeichnenderweise aus der Medizin – auf dem Fuß: Ausnahmegesetze »sind in Notfällen ebenso unvermeidlich wie ungewöhnliche Beschränkungen, welche der Arzt der Freiheit des Fieberkranken auferlegt«. Wie man politische Opposition zum pathologischen Fall und eine »Notoperation« notwendig macht, hat Bismarck mehrmals demonstriert (→**Sozialistengesetz**).

AUSSTELLUNG. 1827 gingen für *Brockhaus* Industrie und Kunst noch Hand in Hand, indem nämlich beide, »wie alles Menschliche, einer Vervollkommnung ins Unendliche fähig sind«. Insofern verdienen sowohl Kunst- wie auch Gewerbefleiß Ausstellungen: Der einsam schaffende Künstler kommt so in Wechselwirkung mit seinem Publikum, erhält »Aufmunterung und Anregung durch die Urtheile der Verständigen«, vielleicht gar einen »ehrenvollen Preis«; so wird der »Geschmack des Volkes fortdauernd ausgebildet, das

Bessere von dem Schlechtern unterschieden und dem wahren Talente seine Laufbahn eröffnet«.

AUSTRALIER. Heute wegen ihrer aboriginalen Kultur und als Erfinder von Songlines und Bumerangs weithin geschätzt, in alten Lexika jedoch eine der abscheulichsten Menschenrassen. Das *Damen-Conversationslexikon* berichtet 1835 schaudernd von einer »sehr häßlichen Körperbildung, dickem, unförmlichem, mit Wolle bedecktem Kopf, affenartigen Esswerkzeugen«; auch nach Tisch sind die Australier demnach stumpf, düster und furchtsam. *Brockhaus* kennt noch 1892 Fälle, »wo man, um sich des lästigen Raubgesindels zu entledigen, durch vergiftetes Mehl Massenvergiftungen herbeiführte«. Heute sagen die weißen Australier: Sorry.

AUSWANDERUNGSLUST. »Woher diese überall um sich greifende Auswanderungslust? Wenn man bedenkt, wie viel zu dem Entschluß gehört, die Heimat, an welche der Mensch mit den stärksten Banden der Erinnerung, Sprache und Sitte geknüpft ist, zu verlassen, um unter fremden Nationen ein ungewisses Glück zu suchen, so wird man dem Gedanken keinen Raum geben können, daß die Auswanderungssucht jemals ein Volk oder eine Menschenklasse ohne dringende Ursache ergreifen werde. Man darf als unumstößlich gewiß annehmen, daß die Auswanderung, wo sie überhand nimmt, nie die Krankheit selbst, sondern nur Folge und Symptom eines Übels im Staatsorganismus ist.« (*Meyer* 1839 bis 55, Artikel »Auswanderung«). →Emigranten.

AUTO. Es war noch nie leicht, erwachsen zu werden. Manche Menschen verstehen ihr ganzes Dasein als verlängerte Pubertät. Das kann nicht gutgehen. *Brockhaus* beschreibt 1892 für die schwierige Phase zwischen Pickeln und Pensionsanspruch sogar typische Entwicklungskrankheiten: »Im Jünglings- und Jungfrauenalter giebt der Eintritt der geschlechtlichen Entwicklung bei verkehrter Erziehung vielfach Anlaß zu Erkrankungen: beim weiblichen Geschlecht zu Bleichsucht und Menstruationsstörungen, bei beiden Geschlechtern zu extravaganter Stimmung, zu Schwärmerei, selbst zu wirklicher Geistesstörung in der Form der Melancholie, des erotischen und religiösen Wahnsinns. Aus diesem Grunde ist während der Entwicklungsperioden eine sorgfältige Überwachung der körperlichen und psychischen Funktionen sowie die Fernhaltung aller schädigenden Einflüsse ganz unerläßlich.« Heute markiert der Erwerb des Führerscheins für viele Heranwachsende den Weg zum Erwachsenwerden. Doch die Fetischisierung des Autos sollte nicht vorschnell verurteilt werden; erst recht nicht in einem Land, das cineastische Meisterwerke wie *Manta, Manta* und *Go, Trabi, go* hervorgebracht hat. Folgt man dem *Meyer* von 1902, bewirkt Autofahren schließlich »wie jede mechanische Gymnastik eine regere Tätigkeit des gesamten Organismus, besitzt aber den sonstigen gymnastischen Methoden gegenüber bemerkenswerte Vorzüge«. Außerdem sind Automobilisten stilbildend: Während es bei *Meyer* 1902 um »Brille, Lederhandschuhe, Pelz« ging, ist heute die richtige farbliche Abstimmung zwischen Polsterbezügen und Polohemd von Bedeutung. Die Begeisterung fürs Automobil findet sich in allen Schichten und Berufsgruppen. *Meyer* betont allerdings 1902: »Infolge der wohltuenden Wirkung auf die Nerven finden wir gerade unter den Gehirnarbeitern enthusiastische Anhänger des Motorwagens.« →**Avantgarde.**

AUTOBAHNEN. Als Volksvorurteil hat sich festgesetzt und bis heute gehalten, Adolf Hitler habe die Autobahnen gebaut und nebenher auch noch vielen Arbeitslosen wieder Arbeit gebracht. *Meyer* propagierte das 1936 so: »Das Deutsche Reich hat mit der großzügigen Planung und Herstellung der Reichsautobahnen durch Adolf Hitler (›Straßen Adolf Hitlers‹) die Führung im Bau von Autobahnen übernommen und zugleich Minderung der Arbeitslosigkeit und Belebung der Wirtschaft erreicht.« Daran stimmt nichts. Die Planung für die Autobahnen übernahmen Hitler und sein Generalinspektor Fritz Todt von einer privaten Studiengesellschaft. Tatsächlich waren vor dem Krieg nie mehr als 130 000 Mann beim Autobahnbau beschäftigt. Ganze fünf Prozent der Arbeitslosen fanden so Arbeit. Der konjunkturelle Aufschwung in anderen Branchen – vor allem in der Rüstungsindustrie – war viel wichtiger als der Autobahnbau. Drei Viertel der Kosten wurden auf die Reichsanstalt für Arbeitsvermittlung und Arbeitslosenversicherung abgewälzt, die sich über Beiträge der Versicherten finanzierte. Und schließlich eine fast tragische Pointe: Todts Autobahn-Planungsbehörde bestand fast ausschließlich aus Beamten, die ursprünglich zur Reichsbahnverwaltung gehörten. Ohne deren Ingenieure wäre aus den »Straßen Adolf Hitlers« gar nichts geworden.

AUTOMATEN sind die »sich selbst bewegenden leblosen Körper, überhaupt jede Maschine, welche ihre bewegende Kraft in sich verborgen hält und sich also von selbst zu bewegen scheint. Hat der Automat die Gestalt eines Menschen, so nennt man ihn auch Androide.« (*Brockhaus* 1843). Besonders im 17. und 18. Jahrhundert wurden unter Automaten technische Hilfsmittel verstanden, um die Natur nachzuahmen und der Idee vom künstlichen Menschen Ausdruck zu verleihen. Automaten wie der Flötenspieler (1738) oder die fressende und verdauende Ente (um 1740) von Jacques de Vaucanson regten jedoch nicht nur die Phantasie der Zeitgenossen an, sondern auch Schriftsteller späterer Jahre, wie sich in den Automaten-Geschichten von E. T. A. Hoffmann bis Stanislaw Lem zeigt. Zwar war »gegenüber dem neueren, auf ernste Zwecke gerichteten Maschinenbau mit seinen erstaunlichen Leistungen« Mitte des 19. Jahrhunderts »die Construction von Automaten in den untergeordneten Rang einer Spielerei zurückgetreten« (*Brockhaus* 1864), und die Idee vom künstlichen Menschen wurde nicht mehr allein mechanisch, sondern fleischlich (unter Zuhilfenahme der Elektrizität, wie bei Frankenstein) oder mit Hilfe des richtigen Buchstabencodes (vom Golem bis zu den Mutanten unserer Tage) phantasiert. Dennoch widmeten die Lexika den Automaten im »Rang einer Spielerei« noch viel Raum (→**Componium**). Im *Brockhaus* findet sich 1882 ein einspaltiger Eintrag, in dem neben

Vaucansons Schöpfungen auch »die um 1790 von Droz Vater und Sohn aus Lachaux-de-Fonds aufgestellten« Automaten (ein schreibender Knabe, ein klavierspielendes Mädchen und ein zeichnender Knabe sowie die »Uhr des Straßburger Münsters mit ihren zwölf Figuren und dem krähenden Hahne«) und ähnliche Uhren »bis herab zu dem Kuckuck an Schwarzwälder Wanduhren« aufgeführt werden. Allerdings erwies sich »der zu seiner Zeit vielbesprochene Schachspieler (seit 1769) von Kempelen, ein Automat, welcher auch in neuester Zeit unter dem Namen Ajeeb wieder nachgebildet worden ist und Aufsehen erregt hat«, als Fälschung. Er ist nicht unter die Automaten zu rechnen, »da dieser durch einen versteckten Menschen regiert wurde«. Im *Brockhaus* taucht 1882 bereits ein zweiter Eintrag zum Artikel »Automat« auf. Auf fünf Zeilen wird hier »in der Maschinentechnik eine Vorrichtung« beschrieben, »durch welche aus Dampfleitungen u.s.w. das Kondensationswasser selbstthätig und ohne Dampfverlust entfernt wird«. Zwar schreibt der *Brockhaus* auch 1892 noch von Automaten »im engern und gewöhnlichern Sinne« als »Nachbildungen von Menschen und Tieren«, die »vermöge des in ihrem Innern angebrachten Triebwerks die Bewegungen und Funktionen lebender Wesen nachahmen«. Doch das Überhandnehmen der industriellen Automaten deutet sich bereits an, wie schon im »untergeordnete Spielerei«-Beitrag aus dem Jahr 1882. Hier erfahren wir: »Einfachere Automaten sind die laufenden Mäuse, laufenden und tanzenden Puppen, welche in Nürnberg, die singenden und flügelschlagenden goldenen Vögelchen in Dosen und auf Bäumen u.s.w., welche in Genf und Neuchatel verfertigt werden.« *Meyer* verkürzt 1902 die spielerische Technikgeschichte und stellt fest: »In der Maschinentechnik ist Automat soviel wie Dampftopf, bei Bierdruckapparaten das Reduzierventil.« Ein paar Zeilen weiter folgt das Stichwort »Automatische Verkaufsapparate«, worunter »Abgeber, Selbstabgeber« zu verstehen sind, die auf »Lieferung von Schokolade, Bonbons, Getränken, Zigarren, Parfümen, Broschüren, Zeitungen, Eisenbahnbillets, Briefmarken, Postkarten etc., aber auch auf Abmessen von Flüssigkeiten (Petroleum), auf Wägungen, Photographieren etc. eingerichtet worden« waren (→ **Soldaten**). Erstaunlich ist, daß *Meyer* 1902 lexikographisch nachweist, daß automatische Verkaufsapparate »bereits im Altertum bekannt« waren. Dabei handelte es sich nicht um einarmige Banditen, sondern gemeint war ein »Apparat zum Verkauf von Weihwasser in römischen Tempeln. Das eingeworfene Geldstück fällt auf ein Plättchen am Ende eines zweiarmigen Hebels, dessen andrer Arm den Deckel einer Ausflußöffnung hebt. Sobald das Plättchen eine bestimmte Neigung erhält, gleitet das Geldstück herab und die Öffnung schließt sich wieder.« Ein bemerkenswert frühes Zeugnis für den Zusammenhang zwischen Religion und Automatismus.

AUTOPSIE. Im *Brockhaus* wird 1843 darunter der »Augenschein« verstanden, die »eigene, sinnliche Wahrnehmung eines Naturgegenstandes, im Gegensatze der Kenntnis, welche man durch Beschreibung, Erzählung u.s.w.

davon erhalten kann«. In der Naturwissenschaft »und in der Arzneikunst insbesondere ist die Autopsie ein Bildungsmittel, welches alle anderen übertrifft, doch darf die Anleitung dabei nicht fehlen«. 1892 ist die Autopsie im *Brockhaus* schon stärker auf die Heilkunde begrenzt: »In der mediz. Sprache heißt Autopsie eine Art der Krankenuntersuchung, wobei bloß durch Besichtigung des Kranken, ohne daß derselbe befragt oder angehört wird, das vorhandene Übel erkannt werden muß.« Ob der Kranke dabei noch lebt oder schon tot ist, scheint zumindest lexikographisch im 19. Jahrhundert nicht von Bedeutung gewesen zu sein.

AVANTGARDE. Mit diesem Begriff verbinden die Konversationslexika für über hundert Jahre zwischen dem Vormärz und dem Ende des Zweiten Weltkriegs allein die militärische Bedeutung: »Vorhut, Vortrab, derjenige Teil der Mannschaft, welchen marschierende Truppen zu ihrer Sicherstellung gegen den Feind vor sich gehen lassen, um nicht durch einen Angriff überrascht zu werden« (*Brockhaus* 1833). Obwohl der Begriff von frühsozialistischen Schülern Saint-Simons bereits 1825 bzw. 1845 auf Kunst und Gesellschaft übertragen wurde, ignorieren die Lexika die soziologische Typologie von »Künstlern, Wissenschaftlern, Industriellen«, die für den Fortschritt im Sinne der Saint-Simonisten zuständig waren und ihre »Avantgarden« ausbildeten. Im Laufe des 19. Jahrhunderts verfeinerten die Lexika ihre Artikel hinsichtlich der militärischen Bedeutung und ließen sie auf den doppelten Umfang wachsen. Der Benutzer wurde zum Kriegsexperten. *Brockhaus* (1892) steuerte geradewegs auf den später in Kunst und Politik geläufigen Mechanismus der Selbstüberbietung zu – die Avantgarde der Avantgarde. Das Lexikon definiert freilich nur die Strategie der militärischen Avantgarde mit dem Satz, »eine Avantgarde teilt sich nach vorwärts in immer kleiner werdende Abteilungen.« – »Klein, aber vorwärts« steht den späteren Avantgarden gleichsam als militärisches Erbteil auf der Stirn geschrieben. In der ersten Ausgabe nach dem Zweiten Weltkrieg fehlt der Begriff bei *Brockhaus* (1952) ganz. *Herder* (1952) übersetzt lediglich »Avantgarde« mit »Vorhut« und »Avantgardist« mit »Vorkämpfer« – ohne jede Sacherläuterung. Das Kriegswissen hatte sich in zwei Weltkriegen entwertet. Hitlers Rede von den »Ausgebombten als Avantgarde der Rache« (9. November 1943) paßte nicht ins lexikalische Weltbild des Wiederaufbaus, und die wirklichen künstlerischen Avantgarden waren den Lexika noch weitgehend unbekannt. Sie kommen im *Brockhaus* von 1966 schlecht weg: »Avantgardisten, Vertreter literarischer, künstlerischer und modischer Strömungen, die die überlieferte Ausdrucks- und Darstellungsformen sprengen.« Der vorletzte *Brockhaus* (1986) verzichtet erstmals auf die längst außer Gebrauch gekommene militärische Bedeutung und wird sachlich: »Gruppen von Vorkämpfern (für eine Idee). Avantgardisten sind Vertreter künstlerischer Strömungen, die überlieferte Formen sprengen.« An zweiter Stelle folgt der leninistische Sprachgebrauch, den dann die neuste Ausgabe von 1996 wieder ersatzlos fallenläßt. Die elchgeprüften Spitzenmanager der A-Klasse von Daimler-Benz wollten das Wort »Avantgarde« in der Schweiz als Markenname schützen lassen. Die obersten Richter kamen jedoch zu dem Schluß, der Begriff stehe für »vorkämpferischen Mut und die Bereitschaft, der Entwicklung und den Modeströmungen voranzuschreiten«. Darin sahen sie ein schutzwürdiges Gut, das man nicht zum Markennamen für etwas Modisch-Anachronistisches wie Autos verkommen lassen könne, zumal der potentielle Käufer keineswegs wisse, ob die »Avantgarde-Autos« tatsächlich »ihrer Zeit voraus-« oder vielleicht doch längst hinterhereilen würden.

A-VÖLKER. Die Bekenntnisfreude war fast nirgends größer als in der Lexikographie bis Ende des 19. Jahrhunderts, wenn es um die pauschale Charakterisierung ganzer Völker ging. Auch wenn der Ausdruck »Nationalcharakter« nicht fiel, war dessen Festschreibung zur Bekräftigung abendländischer Überlegenheit das Thema. Ein Test unter dem Buchstaben A (*Brockhaus* 1882) genügt. »Im allgemeinen sind die Abchasen grausam, arglistig und rachsüchtig …« – »… der Afghane, kräftig von Körper, trotzig und stolz. Wenn auch rachsüchtig und voller Habsucht, so ist er doch ein treuer Freund und gütiger Hausvater, dabei freiheitsliebend, tapfer, kühn, mäßig, arbeitsam und klug und weniger zu Falschheit und Verrat geneigt als die Nachbarvölker.« – »Die katholischen Städter« unter den Albanesen sind »ein verkommenes Volk, mit allen möglichen Lastern und Fehlern behaftet. Die Mohammedaner sind tapfer, unwissend, gastfrei, im Kriege grausam und nicht weniger faul als die anderen Albanesen.« – »Aus dem Antlitz des Roten Mannes spricht überall, im Süden wie im Norden, ein düsterer, teilnahmsloser Ernst, Trauer und Gedrücktheit. Die Gesichtszüge beleben sich unter dem Einflusse gewöhnlicher Erregungen auf kaum bemerkbare Weise; sie werden völlig stumpf oder finster, selbst bei den edleren Nationen voll kriegerischen Mutes und Liebe zur Freiheit, sobald bei Mangel äußerer Reizung jener Zustand des Hinbrütens entsteht, in den der Indianer so leicht verfällt und der ihm stets willkommen zu sein scheint.« Diese Charakterisierung im Artikel »Amerikanische Rasse« gefiel offenbar so gut, daß *Brockhaus* sie im Artikel »Indianer« wörtlich wiederholte. Die ersten Auflagen der Lexika im 20. Jahrhundert tilgen solche Bekenntnisse. → **Indianer.**

B

BAD. 1812 kennt der *Brockhaus* noch den Luxus, denn ein Bad bereitet man »aus Wasser, Milch, Wein, u.s.w., bald wärmer, bald kälter in verschiedenen Abstufungen, mischt ihnen Kräuter, Eisen, Seife, u.s.w. zu«. 1892 gibt der *Brockhaus* technokratisch, aber flüssig Antwort: Ein Bad ist »im engern Sinne die Eintauchung des Körpers oder einzelner Teile desselben in eine tropfbare Flüssigkeit«. Dies kann an verschiedenen Orten, drinnen oder draußen, in

Flüssen oder Seen geschehen, doch »die beste Zeit für Flußbäder ist vor dem Frühstück oder vor Sonnenuntergang.« Wenn manche Herren gerne lau baden, hat dies aus medizinischer Sicht durchaus etwas für sich: »Man wendet die lauwarmen Bäder an zur Beruhigung und Beseitigung schmerzhafter Nervenleiden, sie bekommen schwächlichen und in hohem Grade zu Erkältungen geneigten Personen am besten.«

BALZEN nennt *Brockhaus* 1892 das »Vorspiel der Begattung« bei hühnerartigen Vögeln. Der federführende Auerhahn beginnt seine ausgedehnte Balzarie morgens mit einem lauten, gurgelnden Kollern, das von einem Zischen unterbrochen wird. Abends hört man ihn grunzen und schlucken, am nächsten Morgen klingt sein Liebeslied »wie das Zusammenschlagen von Holzstückchen mit trillerartigem Abschluß«, bis endlich ein klatschendes Schnalzen und »ein dem sanften Wetzen einer Sense ähnliches Geschwirre« dem orgiastischen Treiben ein Ende setzt. Dergestalt verwirrt und »wie blind und taub«, kann der Auerhahn jetzt leicht »von dem Jäger angesprungen werden«. Die Auerhennen stehen während des kakophonisch-sodomitischen Reigens übrigens betreten im Gebüsch und »geben sich durch Gackern zu erkennen«. Unter »Jägerschreien« verstand *Brockhaus* 1892 nicht etwa das Balzduett des brünstigen Jägers, sondern die kurzen Reime, mit denen er sich und seine Hunde anfeuerte. Ähnlich wie das Jägerlatein starb dieses sprachliche »Kennzeichen eines gelernten Waidmanns« im 17. Jahrhundert aus: Es galt als nicht mehr vornehm.

BART. »Der dem männlichen Geschlechte eigentümliche Haarwuchs«, schrieb *Brockhaus* 1892 im Vollgefühl seiner Manneskraft, wurde ursprünglich überall »als Zeichen der Kraft und als Zierde der Männlichkeit betrachtet, daher auch sorgfältig gepflegt und für heilig gehalten; seine unehrbietige Berührung wie das Entfernen galt und gilt noch als Schimpf und Strafe.« Nur die Römer gingen lange ungeschoren, desgleichen die Geistlichen; dagegen ist »›Gescherter‹ in Süddeutschland jetzt noch ein Schimpfwort«. Der Bart fällt von Natur aus »kümmerlich bei den Hottentotten, mäßig bei den Australiern« aus, gedeiht aber bei allen Kulturnationen prächtig, vor allem seit Mode und »Militärdisziplin sich des Bartes zu bemächtigen« begannen. Ohne Bart kein Heldentum; allerdings galt der Vollbart einmal als »Abzeichen demokratischer Gesinnung«, und »die preußische Garde trägt das Kinn stets rasiert.« – »Bei den Amerikanern, die von Natur aus verweichlicht und feigherzig sind«, wußte *Brockhaus* 1827, »besteht der Bart aus wenig einzelnen Haaren, die sie als überflüssig ausraufen.« Umgekehrt deuten die Deutschen seit Cäsar verspäteten Bartwuchs »vielleicht mit Recht« als günstiges Zeichen »für die Entwickelung der Kräfte«. Schwächlinge raufen sich den Milch-, Revoluzzer den Vollbart. Alle Männer aber wissen, daß Rasieren eine »Ursache der gegenwärtigen Verweichlichung des Menschengeschlechtes« ist, raubt es doch dem »übrigen Körper nothwendigerweise einen Theil derjenigen Säfte, deren er zu seinem Gedeihen bedarf«. Andererseits führt, wie *Brockhaus* 1892 warnt, starker Bartwuchs zu Borken, Finnen und anderen Gebresten, denen der Mutige mit Quecksilbersalz, Carbolöl, Schmierseife und Schwefelpaste zu Leibe rückt. Beim Weibe findet sich »ein Bärtchen öfters in spätern Jahren«, meist nach Erlöschen der Zeugungsfähigkeit, ferner als »hysterische Hyperplasie, besonders auch bei den (gewöhnlich unfruchtbaren) Mannweibern«. 1996 rasiert *Brockhaus* alle Mythen und Mißbildungen ab. Er kennt des Mannes Zierde nur noch als die »beim Menschen (und bei Affen) auf bestimmte Teile des Gesichts beschränkte Behaarung, besonders als sekundäres männliches Geschlechtsmerkmal ausgeprägt ... Erst in neuerer Zeit wird in den meisten europäischen Ländern und Amerika auch wieder ein Bart getragen.«

BASEN treten in der Gentechnik gerne paarweise auf, wobei sie »z. B. durch tautomere Umlagerungen ihre Paarungseigenschaften verändern« können (*Brockhaus* 1996). Als Cousinen kommen sie auch vereinzelt vor.

BASTARD. »Alle Menschenrassen kreuzen sich fruchtbar; auch alle Bastarde sind unter sich und mit den Stammrassen wieder fruchtbar. Eine sogenannte ›Präpotenz‹ oder ein ›Durchschlagen‹ einer Rasse gegen eine andere gibt es nicht; die Behauptung, daß ›Wilde‹ oder Juden gegen eine andere Rasse ›durchschlagen‹, ist wissenschaftlich nicht haltbar, lediglich eine Dominanz einzelner Merkmale (Mendelsche Erblehre) kommt in Frage.« (*Brockhaus* 1928). Bei *Meyer* wurde der »Bastard« nach 1936 in den Artikel »Mischling« (1939) verschoben. Die Gründe sind nicht bekannt, aber das Ergebnis spricht für sich selbst. »Mischlinge besonders aus einander fernstehenden Rassen (z. B. deutsch-jüdische, weiß-schwarze, weiß-gelbe) bilden in jedem Volk eine Belastung oder Gefahr (s. Rassenmischung). Manche Staaten verbieten deshalb bereits den Geschlechtsverkehr zwischen Personen verschiedener Rassen, um die weitere Entstehung von Mischlingen zu verhindern, z. B. die Südafrikanische Union, verschiedene Staaten der Vereinigten Staaten von Amerika, in Europa das Deutsche Reich und Italien« – damit werden rassistische Komponenten in einzelnen Gesetzen amerikanischer Bundesstaaten mit dem »Blutschutzgesetz« der Nazis auf eine Stufe gestellt. Das Lexikon wird zum Instrument der Propaganda. Davon ist im *Brockhaus* 1952 nichts mehr zu spüren, freilich immer noch eine erhebliche Distanz zum Gleichheitsgrundsatz bei der Darstellung des Apartheid-Regimes in Südafrika (Artikel »Südafrikanische Union«). Vom liberalen Gleichberechtigungsgedanken setzt sich das Lexikon insofern ab, als es ihn gleichberechtigt und kommentarlos neben den Segregationsgedanken setzt und beide Begriffe zwischen Anführungszeichen setzt. Die nach 1948 rassistisch forcierte Diskriminierung der Nichtweißen liest sich noch 1952 gleichsam als Schicksal – nämlich als »durch die Rassezugehörigkeit gegebene Schichtung«.

BAUERNKRIEG. *Brockhaus' Bilder-Conversations-Lexikon* von 1837 resümiert das Ergebnis des Bauernkrieges: »Die Folgen des Bauernkriegs waren trostlos. Beide Teile hatten sich mit den gröbsten Untaten befleckt, mehr als 100000 kräftige Männer waren im Kampfe, meist ohne große Gegenwehr, und viele durch den Henker gefallen, der auch nachher noch lange an Schuldigen und Unschuldigen sein blutiges Handwerk übte.« *Meyer* versachlicht 1902 den Artikel so, daß mancher Schrecken der Epoche in milderem Licht erscheint: »Überall wurde nun von den siegreichen Gewalten strengstens Strafgericht geübt und den Bauern ein noch härterer Druck auferlegt. So war das Ende des Bauernkrieges Besiegung der Gewalt durch Gewalt, ohne innere Heilung der Schäden, und außer der Verwüstung von Klöstern und Schlössern sein Ergebnis für Deutschland die Lähmung des nationalen Lebens und an manchen Orten die Zurückdrängung der Reformation.« Dreißig Jahre später jedoch dreht *Meyer* (1936) auf und dramatisiert den trocken-prosaischen Nominalstil der vorhergehenden Auflage: »Überall wurde der etwa noch vorhandene Widerstand gebrochen. Eine wahre Bauernjagd begann. Allenthalben wurden ungezählte Bauern geköpft, gehenkt, gepfählt, gefoltert, geblendet oder gevierteilt. Furchtbare Plünderungen und Brandschatzungen waren an der Tagesordnung. Noch nach 20 Jahren zahlten die Überlebenden an den ›Entschädigungen‹. Unbeschreibliche Grausamkeiten wurden von den ›Siegern‹ begangen: So ließ z. B. der Markgraf Kasimir von Kulmbach 60 Aufständischen in Kitzingen die Augen ausstechen… Zeitgenössische Chronisten haben übereinstimmend die Opfer des Bauernkrieges auf rund 150000 Menschen beziffert.« – Weit zurückliegende historische Ereignisse haben in der Lexikographie größere Chancen auf einigermaßen objektive Darstellungen als jüngere. Erstaunlich ist jedoch die wechselhafte Konjunktur des sprachlichen Pathos.

BAYERN lieben Gemächlichkeit, Gemütlichkeit und Bier und haben daher weniger »Trieb zu Speculation und ernsterem, wissenschaftlichem Streben« als etwa die Preußen. Dafür sind ihre Frauen »in der Regel schön, frisch, von runden, kräftigen Formen, dunklem Haar und feurigen Augen, lebenslustig, heiter und liebreich« und bilden damit den »Übergang von den blassen, blonden, schmachtenden Norddeutschen zu den braunen, feurigen Italienerinnen« (*Damen-Conversationslexikon* 1835).

BEFRUCHTUNG steht im *Brockhaus* von 1812 vor dem Artikel →**Begeisterung**, bleibt aber ziemlich botanisch bei Narbe, Griffel, Staubweg und Fruchtknoten. Im *Brockhaus* von 1864 hat sich das →**Begehrungsvermögen** zwischen Befruchtung und Begeisterung gedrängt. Das Lexikon berichtet von »besonderen Begattungsorganen, häufig von sehr verwickeltem Bau«, und berichtet bereits von künstlicher Befruchtung, allerdings bei Fischen. 1892 ist *Brockhaus* etwas sinnlicher und phantasiert von der »in den beiden organischen Reichen« stattfindenden »Erweckung des weiblichen Keims zu weiterer Ausbildung durch Vermischung mit dem männlichen Zeugungsstoffe«.

BEGEHRUNGSVERMÖGEN kann sich in vielen Abstufungen äußern. »Das Gefühl kann nämlich schnell erregbar, aber bald vorübergehend seyn, oder auch tief eingreifen und dauerhafte Empfindung werden; so kann die Erregung des Begehrungsvermögens schnell auflodernd oder vorübergehend, oder auch langsam erregbar seyn, aber wenn es einmal aufgeregt ist, zur bleibenden Thatkraft werden.« (*Brockhaus* 1812, Artikel »Gefühl«). Im *Brockhaus* von 1864 ist Begehrungsvermögen bereits »ein Ausdruck der ältern Psychologie«, der Erscheinungen zusammenfaßt, »welche sich auf ein Streben aus der Gegenwart in die Zukunft beziehen, die Begehrungen und Verabscheuungen, Neigungen und Abneigungen, dann auch die Überlegungen, Entschließungen und Willensacte«. 1892 wurde das Begehren im *Brockhaus* anständig geordnet und »gesondert einerseits vom Erkenntnisvermögen, andererseits vom Gefühlsvermögen«. Man unterschied außerdem ein unteres oder niederes und ein oberes oder höheres Begehrungsvermögen, »indem man zu jenem die Äußerungen der sinnlichen Triebe, des instinktmäßigen Wollens, ebenso die Neigungen und Leidenschaften, zu diesem das verständige, überlegte, vernünftige sittliche Wollen rechnete.«

BEGEISTERUNG. »Keine Hand«, warnte Jean Paul 1804, »kann den poetischen, lyrischen Pinsel fest halten und führen, in welcher der Fieberpuls der Leidenschaft schlägt.« Aber ohne schönen Enthusiasmus ist auch »kein wahres Kunstwerk möglich«, wie *Brockhaus* 1827 in seinem begeisternden Artikel über die Begeisterung nachweist: Sie ist nämlich der »vollendete Ausdruck des Innern«, eine Art göttlicher Inspiration, die sich »von der zügellosen und verworrenen Schwärmerei durch die festere Richtung der Geisteskräfte« unterscheidet, vom stilleren Entzücken durch den sprachlichen Ausdruck, vom Affekt durch die edle Form. »So ist des wahren Künstlers Begeisterung keine das schöne Gleichgewicht des Geistes aufhebende Aufwallung, die sich mit Sturm und Drang, durch Thränen und Verzückungen, oder durch andre Wirkungen eines jeglichen Weinrausches ankündigt, sondern die tiefe, mit Ruhe wohl bestehende Bewegung und der Drang eines harmonischen Gemüthes.« Das *Damen-Conversationslexikon* dämpft 1835 die idealistische Begeisterung ein wenig: »Der wahre Künstler läßt sich von seiner Begeisterung nur bis zu jenen Höhen tragen, von wo er noch die beschränkte Sehkraft des Menschen, für den er ja schafft, ermessen kann; was darüber hinaus schweift, heißt Wahnsinn.« 1892 war Begeisterung für *Brockhaus* weder Kunst noch Wahnsinn, sondern die »starke, freudige Erregung«, die »neue, bisher schlummernde Kräfte in uns in Thätigkeit und unser inneres Leben für Ideale in Bewegung setzt, z. B. Kräfte zur Verteidigung des Vaterlandes, zur Gründung eines eigenen Herdes, zur Erforschung der Wahrheit«. Die ausschweifende Begeisterung wurde so in die patriotische Pflicht genommen und bürgerlich diszipliniert. Ihre dunklen Seiten tauchen jetzt unter dem Stichwort »Fanatismus« auf. *Brockhaus* tadelt diesen 1892 noch als maßlose Überzeugung. *Meyer* definiert ihn 1936 positiv als bedingungs- und »restloses Ergriffen- und Durchdrungensein von einer Idee, notfalls unter Opfer von Leib und Leben«. *Brockhaus* kennt 1996 keine Begeisterung mehr, wohl aber den »Fan« als »begeisterten Anhänger«. 1892 war »Fan« für ihn noch der »stets zu Raub und Mord geneigte« Menschenfresserstamm im Kongo, dessen Angehörige nackt herumlaufen, sich aber nie von ihrem Steinschloßgewehr trennen.

BEGRÜSSUNG. Andere Völker, andere Sitten. 1827 beschrieb *Brockhaus* die ganze mißverständliche Vielfalt der Begrüßungsrituale in epischer Breite. Die alten Franken rauften sich ein Haar aus, um es dem Gast zu übergeben. Die Lappländer drücken die Nasen aneinander, in Siam gibt man sich Fußtritte. Manche Malaienvölker »beugen den Leib sehr tief, legen die Hände auf die Backen, halten ein Bein in die Höhe und die Knie gebogen«, und das sind noch nicht einmal die höflichsten Verrenkungen. Anderswo fassen die Eingeborenen den Fuß des Gastes »und reiben sich mit demselben das Gesicht«. In Japan steckt der Rangniedere die rechte Hand in den linken Ärmel, lässt die verschränkten Arme bis zu den Knien sinken und ruft »hin und her wankend mit furchtsamen Gebärden: Augh! Augh! (Füge mir kein Leid zu!)«. Noch toller treiben es manche Negerstämme: Sie schnippen mit den Fingern, ziehen statt unseres Zylinders einen Kamm oder fassen sich so fest an den Händen, »daß diese knacken«. Die Mandingos packen, wenn sie ein Frauenzimmer grüßen, »die Hand desselben und beriechen sie 2 Mal«; die Äthiopier ziehen sich gar »halb nakkend« aus, um die Leibbinden zu tauschen. Wenn Indianer sich begrüßen, beginnen sie zu seufzen und von ihrem Kummer zu erzählen; ihr »abscheuliches Geheul« verwandelt sich erst nach dem Rauchen des Kalumets in ein »fröhliches Lachen«. So hält der eine für artig, was dem andern als ungehobelt gilt. »Statt der in dem protestantischen Deutschland üblichen Grußformeln, Guten Morgen! Ihr Diener! Ich empfehle mich Ihnen! u. s. w. grüßt man in den katholischen Ländern mit dem von Papst Benedict XIII. anempfohlenen Bundesgruß: Gelobt sei Jesus Christus!, welcher mit: In Ewigkeit. Amen! erwidert wird.« – »Wenn aber«, ergänzt *Brockhaus* 1843, »bei Franzosen, Deutschen und andern Völkern Männer sich küssen, so halten dies die Engländer nur unter nächsten Verwandten für anständig.« Allgemein gilt jedoch: »Je ungebildeter die Völker, desto sklavischer ist ihre Begrüßung; nur die ganz rohen Völker machen hier wieder eine Ausnahme.« Das gilt auch für die katholischen Bayern, die 1838 das preußische Militär bei Kirchenfesten in die Knie zu zwingen versuchten. »Der mehrjährige, auch litterarisch lebhaft geführte Kniebeugungsstreit« (*Brockhaus* 1892, Artikel »Kniebeugung«) endete am 12. Dezember 1845 mit einem Sieg der preußischen Fahnen. Von sklavischen Kniefällen und Hofknicksen nimmt *Meyer* 1936 im Artikel »Gruß« nur den »deutschen Gruß« aus: »Er allein ist der würdige Ausdruck der Begegnung freier Menschen, der alles Unterwürfige der früher und in anderen Ländern noch üblichen Höflichkeitsformen des Grußes abstreift. Das Erheben der offenen ausgestreckten Hand galt den Germanen als Zeichen des Vertrauens, daß man sich waffenlos, also freundschaftlich, nahe.«

BEINE weisen gelegentlich Verkrümmungen auf. *Meyer* nennt 1902 besonders die X-Beine (Bäckerbeine) und die O-Beine (Säbelbeine). »Die erste Form entsteht häufig bei den Bäckern, die in gebückter Stellung schwere Schieber halten müssen, dabei die Kniee fest zusammenpressen, während sie die Füße zum festern Stehen so weit wie möglich voneinander entfernt stellen. Säbelbeine entstehen häufig bei alten Kavalleristen.« (→ **Berufskrankheiten**). Es muß noch andere Ursachen geben, denn die Arbeitsbedingungen für Bäcker haben sich verbessert, die alten Kavalleristen sind von uns gegangen, ohne daß die X- und O-Beine ausgestorben wären.

BEKLEIDUNG. Früher Montur, heute Uniform genannt. »Gegenwärtig«, erläutert *Brockhaus* 1892, »unterscheidet man im deutschen Heere Groß- und Klein-Bekleidungs-Stücke.« Unterhosen gehören übrigens zu ersteren und werden, wie *Meyer* 1936 präzisiert, »an den Standortwaschanstalten gereinigt und instand gesetzt«. Schon immer hat man das »Vortheilhafte und Gefällige gewisser Nationaltrachten« (*Brockhaus* 1892) für die Bekleidung der Truppenkörper zu verwenden gesucht. Neuerdings gehe das Bestreben allerdings dahin, die Bekleidung selbst der modebewußtesten Husaren und Ulanen »von unnützem Zierrat zu befreien« und mehr die »militärische Zweckmäßigkeit« (Marschfähigkeit, Tarnung, »Hebung des Standesbewußtseins« etc.) zu betonen: Die »praktische Brauchbarkeit im Felde« bleibt beim Ehrenkleid des Soldaten eben doch die Hauptsache. Heute zeigt sich eine »Tendenz zu repräsentativer Uniformierung einerseits und zu reinen Kampf- und Arbeitsanzügen andererseits« (*Brockhaus* 1996, Artikel »Uniformierung«). Wenigstens das *Damen-Conversations-lexikon* reduzierte Bekleidung 1835 nicht auf Drillich und Kampfunterhosen, warnt jedoch: »Nie kann und darf die Mode als Entschuldigung für unschickliche Entblößung, übertriebene Kürze und ähnlich anstandswidrige Vorschriften gelten.«

BERGEN-ENKHEIM war eine Gemeinde im Kreis Hanau und wurde im Jahre 1977 von der Stadt Frankfurt eingemeindet. Im *Brockhaus* von 1952 erfährt man, daß der Ort zwei Jahre zuvor 8100 Einwohner zählte, und obendrein, daß dort Ferdinand von Braunschweig im Siebenjährigen Krieg am 13. April 1759 »eine Niederlage gegen die Franzosen« erlitten hat. Alles in allem fünf Zeilen. Der Ort Bergen-Belsen existierte damals für das Konversationslexikon nicht, und im Artikel »Auschwitz« hieß es lapidar: »Im 2. Weltkrieg berüchtigtes Konzentrationslager der Nationalsozialisten.« Ende der Durchsage.

BERLINER. »Der Berliner ist in der Regel ein geborner und häufig auch erzogener, wo nicht verzogener Kritiker. Er ehrt und fördert die Wissenschaft, er liebt die Kunst, er betet sie an; aber er liebt sie oft mehr, um darüber zu sprechen, sein Wissen und seinen Scharfsinn daran üben zu können.« (*Damen-Conversationslexikon* 1835). Dennoch freut er sich als ernster, männlicher und mäßiger Mensch »herzlich der fremden Anerkennung«. Die Berlinerin zeichnet sich durch »schlanken, edlen Wuchs« und »nicht unverhältnismäßig große« Füße aus: »Der Teint ist rein, mehr weiß als rosig, mehr blaß als schimmernd und durchsichtig. Alles athmet →**Anstand** und Decenz«, wenn auch nicht unbedingt Geschmack. Sie liebt die Mode (»ohne darin immer gewählt genug zu sein«), liest viel (aber meist wahllos) und spricht gern (»zuweilen recht tiefsinnig«). Kurz, »alle Berlinerinnen sind →**Damen** und machen sich als solche geltend«; ja, »der Name einer berliner Hausmutter ist der schönste Ehrentitel einer deutschen Frau«. Und wenn der noch ungeschliffene Juwel Berlin sich dereinst »vollends zur Kugel abrundet und polirt«, wird er vielleicht sogar eine Weltstadt. 1892 zählt *Brockhaus* in Berlin bereits 4133 männliche und 147 weibliche Literaten und Schreiber, 4633 bzw. 1902 Beschäftigte in der Branche »Schöne Künste« und immerhin 823 Schausteller.

BERN. Seit 1848 die Hauptstadt der Schweizerischen Eidgenossenschaft vulgo Confoederatio Helvetica, worauf das Autokennzeichen »CH« und die Länderbezeichnung im internationalen Postverkehr beruhen. Warum die lateinische Sprache? An der Liebe zu den Römern kann es nicht liegen, denn diese schickten die Ureinwohner Helvetiens als unwillkommene Flüchtlinge aus Gallien – dem heutigen Frankreich – zurück ins Land zwischen Genfer und Bodensee, das die unvorsichtigen Leute allerdings voreilig verwüsteten, bevor sie auswanderten in wirtlichere Gegenden. Es ist historisch nicht geklärt, warum – aber seit urvordenklichen Zeiten gelten speziell Berner als langsam und schwer von Begriff. *Meyer* (1839–55, Artikel »Juden«) widerlegt dieses Vorurteil mit einem historisch gesicherten Beleg für Berner Schnelligkeit: »Doch ist bemerkenswert … daß Bern schon im Jahre 1836 einen Juden, den als Anatom ausgezeichneten Valentin aus Breslau, an der Universität angestellt und ihm kürzlich (1850) das Bürgerrecht erteilt hat.«

BERUFSEIGNUNG. Als »körperliche und geistige Voraussetzungen« für den Krankenpflegeberuf werden 1928 im *Brockhaus* (Artikel »Krankenpfleger(in)«) genannt: »Mindestens mittelkräftiger Körper, normales Seh- und Hörvermögen, widerstandsfähige Nerven, Geduld und Menschenliebe, naturwissensch. Verständnis.«

BERUFSKRANKHEITEN. *Brockhaus* nennt 1892 in diesem Zusammenhang das Lungenemphysem der Blasmusiker, die X-Beine der Bäcker, den Kehlkopfkatarrh bei Lehrern und Predigern sowie Hämorrhoiden und Hypochondrie bei der schreibenden Klasse. Im weiteren Sinne ist auch die Bleichsucht eine Berufskrankheit der Künstler, da sie durch »Überhäufung mit geistigen Anstrengungen«, »allzu frühe Reizung der geschlechtlichen Phantasie (durch Romane, Verführung u.s.w.)«, Kaffee und andere »geheime Sünden« befördert wird (Artikel »Bleichsucht«). Sticken ist nach der Diagnose des *Damen-Conversationslexikons* von 1835 zwar, nächst Gebären und Stillen, eine »Hauptursache der Schiefheit« bei Frauen, kann aber, da zu ihren »natürlichen Pflichten« gehörig, »strenggenommen nicht Berufskrankheit genannt werden«.

BETT. »Wer kennt nicht diesen allgemeinen Freund des ganzen Menschengeschlechtes, die Zuflucht der Müden und Erschöpften?... Je nördlicher das Klima, desto unschätzbarer das Bette.« Das *Damen-Conversationslexikon* schätzte 1835 Freund Bett sehr, wußte aber über seine Herkunft auch »nichts Bestimmtes« mitzuteilen. Wahrscheinlich ist es »ziemlich so alt wie die Welt«. Die deutsche Bettenkultur ist jedenfalls erst spät »zu dem jetzigen Glanzpunkt gediehen«. Heute darf das mit weißen Linnen bezogene Federbett als »Stolz der deutschen Hausfrau« gelten; in südlicheren Breiten erfüllen auch Straßen oder Kirchentür, in den Tropen sogar Felle, Moos und Blätter ihren Zweck. Die Meinungen über den gesündesten Pfühl gehen weit auseinander. Das »Faulenzerkissen aus Eiderdaunen« etwa befördert Zahnschmerzen, Gicht und Indolenz, dürfte aber seiner Bequemlichkeit wegen von »keinem Eiferer« auszurotten sein.

BETTELWESEN. Das Bettelwesen erforderte von den Lexikographen einen riesigen Spagat. Denn einerseits gibt es in der Bibel ausreichend viele Stellen, die den Almosengeber loben (»Geben ist seliger denn Nehmen«, Apost. 20,35): »Das Betteln darf an und für sich weder als eine unsittliche noch als eine schädliche Handlung angesehen werden, ja es ist unverkennbar, daß es für die menschliche Gesellschaft überhaupt, wie für einzelne Individuen, als Beförderungsmittel der Moralität eine hohe Bedeutung erhalten kann und selbst die Summe des allgemeinen Glücks zu erhöhen imstande ist.« Andererseits: Was in der Theorie richtig ist, taugt nicht immer für die Praxis, denn wenige Zeilen weiter heißt es, syntaktisch etwas mißraten: »Das Bettlerleben ... ist eine Last für die übrige Bevölkerung, ohne den Bettelnden dauernde Vorteile zu verschaffen, vielmehr wird es für diese die Quelle bodenloser Verdorbenheit und die Pflanzschule der größten Verbrechen. Zu ihrer Ausrottung ist es nötig, daß man sowohl gegen die Nahrungslosigkeit des Volkes als zur Unterstützung der wirklichen Armut die nötigen umsichtig bemessenen und gehandhabten Einrichtungen trifft; dann aber auch durch ein wachsames Polizeipersonal die Bettler aufgreifen, diejenigen, die nur aus Arbeitsscheu betteln, bestrafen und in Arbeitshäusern sich an die Arbeit gewöhnen läßt.« (*Meyer* 1839–55)

BIBLIOPHOBIE. (Krankhafte) Abneigung gegen Bücher. »Bibliomanie« oder »Bücherwut« ist dagegen die Sucht, Bücher zu kaufen, die durch berühmte Hände gegangen oder durch andere »außerwesentliche und zufällige Umstände« (*Brockhaus* 1827) merkwürdig geworden sind. Die Engländer geben damit oft nur ihrem →**Spleen** ein »wo nicht edleres, doch kunstgerechteres Ansehen«: So hat der Bibliomane Askew Bücher in Menschenhaut binden lassen.

BIBLIOTHEK. »Alles, was wir nun von der Erfahrung nöthig haben, das finden wir in denen Büchern«, lehrt *Zedler* 1733 in seinem 41spaltigen Eintrag »Bücher-Vorrath«, »also sind die Bücher zu der Gelehrsamkeit nothwendig, und deswegen hat man dieselben zu sammeln angefangen«. Mancher Gelehrte »wird jetzo verhindert, seinen Namen in allen Enden von Europa bekannt zu machen«, weil er sich keine gutsortierte Hausbibliothek leisten kann. Andererseits ist die »Bücher-Sucht eben so wohl eine Kranckheit als die Wasser-Sucht«, und sich »in Bücher arm zu kauffen, ist eine von den grössten Thorheiten«. »Am besten ist in diesem Stücke also zu verfahren, daß wir die Bücher, nicht aber die Bücher uns besitzen.« Alte Lexika sind nicht nur gründlich, sondern auch als Ratgeber und Reiseführer wertvoll: Wir erfahren alles über Bestand, Öffnungszeiten, Lage, Ausstattung und Bequemlichkeit der Bibliothek und das Wesen der daselbst waltenden Geister, von der sagenhaften Bibliothek der Königin von Saba bis heute. »Was schönes ist es«, heißt es da etwa über die Bibliothek von Wolfenbüttel, »daß sie täglich etliche Stunden geöffnet wird; auch (sind) die Vorsteher derselben ungemein gegen jeden dienstfertig.« Auf Aktualität kam es dabei nicht an: *Zedlers* Wolfenbüttel-Artikel in Band 48 (1748) verharrt noch auf dem Stand vom 8. November 1656. Das mag auch daran liegen, daß der freie Zugang selbst zur öffentlichen Bibliothek damals erst noch erkämpft werden mußte. *Brockhaus* hielt 1843 Besucher »des dadurch in die Bibliothek eingebrachten Staubes wegen« im Grunde für Schädlinge und Störenfriede, und *Meyer* warnt noch 1851 eindringlich vor Mäusen, Holzwürmern und »gefährlichen Menschenhänden«, die sich unberufen in die heiligen Hallen drängen. *Ersch/Grubers Allgemeine Encyclopädie* widmete sich 1823 in gewohnt ausladender Weise auch der Architektur der Bibliothek: »Hohe Säulen, hohe Gesimse, kühne Bögen, starke Ausladungen, sinnreiche und bedeutungsvolle Sculpturen, lichtvolle und heitere Farben« steigern die Leselust und machen den Besuch in der »Niederlage ausgezeichneter Geistesprodukte« auch ästhetisch zu einem Gewinn. Was den Bücherbestand betrifft, so dürfen selbst Volks- und Leihbibliotheken dem »künstlerisch minderwertigen Roman keine Zugeständnisse« (*Brockhaus* 1892, Artikel »Volksbibliotheken«) machen. Die 15. Ausgabe des *Brockhaus* – der Ergänzungsband 15 befand sich 1933 schon ganz auf der Höhe seiner Zeit – plädiert unter dem Stichwort »Deutsches Reich« für die Ausscheidung der »volksvergiftenden, kunstzerstörenden Mache ... und das um so energischer, als das Volk, durch jahrelange falsche Erziehung unsicher gemacht, nicht immer im Stande ist, gewissenhaft zu prüfen und zu urteilen«. Neuerdings gelten »Maßnahmen zur Steigerung der Benutzerfreundlichkeit« (*Meyer* 1971) nicht mehr als Verrat an der Idee der Bibliothek: Die Trutzburg des Geistes, der *closed shop* der Gelehrtenzunft öffnet sich mit seinen Freihandmagazinen neuen Kreisen und Medien. Selbst die traditionell mürrischen Bibliothekare wurden zu Dienstleistern umerzogen. Doch gilt noch immer *Brockhaus*' Warnung von 1827, man dürfe das edle Amt nicht zur »Versorgung unbrauchbarer Subjecte herabwürdigen«.

BIER. »Jedermann weiß, was dieser Name bezeichnet, und kennt das Bier«, behauptet *Funkes Neues Natur- und Kunstlexicon* 1801. Aber wer weiß, daß Magdeburger Bier sich durch seine »Urin treibenden Kräfte« auszeichnet und flandrisches so stark ist, »daß es sich im Schlunde festsetzt«? Gleichwohl darf man das Bier »für ein gesünderes und nahrhafteres Getränk halten, als alle die ausländischen erhitzenden und erschlaffenden, zum Theil sehr nahrungslosen Getränke. Die Bewohner des nördlichen Europa gothischer Abkunft tranken starkes Bier, wußten nichts von Wein (→Thee, →Kaffee), und befanden sich sehr wohl, waren von starker Leibeskonstitution und immer bei Kräften. Für den Arbeitsmann ist gewiß kein Getränk nährender und kräftiger, als gutes Bier.« *Brockhaus* erinnert 1827 auch an einige Nachteile: Bier läßt die »Werkzeuge des Unterleibs erschlaffen«, die Eingeweide verschleimen und die »zellichte Fetthaut« wachsen. *Ersch/Grubers Allgemeine Encyclopädie* nennt 1823 verfälschende Zusätze wie Opium, Tabak, Stechapfelsamen, Schwindelhafer und Mutterkorn als Grund für die »widernatürlichen Durst erweckende und betäubende Wirkung« des Bieres. »Gewissenlose Brauer brauen um so schlechteres Bier, je sicherer ihnen dessen Absatz bleibt.« Zu Prüfzwecken solle man Bier auf ein Katzenauge träufeln oder aber »in den Morgenstunden kosten, wenn der Geist noch frei und heiter ist, da bekanntlich der Gemütszustand eine sehr große Wirkung auf das Geschmacksorgan hat«. – »Der Biertrinker«, beschied *Brockhaus* 1892 allzu empfindliche Zeitgenossen, »stellt hohe Anforderungen nicht nur an den Geschmack, sondern auch an die Farbe und Klarheit. Diesen Anforderungen läßt sich nicht immer entsprechen, weil das Bier eine hochkomplizierte Substanz und den verschiedensten Veränderungen zugänglich ist.« 1928 führte *Brockhaus* unter dem Stichwort »Brauerei« wie ein guter Hausarzt »Fehler und Krankheiten des Bieres« auf. Getrunken wurde die zweifelhafte Substanz dennoch gern. *Brockhaus* muß 1892 allerdings eine Niederlage im europäischen Trinkwettbewerb eingestehen: »Im Bierverbrauch waren 1890 die Belgier mit 177,5 Liter jährlich führend vor Großbritannien (136,2 Liter) und dem Deutschen Reich (105,8 Liter).« Damals schrieb *Brockhaus* dem Bier noch einen »großen Anteil am Nationalwohlstand« zu; davon ist 1996, obwohl der deutsche Normaltrinker mit 139,6 Litern jetzt zur breiter gewordenen Weltspitze gehört, keine Rede mehr.

BILDUNG ist »ein Vorzug, den nur der Mensch, aber wie die Verhältnisse noch stehen, nicht jeder Mensch haben kann«. Sie läßt den Menschen aus dem »harten Dienst der Naturnothwendigkeit zur herrlichen Freiheit der Kinder Gottes« fortschreiten, doch wird dieses Privileg durch Individualisierung, Spezialisierung und Arbeitsteilung bedroht: »Wie hätten wir Zeit, den Menschen in uns auszubilden, da wir kaum mit dem Bürger in uns fertig werden?« *Brockhaus* faßte 1827 das klassische Bildungsideal gedanklich wie stilistisch so grandios zusammen, als hätte ihm Goethe selbst die Feder geführt: »Bildung in diesem Sinne ist uns daher die durch zweckmäßigen Unterricht und geregelte Selbstthätigkeit zu bewerkstelligende, harmonische Entwickelung der gesammten Menschenkraft zur Gottähnlichkeit.« Das Weib freilich hat in dieser Kirche zu schweigen: »Bildet sich das Mädchen für seinen Beruf, so ist das für die Ehe, oder, noch eigentlicher, für den bestimmten Gatten«, lehrt das *Damen-Conversationslexikon* 1835. »Es kommt nicht darauf an, daß die Bildung der Gattin eine ausgedehnte sei, sondern vielmehr darauf, wie sie ihre Ausbildung der ihres Gatten anzupassen verstehe, damit sich jede Schärfe seines Geistes glätte am Polirsteine ihres Gemüthes; sonst ist ihre Erziehung nur eine Nebenstimme. Kenntniß des Mannes ist das wichtigste Gesetz der Ehe für Frauen... Im Gefühle liegt der Gesammtwerth des Weibes; gäbe es eine allgemeine Bildung der Gattinnen, so wäre es die des Gefühls.« 1892 gilt *Brockhaus* Bildung immer noch als »Inbegriff dessen, was ein Individuum, ein Volk wie ein Zeitalter erreicht hat«. Der Artikel »Bildungsanstalten«, der im wesentlichen nur Ausbildung und Verpflegung der preußischen Sanitätsoffiziere behandelt, fällt allerdings doppelt so umfangreich aus. Mit dem Bildungsbürgertum ging auch der Bildungsbegriff vor die Hunde. Wo *Brockhaus* den Menschen 1827 noch durch Bildung zum »Ebenbild der Gottheit« erziehen wollte, würde *Meyer* 1936 Wort und Sache am liebsten ausgemerzt sehen, weil ihm »augenblicklich unausrottbar ein einseitig verstandesmäßiger Sinn anhaftet... Ein ›gebildeter Mensch‹ ist kein Viel- oder Alleswisser.« Bildung von »menschlich totaler Beschaffenheit« arbeite an der »Herausbildung des rassisch einwandfrei geborenen deutschen Menschen zur vollentwickelten, willensstarken und charakterfesten Persönlichkeit im Rahmen der Volksgemeinschaft«. 1996 verteidigt *Brockhaus* seinen »Schlüsselbegriff« Bildung dann – auch pro domo – gegen das »Lernen«: Eine »realistisch gewendete Pädagogik« bezeuge im Primat individueller Selbstverwirklichung durch Lernen nur ihre »Arroganz der Selbstbezüglichkeit«. Nur ein Mystiker wie Meister Eckart kann noch die »Entbildung des Menschen« und seine »Einbildung in Gott« als Weg ins Himmelreich begreifen.

BIOLOGIE. Der *Brockhaus* von 1928 hat erkannt, daß »der Tod selbst« lediglich »eine Erscheinung des Lebens« ist. »Begriffe wie ›lebendig‹ oder ›tot‹ sind daher nur im Bereich der Lebewesen sinnvoll.« Biologen, die in ihrer Jugend gerne Pflanzen bestimmt und Kaulquappen gezüchtet haben, lernen im Studium, daß in ihrem Fachbereich nur die Molekularbiologie Zukunft und viele Arbeitsplätze zu bieten hat. Ihre alte Liebe zur →**Natur** und die Neugier auf alles Lebendige befriedigen sie als Erwachsene dann in dunklen Laborkellern, wo sie tote Tiere zerlegen.

BIZARRERIE. »Die Herrschaft des Seltsamen und Bizarren in der Kunst zeugt stets von dem Sinken derselben«, warnte *Brockhaus* bereits 1812 unter dem Stichwort »Seltsam«, und das Seltsame triumphiert, »wenn man sich von dem Natürlichen so weit entfernt, daß man die Kunst den Einfällen einer Laune opfert«. 1827 war für *Brockhaus* der bizarre Künstler geradezu »ein Wahnwitziger mit Freiheit statt Zucht«. Das *Damen-Conversations-*

lexikon, das gern von *Brockhaus* abschrieb, definiert 1835 die Bizarrerie als »eine Art freiwilligen Wahnsinns und wohl zu unterscheiden vom Humor«. Dieser geht seltsamerweise mit künstlerischer Besonnenheit einher, jene ist »geheuchelte Eigenthümlichkeit« und somit das »jedenfalls Überflüssige«. Die »mit Affektiertheit verbundene Sucht nach dem Seltsamen, Ungereimten, Auffallenden« (*Brockhaus* 1892) ist jedenfalls nur dem Künstler eigentümlich, der »aus falscher Originalitätssucht gewaltsam über Stil und Tradition hinausstrebt, ohne daß seine Kräfte zu wirklich neuen Schöpfungen reichen«.

BLASIERTHEIT. Ursprünglich Fachausdruck für übersättigte Flüssigkeiten, später auch für die Wirkung des Alkohols im menschlichen Körper; liegt aber der hohen Nase näher als der vollen Blase: »Die Blasiertheit ist der Tod aller energischen Thatkraft und allen gesunden Lebensgenusses und war immer die Modekrankheit materialistisch gesinnter Zeitalter, in denen die Genußsucht sittliche Ideale und Interessen der Wissenschaft und Kunst, der Vaterlandsliebe zurückdrängt.« (*Brockhaus* 1892)

BLAUSTRUMPF war noch 1827 für *Brockhaus* ein Schimpfname »für Verräter, Verleumder und niederträchtige Liebkoser«, nach dem blaustrümpfigen »Liebediener« der Ehebrecher. 1835 kann das *Damen-Conversationslexikon* bereits mit Engländern dienen, die alle Frauen, »welche sich ganz der weiblichen Bestimmung entfremden und bloß der Gelehrsamkeit leben, mit dem Spottnamen ›Blaustrümpfe‹ zurückscheuchen«. 1892 rügt *Brockhaus* mit wachsendem Unmut, daß die Blaustrümpfe nicht mehr nur ihre »häuslichen Pflichten vernachlässigen«, sondern auch »ihre gelehrten Kenntnisse selbstgefällig zur Schau tragen«. 1996 leistet er politisch korrekt Abbitte: »Abwertende Bezeichnung für eine Frau, die für soziale, rechtliche und politische Gleichheit eintrat, v. a. aber für eine intellektuelle Frau, die sich von den als typisch weiblich geltenden Eigenschaften distanzierte.«

BLINDER HESSE ist im *Brockhaus* von 1928 ein eigenes Stichwort unklarer Herkunft. Der Begriff wird »meist auf die hess. Soldaten zurückgeführt, die von ihren Landesherrn im 18. Jahrh. an England verkauft wurden; beruht aber vielleicht auf dem Volkswitz, daß die Hessen (Chatten) wie die Katzen blind zur Welt kommen«. Weiteres klärt die einschlägige Monographie »Wiesenbach: *Die blinden Hessen* (1891)«.

BLONDIN, »(spr.: blongdäng) männliches Wesen mit blondem Haar«; steht 1892 im *Brockhaus* noch vor der Blondine. Das *Damen-Conversationslexikon* schätzt 1835 an letzterer, ähnlich wie heute noch gewisse Witzbolde, »gewisse Eigenschaften des Gemüths und Geistes«, namentlich »Sanftmuth, Weichheit und Gutmüthigkeit«. »Weniger aus der Luft gegriffen oder doch durch die Beobachtung mehr bestätigt ist die Behauptung, daß mit dem blonden Haar ein erhöhter Grad von Offenheit und Naivetät verbunden sei.« Die Blondine gilt als weiblichste aller Frauen und gehört, wenn ihr Auge »nicht nur schmachten, sondern auch blitzen kann, zu den außerordentlichen Erscheinungen«; »das pikante Gepräge« der →**Brünetten** geht ihr allerdings ab. »Blondinen: heißblütiger als Brünette«, bestätigt Flaubert in seinem *Wörterbuch der Gemeinplätze* (jedoch auch: »Brünette: heißblütiger als Blondinen«). *Meyer* findet 1936 für »blond« nur zwei Worte: »hellfarbig, gelblich«. *Brockhaus* stellt 1996 schließlich unter Berufung auf neuere Grabfunde die Blondheit der Germanen in Frage. Unstrittig ist aber seine Einsicht, daß »chemische Bleichmittel blonde Haare zunehmend für jeden Typ erreichbar« machten und der moderne Film die »Erotik« der Blondine propagiere.

BLOOMERISMUS. Mit dem 16. Juni 1904 und dem Anzeigenmakler Leopold Bloom aus dem *Ulysses* von James Joyce hat das Wort nichts zu tun. 1850 propagierte Anna Bloomer in Seneca Falls (New York) gegen »gesundheitswidrige« Frauenkleider eine weibliche Tracht, die der Männerkleidung ähnlich war: »am Knöchel endigende Pumphosen und einen bis zum Knie reichenden Kleiderrock« (*Meyer* 1936). In den USA und in England breitete sich die Mode schnell aus und endete als Bewegung des »Bloomerismus« mit eigenen Vereinen und Meetings, in denen es (was *Meyer* nicht mehr weiß) um mehr als nur Modisches ging – um die Frauenemanzipation. →**Frauenfrage.**

BLUT. »Diese rothe Flüssigkeit« befindet sich, weiß der *Brockhaus* von 1812, »außer dem menschlichen Körper, in allen Säugethieren, Vögeln, Amphibien und Fischen«. Blut besteht aus »feinen runden Kügelchen«, außerdem dem »Blutwasser« und dem »Blutkuchen«. Noch entsteht das Blut »aus dem Milchsafte«, der Umlauf »geht mit einer bewundernswerten Schnelligkeit vor sich«, und nach einer halben Seite ist die Erklärung auch schon vorbei. Im *Brockhaus* von 1843 ist der Eintrag länger, es finden sich Temperaturbestimmungen, Mengenabwägungen und erste physikalische Meßmethoden. Auch die mythische Bedeutung des Blutes wird jetzt stärker betont: »Da das Blut das Material zur Erhaltung des ganzen Organismus darbietet, gewissermaßen die Urflüssigkeit desselben ist, so leuchtet seine Wichtigkeit für das Leben und Sein von selbst ein.« Nicht nur antike Philosophen fanden »den Sitz des Lebens und der Seele im Blute« (→**Gen**), sondern »selbst neuere Physiologen« erkennen ihm »eine eigene Vitalität« zu. *Brockhaus* wird 1864 wissenschaftlicher, schätzt »die Menge des Blutes« auf »9–10 Pfd.«, mißt die Gerinnungszeit und wird insofern vital, als »die Bereitung des Blutes«, die sogenannte Sanguisication, »zuvörderst nur mit Hülfe des Verdauungs- und Athmungsprocesses geschehen« kann. »Sonach ist das Blut, weil es den das Leben bedingenden Stoffwechsel unterhält, die Quelle des Lebens, und Mangel oder Veränderungen desselben müssen Aufhören oder falsches Vorsichgehen des Stoffwechsels (Tod oder Krankheit) nach sich ziehen« (*Brockhaus* 1892). Nicht lange nach einem blutigen Krieg wird betont, daß Blut »von eigentümlich fadem Geruch und salzig-süßlichem Geschmack« ist. Im 20. Jahrhundert scheidet das Leben – lexikalisch gesehen – aus dem Blut aus. Der *Brockhaus* von 1928 bespricht es in seinen Funktionen, der physikalischen und chemischen Zusammensetzung, den Blutkörperchen, Veränderungen bei Krankheit und Methoden der Untersuchung. In einem zweiten Stichwort Blut, fünf Seiten später, wird (vor dem Artikel »Blutaberglaube«) auf »den Zuchtwert eines Tieres zufolge seiner Abstammung von bestimmten Eltern oder Vorfahren« hingewiesen. Was hier noch »insbesondere in der Pferdezucht« Anwendung findet, dehnten deutschblütelnde Abstammungsfanatiker bald auf den Menschen aus.

BLUTARMUT kommt zumeist bei bestimmten Leiden vor, kann aber auch bei falscher Umgebung, Ernährung oder Erziehung entstehen, weiß der *Brockhaus* von 1892: »Daher sehen wir Rekonvalescenten, Magen- und Darmkranke, Lungenleidende, Skrofulöse, ferner die Bewohner dumpfer, finsterer Wohnungen, Gefangene, schlecht genährte und übermäßig geistig angestrengte, stubenhockende Kinder usw. anämisch werden.« Insgesamt scheinen jedoch die gesellschaftlichen Ursachen eindeutig zu überwiegen: Denn »die allgemein beobachtete Zunahme des Vorkommens der Blutarmut in unserer Zeit« erklärt sich aus dem »engen Zusammenwohnen der Menschen in den großen Städten, aus der Fabrikindustrie, der Zunahme des Proletariats, insbesondere aber aus den übermäßigen Ansprüchen, die man an die Kinder macht, sei es bei den ärmeren Klassen in körperlicher, sei es bei den wohlhabendern in geistiger Arbeit; anderer Ursachen nicht zu gedenken, wie der vorzeitigen geschlechtlichen Entwicklung der Stadtkinder und der durch die Genußsucht und Lebenshast unsers Zeitalters bedingten allgemeinen Überreizung des Nervensystems.« →**Nervenschwäche.**

BLUTEGEL. »Eins der vortrefflichsten Mittel, welche die Natur dem Menschen zur Linderung seiner Leiden darbietet« (*Damen-Conversationslexikon* 1835). Die deutsche Blutegel-Zucht ist weltweit unerreicht, vor allem Münster und Hildesheim sind für ihre fabelhaft zähen Exemplare berühmt. Stolter (vgl. *Praktische Resultate der Blutegelzucht*) »fand beim Transport des deutschen Blutegels nach Südamerika nur vier Prozent Verlust, bei anderen Varietäten bis zu sechzig Prozent« (*Brockhaus* 1892). Allerdings müssen sie gut ernährt und beim Versand feucht gehalten werden. Früher wurden ganze Esel und Pferde an Blutegel verfüttert, jetzt nur noch Flanellbeutel mit Tierblut.

BLUTFAHNE, »Blutbanner, lat. vexillum sanguineum, imperiale oder praetorium, die rote Fahne, mit der die mit dem Blutbann verknüpften Reichslehen verliehen wurden« (*Brockhaus* 1952). Was fehlt? Das Wort bezeichnete auch die Hakenkreuzfahne, die am 9. November 1923 in München beim Marsch auf die Feldherrnhalle mitgeführt und angeblich vom Blut dabei umgekommener Nationalsozialisten rot eingefärbt worden war.

BODENSPEKULATION behandelt *Brockhaus* schon 1952 im Imperfekt: »Nach 1918 wurde die Bodenspekulation durch die kommunale Boden- und die staatliche Wohnungspolitik ausgeschaltet«, lautet der beruhigende Abschlußbescheid im 15 Zeilen umfassenden Artikel.

BOUDOIR. Eigentlich: Schmollstübchen, »Cabinet der Damen«, wo dieselben oft »allein zu sein wünschen« (*Damen-Conversationslexikon* 1835). »Niemand darf dasselbe ohne besondere Erlaubniß betreten, am wenigsten natürlich ein Mann, und selbst der Gatte muß nach den Regeln der Artigkeit um Einlaß bitten.« Dennoch verschaffte sich der Verführer Zutritt ins »Allerheiligste der Hausfrau« und machte ein schwüles Chambre separée daraus. *Brockhaus* hielt den Schmollwinkel 1827 noch für ein »abgelegenes, einfach und anmuthig verziertes Zimmerchen«, 1851 schon für eine aparte Weiterentwicklung des »mittelalterlichen Closets«.

BOURGEOISIE. Von Roland Barthes stammt das Diktum, bei der Bourgeoisie handle es sich um jene soziale Klasse, die sich dadurch definiere, nicht so genannt zu werden. Ein frühes Lexikon kolportiert eine andere Vermutung: »Für Deutschland mag es ein Kunstgriff sein, daß der Radikalismus das französische Wort Bourgeoisie eingebürgert hat, sofern mancher Bürger nicht merkt, daß die Angriffe ihm selbst und seinem Stande gelten.« (*Brockhaus* 1851).

BOXEN. Englische »Volkseigenthümlichkeit«, bei der es darauf ankommt, dem »Gegner Stöße, besonders auf den Unterleib, mit der Faust beizubringen ... Wer zuerst den Wunsch erklärt, aufhören zu wollen, ist der Überwundene.« (*Brockhaus* 1827). In Deutschland bis 1908 verboten, wurde das Boxen von Max Schmeling wiederbelebt. *Meyer* feiert den »hervorragenden Kampf- und Wehrsport« 1936 unter Berufung auf Adolf Hitler als Hohe Schule von Angriffsgeist, blitzschneller Entschlußkraft und stählerner Geschmeidigkeit. *Brockhaus* hebt 1996 mehr auf die Spätfolgen ab: Boxernase, psychopathische Veränderungen und »Intelligenzdefekte (Boxerschwachsinn)«.

BRANDSTIFTUNGSTRIEB oder Pyromanie, für *Brockhaus* 1892 ein Akt von Bosheit, Rachsucht, Schwachsinn oder →**Heimweh.** Anfällig dafür sind »entschieden schwermüthige oder noch anderweit (nerven-)kranke, in der Entwicklung zurückgebliebene oder auch gestörte, ungebildete Personen, vorzugsweise dem weiblichen Geschlecht angehörig, die in ungewohnten Verhältnissen sich schmerzlichem Nachsinnen über ihre Lage hingeben«: Sie greifen unweigerlich zum Streichholz als »der nächstliegenden und einfachsten« Waffe. 1875 rechnete *Brockhaus* den Brandstiftungstrieb unter dem Stichwort »Gelüste« noch zusammen mit Kleptomanie und »Mordsucht« zu den Sonderbarkeiten pubertierender oder schwangerer Frauen, die »mit dem Aufhören der geschlechtlichen Störungen natürlich« wegfallen.

BRAUN. »Eine in der Natur sehr häufig vorkommende Mischfarbe, die sich bei der Analyse als ein reichlich Schwarz enthaltendes Kreß (Orange) erweist. Die Farbe wird in zahllosen Tönungen dargestellt... Braun spielt in der Farbensymbolik eine verhältnismäßig untergeordnete Rolle: doch ist Braun schon im Altertum, aber auch im Mittelalter und in neuerer Zeit als Trauerfarbe vielfach belegt.« (*Brockhaus* 1928). Acht Jahre später sah die lexikalische Welt anders aus. *Meyer* (1936) tilgte den Artikel »Braun« völlig. Der Ort Braunau war jetzt wichtiger, die Farbensymbolik schoß kräftig ins Kraut, und der Artikel »Braunhemd« war unentbehrlich geworden: »Dienstanzug der Politischen Leiter und der Gliederungen der NSDAP, wird auch zum Uniformrock getragen, in der SA seit 1926 allgemein an Stelle der Windjacke eingeführt; die billigen Herstellungskosten des Braunhemds ermöglichten in der Kampfzeit erst das einheitliche geschlossene Bild der nationalsozialistischen Kampfformationen. Durch die Blutopfer der NSDAP wurde das Braunhemd zum Ehrenkleid der Bewegung.« Der Hinweis auf »Braun« als Trauerfarbe mußte schon deshalb entfallen. 1952 streicht *Brockhaus* den Artikel »Braun« wie viele andere (→**Blutfahne**).

BRIEF. Verschlossene, schriftliche Mitteilung, die heute vom → **Postbeamten**, im alten Rom zuverlässiger vom Tabellarius zugestellt wurde. Der Brief besteht nach dem ersten Briefsteller des Mönches Alberich aus fünf Teilen: salutatio, captatio benevolentiae, narratio, petitio und conclusio. Mohammedaner und einzelne Europäer befleißigten sich bis ins 14. Jahrhundert einer gehobenen, oft sogar gereimten Prosa, die Kaufleute rangen dagegen lange »arg mit dem Ausdruck«. In jedem Falle gaben Briefe »besonders tiefe und richtige Einblicke in das Gemüts- und Geistesleben« (*Brockhaus* 1892) der Schreibenden; im Absolutismus galt das Erbrechen von Briefen im Schwarzen Kabinett sogar als »königliches Plaisir«. Von einer deutschen Briefkultur kann man erst seit dem 17. Jahrhundert sprechen; später wurde ein sentimentaler Kult damit getrieben. Das *Damen-Conversationslexikon* kennt 1835 außer Mahn-, Gevatter-, Bitt- und Empfehlungsbriefen auch den Liebesbrief (»ein geflügelter Amorett, der verwundet oder rührt, erobert oder sich gefangen gibt«) und das Billet-doux, das wie »ein duftiger Schmetterling von der einen Blume zur andern fliegt«. Frauen, die Briefe schreiben, erscheinen gleichsam »im reizenden Negligé« und dem Mann daher »doppelt liebenswürdig«. »Sie sind hinreißend, wenn sie sich munter, unbefangen, herzlich gegen Freundinnen aussprechen, voll von Zweifeln und Fragen, wenn sie sich an einen theuren Gegenstand wenden, sie behaupten und argwöhnen nur, um widerlegt zu werden.« Der männliche *Brockhaus* hielt 1827 »kriechende Unterwürfigkeit, heuchlerische Demuth und eine mattherzige Schlauigkeit« auch im vertraulichen Brief für unangebracht. Die Postkarte und namentlich die E-Mail hat die künstliche Erregung seither bedeutend verkürzt und prosaisch gedämpft. *Brockhaus* kennt aber noch 1996 Naturvölker, die Briefe in Gestalt von Tierhäuten, Rindenstücken, Rauchzeichen, Trommelsignalen und gefaltetem Laub übermitteln.

BRÜNETT. »Bei der weißen Rasse scheint der brünette Typus dem blonden in gesundheitlicher Hinsicht überlegen zu sein.« (*Meyer* 1902, Artikel »Krankheit«).

BRUNNENVERGIFTUNG. Historisch gibt es keine Belege, daß Juden Brunnen vergifteten, trotzdem wurden sie seit dem späten Mittelalter dieses Verbrechens immer wieder bezichtigt. *Brockhaus* kanzelte 1928 das Vorurteil scharf ab: »Es sollten damals (während der Pestzeit) angeblich die Brunnen, ja sogar die Luft von den Juden vergiftet worden sein, um, wie man meinte, die Christenheit zu vertilgen. Der Wahn, der Feind habe die Brunnen vergiftet, findet sich vereinzelt noch im 19. Jh.« Unter dem Nationalsozialismus wurde der Artikel »Brunnenvergiftung« ganz gestrichen. Nur im Artikel über Brunnen im geologischen und bautechnischen Sinne findet sich ein Hinweis auf die Brunnenvergiftung, die seit dem Gesetz zur Abwehr politischer Gewalttaten vom 4. April 1933 mit der Todesstrafe bedroht war. Was wie ein Fortschritt aussieht – der Verzicht auf den Artikel »Brunnenvergiftung« –, überlebte als barbarische Strafandrohung.

BÜCHER SCHLAGEN. *Zedler* berichtet 1742 von dem schönen alten Brauch, »puckelichtes« Papier mit Steinen, Klötzen oder Hämmern zu schlagen, damit »die Bücher nicht so dicke und ungeschickt bleiben«. Doch sollte man »auf einmahl kein gantzes Buch« glatt prügeln, sondern immer nur einen etwa fingerdicken Bund, je nachdem, wie viel »der Hammer zwingen kan« bzw. ob man »ein Ding starck oder gelinde schlagen will«. Achtung: Die Bücher sollte man vorher gut eingraben, damit nicht das »gantze Hauß« erschüttert werde, und »wer allzu starck und lange, sonderlich im heissen Wetter schlägt, der schlägt endlich Feuer heraus.« *Brockhaus* meldet 1892 unter dem Artikel »Buchrückenrundemaschine« Fortschritte beim »langwierigen Rundklopfen der Bücher«. Heute wird das Bücher-Schlagen von Marketingspezialisten besorgt oder mit dem Hammer der Literaturkritik erledigt, ohne daß die Bücher dabei immer Funken schlügen. Dennoch insistiert Lichtenberg: »Das Buch muß erst ausgedroschen werden.«

BÜCHERLAUS. Die Bücherlaus rennt nach Auskunft des *Neuen Natur- und Kunstlexicons* von 1801 »viel geschwinder« als eine gewöhnliche Laus, ist aber »leicht zu zerdrücken«. Sie läßt »zur Zeit der Begattung einen klopfenden Ton hören, der einigermaßen dem Schlage einer Taschenuhr gleicht und besonders bei nächtlicher Stille hörbar ist. Unkundige halten dieses Klopfen für ominös, und nennen es die Todtenuhr.« Kundige Bücherwürmer wissen: »Man darf nicht jedes Klopfen von diesem Thierchen herleiten. Ein viel stärkeres verursacht das Hauskäferchen.« Was die Laus als solche betrifft, so ist die Abscheu vor ihr ebenso ungerechtfertigt wie praktisch: »Wie mancher würde sich lieber von diesen kleinen Insekten plagen lassen ... wenn er nicht theils selber Ekel davor empfände, theils von andern Verachtung fürchten müßte.« Insofern sind die Berichte über Montezumas Kopf-Laus-Steuer »nicht sehr glaublich; vielmehr würden gewiß die Mexikaner, wenn sie jährlich eine gewisse Quantität des Ungeziefers liefern mußten, seiner Vermehrung eher Raum gegeben haben, um des mühsamen Sammelns überhoben zu sein.« Verbürgt oder doch sehr »wahrscheinlich« ist aber der »große Appetit«, mit dem die Neger, Neuseeländer und »ärmern Chinesen« Läuse verzehren. Zurück zu den Büchern: Der »Bücherskorpion« hält sich in alten, feuchten Büchern auf, während die Buchwanze gern zoologische Kabinette heimsucht; sie wird von *Brockhaus* 1892 unter dem Stichwort »Kabinettkäfer« gehalten. »Der Käfer möchte noch zu ertragen sein«, sagt Tiervater Brehm über ihn, »aber seine etwas breitgedrückte, gleichfalls behaarte Larve ist ein böser Gesell.« *Brockhaus* empfiehlt zur Ausrottung des bibliophilen Ungeziefers »häufiges Besichtigen der aufbewahrten Objekte«.

BÜCHERVERBRENNUNG. *Brockhaus* (1996) dokumentiert jene der Nazis vom 10. Mai 1933 als »folgenschwerste« mit einem Bild, zehn Zeilen Text und guten bibliographischen Hinweisen. In der Ausgabe 1952 hatte sie noch gar nicht existiert – lexikalisch.

BUDDHISMUS ist eine Art »entarteter« (*Brockhaus* 1892) Katholizismus. Der tibetanische Buddhismus etwa plagiiert das römische Papsttum samt Zölibat, Ohrenbeichte, Rosenkranz, Weihwasser, Mönchswesen und Gebetsmaschinen; selbst sein Gebetsszepter ist ein »unsern Mörserkeulen ähnelndes Instrument«. Der Gottesdienst der Lamas »gleicht dem katholischen so sehr, daß katholische Missionare ihn für ein Blendwerk des Teufels erklärt haben«. Als Bettelstab dient dem originelleren südlichen Buddhismus der Sonnenschirm; in Tibet und der Mongolei ist aber auch er »dem römischen Bischofsstab sehr ähnlich geworden«. Dennoch wäre es falsch, »über den Buddhismus den Stab zu brechen«.

BÜRGER. Der Weg von privilegierten, als Bürger anerkannten Gruppen bis zum Stadt- bzw. Staatsbürgerrecht dauerte vom Spätmittelalter bis ins späte 19. Jahrhundert (in Preußen bis 1918) und endete damit, daß Unterschiede zwischen Adel und Bürger »wenigstens rechtlich wegfallen, so daß sämtliche Glieder des Staates ohne Ausnahme als Bürger bezeichnet werden« (*Brockhaus* 1928, Artikel »Bürger«). Zumindest die Frauen waren damals noch teilweise ausgeschlossen, und vielerorts kam auch die volle rechtliche Gleichstellung der Juden erst später. Verloren wurde der egalitäre Status buchstäblich über Nacht – und zwar durch eine provinzielle Unterscheidung: »Die Bürgerstellung war die formal anerkannte Rechtsstellung einer Person in ihrer Beziehung zu einer Gemeinde oder zum Staat. Die innere, organische Zugehörigkeit des Bürgers zum Volk spielte dabei keine Rolle. So konnten vor allem auch rassefremde Personen Staatsbürger sein, wie z. B. Juden und Neger. Die völkischen Nachteile dieses formalen Staatsbürger-Begriffs wurden noch durch die Einbürgerungspolitik verstärkt ... Die Begriffe Staatsbürger und Volksgenosse entfernten sich dadurch immer mehr voneinander, nachdem sie zunächst ein und dasselbe bedeutet hatten.« (*Meyer*, 1936).

BURKEN. Ein zeitgenössisches englisches Wörterbuch verzeichnet für das Verb »to burke« die Bedeutung »in aller Stille beiseite schaffen«. Mit Edmund

Burke, dem konservativen Kritiker der Französischen Revolution, hat das Wort nichts zu tun. Die Wortgeschichte ist einigermaßen kompliziert: »In Großbritannien herrscht ein altes Vorurteil gegen die Zergliederung von Leichen ebenso hartnäckig als bei den alten Ägyptern und den Mohammedanern... Die Vorsteher der medizinischen Lehranstalten und junge Wundärzte konnten daher nur mit großen Schwierigkeiten Leichen zu ihren wissenschaftlichen Übungen und zu anatomischen Präparaten erhalten... Von den 3–400 Leichen, die jährlich den Studierenden in London zu anatomischen Übungen geliefert werden, erhalten sie auf dem von dem Gesetze erlaubten Wege oft kaum eine, und wenn auch zuweilen Arme bei ihrem Leben ihren Leib einem Anatomen verkaufen, so mußten doch unerlaubte Mittel versucht werden, das Bedürfnis notdürftig zu befriedigen.« Wo der Markt regiert und Mangel herrscht, steigen als erstes die Preise, und wenn die Preise steigen und damit die Aussichten auf schnelles Geld, engagiert sich immer allerlei geschäftssinniges Volk. Der Leichenpreis zog von 2 Pfund Sterling auf 10 bis 12 an. Das brachte »einen eigenen Industriezweig« hervor, »das Gewerbe der Auferstehungsmänner (resurrection-men), welche, oft mit den Totengräbern einverstanden, die Toten ausgraben und verkaufen. Gewöhnlich stehlen sie Tote, die in Armenhäusern gestorben sind, wobei sie weniger Schwierigkeiten finden, da die Gräber der Reichen tiefer sind und überdies auf jedem Kirchhofe in London während der Nacht Bewaffnete sich verbergen, um die ihrer Bewachung übergebenen Grabhügel gegen Störungen zu schützen. Wird ein Auferstehungsmann ertappt, so erhebt das Kirchspiel Klage gegen ihn, und er muß 6–12 Monate im Gefängnisse büßen. Nicht selten gelingt es ihnen auch, die Leichen der in Armenhäusern Verstorbenen als angebliche Verwandte in Anspruch zu nehmen. Die mit solchen Unternehmungen verbundenen Beschwerden aber trugen dazu bei, die Preise der Leichen zu steigern.« Der risikofreudigere Teil der Auferstehungsmänner änderte schließlich – wenn *Brockhaus* (1833) recht hat – die Praxis, ging zum Mord über und bot »unter sehr verdächtigen Umständen den Ärzten Leichen zum Verkauf« an und »jungen Ärzten ... sogar einzelne Glieder von frischen Leichen«. »Im Dezember 1818 ward ein seit mehreren Jahren in Edinburg wohnender Schuhmacher, William Burke, ein katholischer Irländer, verhaftet und dreier Mordtaten beschuldigt, die in demselben Jahre waren begangen worden, um die Leichname an Anatomen zu verkaufen.« Der Mann wurde zum Tode verurteilt und legte wenige Tage vor der Hinrichtung sogar das Geständnis ab, insgesamt 15 Personen erstickt, den Leichnam zum Erkalten in Kisten gelegt, »in aller Stille beiseite geschafft« (»to burke« bzw. »Burken«) und schließlich gegen 7 Pfund und 10 Schilling an Dr. Knox in Edinburg verkauft zu haben. »Die eigentümliche Ermordungsart« hat den schottisch-englischen Humor veranlaßt, dafür »den Ausdruck Burken« zu verwenden. Gediegener theologischer Witz dürfte dafür verantwortlich sein, daß die Leichenverkäufer als »Auferstehungsmänner« auftraten. *Brockhaus* bringt die Geschichte dieser Unternehmer (im Englischen hat das Wort »undertaker« bis heute die Bedeutung »Leichenbestatter«) noch in der Auflage von 1864 in leicht gekürzter Version.

BURSCHENSCHAFTEN. Als sie sich politisch, zum Teil demokratisch zu artikulieren begannen, hatten sie in den Lexika keine gute Presse: »Erst als jener unruhige Geist die Politik erfaßte, und ihn der Schwindel der Revolution zu ergreifen schien, hielten es die Regierungen für nötig, die akademische Jugend unter ihre unmittelbare Aufsicht zu nehmen und dem unruhigen Geiste mit Strenge entgegenzuarbeiten. ... Durch die getroffenen Maßregeln ist nun zwar der demagogische Schwindel unter den Studierenden verschwunden; aber man würde sich irren, wenn man glauben wollte, der verdorbene Geist des Universitätswesens habe sich dadurch seinem Wesen nach verändert.« (*Brockhaus* 1833, Artikel »Universitätswesen«). Was das Wesen betrifft, so lautete der Befund später etwas anders: »Das Menschenalter von 1815–48 war für die deutschen Universitäten kein günstiges.« Das hat freilich das »Verbindungswesen« nicht darin gehindert, »der Hauptsache nach die heute noch geltenden Formen« anzunehmen, indem es sich von der Politik fast und von demokratischen Ansprüchen vollständig verabschiedete (*Meyer* 1902, Artikel »Universitäten«). Es wurde zum Bestandteil der akademischen Untertanenfabrikation, wie sie Heinrich Mann in seinem Roman beschrieben hat.

BUSCHMÄNNER leben »über alle Vorstellungen verwildert elend ...« – »Der brennende Himmel ist ihr Zelt«, weiß *Brockhaus* 1827, »der heiße Sandboden ihr →**Bett.**« *Meyer* spricht 1851 von »wollüstig-schlaffen Zügen« und einer tierischen Stumpfheit: »Alle Civilisationsversuche mißglückten.« Das *Damen-Conversationslexikon,* das sich im Vorwort als »freundlicher Cicerone« in fernen Ländern vorstellt, malt 1835 in seiner »romantischen Darstellung« das Sittenbild der Buschmänner in noch kräftigeren Farben: »Ihre Beute schleppen sie in das Dickicht des Waldes; hier unter einem riesigen Baumstamme lagert sich ein Kraal oder eine einzelne Familie am lodernden Feuer, das ihre graubraunen wilden Züge, ihre Kleidung aus Thierfellen, die gigantische Vegetation ringsum grell beleuchtet und riesige Schatten wirft, und verschlingt mit Heißhunger und Gefräßigkeit die nur halbgekochte Speise. Die öde, schauerliche Stille der Nacht wird nur durch ihre häßliche, selbstgebildete, aus unartikulierten Tönen und Zungenschnalzen zusammengesetzte Sprache unterbrochen.« Die nah verwandten →**Hottentotten** trinken sogar Blut und »saure Molke«, sind dabei aber »gutmüthig roh« und aufgeschlossen sowohl für europäische Volkslieder wie für die christliche Mission. Allerdings: »Gleich nach der Geburt drücken sie ihren Kindern die Nasen ein.« So ethnologisch zweifelhaft diese rassistische Völkerpsychologie uns heute erscheinen mag: Der anekdotische Kolonialherrenton der frühen Lexika erscheint neben der späteren imperialistisch schnarrenden Herablassung fast noch human. »Charakteristisch für die Kulturstufe der Buschmänner ist der Umstand, daß ihre Zahlenausdrücke nur bis ›zwei‹ reichen«, notiert *Brockhaus* 1892 lakonisch. »Der Begriff der Obrigkeit ist ihnen fremd.« Die →Neger werden als »willig, gutmütig und meist ehrlich« (*Brockhaus* 1892, Artikel »Hottentotten«) beschrieben, soll heißen: auf ihre Verwendbarkeit als Arbeitskräfte taxiert.

BUSENHUHN. Wenn man den Lexika vertrauen darf, so muß es zu Zeiten, da noch Leibeigenschaft herrschte, ziemlich schroff zu- und hergegangen sein. »Kein Leibeigener und keine Leibeigene darf sich ohne Vorwissen des Erbherrn verehelichen, und für die Einwilligung des Letzteren muß noch überdies der Bedemund (Frauenzins, Klauenthaler, Hemdschilling, Busengeld oder Busenhuhn) entweder in Geld oder in natura entrichtet werden.« (*Brockhaus* 1851, Artikel »Leibeigenschaft«). *Meyer* ergänzt 1902 die Abgabenliste um »Nadelgeld, Schürzenzins, Martitagium«.

C

CALEMBOURG. Redensart mit »meistens witzigem Doppelsinn«. *Brockhaus* nennt 1892 als Beispiel ein Bonmot über Napoleon III.: »Il a perdu Sedan (ses dents).« Das Wort Calembourg geht entweder auf den gleichnamigen Pariser Apotheker, das deutsche Volksbuch *Der Pfaffe von Kahlenberg* oder – wahrscheinlicher – auf den Grafen Calemberg zurück, dessen mangelhaftes Französisch als überaus drollig empfunden wurde. Vom Herzog von Boufflers verpetzt, vom Marquis de Bièvre verhöhnt, ging so ein radebrechender Westfale als Vater des Wortwitzes in die Geschichte ein. »Die deutsche Sprache«, klagte 1835 das *Damen-Conversationslexikon*, »ist nicht reich an Calembourgs, denn das Wortspiel ist nicht immer ein Calembourg.« Als führender deutscher Calembourgier galt der Wiener Humorist Moritz Gottlieb Saphir, dessen zweibändiges *Conversationslexikon für Geist, Witz und Humor* (Dresden 1852) aber mehr Kaffeehausaphorismen, Anekdötchen und Ärztewitze enthält. Unter dem Stichwort »Brust« witzelt Saphir etwa: »Ein Communalgardist warf sich neulich auf der Wache so in die Brust, daß zwei seiner Cameraden ihn mit Anstrengung wieder herausziehen mußten.« Oder: »Alten, ehrwürdigen Damen macht er den Hof, jungen, liebenswürdigen Mädchen die Cour.« Charmant, dieser Wiener Schmäh! Der deutsche »Kalauer« ist dem Calembourg zwar nah verwandt, galt aber selbst *Brockhaus* 1892 nur als »schlechter Witz«.

CALIFORNIEN, »eine Halbinsel in Nordamerika, die, nach der Beschreibung der Jesuiten, sehr unfruchtbar und von einem rohen Volke bewohnt ist. Die Spanier besitzen eine Stadt darin.« Die Informationsbasis der ersten Auflage von *Brockhaus* (1796) war noch recht dünn, denn mehr als aus diesen beiden Sätzen ist über Kalifornien nicht zu erfahren. Immerhin ist aber der Artikel »Negerhandel« einer der längsten. Darin wird den »unglücklichen Schlachtopfern« eine eigene Art des Selbstmords geschildert, »welche keiner Verhinderung von außen unterworfen ist – sie verschluckten ihre Zunge«.

CANCAN. Um 1830 entstandener Kontertanz im schnellen 2/4-Takt, der durch »mancherlei ins Unanständige ausartende Abweichungen in Touren, Stellungen und Gebärden« (*Brockhaus* 1892) ins Zwie- und Rotlicht geriet. Vgl. »cancanieren«, sich unanständig gebaren. *Meyer* kennt 1936 noch den »Apachentanz«: »Wilde Art eines Bühnentanzes im Apachenkostüm, der die Bedrängung der Dirne durch den Apachen pantomimisch darstellt«. Apache hieß im Paris des 19. Jahrhunderts der Zuhälter (Louis, Loddel). Karl May führte seinen *Brockhaus* immer in der Satteltasche mit sich; der »Apachen«-Artikel von 1892 hätte aber Häuptling Winnetou kaum gefallen: »Die Apachen sind ein Reitervolk, das von Jagd und Raub lebt und in seiner Unbändigkeit aller höhern Kultur und Civilisation widerstrebt.«

CAPITALE. Das Wort sollte zunächst »nur auf die Hauptstädte solcher Staaten« bezogen werden, »welche ein ganzes, großes in die Weltgeschichte mächtig eingreifendes Volk umfassen, und deren Regierungssitze nicht bloß den politischen, sondern auch, wenn nicht immer den religiösen, doch wenigstens den Mittelpunkt der gesamten nationalen Cultur und Civilisation darstellen«. In diesem Sinne zählt *Brockhaus* 1851 Persepolis, Rom, Tenochtitlan, Peking, London und Paris zu den »Capitalen«, während »man kaum Wien oder Berlin die Capitale Österreichs oder Preußens nennen … darf«. *Meyer* verschlankt das Thema 1902 zum Bescheid: »Kapitale, Hauptstadt eines Landes.« Danach wurde der Begriff so geläufig, daß ihn der neueste *Brockhaus* (1996) in dieser Bedeutung gar nicht mehr aufführt.

CAPRICCIO. Musikalische Etüde, die sich durch die »Verschmelzung des Sentimentalen mit dem Witzigen« von der bloß komischen Burleske unterscheidet. »Wiewohl der Humor immer mehr Eigenthum des männlichen Geistes geblieben, so hat sich doch die junge Virtuosin, die Clara Wieck, mit vielem Glück auch in dieser Gattung versucht.« R. S., der Autor dieses sentimentalen Capriccios im *Damen-Conversationslexikon* von 1835, war kein Geringerer als Robert Schumann, der die junge Virtuosin vier Jahre später vor den Traualtar führte.

CENSUR wirkt über ihre Abschaffung hinaus fort. *Brockhaus* (1851) referierte knapp eines der erhalten gebliebenen Ergebnisse der Revolution von 1848, ohne dieses als solches zu bezeichnen: »Aus den deutschen Staaten ist sie (die Zensur) seit 1848 verschwunden.« Nach der »nationalsozialistischen Revolution« taufte *Meyer* die Pressezensur 1936 in »verantwortungsbewußte Pflichtgemeinschaft« um (Artikel »Pressefreiheit«). →**Pressefreiheit**, →**Pressegesetzgebung.**

CHAMPAGNE. Zuerst 26 Zeilen Topographisches und Geologisches, dann 19 Zeilen Historisches vom Mittelalter bis 1814, bevor *Brockhaus* (1928) zur Sache kommt – noch nicht zum Schaumwein, sondern zu den »Champagneschlachten« 1915 bis 1918, wofür

50 Zeilen gebraucht werden plus eine Karte mit den Truppenbewegungen. Die »Champagnerweine« kommen zuletzt – auf 42 Zeilen. Die neueste Auflage (*Brockhaus* 1996) zivilisiert den Artikel vollständig und informiert vorzüglich über die Champagnerherstellung. Für Trostspender wie den Satz: »Champagner steigen rasch zu Kopf, doch ist ihre Wirkung nicht anhaltend« (*Brockhaus* 1892), ist leider kein Platz mehr.

CHAMPION. Heute erfreut sich die »Champions League«, früher schnöde als Europapokal der Landesmeister bezeichnet, bei den Anhängern des →**Fußballs** besonderer Beliebtheit. Der *Brockhaus* lehrt 1892, wie die Teilnehmer – oder wenigstens die Sieger – dieses Wettbewerbs ausgesprochen werden: »sprich: tschämmpiön«. Dann fährt er fort: »Die Champions gehörten gewöhnlich der niedrigsten Klasse an und galten als unehrenhaft.« Ersteres mag für Kreisligaspieler ein Trost sein, letzteres würde kein Spieler von Bayer Leverkusen oder Bayern München auf sich sitzen lassen. Schließlich scheinen manche rackernden und dauerlaufenden Mittelfeldspieler noch etwas von der ursprünglichen Bedeutung des Wortes Champion verinnerlicht zu haben, wie sie im *Brockhaus* 1892 beschrieben wird: »Im frühern Mittelalter ein Kämpfer, der bei gerichtlichen Zweikämpfen für eine bestimmte Belohnung einen der Beteiligten vertrat.« Die Belohnung ist zum Millionengehalt geworden, doch dieses Schmerzensgeld erspart uns, dass sich die Beteiligten direkt duellieren. »Später hieß Champion ein Ritter, der für eine beleidigte Dame, für ein Kind oder für irgendeinen Kampfunfähigen in die Schranken trat«, erklärt *Brockhaus* 1892 weiter. Fair play als Vorbild. Andere Länder, andere Sitten: Englische Fußballer werden von der Queen geadelt, deutsche bekommen eine Homestory in der *Bunten*.

CHANSON. Ursprünglich jedes singbare epische Gedicht, später Volkslied der Franzosen, die 1789 damit sogar »das Volk zu erregen« vermochten: »Die Anfänge der Revolution wurden ebenso lustig in Chansons besungen als vorher die Freudens- und Leidengeschichten unter dem Maitressenregiment. Als die Dinge eine blutige Wendung nahmen, kam der revolutionäre Geist auch im Volksgesange zum Durchbruch und ließ einige →**Lieder** aufkommen, die auf das Volk eine fanatisierende Wirkung ausübten, bis unter Napoleon I. die Chanson ihren alten Charakter fröhlicher Laune wieder annahm.« (*Brockhaus* 1892). Später kehrten die Chansons wieder zum »sentimental-elegischen oder leidenschaftlich gereizten Ton« zurück, der sich unter Bérangers Erben bis zum »düstern und erbitterten Demokratismus« steigerte. In Deutschland knüpfte das Chanson an Studenten-, Sauf- und Bänkellieder an und klang oft auch so. *Brockhaus* nennt 1996 »H. Knef, W. Biermann, K. Wecker und R. Mey« als seine bedeutendsten Vertreter.

CHAPELGESCHOSSE. »Eine neuere französische Erfindung zweifelhafter Natur« (*Brockhaus* 1892). Der listige Franzmann wollte Artilleriegeschossen die Flugbahn eines Bumerangs mitteilen, »so daß sie im Stande sind, das

Ziel von der Rückseite zu treffen«, wurde aber in Sedan aufs Haupt geschlagen.

CHARAKTER, MÄNNLICHER. 1827 für *Brockhaus* noch eine rein ästhetische Kategorie, die mit Goethezitaten eingegrenzt wird: Nur der Künstler kann die »herausgehobene Eigenthümlichkeit« eines Charakters erkennen und beschreiben, denn nur er hat »Sinn für Alles, Lust an Allem, weil er Jedes in Beziehung auf das Ganze sieht«. Später schrumpfte der Charakter dann zur Person in moralischer Hinsicht. *Brockhaus* begreift ihn 1892 als »Inbegriff sittlicher Gesinnungen«, die der Mann »durch die Kraft des Willens auch unter widrigen Umständen zu behaupten vermag«. Heute wird er verschwommen als »gestalthafte Eigenart einer Erscheinung« bzw. als »verantwortungsbewußtes, verläßliches und folgerichtiges Verhalten eines Menschen« (*Brockhaus* 1996) definiert. Charakter war vor allem im Dritten Reich gefragt. *Meyer* feierte ihn 1936 als rassisch bestimmte »allgemeinste Verfassung der Gesinnung«, Haltung und Handlungsweise eines Menschen, die »im Grunde restlos unabhängig« von der Umwelt sei. Hitlers extraordinärer Charakter erzwang eine völlig neue »Charakterkunde«: »Die niemals völlig lösbaren Rätsel der genialen Führerpersönlichkeit haben die allmähliche Abgrenzung des metaphysischen Charakters vom Erfahrungscharakter veranlaßt.«

CHARAKTER, WEIBLICHER. Der Mann, schmeichelt das *Damen-Conversationslexikon* 1835, mag der Kopf des Menschheitskörpers sein: Die Frau aber ist sein Herz, und »der zartere, kleinere Theil ist deßhalb nicht der geringere«. Bei ihr ist Charakter nämlich identisch mit dem »Gemüthsleben«: »Je treuer und heiliger die Ausbildung des Herzens betrieben wird, desto näher kommt das Weib seinem Berufe.« In Deutschland – »wir dürfen es mit Stolz aussprechen« – kommt das Charakterweib »dem Normalwesen, dem Typus des Weibes, am nächsten. Der allzu leichte Elfentritt der Französin leidet selten jenen Gang des ehelichen Verhältnisses, der zum wahren häuslichen Glücke führt.« Auch der Italienerin »schrankenlose Natürlichkeit und Männlichkeit lassen an kein reines Seelenbündnis denken«; wie leicht sinkt sie – Klima und Sitte »zerstören, was sie an Zartgefühl erübrigt« – dem Verführer »unwiderstehlich hingezogen in die runden Arme«! Engländerinnen und Russinnen sind »gute, wackere Hausfrauen, aber etwas steriler Gemüthsart«, der Orientale sperrt seine Frauen ein, der Spanier rast vor Eifersucht. »Nur der Deutsche ist geeignet für häusliches Glück, weil nur er Geschmack an friedlicher Einförmigkeit mit der schönen Gabe verbindet, sich selbst zu genügen.« Strenger und redlicher als andere Völker, beherrscht er »das Weib, ohne es zu tyrannisiren, jedoch meist weiß er an der besten Frau nicht viel mehr als die emsige Magd zu würdigen und zu fordern.« Das ist ein Charakterfehler, aber ein alter und daher verzeihlicher. Wenn der Germane aus der Schlacht heimkehrte, sank ihm das Weib »mit aller Innigkeit an die kräftige Brust«. So lag immer schon »die Achtung, ein Säugling noch, am nahrungsreichen Quell; diese Achtung wußte sich das deutsche Weib zu erhalten. Achtung für Frauenehre wohnt unter uns, wie einst im Schatten der Eichen, jetzt in volkreichen, reinlichen, wohlhabenden Städten.«

CHINA ist dem *Damen-Conversationslexikon* berühmt für seinen Tee, seine Mauer, die »Dschinsengwurzel«, sein »langweiliges, steifes, lächerliches Ceremoniel« und die »zum Theil scheußlichen Götzenbilder«. Der Chinese verschenkt Särge als Zeichen besonderer Anhänglichkeit und legt im übrigen ein »Gemisch von Stolz, Bettelhaftigkeit, List und Kleinlichkeit, Ernst und Gemeinheit« an den Tag. Drohungen mit dem Degen oder der Pistole erschrecken den Feigling »bis zu Krämpfen«, als Feuerwerker und Grillenabrichter ist er jedoch nicht ungeschickt. Zu seinen sieben Köstlichkeiten gehören Hunde, Ratten, Regenwürmer, »Confiture« und aufgeweichtes Leder. Getanzt wird gar nicht, denn die chinesische Musik ist nur ein »sinnloses Geräusch«. Erschwerend kommt hinzu: »Die Männer haben Anlage zum Dickwerden, doch sind ihre Muskeln schlaff und sie können körperliche Anstrengungen nicht vertragen.« Was die chinesischen Frauen betrifft, so lächeln sie zwar entzückend; doch gibt es keinen Grund, sie um ihre zierlich gepreßten Füße zu beneiden: Von den Süßigkeiten der Liebe weiß die Chinesin nichts. Nach der Hochzeit »bemächtigt sich ihrer, beim Mangel aller Geistesthätigkeit, die peinlichste Langeweile«; sie greift zur Tabakspfeife, malt Blumenbilder und schweigt, denn erwiesene Geschwätzigkeit ist ein »vollgiltiger Scheidungsgrund«. So herrscht überall ein »gemütlicher Schlendrian, der nur zuweilen durch Aufstände unterbrochen wurde«. *Brockhaus* kann daher 1892 nichts Neues aus dem Osten berichten: Die Literatur liegt, wie schon seit dem 11. Jahrhundert, in einem »dauernden Zustand der Lethargie«, und das »geringe Zeitungsbedürfnis des Chinesen« läßt sich nur mit seiner empörenden Gleichgültigkeit erklären. Dabei kann er immerhin unter 16 Blättern wählen, darunter *Die Zeit,* die von englischen Kaufleuten herausgegeben wird und der Förderung ihrer Handelsinteressen dient. *King-Pau,* die kaiserliche Wandzeitung, verkündet wie seit tausend Jahren Hofnachrichten und amtliche Bekanntmachungen; *Ji-Wen-Luh,* »Der Verbesserer der Litteratur«, ist das Organ der Jesuiten. Man kann es den Chinesen also nicht übelnehmen, wenn sie ihr Glück oder wenigstens etwas Abwechslung unter den Langnasen im Ausland suchen; doch gibt es ihrer einfach zu viele. →**Chinesenfrage.**

CHINARINDE. Fast ein Romananfang: Chinarinde ist die »Rinde eines Baumes, der im Königreich Peru wächst« (*Brockhaus* 1812). Sie hat ihre Bezeichnung jedoch nicht nach dem Reich der Mitte, sondern ist auf den Namen des Chinabaums in Peru »quinaquina« zurückzuführen. *Brockhaus* unterscheidet 1864 die braune, gelbe und rote Chinarinde, doch die pharmazeutische Industrie schlief nicht. Die Chinarinden sind zwar noch im *Brockhaus* von 1892 (Artikel »Chinin«) »das kräftigste von allen gewürzhaft-bittern und zusammenziehenden, sog. tonischen Mitteln«. Wegen ihrer »specifisch fiebervertreibenden Kraft, welche sie gegen Wechselfieber und Malaria zeigt«, gilt die Chinarinde als uraltes Heilmittel, dessen Wirksamkeit in Königshäusern unter Beweis gestellt wurde, womit der Roman fortgeführt werden konnte: »1636 wurde die Gräfin Chinchon, Gemahlin des damaligen Vicekönigs von Peru, durch den Gebrauch des Rindenpulvers geheilt. Durch ihre Vermittelung und unter Beihilfe der Jesuiten kam das Pulver als Gräfinpulver, Jesuitenpulver nach Spanien, während es in England 1671 durch einen Arzt Talbot eingeführt wurde. In Italien führte es der Kardinal Juan de Lugo ein, und nach ihm nannte man das Pulver auch das Kardinalpulver.« Ende des 19. Jahrhunderts schien sich der Niedergang des aus der Chinarinde gewonnenen Chinins abzuzeichnen: »Der jährliche Chininbedarf ist infolgedessen ein ganz außerordentlich großer; in Deutschland ist er neuerdings seit der Anwendung des Antipyrins erheblich geringer geworden.« Mit der im Jahre 1897 gelungenen Synthese der Acetylsalicylsäure, vulgo Aspirin, ging die Bedeutung der Chinarinde noch weiter zurück.

CHINESENFRAGE, Schulbankfrage, Kulifrage, →**Frauenfrage** – das 19. Jahrhundert fragte sich ständig. Die Chinesenfrage wurde jedenfalls nicht erst von Kurt Georg Kiesinger (»Ich sage nur China«) ventiliert. In Kalifornien führte der Zustrom chinesischer Einwanderer mit ihren ebenso anspruchslosen wie »anstößigen Lebensgewohnheiten« schon viel früher zu einer »außerordentlichen Demoralisation« (*Brockhaus* 1892) unter den armen Weißen. Andererseits verstand der *Brockhaus* auch die Nöte der Chinesen: »Die ungeheure Dichtigkeit der Bevölkerung in China rief schon seit Jahrhunderten eine starke Auswanderung hervor, die sich seit 1840 vorzugsweise nach dem Westen Nordamerikas und nach Australien richtete.« Diese Auswanderung nahm aber bald »einen derartigen Umfang an«, daß »Befürchtungen für das Übergewicht der Weißen laut wurden« und man in den USA, in Kanada und den australischen Kolonien »zu Maßregeln der Abwehr schritt«. Durch organisierte Volksaufläufe, Sondersteuern und Antichinesengesetze versuchte die amerikanische Regierung der Plage Herr zu werden. In Kanada hingegen wurde jeder vor Gericht angeklagte Chinese »so lange für schuldig gehalten, bis er seine Unschuld bewiesen hat«.

CHOLERA. Unter dem Eindruck der letzten großen Choleraepidemie in Deutschland, die besonders Hamburg im Jahr 1892 heimsuchte, werden im *Brockhaus* (der entsprechende Band ist aus dem Jahr 1894) der Krankheit fast zehn Spalten gewidmet. Allerdings wird auch der gewöhnliche →**Durchfall** mit der Cholera vermischt: »In den heißen Sommermonaten namentlich kommen nach Erkältungen und Diätfehlern, insbesondere nach dem Genuß von schlechtem Bier, unreifem Obst u. dgl. solche Zustände alljährlich vor, die man unter Brechruhr, Sommer- oder europäischer, auch einheimischer Cholera (Cholera nostras) begreift und die nur ausnahmsweise so heftig werden, daß überreiche weiße, reiswasserähnliche Entleerungen nach oben und unten mit Blauwerden und allgemeiner

Kälte der Haut, Einfallen des Gesichts, Wadenkrämpfen, Unfühlbarwerden des Pulses und Heiserkeit der Stimme sich zeigen.«

CHOLESTERIN »gehört nicht zu den Fetten«, steht im *Brockhaus* von 1892. Diese Feststellung ist zwar chemisch richtig, doch der *Brockhaus* wiederholt sie 1996 nicht. Schließlich leben wir in Zeiten, in denen jeder Hausarzt von seinem Patienten mit der Frage nach den Fettwerten seines »guten« und »schlechten« Cholesterins konfrontiert wird.

CICISBEO. Hausfreund, der in Italien vornehme verheiratete Frauen jederzeit besuchen und begleiten darf oder vielmehr: muß; es haftet ihm also zu Unrecht ein »verdächtiger Beigeschmack« (*Brockhaus* 1827) an. Die Pflichten des Cicisbeo, warnt auch das *Damen-Conversationslexikon* 1835, sind durchaus kein »süßes Geschäft«: Er soll ständig den Anbeter und Verehrer spielen und Launen klaglos ertragen, »ohne selbst Ansprüche auf eine Neigung machen zu dürfen«. Das delikate Verhältnis enthebt nur den »Gatten der Mühe, für die Unterhaltung seiner Frau selbst zu sorgen« und wird von ihm daher geduldet, ja gefördert. Neuerdings nähert sich die Ehe der Italiener aber wieder »mehr dem ernsten, soliden und traulichen Charakter der Deutschen« an.

CIVILISATION oder bürgerliche Gesittung nennt man die auf dem geselligen Verkehr beruhende und vorzugsweise in den äußeren Formen des Lebens sich darstellende Ausbildung des in geordneten bürgerlichen Zuständen lebenden Menschen.« (*Brockhaus* 1875). Die Definition unterstellt einen kontinuierlichen Prozeß der »Bürgerlichmachung« (so übersetzt *Meyer* 1839–55 den Begriff). Freilich kommt durch die Hintertür bereits im *Brockhaus* (1875) eine Hierarchisierung von Zivilisation und Kultur zum Ausdruck. Er versteht nämlich, Zivilisation lediglich »als Weckungsmittel für eigentliche Cultur« darzustellen. Zu Beginn des Ersten Weltkriegs spielten deutsche Professoren in ihrem »Aufruf an die Kulturwelt« (4. Oktober 1914) den Begriff »europäische Zivilisation« gegen »unsere Kultur« aus und warfen den Alliierten vor, »Mongolen und Neger auf die weiße Rasse zu hetzen«.

CLAQUE. Bezahlte Klatschtruppe, die sich, anfangs nur für Freibillets, dazu hergab, »jede auch noch so abgeschmackte Kraftstelle demonstrativ beifällig zu begrüßen« (*Brockhaus* 1892). Die in der »Assecurance des succés dramatiques« organisierte Pariser Claque machte das systematische Auszischen und Klatschen seit 1820 zu einem »sehr einträglichen Gewerbe«. Die Claqueure (Chevaliers de lustre) teilen sich in die Tapageurs (eigentliche Klatscher), Connaisseurs (zuständig für beifällige Bemerkungen), Rieurs und Pleureurs (Lacher und Weiner), Bisseurs (»Da capo!«-Rufer), Chauffeurs (Einheizer) und Chatouilleurs (Pausenjubler). *Meyer* verbat sich 1902 im Artikel »Applaus« jede Art von Beifall, obwohl »gegenwärtig das Applaudieren in der ganzen zivilisierten Welt Sitte« sei: »Das moderne Virtuosentum in Oper und Schauspiel hat durch widerrechtliche Spekulation auf den Applaus diesen neuerdings diskreditiert.« So trat »selbst von schauspielerischer Seite in Deutschland eine gegen den Applaus gerichtete Bewegung ein, die zur Abschaffung des Hervorrufs im Deutschen Theater und danach in den königlichen Theatern zu Berlin führte«. Leider hat diese Berliner Initiative wenig Beifall, jedenfalls »nicht die allgemeine Billigung des Publikum gefunden«.

COCAIN. Ein »ganz unentbehrliches Heilmittel«; darin stimmt *Brockhaus* 1892 mit seinen Zeitgenossen Sherlock Holmes und Dr. Freud völlig überein: »Man verordnet es mit Vorteil als stimulierendes Mittel bei verschiedenen Schwächezuständen, bei anstrengenden Märschen und Bergbesteigungen, gegen nervöse Dyspepsie sowie zur Behandlung von Morphiumsüchtigen und Alkoholikern.« Der »zur Zeit lebhafte Bedarf« wird in allen Apotheken befriedigt, doch kommt aus den Anden »selten gute, recht oft sogar fast wertlose Koka nach Europa«.

COLONIEN. »Von Eroberung konnte nicht wohl die Rede sein, wo die Ansiedler auf keinen Widerstand, sondern höchstens auf Neugier oder Gleichgültigkeit von Nomaden gegen die Besetzung ihrer Weidegründe oder sogar auf kindliche Annäherung einfacher Naturvölker stießen; die Colonisten durften im einen wie im anderen Falle das besetzte Gebiet wie neues Land behandeln.« (*Brockhaus* 1875). Dieser Sicht widerspricht der später im *Handwörterbuch der Staatswissenschaft* (1909) geäußerte Befund: »Die englische Kolonialpolitik ist auf die Errichtung einer englischen Weltherrschaft gerichtet.« Lexikalisch spiegelt sich die Konkurrenz der Großmächte um Kolonien, Protektorate und Interessensphären in einer starken Erweiterung der Artikel »Kolonien« und »Kolonialpolitik« in der ersten Auflage von *Meyer* nach der Jahrhundertwende (1902): Auf insgesamt 26 Seiten macht das Konversationslexikon deutlich, wie ernst die Konkurrenz unter den Großmächten geworden war. Der vergleichsweise bescheidene Kolonialbesitz, den das Deutsche Reich nach 1884 erobert und zusammengekauft hatte, firmierte bei *Meyer* jetzt unter dem Euphemismus »Schutzgebiete« und wurde in den Artikeln »Deutschland« und »Kolonialrecht« behandelt.

COMMUNICATION. Als man das Wort vor etwas über hundert Jahren noch mit »C« schrieb, galten 13 von 14 Zeilen der militärischen Bedeutung des Wortes: »1) die strategische, 2) die taktische und 3) die fortifikatorische Communication«. Die erste Form meinte »die Verbindungslinie einer operierenden Armee mit ihrer Basis«, die zweite »die Verbindung getrennt stehender, marschierender oder kämpfender Truppenteile« und die dritte »die Verbindung einzelner Festungs- oder Belagerungswerke untereinander« (*Brockhaus* 1875). Ein Wort für den kriegerischen Ernstfall also, das *Meyer* 1902 orthographisch reformierte und gleichzeitig zivilisierte: »Kommunikation (lat.), Mitteilung; auch soviel wie Verbindung, Verkehr.«

COMMUNISMUS. Vom Zerfall betroffen ist nicht nur die Veranstaltung, die unter den Namen »Marxismus-Leninismus« und »realexistierender Sozialismus« auftrat. Im 19. Jahrhundert ist bereits ein Zerfall der lexikalischen Argumentation festzustellen, wenn es nur um die elementare Frage ging, warum es überhaupt eine soziale Bewegung gab und warum communistische, sozialistische und sozialdemokratische Organisationen große Resonanz fanden. Der *Brockhaus* von 1843 ist darin jenem von 1864 überlegen. 1843 hieß es im Artikel »Communismus« noch: »Allein wenn sich der Communismus nie und nimmermehr dauernd und allgemein im Leben durchzusetzen vermag, so ist er doch selbst ein Erzeugnis sozialer Mißstände und unnatürlicher Ungleichheiten, wodurch die verschiedenen Classen der Gesellschaft gewaltsam auseinandergerissen werden. Er ist darum auch ein wichtiges und vielleicht das wichtigste Ferment in der ganzen Bewegung unserer Zeit ... So ist es denn wahrlich an der Zeit, endlich die Bestimmungen unseres modernen Privatrechts, namentlich über das Eigentum und wohl hauptsächlich diejenigen über das Erbrecht, mit Rücksicht auf die Lage und die Interessen der unteren Classen, einer gründlichen Revision zu unterwerfen.« Dreißig Jahre später verschwinden alle diese Differenzierungen, und »die Feudalpartei in Preußen« wird ernsthaft »communistischer Bestrebungen« bezichtigt, weil sie – wie Bismarck und die Sozialdemokraten – die »Herstellung des Coalitionsrechtes der Arbeiter« 1865 für eine rechtlich wie politisch zwingende Konsequenz aus der Koalitionsfreiheit der Unternehmer hielt. Das hinderte *Brockhaus* aber nicht daran, eine stark verwässerte Argumentation zur historischen Berechtigung der sozialen Bewegungen zu wiederholen: »Der Communismus ... ist selbst ein Erzeugnis sozialer Mißstände, und darum ein wichtiges Ferment der Zeit, das nicht bloß negativen Widerstand, sondern zugleich ernste und tiefgreifende Beachtung in Anspruch nimmt.«

COMPONIUM. Synthesizer *avant la lettre?* Frisierte Drehorgel? Komponierender →**Automat**? 1824, berichtet das *Damen-Conversationslexikon*, stellte Herr Winkel aus Lippstadt sein Componium zu Amsterdam aus, eine in siebenjähriger Arbeit erbaute »Maschine in der Form eines Schreibsecretairs, welche ein gegebenes musikalisches Thema mit allen möglichen harmonischen Combinationen variiert«. Zwei Franzosen bescheinigten ihr im Test die »allercapricieuseste Phantasie«, dann verlor sich die Spur. 1892 erwähnt *Brockhaus* die »Elektrische Orgel« als eine »ganz moderne Erfindung«, die nur noch »insofern unvollkommen« sei, als »die Ansprache der Töne nicht völlig präcis mit dem Anschlag der Tasten zusammenfällt«. Bozeks »Sirene«, ein »harmoniumähnliches Tasteninstrument«, wirkte dagegen »bei aller Einfachheit musikalisch sehr ausdrucksvoll«. Wurlitzers erste Jukebox wurde von *Meyer* 1936 unter dem Stichwort »Kinoorgel« wegen ihrer Register für Donner, Regen, Wind, Autohupen und Vogelgezwitscher gelobt. Die »Elektronenorgel« konnte sich nach Angaben des *Brockhaus* von 1996 in der Liturgie nicht durchsetzen. Der moderne Schreibsecretair aber kommt ohne kapriziöse Soundkarte nicht mehr aus.

COMPUTER. Der *Brockhaus* vermerkt 1892 unter dem Artikel »Computus« schlicht: »Berechnung«, kennt allerdings noch die Ergänzung des Computus paschalis, die »Rechnung, nach welcher das Osterfest bestimmt wird«. Im *Meyer* von 1902 bedeutet Computer »auch so viel wie Rosenkranz, weil nach diesem die Gebete berechnet werden«.

D

DAME. »Die Pariser Marktweiber hießen ausnahmsweise Damen (Dames de la Halle), weil sie dem König bei gewissen Gelegenheiten gratulieren und einen Blumenstrauß überreichen durften. Zu Beginn des 17. Jahrh. kam das Wort Dame auch nach Deutschland, wo es zunächst nur in anrüchiger Bedeutung gebraucht wurde. In Wien nennt man die Hebamme Madame.« (*Brockhaus* 1892). Im *Meyer* sieht man 1902 die Dinge nicht ganz so schlimm: »Die Königin von Frankreich wurde Madame angeredet.«

DAMPFMASCHINE. Der Begriff ist heute nur noch Folklore und wird im *Brockhaus* von 1996 auf mageren zweieinhalb Spalten abgehandelt. Für viele ist die Dampfmaschine untrennbar mit dem Film *Die Feuerzangenbowle* (Deutschland 1943) verbunden. Da ist der kölsche Professor Bömmel, der jede seiner Physikstunden wie folgt beginnt: »Wo sin mer denn dran? Aha. Heut ham mer de Dampfmaschin! Wat is en Dampfmaschin? Da stelle mer uns mal janz dumm und sagen: En Dampfmaschin, dat is ene jroße, runde, schwarze Raum, der hat zwei Löcher. Eine Loch, da kömmt de Dampf rein. Und dat annere Loch, dat krieje mer später.« Was 1943 als veralteter Lehrstoff persifliert wurde, war um die Jahrhundertwende noch äußerst aktuell. Liest man die Lexika des ausgehenden 19. Jahrhunderts, entsteht der Eindruck, sie erfüllten hauptsächlich den Zweck, der deutschen Jugend zu erklären, wie eine Dampfmaschine funktioniert. Im *Brockhaus* von 1812 verflüchtigt sich der Dampf mit seinen Komposita noch auf drei Seiten. Im *Brockhaus* verdampft 1892 unter dem Stichwort »Dampf« gar nichts: Dem »Dampf« selbst werden vier Spalten eingeräumt, der »Dampfhammer« (»eine Verschmelzung von Dampfmaschine, Hammer und Amboß«) kommt auf drei Spalten und mehrere große Abbildungen, der »Dampfkessel« auf 14 Spalten und mehrseitige Abbildungen (die »Dampfkesselgesetze« und die »Dampfkesselrevision« ebenso wie die »Dampfleitung« nicht mitgerechnet). Die »Dampfmaschine« selbst wird dann über 22 Spalten mit einem großen historischen Abriß und mehreren ganzseitigen Abbildungen abgehandelt (im *Brockhaus* von 1928 sind es nur noch elf Spalten). Dann folgen lange Abschnitte über Dampfschiffe, selbst das schöne Stichwort »Dampfschiffahrtsgesellschaft Niederland« wird mit Verweis auf den holländischen Eigennamen »Stoomvaart Maatschappij Nederland« erwähnt. Leider konnte der Begriff »Oberweserdampfschiffahrtsgesellschaftskapitänsmützenhersteller«

nicht unter diesem Eintrag gefunden werden.

DAMPFWAGEN. Auf den Eisenbahnen und Chausseen Englands und Frankreichs fahren, wie das *Damen-Conversationslexikon* 1835 meldet, »ungeheure Kutschen«, an deren »Hinterteil die gewöhnlichen Wagen zum Transport von Reisenden, von Thieren oder Waarenballen angehängt« sind. »In und auf ihnen sitzen die Passagiere, vorn der Kutscher, der mittelst einer Handkurbel den Wagen lenkt, und von unsichtbarer Kraft getrieben, eilt derselbe dahin, eine völlige Umwandlung aller Weltverhältnisse versprechend und vorbereitend ... Wahrscheinlich wird sich diese nützliche Erfindung bald auch über Deutschland verbreiten.« →»Eisenbahnen«, frohlockte *Brockhaus* schon 1864, »sind der großartigste Sieg des modernen Geistes über die spröde Natur«; sie dienen »nicht nur zur Förderung des materiellen Wohlseins, sondern noch viel mehr zur sittlichen und intellektuellen Vervollkommnung der Menschheit«.

DANDY. Gewandter Konversationston, »gleichgültige, überlegene, auch arrogante Haltung«, Neigung zu provozierendem Müßiggang, modische Eleganz, Ästhetisierung des Lebens: so charakterisiert *Brockhaus* 1996 den Dandy. Als sein Urtypus gilt Beau Brummell, dessen Kunst, die Batistkrawatte zu binden, Lord Byron um den Schlaf und den dicken Prinzen von Wales zur Raserei brachte. Carlyle verspottete den Dandy 1833 als »Mensch, der Kleider trägt«. Baudelaire und Barbey d'Aurevilly deuteten ihn als letzten Aristokraten im Zeitalter der Bourgeoisie. Ernst Jünger stattete ihn mit soldatisch-kalter Désinvolture aus, Camus machte ihn zum »Mensch in der Revolte«, Susan Sontag imprägnierte ihn mit der Ironie der Camp-Kultur. Der klassische Dandy wechselte dreimal täglich seine Garderobe, hatte für jeden Finger einen eigenen Handschuhschneider und war auch begrifflich kaum zu fassen, solange geckenhafte Vorläufer wie die Maccaronis, Bucks, Fats und Incroyables sein Bild verdunkelten. Das *Damen-Conversationslexikon* lokalisierte ihn 1835 in England und setzte ihn mit dem Fashionable gleich, aber deutlich vom »Damerel, Petit-maître, Incroyable« und »Merveilleux« ab, den man noch »vor 5–6 Jahren einen Modeherrn nannte«. »Der Dandy muß rücksichtslos sein, einen Bocksbart, Carbe à bouc, tragen und einen groom (man sage ja nicht mehr Jockei) haben«; der »ziemlich derbe Ausdruck Zierbengel« sei eine treffende Übersetzung. 1851 siedelt *Brockhaus* den Dandy dann nach Frankreich, der Heimat der »leeren Originalität«, um und plazierte ihn »ungefähr in der Mitte zwischen dem zierbengelhaften Fo und dem derben Blood«; er unterscheidet sich nun »vom Fashionable insofern, als er erfinderisch auftritt«. 1892 zieht *Brockhaus* die wienerische Übersetzung »Gigerl« dem »Stutzer« vor. Aus der Begriffsverwirrung geht klar hervor: »In Deutschland ist der Dandyismus eine seltene Erscheinung.« (*Brockhaus* 1996). In Paris flanierten die Dandys um 1840 mit einer angeleinten Schildkröte durch die Straßen; heute führt der letzte deutsche Dandy Markus Lüpertz einen selbstgezüchteten Kampfhund in den Farben seines Anzugs Gassi. Baudelaire hatte Dandyismus als die Kunst beschrieben, »ohne Unterbrechung erhaben zu sein«. Ein »wenig erhabener Hautausschlag«, Schweiß und Gehstörungen gehören daher auch zu den Symptomen des »Dandyfiebers«; der Begriff selber ist aber, wie uns *Brockhaus* 1892 belehrt, nur eine Verballhornung des tropischen »Denguefiebers«.

DARM. Vermeintlich einfache Dinge gelungen zu beschreiben ist schwer. Im *Brockhaus* 1892 gelingt dies: Der Darm wird hier beschrieben als »ein wichtiger Abschnitt des Verdauungsapparats, welcher die Bestimmung hat, die in den Magen eingeführten und von dort vorläufig verarbeiteten Nahrungsstoffe aus diesem aufzunehmen, sie durch eigentümliche, den Windungen eines Wurms ähnliche (peristaltische) Bewegungen nach und nach weiter zu schieben und dabei durch eine Reihe von chem. Prozessen das zur Ernährung des Körpers Taugliche von dem dazu Untauglichen abzuscheiden, ersteres in eine zur Aufnahme in die Säftemasse geeignete Form überzuführen, letzteres aber aus dem Körper wieder auszuscheiden«.

DARWINISMUS. In der Rezeption der Schriften Darwins hat insbesondere der Begriff »struggle for life« zahlreiche Missverständnisse hervorgebracht. Darwin selbst entschuldigte sich in seinem Hauptwerk *Die Entstehung der Arten durch natürliche Zuchtwahl* (1859) für den metaphorischen Ausdruck, der bereits durch die deutsche Übersetzung als »Kampf ums Dasein« eine stärkere Konnotation von Brutalität und Gewalt erfuhr. Dabei hatte der Autor mit dem Begriff keinesfalls einen feindlichen Zweikampf – schon gar nicht zwischen Arten, Generationen oder Völkern – gemeint, sondern das Gedeihen eines beliebigen Organismus unter den jeweils vorherrschenden Lebens- und Umweltbedingungen beschrieben (→**Evolution**). Diese Einschränkung wird im *Brockhaus* von 1892 nicht vorgenommen. Für das Tier gilt – im Gegensatz zur Züchtung – in der freien Natur: »An die Stelle der ausjätenden Menschenhand aber tritt der Kampf ums Dasein.« Im *Brockhaus* von 1928 wird auf die »Unzulänglichkeit« des Darwinismus »zur Erklärung aller zweckmäßigen Anpassungen« hingewiesen: »Einen wichtigen weiteren Einblick in den Mechanismus der Entstehung neuer Rassen und Arten gibt jetzt die Vererbungslehre.«

DEFLORATION. »Das Abblühen; Schwächung einer Jungfrau« (*Brockhaus* 1892). Der Schwängerer (Deflorator) muß der Deflorata Deflorationsgelder hinterlegen.

DEKADENZ. »Kunstrichtung der heutigen nervösen, zerrütteten, greisenhaften Gesellschaft, die, allen gesunden und natürlichen Gefühlen abgestorben, ihre →**Blasiertheit** durch außergewöhnliche Reize aufzustacheln versucht« (*Brockhaus* 1892).

DEMAGOG, »Führer des Demos, d. h. der Masse«, definiert *Brockhaus* 1843 und prüft dann die Rolle und Funktion der Demagogen in verschiedenen Staatsformen. »Der Aristokratie ist der Demagog ein gefährlicher Mann … In der Monarchie ist die Demagogie ein

Verbrechen, weil sie den regelmäßigen Gang der Volksleitung von oben in ein verfassungswidriges Wirken von unten verändert.« Die kompromißlose »Demagogenverfolgung« im Zuge der Karlsbader Beschlüsse vom 20. September 1819 und anderer Repressionsgesetze im Vormärz hat ihre Spuren in den Lexika hinterlassen. Den Nachsatz kann man freilich auch als versteckte Kritik lesen: »Es ist ein Symptom großen Verderbens, wenn das, was zum Wohl der Gesamtheit nötig ist, wenn heilsame und gerechte Verbesserungen nicht durch die Kraft der Vernunft, sondern durch Volksgewalt und Furcht vor derselben errungen werden müssen.« Im magischen Dreieck von »Volksgewalt«, »Kraft der Vernunft« und Regierungsgewalt ist die Vorfahrtsregelung freilich längst festgelegt.

DEMOKRAT. Mit Recht apostrophiert *Brockhaus* (1864, Artikel »Sklaverei«) die »demokratische Partei« in den USA als »sog. demokratische Partei«, weil sie Präsident Andrew Johnson kräftig dabei unterstützte, die Ausführungsgesetze zur Proklamation der Sklavenemanzipation durch Abraham Lincoln (1. Januar 1863) zu hintertreiben »und die Emancipation auf eine bloß nominelle zurückzuführen suchte. Der Kampf schwebte noch zu Anfang 1868« (als der entsprechende Band des Lexikons erschien), und »es war ungewiß, ob die Politik des Präsidenten oder die progressive des Congresses den Sieg davontragen werde«.

DEMOKRATIE. Ende des 19. Jahrhunderts trennte die kontinentalen konstitutionellen Monarchien eine Welt von der nordamerikanischen Demokratie – trotz des allgemeinen Wahlrechts in beiden Systemen. Nach *Brockhaus* (1882) trat die republikanische Partei »für die Rechte des Staates, der Gesamtheit, gegenüber der Willkür und Ungebundenheit des Individuums« ein und die demokratische Partei »für die Freiheit und Selbstbestimmung des Menschen gegenüber den Herrschaftsrechten des Staates«. Im Programm dieser Partei sah *Brockhaus* »ein Zerrbild der demokratischen Prinzipien ... welche bis zur Verleugnung jeder Ordnung und jeder das Individuum bindenden Gewalt« reichte, und verglich die amerikanische Demokratie mit dem Anarchismus und dem »Nihilismus, wie er in neuester Zeit namentlich in Rußland« auftrete (→**Nichts**). Das überrascht weniger, wenn man sieht, wie im Artikel »Freiheit« (1882) im selben Satz von der »politischen Freiheit« als »Unabhängigkeit des einzelnen Menschen von dem Befehle anderer« und als »Selbständigkeit der Handlungsweise eines Staates im Verhältnis zu andern« die Rede ist – ein durch und durch obrigkeitsstaatlich geprägtes Verständnis von Freiheit. Nach 1945 wurde dieses bei *Brockhaus* (1952) durch eine kulturkritisch unterlegte Kritik am »Aufstieg der Massenbewegungen« ersetzt, die ihre Skepsis der Demokratie gegenüber nur notdürftig kaschierte: »So ist der Individualismus, der die Grundlage der überlieferten Demokratie war, weithin durch einen Kollektivismus verdrängt worden, in dem Massenführer die Möglichkeit erlangen, mit demokratischen Methoden die Macht zu erobern.« Der an Arnold Gehlen orientierte Artikel »Demokratie« läßt völlig offen, was er mit »überlieferter Demokratie« meint, und knüpft direkt an sehr alte Vorurteile an (→ **Gemeingeist**). Unklar bleibt obendrein, ob mit »Massenführern« Adolf Hitler oder die Parteichefs der jungen Bundesrepublik gemeint waren.

DESINFEKTION ist im *Brockhaus* von 1843 »zunächst das zu Zerstörung von Ansteckungsstoffen anzuwendende Verfahren«. Noch ist das Lexikon weit entfernt von Putzfimmel und Hygienewahn, denn Desinfektion »ist natürlich nur da am Platze, wo man Grund hat, ein wirklich materielles Contagium anzunehmen«. Wenige Jahre später hatten Pasteur, Koch und Konsorten die materiellen Grundlagen zahlreicher Erreger identifiziert. Das Publikum strömte in Ausstellungen, um die wimmelnden Keime unter dem Mikroskop zu bestaunen. Und schon ist im *Brockhaus* von 1892 die Ansteckungsgefahr allgegenwärtig und Desinfektion geboten: »Die Übertragung der Ansteckungsstoffe geschieht in den meisten Fällen dadurch, daß diese in der Luft schwebend den Körper erreichen und sich in diesem mit größter Geschwindigkeit vermehren.« Daher gilt: »Mit jedem Raumteil Luft, das aus einem Krankenzimmer hinausgeschafft wird, entweichen Millionen von Organismen, die hier nur Verderben bringen können.« Diese Erkenntnis gilt nicht nur für Krankenhäuser, sondern ist auch »für die zum dauernden Aufenthalt von gesund zu erhaltenden Menschen bestimmten Räume anzuwenden«, beispielsweise in Schulen: »Ein einziges Kind kann in seinen Kleidern wie an seinem Körper die Aussaat zur Krankheit mitschleppen, welche bei genügender Lüftung sich zerstreuen, in der stagnierenden Atmosphäre aber Masern, Scharlach u. dgl. verbreiten kann.« Nicht immer sind die Keime jedoch mit einfachen Mitteln zu bekämpfen, denn »während den bei weitem meisten krankheitserregenden Mikroorganismen durch Erwärmen auf 50 bis 60° C. in Flüssigkeiten sicherer Tod gebracht wird, gehen andere aus stundenlang fortgesetztem Kochen ungeschädigt hervor. Es sei dieses nur erwähnt, um zu beweisen, daß ein Mittel, welches unter gewissen Umständen sichern Erfolg gewährt, unter andern Umständen erfolglos bleiben kann.« Die Sorge vor Infektionen betrifft aber nicht nur öffentliche Gebäude wie Schulen oder Krankenhäuser, sondern auch den Krieg (→ **Schlachtfelder**). Zur besseren Desinfektion gibt es im *Brockhaus* von 1928 eine »Desinfektionsanstalt«, alles weitere regelt der »Desinfektor«, ein Beruf, der »haupt- oder nebenamtlich ausgeübt« im *Brockhaus* 1928 ein eigenes Stichwort bekommt.

DETEKTIV. »Unter Privatdetektivs versteht man Personen, die von jedem Beliebigen sich dazu dingen lassen, das Thun und Treiben bestimmter Anderer zu überwachen, deren Verhältnisse auszukundschaften u. s. w.« (*Brockhaus* 1892).

DEUTSCHE KULTUR. Der »deutsche Mensch« erlebt die ganze Welt als die seine; aber er ist der Größe und Härte, die der »nordische Aktivismus« von ihm fordert, noch nicht ganz gewachsen: *Meyer* handelt 1936 die Deutsche Kultur auf 250 Seiten ab und zeigt sich dabei allenfalls den harten ideologischen Vorgaben von Alfred Rosenberg gewachsen. »Wenn der Deutsche sich selbst so gern als ›Gemütsmenschen‹ bezeichnet, so liegt in dieser Selbstcharakteristik, daß ihm seelische Bindungen das rücksichtslose Ausleben der Triebhaftigkeit erschweren und daß auch sein Denken noch unter der Zucht des ›guten Herzens‹ steht. Zweifellos hat diese Eigenschaft des Deutschen sich oft zu seinem Unheil ausgewirkt, weil sie ihm das Hartwerden erschwerte, ohne das ein Volk im politischen Kampf auf die Dauer nicht bestehen kann.« Was der hart gewordene Gemütsmensch unter Deutscher Kultur verstand, sollte sich nur zu bald erweisen.

DEUTSCHE LITERATUR. *Brockhaus* beginnt 1892 seinen 52spaltigen Gewaltmarsch bei den Schlachtgesängen der Germanen. Allerdings war »der berühmte barditus eher ein Geheul als gesungene Dichtung«, und dieser Geburtsfehler sollte der Deutschen Literatur lange anhaften. Nicht einmal die Christianisierung konnte die »Sangeslust unsers Volkes auf die Dauer hemmen«, wie noch die Bardendichtung nach Klopstock zeigt: Weder der »platte Sachse« Kretschmann noch der »ernsthaft steife Wiener Jesuit« Denis ließen sich das Singen verbieten, schon gar nicht Voss, diese »harte Kraftnatur von echtem Schrot und Korn«. So wird der ganze Kanon mit männlich zupackenden Werturteilen durchgehechelt: Lessing war »ein Mann von Charakter vom Wirbel bis zur Zehe«, Werner ein »begabt toller Dichter«, Grabbe »genial, aber früh verkommen«, Heine »viel zu witzig und selbstgefällig, viel zu beflissen, weltschmerzlich interessant zu erscheinen, zu sehr sittlich angekränkelt, um einem wahren, ehrlichen, reinen Gefühl sich hinzugeben«. Über allen Gipfeln des Dichterwaldes schwebt natürlich Goethe, der, in Weimar zum »wärmsten Verfechter schöner Form und ruhiger Entwicklung« gereift, alles zum »Unterholz« degradiert. Geibel, Freytag und der »prächtige Kopisch« stehen hoch im Kurs, Büchner gilt als »unausgegorenes Talent«, Stifter wird auf zwei Zeilen abgehandelt; mehr Raum erhält der »Bonner Maikäferverein«, eine Gruppe »fröhlicher patriotischer Sänger«. Zwar suchen »Moltke und Bismarck in ruhiger und schöner Klarheit der Rede ihresgleichen«, aber »man kann nicht sagen, daß sonst das neue Reich unserer Litteratur starke Förderung gebracht hätte.« Die »komplizierten socialen und politischen Verhältnisse sind der stillen Sammlung ebenso ungünstig wie das Überwuchern der materiellen Interessen«, und auch die Hauptstadt Berlin hat sich ihrer literarischen Aufgabe »bisher nicht gewachsen gezeigt«. *Meyer* reorganisiert den Kanon 1936 nach rassischen Gesichtspunkten. Goethe steht immer noch obenan; sein »Reich der Innerlichkeit« verwies bereits aufs Dritte Reich. Herder, Kleist, Hölderlin, Schiller, auch Hebbel und Fontane läßt *Meyer* gelten; Rosegger und Anzengruber, Hauptmann und selbst Rilke stehen turmhoch über dem »Literaturbolschewismus« und dem »müden« Thomas Mann; Kafka wird nicht einmal erwähnt. Wo biologische und ästhetische Kategorien gleichgesetzt werden, muß Heine »als Dichter und Mensch« jetzt vollends versagen: »Die Ärmlichkeit der Gefühlswelt Heines zeigt die Eintönigkeit seiner Rhythmik. Nicht einmal durch ein einziges Gedicht vermochte Heine sein Gefühl durchzuhalten, wie seine Gedichtschlüsse mit den berüchtigten moralischen und ästhetischen Ohrfeigen zeigen.« 1996 schüttet *Brockhaus* mit dem Stahlbad der »polit.-moral. Funktionsbestimmung der Literatur« auch die Kinder aus: Schon in den Achtzigern bediente die Deutsche Literatur »das breite Spektrum vom ›Gewissen der Nation‹ bis zur postmodernen Beliebigkeit«; heute entbehre sie vollends »klar definierbarer, gar institutionalisierter Richtungen und Gruppen«. Sie zeigt zur allgemeinen Überraschung »eine Vielfalt von ästhet. Konzepten und Schreibweisen, Unterschiede in den Generationen und gegensätzl. polit. Standpunkte«.

DEUTSCHE MUNDARTEN. »In Norddeutschland schämt man sich vielfach seiner als ungebildet angesehenen Mundart«, klagt *Brockhaus* 1892, »in Süddeutschland schämt man sich eher, ein sogenanntes gutes Deutsch zu sprechen.« Dabei überleben in den deutschen Dialekten doch altgermanische Stammessprachen, sieht man einmal von einer so »eigentümlichen Abart« wie dem Neger-Holländischen ab. Einflüsse von Klima und Boden auf Lautverschiebung und Artikulation sind kaum nachzuweisen. Vermutungen, wonach der Schweizer sein »rauhes, kratzendes ch von der Gebirgsluft« habe, führen in die Irre, denn auch der weiße Holländer gibt ähnlich unartikulierte Zisch- und Kratzlaute von sich. Das *Damen-Conversationslexikon* glaubte allerdings 1835 noch, das Plattdeutsche gehe auf die »Einwanderung asiatischer Völkerstämme in Deutschland« zurück: Während »die kriegerischen Bewohner des rauhen und gebirgigen Süddeutschlands eine härtere Sprache redeten«, zogen die friedlichen Flachländer offenbar das weichlichere, plattere Idiom der Steppen vor.

DEUTSCHE PHILOSOPHIE. »Die deutsche Nation hat in verschiedenen Zeitaltern einen selbstthätigen Anteil an der Entwicklung der Philosophie genommen und namentlich seit dem Ende des 18. Jahrhunderts durch den Umstand, daß die durch Kant eingeleitete gänzliche Umwälzung der philosophischen Studien fast ausschließlich auf deutscher Erde vorgegangen ist, die leitende Stellung auf dem Gebiete dieser Wissenschaft errungen.« (*Brockhaus* 1882). Für den Solitär in Ostpreußen existierte die »deutsche Nation« freilich noch nicht, aber er kannte die schottisch-englische Aufklärung von Adam Smith und Adam Ferguson und das französische Pendant von Diderot, Voltaire und Rousseau. Was für Kants Denken am irrelevantesten war, stieg 1882 zum Markenzeichen auf: »die deutsche Erde« und »die deutsche Nation«. Kant kritisierte Nationalismus und vermeintliche Rechte auf nationale Selbstbestimmung, schon bevor diese für demagogische Instrumentalisierungen aller Art höchst anfälligen Vokabeln ihre blutigen Spuren in der Geschichte hinterließen.

DEUTSCHE SCHRIFTSTELLERINNEN. »Im Ganzen sind wir Deutschen nach unserer Sinnesrichtung schreibenden Damen nicht hold«, bedauert das *Damen-Conversationslexikon* 1835. »Erstlich ist überhaupt in Deutschland der Wirkungskreis der Frauen beschränkter, und sie nehmen weniger Theil am öffentlichen Leben, weshalb ihnen diejenige Urtheilsfähigkeit, welche man von einem Schriftsteller verlangt, nicht beigemessen wird; dann aber haben wir doch bis jetzt nur wenige aufzuweisen, die ... Männern wie Frauen durch Kühnheit und Größe ihres Geistes Bewunderung und allgemeine Achtung auferlegten«; die Zahl schriftstellernder deutscher Damen wird auf sechshundert veranschlagt. Unter dem Stichwort »Literatur« heißt es dann ein wenig überraschend: »Die große Anzahl von Dichterinnen, namentlich bei der deutschen Nation, als einer mehr gemüthreichen als industriellen, darf dem gemäß nicht in Erstaunen setzen.« Unter dem Rubrum »Stil« ist dann überhaupt kein Halten mehr. Machtvoll pflanzt das *Damen-Conversationslexikon* das Panier der Emanzipation auf und bricht galant eine Lanze für die deutsche »Damen-Schriftstellerei«: »Durch die graziöse Flüchtigkeit ihres Naturells, durch ihre liebenswürdige Naivität, gefühlvolle Leidenschaftlichkeit und durch den reizenden, für Alles sich interessirenden – man verzeihe das Wort! – Kleinlichkeitssinn« ist die Frau zu Großem bestimmt. Gewiß, sie hat in erster Linie als Gattin, Hausfrau und Mutter »den Mann zu beglücken«; aber sie kann ihrer schriftstellerischen Berufung nachgehen, ohne »jenen heiligen Beruf« zu vernachlässigen. Und »bleibt nicht manche einsam und findet nimmer einen Gefährten des Lebens? Entbehrt nicht manche Gattin für immer der süßen Mutterfreuden oder vereinsamt früh durch den Tod ihres Geliebten?... Es leben Schriftstellerinnen in glücklichen und unglücklichen Ehen; und trägt denn die Gattin jedes Mal die Schuld?« Überhaupt macht hier die Kunst ihr höheres Recht geltend: »Wie das Weib im ganzen übrigen Leben den Mann, so ergänzt auch die weibliche Literatur die männliche, das Eduktive: das Produktive, das Zarte: das Gewaltige.« Den schöneren Teil der Menschheit schmückt jetzt plötzlich »eine größere Gewandtheit des Geistes und der Phantasie, eine zeitiger fortschreitende Ausbildung seiner Anlagen, eine feinere und größere Menschenkenntnis, tactvollere Lebensklugheit, schärfere Beobachtungsgabe und jenes außerordentlich feine Gefühl des ästhetisch und moralisch Schönen und Schicklichen«, das auch und gerade in der vaterländischen Belletristik »köstliche Blüthen treiben muß. Daher Ehre den Frauen, die durch ihre Schriften wirklich das Gefühl für das wahrhaft Schöne und Gute wecken, verbreiten, unterhalten!« Und Schande den Männern, die ihr »Sichgehenlassen« schon für ein Fräuleinwunder halten! Für den bedächtigen *Brockhaus* ist die »Frauenliteratur« dagegen noch 1996 ein »umstrittener Begriff«.

DIAGNOSE. Die Medizin wäre eine schöne Disziplin, sagen viele Ärzte, wenn es die Patienten nicht gäbe. Manche Mediziner versuchen daher, den Kontakt zu den Kranken möglichst gering zu halten. In frühen Ausgaben der Lexika kommen sie unter dem Stichwort Diagnose gar nicht vor. Im *Brockhaus* von 1812 etwa wird vermerkt:

»Diagnose ist die Erkenntniß und Bestimmung der Krankheit aus den vorhandenen Anzeigen und Zufällen. Diagnostik ist die Kunst, ähnliche Krankheiten von einander zu unterscheiden und jede richtig zu bestimmen.« 1827 ist der Eintrag im *Brockhaus* zwar länger, doch hinzugekommen ist nur der »diagnostische Umstand, d. h. ein solcher, aus welchem sich die Natur oder der Sitz der Krankheit genau erkennen läßt«. Im *Brockhaus* von 1843 ist immerhin vom Körper ausführlicher die Rede: Die Diagnose »folgt hier aus den Symptomen oder diagnostischen Zeichen, den vorausgegangenen Umständen, der Körperconstitution, den atmosphärischen Verhältnissen u. s.w., und dem durch Erfahrung sowohl als durch Schlüsse wahrscheinlich gemachten Zusammenhange zwischen diesen Dingen«. 1864 werden im *Brockhaus* die »sog. physik. Zeichen (Auscultation, Percussion u. s.w.)« neu erwähnt – aber noch immer keine Patienten. Im *Brockhaus* sind 1892 die »Thermometrie«, aber auch die »chem. und mikroskopische Untersuchung der Sekrete und Säfte des Körpers« hinzugekommen und – jetzt ist es soweit – erstmalig auch die Kranken. Allerdings scheinen sie für die Ärzte bei der Diagnosefindung, wenn überhaupt, nur aus einer gewissen Entfernung von Nutzen zu sein, denn: »Um zu einem diagnostischen Urteil zu gelangen, stehen dem Arzte drei Wege zu Gebote, welche freilich von ungleichem Werte und ungleicher Sicherheit sind. Der erste Weg ist die Diagnostik in Distanz, die Erkennung der Krankheiten auf den ersten Blick. Nicht selten kann der erfahrene und geübte Arzt schon aus dem ersten Gesamteindruck eines Kranken, aus seiner Gesichtsfarbe, aus dem Ausdruck seiner Mienen, aus seiner Haltung und seiner Art zu atmen, zu sprechen und sich zu bewegen, treffende und wertvolle Schlüsse auf die Art und Entwicklung seiner Krankheit machen.« Beim zweiten Weg, eine Diagnose zu stellen, rückt der Arzt dem Patienten näher, auch wenn dies wenig ergiebig ist. Hierbei geht es um »die Diagnostik aus der Anamnese, d. h. aus den Mitteilungen, die der Kranke selbst über seinen Zustand macht«. Da jedoch diese Schilderungen »gewöhnlich nur Gefühle und subjektive Empfindungen der verschiedensten Art betreffen«, befähigen sie den Arzt »nur selten zu einem sichern und begründeten Urteil über die vorliegende Krankheit«. Daher ist »der dritte und zuverlässigste Weg« zur Diagnose »die objektive Untersuchung, bei der man sich mit Hilfe aller Sinne und aller durch die moderne Medizin angegebenen Untersuchungsmittel von den Abweichungen zu überzeugen sucht, die der erkrankte Organismus anbietet«. Ähnlich Beiläufiges zur Bedeutung der Kranken vermerken auch der *Meyer* von 1902 und der *Brockhaus* von 1928. Heute muß nicht extra betont werden, daß sich die Diagnose in der Medizin auf die Patienten bezieht. Eine Diagnose zu stellen ist gemäß dem ärztlichen Selbstverständnis die schwierigste, aber auch wichtigste Aufgabe des Mediziners – die Therapie leitet sich schließlich zumeist aus der Diagnose ab. Die Dominanz der Diagnose zeigt sich auch sprachlich: Bevor sie Patienten untersucht haben, sprechen Mediziner von »Einweisungsdiagnosen«. Nach der Anamnese und Untersuchung stellen sie »Verdachtsdiagnosen«. Wenn sie etwas falsch oder gar nicht erkannt haben, nennen sie selbst ihren Irrtum eine »Fehldiagnose«. Die, wenn man die Lexikoneinträge zu Grunde legt, lange Zeit tradierte Erkenntnis, daß Patienten – jedenfalls wenn sie reden – kaum zur Diagnosefindung beitragen, scheint mittlerweile weitgehend akzeptiert zu sein. Unter dem Stichwort Diagnose werden im *Brockhaus* von 1996 Kranke oder Patienten nicht mehr erwähnt. Dafür findet man die Aufzählung einer »Reihe z.T. hoch spezialisierter techn. Hilfsmittel. Dazu gehören in erster Linie Röntgenuntersuchungen mit Computertomographie, die Kernspintomographie und Thermographie; in der Herz-Kreislauf-Diagnose die Elektrokardiographie ...« Es folgt eine ausführliche Auflistung weiterer »hoch spezialisierter techn. Hilfsmittel«.

DIAMANT. Zumeist geben die Lexika des 19. Jahrhunderts Definitionen, die allgemeinverständlich sind. Im *Brockhaus* sind 1892 zumindest bei dem Lemma »Diamant« Zweifel angebracht, ob hier das Lexikon des Diamantenliebhabers bester Freund ist: »Diamant oder Demant, der wertvollste unter den Edelsteinen, krystallisiert in der tetraedrisch-hemiedrischen Abteilung des regulären Systems, ist indessen meist scheinbar holoedrisch ausgebildet, im Oktaeder (einer Kombination zweier, im Gleichgewicht befindlicher Tetraeder, s. Tafel), auch im Rhombendodekaeder und in andern, gewöhnlich krummflächigen regulären Formen, die oft mehr oder weniger der Kugelform genähert sind.« Nicht bestätigt wird allerdings die Hypothese, daß in Anlehnung an die »krummflächigen regulären Formen« das Lied »Mein Hut, der hat drei Ecken« entstanden ist.

DIÄT war einmal nicht nur schnödes Abnehmen (→**Abführen**) nach übermäßiger Völlerei, sondern im *Brockhaus* von 1812 noch »die Lebensordnung in Speise und Trank, Bewegung und Ruhe, Schlafen und Wachen, u.s.w., oder die Gesundheitspflege« allgemein. 1843 erweitert *Brockhaus* den Begriff noch um die Lebensordnung, die »nach gewissen Principien geregelt, manche Genüsse oder Anstrengungen als schädlich verbietet, andere wieder als nützlich fordert« und dabei »eine unendliche Menge Verschiedenheiten« zuläßt, warnt aber auch bereits vor »Diätfehlern«, die »oft die bedenklichsten Folgen nach sich« ziehen. *Brockhaus* weist 1864 bereits darauf hin, daß die Blütezeit von Diätetik und modifizierter Säftelehre vorbei ist, und »sehr häufig« die Bedeutung des Wortes »enger gefaßt und darunter nur der gesundheitsgemäße Gebrauch der Speisen und Getränke« verstanden wird. Dann folgen Belehrungen über die Zusammensetzung der Nahrungsmittel und der Ratschlag, lange zu kauen. 1892 versteht *Brockhaus* Diät als »im allgemeinen die gesundheitsgemäße Lebensweise, im engern Sinne den gesundheitsgemäßen Gebrauch von Nahrungsmitteln und Getränken, wie sich dieselben nach den jeweiligen Zuständen des Körpers als notwendig und vorteilhaft erweisen«. Allerdings haben »die Arbeiten auf diesem Gebiete« mittlerweile »einen Umfang gewonnen, daß sich die Lehre über die Diät der Gesunden zu einem abgeschlossenen Darstellungsgebilde entfaltete«. Doch soviel darf verraten werden: »Viel geleistet haben die Entfettungskuren, die eine abnorme Fettleibigkeit bekämpfen, und die Mastkuren, die durch systematische Zufuhr von Nahrungsmitteln den Ernährungszustand in die Höhe bringen sollen« (→ **Hungerkünstler**). Im *Brockhaus* ist der Eintrag 1928 nur noch 23 Zeilen lang und bezeichnet »eine Abweichung von der üblichen Ernährungsweise«. *Brockhaus* räumt der Diät 1996 kaum mehr Platz ein, weiß aber, daß »auch weltanschauliche Aspekte bestimmend sein« können, eine Diät durchzuführen, und verweist auf die eigenen Stichwörter »Apfeldiät, Elementardiät, Formuladiät, Gallendiät, Herzschonkost, Kousa-Diät, Leberdiät, Magenschonkost, Mayo-Diät, Nierendiät, Reduktionsdiät, Reisdiät, Schaukeldiät, Trokkendiät« und, nicht zu vergessen, die »Weizenschleim-Diätkur«.

DICHTUNG, bei Stopfbüchsen auch »Packung«: »Mittel, um zwischen zwei Metallflächen einen dichten Abschluß herzustellen« (*Brockhaus* 1892), außerdem »gesteigerte, höchste Form sprachlicher Gestaltung« (*Brockhaus* 1996). Der Dichter, schreibt *Brockhaus* im gleichnamigen Artikel, löste im 18. Jahrhundert den Poeten ab; »heute besteht von neuem eine Tendenz, das Wort Dichter zu vermeiden zugunsten von Bezeichnungen wie Autor, Schriftsteller, Verfasser, Texter, Stückeschreiber …« »Während der neueste *Brockhaus* ganz im Sinne dieser Vermeidungsstrategien die Begriffsgeschichte wertneutral (»gelten«, »ist fraglich«, »ist unsicher«, »wird so verstanden«, »demgegenüber betonen andere Richtungen«) referiert, geht das *Damen-Conversationslexikon* 1835 beim Stichwort »Dichtkunst« gewohnt galant in die vollen. Nach zwei Seiten biedermeierlich-bigotter Definitionsversuche aber bricht der Verfasser plötzlich ab, um in ein blumiges Stammeln zu verfallen: »Genug hierüber für Frauen. O was sind alle Ästhetiken gegen das Gefühl eines edlen Weibes! Es wird mündig geboren und bevormundet die Weisheit des Mannes von tausend Talenten. Wie vor dem stillen Wunder einer Blume steht der Denker still vor dem Frauenherzen; er legt in die Wagschale dieser Richterin sein Wissen, das Weib – einen Staubfaden aus dem Blüthenkelche seines Herzens und – seine Weisheit schnellt empor.«

DIGITAL-ANALOG-UMSETZER dekodieren auf Kollektor-Emitter-Strekken »pulscodemodulierte digitale Signale« (*Brockhaus* 1996), die der Laie jedoch sowenig dekodieren kann wie die 31 anderen Digital-Begriffe, da ihre »Transistor-Transistor-Logik« NAND-Schaltungen, Schmitt-Trigger, bistabile Flipflopschaltungen und sogar »Multivibratoren enthalten können«. Lexika waren einst Gebrauchsanleitungen für Hobbybastler. Heute können sie mit der technologischen Innovation weder Schritt halten noch sie gemeinverständlich darstellen. Die »Datenautobahn« etwa, 1996 von *Brockhaus* noch als letzte Neuigkeit ausposaunt, ist heute schon ein fast liebenswert konkreter Anachronismus.

DILETTANTISMUS. Unprofessionelle, aber liebevolle und »leidenschaftliche Beschäftigung« mit Wissenschaft oder Kunst. Das *Damen-Conversationslexikon* rühmt 1835 vor allem das Liebhabertheater: »Fast jeder Mensch besitzt den Ehrgeiz, seine Bestrebungen, namentlich Kunstleistungen, wenn sie auch nur approximativ sind, vor einem größeren Kreise zu zeigen, und die Hoffnung auf Beifall beschwichtigt jedes Mal sehr leicht die angeborne, anerzogene Schüchternheit. Nenne man dieß Eitelkeit – das Resultat bleibt in der Regel ein erfreuliches, weil es in den meisten Fällen ein genußreiches ist. Daß die herbe und öffentliche Kritik verstummt, belebt den Muth.« Der »trauliche Verkehr« und die »gegenseitige freundliche Berührung« bei den Proben machen diese Bühnen überdies zu »geheimen Heirathsbureaus«.

DING. »Die Geschichte des philosophischen Dingbegriffs ist sehr verwickelt, da jedem Volk ein anderes Dingerleben zu eigen zu sein scheint.« (*Meyer* 1936). Spätestens seit Heidegger macht jeder sein eigenes Ding, an sich und für sich. Philosophisch ein Unding, »und deshalb ist man von diesem fruchtlosen Unternehmen so ziemlich wieder zurückgekommen.« (*Brockhaus* 1892).

DINOSAURIER. Im *Brockhaus* erfahren wir 1892 über die »Dinoceraten«, eine »Ordnung vorweltlicher Riesentiere«: »Die Tiere erreichten wenigstens Elefantengröße und zeigen Beziehungen zu den Urformen der Rüsseltiere, Nashörner und Flußpferde; in Bezug auf Intelligenz standen sie aber offenbar auf sehr niedriger Stufe, das Gehirn war trotz des ungeheuren Schädels so klein, daß es durch den größten Teil des Wirbelkanals hätte frei hindurchgezogen werden können.« Unter dem Stichwort »Dinosaurier« finden sich zwar auch Größenangaben zur grauen Substanz der Urviecher. Daraus wird aber nicht auf ihre Intelligenz geschlossen, sondern es folgen lediglich Argumente, die gegen eine Lokalisierung des Gehirns im Steißbereich sprechen: »Bei diesen seltsamen Tieren war die Anschwellung des Rückenmarkes in der Kreuzbeingegend infolge der Abgabe kolossaler, die Bewegung der gewaltigen Masse der hintern Gliedmaße veranlassender und regulierender Nerven so stark, daß bei Stegosaurus z.B. die Kreuzbeinhöhle zehnmal so groß als die eigentliche, allerdings sehr kleine Hirnhöhle des Schädels war.« Unser populäres Wissen über Dinosaurier verdanken wir Filmen wie *Jurassic Parc* oder *Lost World*. Bevor diese Streifen in die Kinos kamen, kursierte in den 1970er und 80er Jahren ein Aufkleber, der Dinosauriern wie der Bundeswehr langfristig geringe Überlebenschancen einräumte: Ausgestorben – zu viel Panzer, zu wenig Hirn.

DIPLOMATIE. Bei *Meyer* (1839–55, Artikel »Grenzen«) wurde Klartext geboten, als es um die »Heilige Allianz« in der Restaurationszeit nach 1815 ging: »Die Grenzen aller europäischen Staaten waren nach dem Ausspruch dieser ›Großmächte‹ gezogen, aber über alle Grenzen hin waltete, hier offen, dort geheim, die Herrschaft des Absolutismus. Seine eiserne Faust drückte auf allen Völkern Europas während der ganzen Zeit der Restauration; in Aachen, Karlsbad, Troppau, Laibach, Verona etc. feierte die zum Scheusal an Lug, Trug und Verrat hinabgesunkene Diplomatie diabolische Siege der fürstlichen Herrschgelüste über die Ehre und die Rechte der europäischen Völker, selbst das englische nicht ausgenommen. Es waren lustige Feste in Bädern und bei bestellten Zusammenkünften, wo die Familien der Bourbons, Romanows, Hohenzollern, Habsburger und Braunschweig-Lüneburger ihr gemeinschaftliches Spiel mit Gut und Blut und Freiheit von Millionen trieben, wo sie mit ihren plumpen Fäusten in die edelsten Gebilde des Zeitgeistes griffen und mit ihren Knütteln auf den Baum der Menschheit schlugen, um, nachdem sie die Früchte geerntet, jede neue Blüte zu vernichten.« So konterte das Lexikon die Sprache der Diplomatie und der allseitig ausbalancierten diplomatischen Feinheiten. *Meyer* setzt »das demokratische Element des modernen Staates« gegen »die Dunkelheit« und »das Paradepuppenthum gehaltloser Menschen« sowie »die Eroberungs- und Arrondirungssucht« als einem »Steckenpferd der Hof-Diplomaten«. Die Empfehlung des Lexikons: »Wenn es in Kniffen und List keiner dem Andern mehr nachthut, nimmt Diplomatie wieder die Ehrlichkeit auf.«

DODO. Der in Kreuzworträtseln beliebte »ausgestorbene Riesenvogel« hatte es nicht leicht, der Nachwelt wenigstens in der Überlieferung erhalten zu bleiben. Schließlich gab es immer weniger Anschauungsmaterial. Unter dem Stichwort »Dronte« (auch »Dodo oder Dudu«) steht im *Brockhaus* von 1892: »Ein ausgestopftes Exemplar existierte noch 1755 in Oxford, wurde aber von den Motten zerstört, so daß nur Kopf und Füße übrigblieben.«

DOKTOR. Im Mittelalter angesehener Ehrentitel (Doctor angelicus, seraphicus, subtilis, authenticus…), in Rom auch Berufsbezeichnung von Fechtmeistern. Später wurde die Titelvergabe oft fiskalisch (»Bullendoktoren«) oder als »Einnahmequelle für Professoren« (*Brockhaus* 1892) mißbraucht. »Durch übergroßen Zudrang«, so *Meyer* 1936, »verlor in den letzten Jahren die Doktorwürde ihre Bedeutung, die sie sich durch Auslese und Leistung zurückgewinnen muß.« In Deutschland ist der Doktortitel »nicht Bestandteil des Namens«, in der Schweiz »Kennzeichen der Persönlichkeit« (*Brockhaus* 1996). In Österreich besteht auf die Anrede mit einem rechtmäßig erworbenen Doktortitel sogar ein »Rechtsanspruch«, und unter Frankfurter Taxifahrern stellen die Promovierten ein stattliches Kontingent.

DOMINA. O tempora, o mores: »(lat.), Herrin; Kloster-, Stiftsvorsteherin, Äbtissin« (*Brockhaus* 1892). Hundert Jahre später (1996) vermerkt der *Brockhaus* die ursprüngliche Bezeichnung unter 1) zwar immer noch, unter 2) aber auch: »Prostituierte, die sadist. Handlungen an einem Masochisten vornimmt.«

DONNER ist »das dem Blitz folgende rollende Getöse, das sich, nach seiner Entstehung und im verkleinerten Maßstabe, dem Knistern des elektrischen Funkens einer Elektrisiermaschine vergleichen läßt« (*Brockhaus* 1892). Wem dieses Knistern nicht mehr vertraut ist, der mag sich an die Bühnengeräusche der »Donnermaschine« erinnern, die durch Hinundherschütteln von Eisenblechen, einen »mit Steinen gefüllten Wagen auf eckigen Rädern, der auf dem Schnürboden auf eine unebene Fläche gefahren wird«, hervorgerufen wurden, oder der Eselsfell-Pauke mit Kieselsteinen gedenken, »die in einem innen mit Eisenleisten benagelten Schlauch herabrollte«.

DRESSUR. 1851 kannte *Brockhaus* die Dressur noch als Fachterminus aus der Rekrutenausbildung. 1892 definierte er sie als die auf festen Grundsätzen beruhende »Unterordnung des tierischen Willens unter den des Menschen«; ihre Ziele sind »Verständnis, Gehorsam und Körperbildung«. Beim Pferd spricht man auch von →»**Trainieren**«, meint aber im Grunde dasselbe: »Umwandlung eines rohen Pferds in ein dienstthätiges«. Unter »Drillen« verstand *Brockhaus* 1892 auch eine englische Kulturtechnik zur tiefen Unterbringung des Saatkorns (vgl. Eisbein, *Die Drillkultur,* 1880). Auf die Vorteile des Drillens wies als erster der »englische Landwirt Jethro Tull« hin. Der Autor von *Wie man Pferde richtig beschlägt* (1731) wurde 1967 Namenspatron einer Rockband um Ian Anderson, die mit Hits wie »Living in the Past« und »Too Old to Rock 'n' Roll, Too Young to Die« ihre tiefe Verwurzelung in der Vergangenheit unterstrich. Anderson hatte seinen Körper so weit trainiert, daß er auf einem Bein stehend Querflöte spielen konnte; heute züchtet er Lachse.

DREWERMANNSCHES VERFAHREN kennt *Brockhaus* 1892 nur aus der Zuckerproduktion. Eugen Drewermann dagegen hat seine zahlreichen Veröffentlichungen dem »Versuch gewidmet, die Erkenntnisse der Psychoanalyse für die Theologie fruchtbar zu machen« (*Brockhaus* 1996). Gewissenhafte Lexikographen überliefern gewissenhaft die Namen der Erfinder und Entdecker neuer Techniken und Naturgesetze. *Brockhaus* widmet 1892 »Morels Degenerationsgesetz«, »Nobels rauchschwachem Pulver«, der »Mordellschen Vermutung«, dem »Rühmkorffschen Funkeninduktor«, dem »Hübnerschen Patentbohrer«, dem »Wagnerschen Hammer« und dem »Junodschen Schröpfstiefel« eigene Artikel. Manchmal waren auch die Namen schon Programm genug: Freiherr Scharschmid von Adlertreu war ein Politiker, Sonklar von Innstätten Alpenforscher, Zwiedinek von Südenhorst Historiker, Eitelberger von Edelberg ein Reformator des österreichischen Kunstgewerbes.

DUELL. Von höchster Stelle wurde der Begriff »Ehrenwort« jüngst wiederbelebt. Worum es bei der ober- und außerhalb der Gesetze liegenden Ehre geht, hat *Brockhaus* 1864 im Artikel »Duell« festgehalten: »Wenn es der Staatsgewalt auch gelungen ist, die altgermanische Gewohnheit, sein Recht vor der Gemeinde zu erkämpfen und durch das Bestehen eines Gottesurteils gleichsam vom Himmel herabzuholen, hinsichtlich derjenigen Güter und Forderungen zu bannen, zu welchen schon die Gerichte verhelfen können, so ist doch ein Gleiches in Betreff jener romantischen Ehrenansprüche bisher nicht möglich gewesen.« Mit den »romantischen Ehrenansprüchen« meint das Lexikon die herben Bräuche beim Adel, im Offiziers- und Beamtenstand sowie bei der akademischen Bürgerschaft. →**Ehre.**

DUMMHEIT bezeichnet *Meyer* 1902 als »die mangelhafte Fähigkeit, aus Wahrnehmungen richtige Schlüsse zu ziehen«. Diese ist »teils auf mangelhafte Schulung des Geistes« zurückzuführen, kann allerdings »auch auf einer gewissen Trägheit und Schwerfälligkeit im Auffassungsvermögen« beruhen. Tröstlich bleibt indes: »Jedenfalls ist die Dummheit ein Fehler, der noch innerhalb der Grenzen der normalen Seelentätigkeit liegt und deshalb von der krankhaften Geistesschwäche oder dem ausgesprochenen Mangel an richtiger Gedankenverknüpfung unterschieden werden muß.«

DURCHFALL. Früher war nicht alles besser. In medizinischen Angelegenheiten etwa will kaum noch jemand die →**Zeit** zurückdrehen. Aber offensichtlich haben sich die Ärzte vor hundert Jahren noch genauer mit den Patienten und ihren Symptomen beschäftigt. Eine so detaillierte Schilderung wie die folgende aus dem *Brockhaus* von 1892 findet sich heute selbst in einem medizinischen Fachbuch nicht mehr: »Die Beschaffenheit der Ausleerungen während des Durchfalls ist sehr verschieden und für die Erkennung der zu Grunde liegenden Störung wichtig; entweder sind dieselben fäkal, das heißt sie zeigen noch deutlich die normalen Bestandteile und den specifischen Geruch des Kotes, oder sie sind wässerig, fast farb- und geruchlos, oder zeigen eiterige und schleimige Beimengungen, selbst abgestoßene Fetzen der Darmschleimhaut, wie bei der Ruhr, oder enthalten mehr oder weniger reichlich Blut, wie bei der Roten Ruhr und bei Darmgeschwüren; in schweren Fällen von Ruhr und andern Verschwärungsprozessen im Darm nehmen die Stuhlentleerungen den jauchigen Charakter an, sind mißfarbig und besitzen einen unerträglichen Fäulnisgeruch.« Allerdings muß zur Ehrenrettung heutiger Ärzte gesagt werden, daß viele Patienten, wenn sie nach den Eigenschaften ihres Stuhlgangs gefragt werden, auf die »modernen Toiletten« (→**Abort**) verweisen, in denen die Fäkalie gleich ins Wasser plumpst (→**Groß-Popo**) und deshalb nicht mehr richtig in Augenschein genommen werden kann.

DURST, »der unangenehme Reiz, den das Verlangen zu trinken erzeugt« (*Brockhaus* 1812), ist im *Brockhaus* von 1892 »eine zur Klasse der Gemeingefühle gehörige Empfindung, die uns über die Verminderung des Wassergehalts unsers Körpers unterrichtet«. Manchmal kann der wissenschaftliche Fortschritt lediglich als Verlängerung der Definition verbucht werden.

DYSPEPSIE ist »eine besondere Form der Verdauungsschwäche«. Sie »findet sich oft bei Personen, welche durch Nachtwachen, Kummer und Sorgen, durch übermäßige geistige Anstrengungen oder geschlechtliche Ausschweifungen erschöpft sind« (*Brockhaus* 1892). Im *Brockhaus* wird dieser Befund 1928 in die Nähe der Hypochondrie gerückt, tritt doch die Dyspepsie »bei Nervösen und sehr auf ihre Gesundheit bedachten Menschen oft bei Fehlen jeden organ. Leidens stark hervor«. Doch tröstlich ist: »Die genaue Untersuchung wird aber auch hier Aufklärung schaffen.«

DYSURIE ist »der häufige und schmerzhafte Drang zum Urinieren« (*Brockhaus* 1892), wobei die Ausleerung des Harns nur »unter krampfhaftem Pressen und Schneiden in der Blasengegend, nur sparsam und tropfenweise« vor sich geht und häufig auch mit brennenden Empfindungen in der Harnröhre verbunden ist. Dysurie wird als ein häufiges und lästiges Symptom »beim Blasenkatarrh und anderen Blasenkrankheiten beobachtet, kommt aber auch vorübergehend (als sog. kalte Pisse)« infolge scharfer und reizender Beschaffenheit des Harns »nach dem Genuß von jungem Bier, Most, jungem Wein sowie nach dem Mißbrauch scharfer harntreibender Mittel vor«. *Brockhaus* entwertet 1928 die häufig schmerzhafte Dysurie als »lediglich ein Symptom« bei verschiedenen Erkrankungen der Harnblase, rät aber zu »Wärme in Gestalt warmer Umschläge oder des elektrischen Heizkissens«, während »vor dem vielfach ohne Grund verordneten Gebrauch der bekannten Quellen (Wildungen, Vichy, usw.) zu warnen ist«.

E

EBENBÜRTIGKEIT »nennt man im Allgemeinen das als auf der Geburt beruhend betrachtete gleiche Standesverhältnis verschiedener Personen, was in früheren Zeiten von weit größerer Bedeutung war als heutzutage«, heißt es 1837 in *Brockhaus' Bilder-Conversations-Lexikon*. Das »Standesverhältnis« war ein Rechtsverhältnis, im Laufe des Jahrhunderts wurde dieses schleichend in einen Naturtatbestand umgebogen: Die Unfreien sollen im Mittelalter als »tieferstehende Rasse« verstanden worden sein (*Brockhaus* 1864, Artikel »Ebenbürtigkeit«). Mit dem Gesetz vom 6. Februar 1875 wurde der Begriff der unstandesgemäßen Ehe aus dem Zivilrecht verabschiedet. Ebenbürtigkeit wurde damit zu einem Thema dynastischer Hausrechte herabgestuft. *Brockhaus* notierte 1882 trocken: »Nach englischem und französischem Recht sind alle Bevölkerungsklassen einander ebenbürtig.« Unter dem Nationalsozialismus reimte man Recht auf Rasse: »Ebenbürtig sind erbgesunde Geschlechter gleicher rassischer Anlage und damit gleichen Leistungswertes und gleicher seelisch-sittlicher Artung« (*Meyer* 1936). Die Quelle für solche Einsichten trägt im Buchtitel ihr ganzes Programm: Rudolf Walther Darré, *Neuadel aus Blut und Boden*.

ECONOMY. Der munteren Debatte über »old« und »new economy« ist eine weitere Variante hinzuzufügen, die sich bei *Brockhaus* immerhin bis zur Auflage von 1966 halten konnte und seither erst verschwunden ist. Bei »Economy« der dritten Art handelte es sich um »eine Niederlassung am rechten Ohio-Ufer in Beaver-County im Staate Pennsylvanien«. Sie wurde 1824 »von den Rappisten, den Anhängern Georg Rapps aus Württemberg gegründet... Der Ort, freundlich gebaut, hat etwa 200 Häuser, darunter ein schönes Schulhaus und eine Kirche, und ist sehr wohlhabend geworden durch Woll- und Flanellfabriken, Gerbereien und Obstzucht. Die Rappisten leben hier in Gütergemeinschaft und Ehelosigkeit. Sie sind fleißige, sparsame und ruhige Bürger, gehen aber dem Absterben entgegen. Dem am längsten Lebenden wird dereinst das Vermögen der Gemeinde, welches auf 15 Millionen Dollars berechnet wird, zufallen. Wer aus der Gemeinde ausscheidet, erhält nur seine Einlage, nicht aber seine Zinsen und den Mehrwert zurück.« (*Brockhaus* 1875). Die pietistisch-apokalyptisch orientierten Mitglieder nannten sich auch »Harmonisten«. Die Gemeinschaft »erlosch um die Jahrhundertwende aus Mangel an Nachwuchs« (*Brockhaus,* 1966, Artikel »Harmonisten«).

EGOISMUS. Die Begriffsgeschichte beschreibt eine abenteuerliche Wellenbewegung. Der Beginn war ganz moderat: »Selbstsucht oder Eigennutz aus übertriebener Selbstliebe ist diejenige tadelnswerte Denkungs- und Handlungsweise eines Menschen, welcher nur auf den eigenen Vorteil oder Genuß bedacht ist.« (*Brockhaus' Bilder-Conversations-Lexikon,* 1837). Dreißig Jahre später wird entschieden schärferes Geschütz aufgefahren: Egoismus ist jetzt »jede Leidenschaft, welche die sittlichen Schranken nicht achtet, Genußsucht, Habsucht, Ehrsucht usw. … Das Gleichbleibende dabei ist jedoch immer die übermäßige oder krankhafte Selbstliebe als das unbedingte Überwiegen der Liebe zu sich selbst über die Liebe zu andern.« (*Brockhaus* 1864). Vierzig Jahre danach systematisiert und versachlicht *Meyer* (1902) den Begriff moralisch. Erstmals wird die wirtschaftliche Bedeutung erwähnt, womit der Begriff eine annäherungsweise positive Bewertung erhält: »Nach der Volkswirtschaftslehre der englischen Schule (Adam Smith und Nachfolger) ist der Egoismus (das Selbstinteresse, self-interest) die Veranlassung zur wirtschaftlichen Tätigkeit der Einzelnen und damit zum wirtschaftlichen Leben überhaupt.« Ausdrücklich ist von seinem »berechtigten Kern« die Rede. Mit der Naziherrschaft verschwand, wenn man *Meyer* in den Jahren nach 1933 trauen mag, auch der Egoismus. Der Artikel schrumpfte auf acht Zeilen zusammen, und der Verweis auf »Ichsucht« führt ebenso ins Leere wie jener auf »Eigennutz«, trotz der vermeintlich aus »altem deutschem Recht« stammenden Naziparole »Gemeinnutz vor Eigennutz« aus dem Punkt 24 des Parteiprogramms der NSDAP, von wo er geradewegs zum Grundsatz der »neuen Rechtsordnung und Rechtsprechung« aufstieg (*Meyer* 1936, Artikel »Gemeinnutz vor Eigennutz«).

EHE. Die »anerkannte Vereinigung zweier Personen verschiedenen Geschlechts zur dauernden Gemeinschaft aller Lebensverhältnisse« (*Brockhaus* 1875) soll Mann und Frau »durch die Liebeswahl zu dem geahnten Normalmenschen« ergänzen. Die Ehe setzt einen »entwickelten Kulturzustand voraus« (*Brockhaus* 1892). Gegenüber der wahllosen Weibergemeinschaft ist die »geregelte Polygamie bereits ein Fortschritt«; Bigamie gilt als Ehehindernis, »Irrtum hinsichtlich der Person« erst recht. Gelöst werden kann die Ehe nur, wenn ein Gatte sich »Nachstellungen nach dem Leben« des andern zuschulden kommen läßt, als Scheidungsgründe gelten »vereinzelt auch Unverträglichkeit, unvertilgbarer Haß und Widerwillen, unheilbarer Wahnsinn und unordentliche Lebensführung«, bösliche Verlassung oder Flucht. Das *Damen-Conversationslexikon* warnt 1835 vor übereilter Heirat: »Das Wort ›Ewig!‹ mit der unendlichen Schwere seiner Bedeutung« setze »nothwendigerweise eine vollkommene« →**Liebe** voraus. Der Mann muß die Besonnenheit seiner Kraft als Morgengabe in die Ehe einbringen, die Jungfrau jene »Anmuth des Wesens«, die den ihr Angetrauten »mit Muth, Zuversicht und Ausdauer stählt«. Für *Meyer* 1936 war die Ehe vollends ein Stahlbad und Kinderlosigkeit »völkischer Verrat«: Jeder Deutsche hat die Pflicht, »zur Mehrung unseres Volksbestandes sein Bestmögliches beizutragen«. Für *Brockhaus* gehört die Fortpflanzung 1996 nur noch »i. A. (jedoch nicht notwendigerweise)« zur Ehe.

EHESCHEIDUNG. Ist das »Band, welches Mann und Weib des Menschengeschlechts aneinanderknüpft und ihre Verbindung über das bloße Sinnliche und Thierische erhebt« (*Brockhaus* 1843, Artikel »Ehe«) zerrissen, gewinnen Details an Bedeutung. 1892 ist jegliches Pathos im *Brockhaus* verflogen und besonders die Reihenfolge der Lemmata von Interesse. Vor dem Artikel »Ehe« findet sich der einzeilige Eintrag »Eh bien!« mit der munter stimmenden Erläuterung: »(frz., spr. biäng), wohlan!« 1928 kommen im *Brockhaus* bereits Zweifel auf. Hier lautet die leicht resignative Übersetzung für »Eh bien«: mittlerweile »nun?; wohlan, nun gut!«, so daß auch die Ehescheidung nicht mehr weit ist. Sie droht, »wo Haß und Verachtung an die Stelle der Liebe und des Vertrauens treten«. Dann ist »der häusliche Herd entweiht, und der Zwang zur Fortsetzung des unseligen Bündnisses erscheint als ohnmächtiger Wunsch, ein Unheiliges zu heiligen, oder als Herabsetzung der Ehe zu etwas Äußerlichem oder Inhaltlosem« (*Brockhaus* 1892).

EHRE. »Ehrenwort« – Außerhalb von Schulhöfen und schlagenden Verbindungen war das Wort vergessen, bis es Uwe Barschel und später Helmut Kohl wiederbelebten. *Brockhaus' Bilder-Conversations-Lexikon* (1837, Artikel »Abbitte«) ahnte bereits das Unvermeidliche aller Ehrenworte: »Die Ehre kann bei dem einen größeren Umfang haben als bei dem anderen.« Am Ende des vorigen Jahrhunderts wußte es Verdis Ehren- und Edelmann Sir John Falstaff im triumphalen Nachspiel über die »Ehre« etwas genauer: »Die Ehre ist kein Wundarzt. Also was? Ein Wort. Was steckt in diesem Wort? Ein Lufthauch, der verweht. Ein schöner Humbug… Ich brauche keine Ehre.«

EICHEN SOLLST DU WEICHEN, besonders bei Blitzgefahr. Darunter versteht *Meyer* 1902 (Artikel »Blitzgefahr«) noch nicht das seit der Existenz von →**Radarfallen** deutlich erhöhte Risiko, beim Autofahren photographiert zu werden, sondern »die Gefährdung von Menschen, Tieren, Gebäuden und Bäumen durch den Blitz«. Das Lexikon tut Erstaunliches kund: »Die Blitzgefahr für Menschen und Tiere ist vorzugsweise von deren Aufenthalt abhängig.« Zwar werden in Deutschland schätzungsweise »jährlich wenigstens 200–300 Personen vom Blitz getroffen und 50–100 getötet«, doch bemerkenswerter ist, daß »die Blitzgefahr für Gebäude in neuerer Zeit außerordentlich zugenommen« hat. Allein in Bayern hat sich in den vergangenen fünfzig Jahren die Blitzgefahr »versechsfacht«. Verständlich, daß im Lexikon der Blitzgefahr für Gebäude ungleich mehr Platz eingeräumt wird als der für Mensch, Natur und Tier. Die Ursache mag jedoch für alle Bereiche gelten: »Die Vermehrung der Schadenblitze ist sowohl auf eine Zunahme der Tage mit solchen, als noch mehr auf eine Steigerung der Gefährlichkeit der einzelnen Gewittertage zurückzuführen.« Dann folgt eine meteorologisch wie physikalisch heute nicht mehr leicht nachvollziehbare Unterscheidung: »Die Gewitter haben an Häufigkeit und Heftigkeit zugenommen, dabei ist aber die Zahl der zündenden Blitze nicht in gleichem Maße gewachsen wie die der kalten, mechanisch zerstörenden Schläge.« Ob diese besonders Eichen treffen, ist nicht bekannt. Dafür schickt *Meyer* 1902 vorweg, daß der holde Lorbeer fast nie getroffen wird, um dann die unterschiedliche Zahl der Einschläge bei anderen Gewächsen mit der »verschiedenen elektrischen Leitungsfähigkeit des Holzes wie in dem mehr oder weniger wasserreichen Standort« zu begründen. Ferner erleichtert das »Vorhandensein einer größern Zahl trockner Äste in der Krone«, wie angeblich bei Eiche und Pappel der Fall, den Übergang des elektrischen Funkens. Dann verflüssigt sich die Begründung zunehmend: »Die elektrische Leitungsfähigkeit ist unabhängig vom Saftgehalt des Baumes, aber abhängig vom ›Ölgehalt‹; je größer dieser ist, um so größer gestaltet sich der Widerstand beim Durchgang der Elektrizität (Kiefer, Buche).« Die »langjährigen Beobachtungen in den lippeschen Forsten« belegen immerhin, daß Eichen besonders häufig vom Blitz getroffen werden. 1928 hat die Eiche im *Brockhaus* die Führungsposition in der Blitzschlagstatistik allerdings schon wieder eingebüßt. Das Lexikon sieht »alle baumförmigen Nadelhölzer am stärksten gefährdet, ferner Pappeln (bes. Pyramidenpappel), Eichen, Birnbäume, Ulmen, baumförmige Weiden, Robinien und Eschen, am wenigsten Erlen, Ebereschen, Roßkastanien, Rotbuchen, Weißbuchen und Ahornbäume«. Die Unterschiede werden reichlich trocken begründet. Demnach hängt die Blitzgefährdung einer Baumart »größtenteils von ihrer Rindenbeschaffenheit« ab. »Schwer benetzbare Stämme mit rissiger Borke« sind schlechtere Leiter und werden als solche »viel häufiger sichtbar beschädigt als Bäume mit glatter, rascher Rinde, die ein guter Leiter der Elektrizität ist«. *Brockhaus* läßt 1996 das Botanisieren sein und alle feucht-flüssigen Erörterungen abblitzen. Unter dem Artikel »Blitz« rät das Lexikon lediglich dazu, »im freien Feld die Nähe von Bäumen, Masten u. Ä.« zu meiden und empfiehlt: »die Füße dicht beieinander, hinhocken (auf keinen Fall hinlegen)«.

EIERKUNDE. Kein Wunder, daß die Universitäten in den letzten Jahrzehnten kontinuierlich an Attraktivität verloren haben, bieten sie doch so interessante Unterdisziplinen wie die Eierkunde nicht mehr an. In aktuellen Vorlesungsverzeichnissen etwa findet man diese »Hilfswissenschaft der Vogelkunde« nicht, »welche sich mit der Untersuchung der äußern Schale der Vogeleier beschäftigt und auch die Anzahl der Eier, welche ein Vogel für eine Brut legt, in den Kreis ihrer Betrachtungen aufnimmt« (*Brockhaus* 1892). Dabei erfordert sie wenig Hilfsmittel und ist schon mit geringem Aufwand auszuüben, wie der *Meyer* 1902 erläutert: »Die Eier werden nach Ermittelung ihres Vollgewichtes entleert und der Sammlung (Oothek) einverleibt.« Dafür gibt es heute an den Universitäten biologische Lehrveranstaltungen über »zelluläre Funktionen dynamischer Proteinwechselwirkungen« und, immerhin, die Vorlesung »Einführung in die Kenntnis der heimischen Fauna (mit Demonstrationen)«. Vielleicht werden dabei ja auch eierkundliche Inhalte verhandelt, etwa die »Zeichnung« der Eier, egal ob sie nun »aus Punkten, Flecken und Flatschen, Strichen, Schmitzen, Haarzügen und Zickzacklinien« (*Brockhaus* 1892) besteht und »scharf umgrenzt oder verwaschen« ist. Hoffentlich wird auch »die Form der Eier« ausreichend gewürdigt. Sie ist »z. B. bei den Eulen, Bienenfressern und Eisvögeln fast kugelig; gleichhälftig-elliptisch bei den Nachtschwalben, Salanganen, Kolibris, Sandflughühnern und Wallnistern; gleichhälftig-spitzelliptisch bei den Nandus und Kasuaren; ungleichhälftig-elliptisch bei den Seglern; kreiselförmig bei den schnepfenartigen Vögeln und« – das verdient besondere Aufmerksamkeit – »eiförmig bei den Singvögeln, Hühnern und vielen andern«. Doch nicht nur die zeitgenössische Biologie nimmt sich zu wenig der Eier an, auch Soziologie und Sprachwissenschaft haben in diesem Bereich Defizite: Wie konnte es etwa zum unaufhaltsamen Aufstieg des Eierlikörs nach dem Krieg und seinem Imagewandel zu Beginn der 1980er Jahre kommen; wann wurde aus der Oothek die Ootheke? Wann wurde der Begriff »Weichei« populär? Hat dies vielleicht mit folgender Erklärung aus dem *Brockhaus* von 1892 zu tun? »Personen mit schwacher Verdauung aber dürfen nie hartgekochte Eier essen, sondern genießen sie am besten roh, vielleicht mit etwas Zucker gemischt, oder nachdem die Eier wenige Minuten im kochenden Wasser gelegen haben, so daß nur die äußersten Schichten des Eiweißes locker geronnen sind.« Oder mit dem Gewicht der Eier? Denn, das wußte schon der *Brockhaus* 1892: »Die im August gelegten sind die schwersten.«

EIERSTOCK ist laut *Brockhaus* 1812 »ein weißer eiförmiger, nach dem Alter und der Größe des weiblichen Thieres mehr oder wenig großer, pelzig elastischer Körper«, der von »zartem Bauchfell« umschlossen ist. Achtzig Jahre später ist das zarte Bauchfell bereits ein garstiger Mittler von Krankheit und Gefahr, überall lauert die Pathologie: »Die während der Menstruation regelmäßig eintretende Entzündung einer bestimmten einzelnen Stelle des Eierstocks pflanzt sich leicht auf die ganze Oberfläche des Eierstocks fort, mit welchem der seröse Überzug … innig zusammenhängt. Daher entstehen während der Menstruation besonders leicht Unterleibsentzündungen, und es ist während dieser Zeit Schonung und Vorsicht unbedingt nötig« (*Brockhaus* 1892). Besonders müssen diejenigen, »welche an schmerzhafter Menstruation leiden, das Bett hüten und alle heftigen Bewegungen und Gemütsaufregungen meiden, bis der Schmerz vollständig vorüber ist«. Bei Schonung und zweckmäßigem diätetischem Verhalten bildet sich diese Entzündung des Eierstocks in der Regel zwar wieder zurück, »bisweilen führt sie aber auch zur Vereiterung des Eierstocks und damit zu längerem Siechtum oder selbst tödlichem Ausgang«. Das Lexikon macht den Frauen noch mehr angst, denn »auch kann jede heftigere Entzündung des Eierstocks« den Untergang der Graafschen Follikel und damit, wenn die Entzündung beide Eierstöcke betraf, »die Unfruchtbarkeit des Weibes zur Folge haben«.

EIFFELTURM. Das Wahrzeichen von Paris »schwankt nie mehr als 10–15 cm« (*Brockhaus* 1892). Der Turm dient »als Observatorium zu wissenschaftlichen Experimenten und zu strategischen Beobachtungen (Überblick über die bis zu einer Entfernung von 70 km sichtbaren Truppenkörper, optische Telegraphenverbindung mit Rouen, Beauvais, Orléans, Alencon u.s.w.)«.

EINBILDUNGSKRAFT schafft aus Erinnerung oder Anschauung Neues oder doch »zwar Mögliches, aber in origineller Zusammenstellung« (*Damen-Conversationslexikon* 1835). Einbildungskraft hat jeder, Bildungskraft (Phantasie) nicht; letztere aber bringt – nachahmend, passiv-empfangend, im → **Genie** auch aktiv schaffend – erst das Schöne hervor. »Wir sehen eine Thräne der Rührung im Auge eines edlen Menschen, und die Phantasie dichtet schweigend hinzu eine vollendete Elegie oder eine Hymne an den Unendlichen.« Unter Phantasie verstand Aristoteles ein eigenes Seelenvermögen, Montaigne die Quelle aller Leidenschaften und Erkenntnisse, Freud die Korrektur und Kompensation einer unbefriedigenden Wirklichkeit. *Brockhaus* beschreibt 1892 »phantasieren« dagegen als Synonym für »delirieren«, und *Meyer* hielt 1936 die »Phantasie« für eine »Sonderbegabung des nordischen Menschen«.

EINHERJER nennt *Brockhaus* 1892 jene 422 000 »vortrefflichen Kämpfer« der altnordischen Mythologie, die nach ihrem Heldentod bei Met aus den Eutern der Ziege Heidrun und Eberfleisch in Walhall zusammensitzen und auf das »letzte Gefecht« (Ragnarök) warten. »Am Tage gehen sie hinaus, um zu kämpfen, am Abend aber kommen sie zurück und verbringen die Nacht unter Zechen«; bedient werden sie dabei von attraktiven Wunsch- oder »Schlachtmädchen« (Walküren). Für *Meyer* 1936 zeigt sich in diesem Mythos vom Kriegerparadies »die geistige Höhe des Germanen«, der sich nicht einmal nach seinem Tod in Resignation und Untätigkeit ergibt: »Erst durch diese Haltung zu den letzten Dingen können sich Ehre und Tod voll entfalten.«

EINSAMKEIT. Insel im westsibirischen Eismeer, südöstlich von Franz-Josephsland; 1878 entdeckt, flach und unbewohnt: Mehr weiß *Brockhaus* 1892 nicht über die Einsamkeit zu sagen.

Hundert Jahre Einsamkeit später hat sich der Begriff als *conditio humana* auf eine ganze *Brockhaus*-Spalte ausgedehnt, ohne an Reiz oder Wärme zu gewinnen. Seit Goethe und Dostojewski gelte der Einsame als gefährdet, seit Jaspers erfahre das bindungslose Individuum in der Einsamkeit den »möglichen Abgrund des eigenen Nichtseins«. »Räumliche Abgeschiedenheit«, tröstet *Brockhaus* 1996 aber auch, »kann trösten, innere Sammlung bedeuten, inneres Verlassensein, das nicht an räumliches Alleinsein gebunden ist, deprimieren.«

EINWANDERUNG. 1820 zählte die USA rund 10, im Jahre 1997 rund 270 Millionen Einwohner. In den ausgesprochen amerikabegeisterten frühen *Brockhaus*-Ausgaben sah man die Zukunft des Landes der »Duldung, Freiheit, Gleichheit, Selbständigkeit, Verdienstehre und Verfassung« ziemlich rosig und Ausrufezeichen erheischend: »Noch ist Platz für 500 Millionen Menschen!« (*Brockhaus* 1819, Artikel »Amerika«). Die Auswanderung dagegen beklagt das Lexikon eher als ein Indiz des Versagens der Regierungen (»leerer Prunk der Höfe, Unterhaltung unverhältnismäßiger Armeen«). In einem anderen Zusammenhang hört man dagegen ganz andere Töne: »Nur die Juden wandern nicht aus.« (*Brockhaus* 1819, Artikel »Auswanderung«).

EIS, EWIGES, wird bevölkert vom Eisbär, dem »grimmigsten Raubtier der Polarzone« (*Brockhaus* 1892, Artikel »Eisbär«). Jenseits des Polarkreises halten sich auch die Eskimos bevorzugt auf. Sie »sind intelligent und besitzen großes Talent für Nachahmung, für Musik und Zeichnen; sie zeichnen sogar Karten« (*Brockhaus* 1892, Artikel »Eskimos«). Allerdings: »Die Anzahl der Eskimos festzustellen ist unmöglich.« Und: »Sie altern rasch.«

EISENBAHN, im *Brockhaus* von 1827 bereits aufgeführt, wobei voller Bewunderung die Vorreiterrolle der Engländer betont wird. Immerhin zieht »auf einer engl. Eisenbahn 1 Pferd so viel als 8 gleich starke Pferde auf einer gewöhnlichen Chaussee«, wobei ein gutes Roß »täglich 8 Stunden 60 Ctnr. bei trockener, 80 Ctnr. bei nasser Witterung« fortschaffen kann. Nach Beschreibung der »vor kurzem« angelegten Bahn zwischen Manchester und Liverpool (die 1825 eingeweiht wurde) sowie einer österreichischen Bahn zwischen Budweis und Mauthausen überrascht die Feststellung, daß der »k. bairische Oberbergrath, Jos. v. Baader« die »in England eingeführte Art der Eisenbahnen verbessert« hat. Näheres mag sich in seinem Standardwerk »*Neues System der fortschaff. Mechanik* (München 1822)« finden, auf Schienenwegen fuhr in deutschen Landen damals noch nichts. Auch 1843 kann der *Brockhaus* dem Ausland keinen Erfolg überlassen und mäkelt herum: »Die Erfindung der Eisenbahnen ist in ihren Grundzügen, den Bahnen mit feststehenden Geleisen, nicht so neu als sie auf den ersten Blick erscheint, denn wir finden ihre Spuren schon bei den Griechen und Römern.« Dann wird das Lexikon jedoch geradezu euphorisch und feiert die mit der Erfindung der →**Dampfwagen** angebrochene neue Zeit und den Triumph der Technik: »Nach kurzem

Kampfe gegen ihre Widersacher, welche entweder zu kurzsichtig waren oder, muthwillig die Augen gegen die glänzenden Vortheile der Eisenbahnen schließend, sich diesem Culturfortschritte mit aller Gewalt entgegenstemmten, steht das Eisenbahnsystem überall siegreich da, und selbst Die, welche früher sich isoliren wollten, müssen jetzt nothgedrungen dem allgemeinen Zuge folgen, sodaß selbst Spanien, den neuesten Nachrichten zufolge, damit umgeht, Eisenbahnen anzulegen. Monate, die sonst zu Reisen erfordert wurden, schwinden jetzt zu Tagen, und die Cultur wird auf eisernen Schwingen bis in die fernsten Gegenden dringen, die Länder werden ihre Kenntnisse wie ihre Producte schnell austauschen, und manche isolirende Schranke wird fallen müssen, die sonst für Jahrhunderte errichtet schien.«

EISENBAHNKRANKHEITEN zählen – wie auch Bleichsucht, Hysterie und Neurasthenie – zu Modekrankheiten des Fin de Siècle. Die Pathogenese ist laut *Brockhaus* von 1892 recht einleuchtend: »Die äußern Einflüsse, denen das Maschinen- und Fahrpersonal der Eisenbahnen infolge der Art seiner Dienstleistungen ausgesetzt ist, wirken auf den Organismus in besonders ungünstiger Weise ein und führen verhältnismäßig frühzeitig Gebrechlichkeit und Dienstunfähigkeit herbei. Dieselbe hat zumeist in einem eigentümlich veränderten Zustand der Nervencentra, einer Reizung derselben, ihren Grund und tritt besonders bei dem Maschinenpersonal ein. Infolge des Stehens auf der Maschine, des Dröhnens derselben und der fortgesetzt auf den Körper einwirkenden Erschütterungen zeigt sich nach längerer Dienstzeit vielfach dumpfer, anhaltender, mit Schwäche und Einschläferung verbundener Schmerz in den Beinen.« Weiter heißt es: »Infolge von Eisenbahnunfällen treten bei den davon betroffenen Personen zuweilen, ohne daß äußere Verletzungen sichtbar sind, besondere Krankheitserscheinungen auf, die sich in einer körperlichen und geistigen Verstimmung äußern und ihren Grund anscheinend in einer Rückenmarkserschütterung haben.« Derartige Unfälle nahmen mit der Verbreitung der Eisenbahnen natürlich zu. Akribisch listet der *Brockhaus* 1892 (Artikel »Deutsche Eisenbahnen«) auf: »Von den Reisenden wurden bei den 3618 Unfällen, die sich ereigneten, 42 getötet (auf 1 Mill. 0,08) und 188 verletzt (auf 1 Mill. 0,35), darunter 36 und 97 durch eigenes Verschulden.« Unter dem Artikel »Eisenbahnunfälle« listet *Brockhaus* 1892 – hier immer den internationalen Vergleich bemühend – genau »Ort und Art des Unfalls« sowie die Zahl der getöteten und verletzten Personen tabellarisch auf: Am 2. September 1883 etwa kam es in »Steglitz bei Berlin« zu einem Unfall mit 39 Toten und 6 Verletzten. Erklärung: »Kurierzug fuhr in das Publikum, das eigenmächtig in den abgeschlossenen Bahnsteig eingedrungen war.« Der »Unfall bei Borki«, von dem »der Kaiser von Rußland mit seiner Familie auf der Rückreise vom Kaukasus nach Petersburg (17. Okt. 1888) betroffen wurde«, wird besonders detailliert geschildert und mit zwei Abbildungen (»Anordnung des Zuges vor dem Unfall« und »Zug nach dem Unfall«) illustriert. »Von der kaiserl.

Familie wurde niemand bedenklich verletzt«, ist zu erfahren. Daß bei dem Unglück jedoch 22 nicht der kaiserlichen Familie angehörende Menschen starben und 36 verletzt wurden, ist lediglich der Tabelle zu entnehmen. Den Tabellen über Eisenbahnunfälle in verschiedenen Ländern folgen Listen mit den Unglücksfällen der Bahnbeamten. Auch zur Prävention werden nützliche Hinweise gegeben: »Zur thunlichsten Verhütung der Eisenbahnunfälle im allgemeinen wird die stete Vervollkommnung der Eisenbahnkonstruktionen und Betriebseinrichtungen von den Eisenbahnverwaltungen mit größtem Eifer angestrebt.« Die Deutsche Bahn bemüht sich bis heute darum.

EISENBAHNTARIFE. Von Tucholsky stammt das Bonmot: »Zu einem ganz strengen, ganz bösen Mann am Fahrkartenschalter möchte ich immer sagen: ›Na, was haben Sie denn so für Billetts?‹« Hätte der 1890 geborene Tucholsky diese Frage als Kind gestellt, hätte ihm der Beamte am Fahrkartenschalter womöglich geantwortet, was 1892 im *Brockhaus* stand: »Daneben gelangen sog. Anschluß-Rückfahrkarten für in den Sommer- und Rückreisekartenverkehr nicht einbezogene Strecken zur Ausgabe; sie werden mit Gutscheinen verabfolgt, deren Preis auf die binnen bestimmter Frist zu lösende Sommer- und Rundreisekarte angerechnet wird.« → **Guten-Abend-Ticket.**

EISERNER VORHANG. 1782 erstmals im Lyoner Theater eingeführter Brandschutz aus Eisenblech. *Brockhaus* verwirft 1892 den Maschendrahtzaun, weil er dem Publikum nicht »das aufregende Schauspiel des Brandes verdeckt«.

EITER. Der Mediziner kennt den → **Ekel** nicht. *Brockhaus* unterscheidet »gutartigen« und »bösartigen« Eiter. Mit der ihm eigenen Liebe zum Detail beschreibt er 1892 Eiter als »im frischen Zustande eine gelblichweiße, geruchlose, rahmartige, schwach alkalisch reagierende Flüssigkeit, in welcher man unter dem Mikroskop eine dicht gedrängte Menge kugeliger Körperchen, die Eiterkörperchen oder Eiterzellen, erkennt, welche in einer fast wasserhellen Flüssigkeit, dem Eiterserum, aufgeschwemmt sind«.

EKEL. Höchster Grad des Widerwillens; hat seinen Sitz in den Magen- und Geschmacksnerven, kann aber auch durch »Kitzeln des Gaumens mit Finger oder Feder« evoziert werden. *Brockhaus* nennt 1892 die Vermählung von körperlichem und geistigem Widerwillen »Hirnekel« und empfiehlt die sogenannte Ekelkur (methodus per nauseam) als altes »Natur- und Kunstheilmittel«, das durch »fortgesetzte Verabreichung von Brechmitteln eine gewaltige Herabstimmung der Nerven- und Geistesthätigkeit« bewirkt.

ELCH. Im *Brockhaus* findet sich 1892 unter dem Artikel »Elentier« die Einschätzung, wonach »der Kopf sehr häßlich« ist, »durch die breite überhängende Oberlippe und den struppigen Kinnbart«. Weiter heißt es: »Es ist ein scheues, aber dummes Tier.«

ELEKTRIZITÄT. 1812 experimentiert *Brockhaus* noch mit Bernstein, den man »auf der Hand oder auf einem trockenen wollenen Lappen stark reibt«. Das Lexikon erweist sich als recht sinnlich: Bringt man den geriebenen Körper »dem Gesichte nahe«, erregt er »eine Empfindung auf der Haut, als wenn dieselbe mit Spinnweben überzogen wäre«. *Brockhaus* beschreibt 1827 deutlich nüchterner Leitungsfähigkeit und Ladung und erklärt unter dem Artikel »Elektrisiermaschine«, wie man die »ursprüngliche Elektricität der elektrischen Körper vermittelst Reiben erregt und andern Körpern mittheilt«. 1843 stellt *Brockhaus* fest, daß »der von Feuchtigkeiten durchdrungene thierische Körper und die fast nie vollkommen trockenen Oberflächen der Tische, Fußböden usw.« die Elektrizität mit »der größten Schnelligkeit über ihre ganze Fläche verbreiten« und daß auch dort, wo nicht feucht aufgewischt wird, die elektrische Verteilung ziemlich groß ist. Elektrisiermaschinen werden hauptsächlich als »Spielereien« betrachtet, die »mit Recht mehr und mehr aus der Mode kommen«. Auch am Ende des 19. Jahrhunderts war die Elektrizität den Menschen oder zumindest den Lexikographen unter diesen noch nicht geheuer, wie im *Brockhaus* 1892 deutlich wird: »Ein elektrischer Körper A kann einen andern B nicht nur durch Mitteilung, sondern auch Fernwirkung, Verteilung oder Elektrische Influenz elektrisch machen.« Begriffe wie »Mitteilung«, »Fernwirkung«, »Verteilung« unterstreichen den unheimlichen Charakter der Elektrizität, wie er 1892 auch im Artikel »Elektrischer Geruch« im *Brockhaus* – ohne daß das Stichwort »Elektrosmog« fällt – beschrieben wird: »Ein Geruch, der auftritt, wenn der Sauerstoff der atmosphärischen Luft durch Überströmen von Elektricität, z. B. beim Drehen einer Influenzmaschine, sich allotropisch so verändert, daß er viel kräftiger oxydierend wirkt als der gewöhnliche Sauerstoff.« Auch bei klimatischen und meteorologischen Vorgängen wird eine Beteiligung der Elektrizität vermutet. Im *Brockhaus* findet sich 1892 der Artikel »Elektrometeor«, worunter ein »Gesamtausdruck für alle die meteorolog. Vorgänge« verstanden wird, »bei denen Elektrizität auftritt. Hierzu gehören namentlich Luftelektrizität (s. d.), Gewitter (s. d.), Elmsfeuer (s. d.), Feuerkugel (s. d.) und Polarlicht (s. d.).« Die Versorgung der Bevölkerung mit Strom, die unter dem Artikel »Elektricitätswerke« erklärt wird, erfolgt mit »Einrichtungen, welche von einer Erzeugungsstation aus ganze Städte oder Teile von solchen mit elektrischer Energie versorgen«. Dies geschieht »derart, daß dieselbe zu beliebiger Verwendung, sei es zur Erzeugung von Licht oder Kraft oder auch für andere Zwecke in den an die Anstalt angeschlossenen Grundstücken, ähnlich wie Wasser und Gas, jederzeit zur Verfügung steht« – jetzt kommt der Strom aus der Steckdose.

ELEKTROTHERAPIE. Manche Menschen stehen ständig unter Strom, auch wenn jeder Körper eine Spannungsquelle ist: »Alle lebenden Nerven oder Muskeln sind, wie zuerst DuBois-Reymond nachwies, wahre Elektromotoren und deshalb beständig von elektrischen Strömen durchkreist, die einen deutlichen Einfluß auf die Magnetnadel des Galvanometers äußern und zu den Funktionen der Muskeln und Nerven in innigster Beziehung stehen.« (*Brockhaus* 1892). Die Elektrophysiologie und die elektrischen Erregungsabläufe in Nerven und Muskeln wurden in der zweiten Hälfte des 19. Jahrhunderts entdeckt. Der Körper wurde als »elektrisierbares« Gebilde verstanden. Zwar hatten schon »bald nach der großen Entdeckung Galvanis (1786) die berühmtesten Ärzte jener Zeit, Hufeland, Reil, Sömmering, Pfaff, Loder, Walther u. a., wiederholt Versuche gemacht, die neuentdeckte wunderbare Kraft im Dienste der Heilkunst« zu verwerten; allein, »die Schwerfälligkeit, Kostspieligkeit und schwierige Instandhaltung der Apparate, die noch mangelhafte Kenntnis der meisten Krankheitszustände und die Ausbeutung des Galvanismus durch zahlreiche Marktschreier und Charlatane waren die Ursache, daß diese Versuche gar bald in Mißkredit und Vergessenheit gerieten«. Die Apparaturen der Elektrotherapie sind noch verbesserungsfähig, etwa wenn »der auf einem Schemel sitzende Kranke vermittelst einer Influenzmaschine mit positiver oder negativer Elektricität geladen wird, während eine über seinem Kopf befindliche sog. Kopfglocke mit dem andern Konduktor der Influenzmaschine in Verbindung steht«. Als Anwendungsgebiet für die Elektrotherapie werden »die zahlreichen Nerven- und Muskelkrankheiten, die Lähmungen, Krampfkrankheiten, Neuralgien und manche Erkrankungen des Rückenmarks« genannt. Aber auch beim → **Scheintod** hat sich die Methode »als lebensrettendes Mittel bewährt, insofern durch die faradische Reizung der Zwerchfellsnerven oberhalb des Schlüsselbeins die Atmung wiederhergestellt und damit das anscheinend entflohene Leben des Verunglückten wieder zurückgerufen wurde«.

ELEMENTE. In rund 80 Jahren wurde buchstäblich zu Sand gemahlen, was während Jahrhunderten als granitene Wahrheit galt. Die Geschichte der Elemente seit der Antike aufnehmend, versteht der *Brockhaus* 1812 darunter »die Grundbestandtheile der Körper, die nicht weiter aus ungleichartigen Materien zusammengesetzt und also einfach sind«. 1827 wird dieser Satz im *Brockhaus* fast wörtlich übernommen, nur geht es hier um Körper, die nicht weiter aus »gleichartigen« Materien zusammengesetzt sind. Obwohl sich beide Lexikonausgaben in vielerlei Hinsicht gleichen, fällt ein weiterer Unterschied auf: *Brockhaus* listet 1812 nach knapper Einführung die Elemente tabellarisch »nach dem phlogistischen« und »nach dem antiphlogistischen System« auf (→ **Phlogiston**) und geht dann zum Artikel »Elephantenorden« über. 1827 macht *Brockhaus* deutlich mehr Worte und kennt keine wie auch immer gearteten phlogistischen Elemente, sondern nur noch die »Unwägbaren« und »Wägbaren«. Zu letzteren gehören u. a. die »Problematischen Metalle«, worunter besonders »ein von Trommsdorff angekündigtes« und ein »von Johu in Graumanganerz entdecktes« bis heute der genaueren Beschreibung harren. Doch spendet das Lexikon elementaren Trost, denn »außer diesen entdeckt die Chemie von Zeit zu Zeit neue einfache Stoffe, die zu den Metallen gehören«. *Brockhaus* behauptet 1843 dennoch, daß »alle irdischen Körper aus der Verbindung von 56 einfachen Elementen bestehen« und verweist auf den Artikel »Chemie«. 1864 sind es im *Brockhaus* schon »mehr als 60 einfache Stoffe«, von denen aber »manche in der Natur nur selten vorkommen«. Was »die Alten Elemente nannten«, stimmt im *Brockhaus* 1892 mit den zeitgenössischen Begriffen davon nicht mehr überein: »Jene bezeichneten damit bloß die verschiedenen Formen, unter denen die Materie erscheinen kann, während man gegenwärtig den Begriff Elemente auf die einfachen Bestandteile der Materie unter jeder beliebigen Form bezieht und hiernach weder Wasser noch Luft, noch Erde mehr für Elemente ansehen kann, da sie sich sämtlich noch in einfachere Bestandteile zerlegen und wieder zusammensetzen lassen.« – »Doch braucht man das Wort in dem alten Sinne noch in der übertragenen Bedeutung von Lebensbedingung (›in seinem Element sein‹).«

EMANZIPATION DER FRAU »wird von denen gefordert, welche in den Schranken, mit denen die Naturverhältnisse, Sitte und gesellschaftlichen Einrichtungen das weibliche Geschlecht umgeben, ein Unrecht sehen ... Emancipierte oder freie Weiber sind demnach solche, die in ihrem Denken, Empfinden und Handeln jene Schranken nicht mehr beachten.« (*Brockhaus* 1892). 1875 stand derselbe Satz noch im Imperfekt; damals war die Emanzipation der Frau aber nur ein Anliegen von »gewissen frivolen Literaturkreisen« und mithin Vergangenheit. Die Blütezeit der »sogenannten Emancipation« hielt *Brockhaus* im Artikel → **»Frauenfrage«** allerdings schon 1892 wieder für überschritten. 1928 schien ihm die »Frauenfrage« erst durch den Ersten Weltkrieg gelöst: »Der Krieg lähmte die eigentliche Arbeit im Dienste der Frauenbewegung, aber er gab ihr zugleich die Möglichkeit, den Beweis für die Echtheit ihrer Ideale zu erbringen ... Wichtig ist für diesen Zeitabschnitt, dass die Hausfrau mit ihrem Verlangen entscheidend in die Bewegung eintritt. Damit wurde eine gewisse Einseitigkeit, die der Frauenbewegung den Ruf einer ›Ledigenbewegung‹ eingebracht hatte, überwunden.« *Meyer* ließ sich übrigens schon in seiner ersten Ausgabe – der entsprechende Band erschien 1846 – nicht durch die »ehefeindlichen Ansichten« jungdeutsch-emanzipierter Weiber schrecken: »Der gesunde und intelligente Theil des weiblichen Geschlechts wird durch solche Angriffe nicht beunruhigt werden, denn wenn, was anerkannt ist, die Familie als die Grundlage eines geordneten Staatslebens anerkannt werden muß, so hat das Weib als Gattin und Mutter eine Bestimmung, welche durch → **Gemüthlichkeit** und Innigkeit des Wirkens das ersetzt, was ihr an weitergreifender Thätigkeit abgeht.«

EMBONPOINT oder Wohlbeleibtheit, macht bei der Frau eine gute Figur, weil es »den Formen die gefällige Rundung, Weichheit und Elasticität gibt, ohne welche die Schönheit nicht gedacht werden kann ... Im Allgemeinen befördert ein ruhiges Leben, ein guter Magen, Thätigkeit am Tage, ruhige Nächte das Embonpoint; während Trägheit, vieles Essen, reichlicher Genuß des Bieres, Zuckerwassers, der Chocolade und Gleichgültigkeit oder große Gemüthsruhe dasselbe über die Gebühr steigern.

Vieles Essen allein macht nicht stark... Sorge, Gram, Ärger, unglückliche Liebe, alles, was Herzklopfen erregt, zehrt das Fett auf oder hindert die Bildung desselben, und es gehören Gemüthsruhe, stille Ergebenheit zu den wesentlichen Schönheitsmitteln.« (*Damen-Conversationslexikon* 1835). Wird das Embonpoint zu mächtig, sollte man Essig trinken, Badekuren, Bälle und Abreibungen veranstalten und auf hartem Bette, »am besten auf Stroh«, schlafen. Fettpolster sind nach einer *Brockhaus*-Diagnose von 1892 (Artikel »Fettsucht«) auch »als Aufspeicherung eines zur Lebensfristung brauchbaren Materials und als Schutz gegen mancherlei mechanische und andere Schädlichkeiten« zu empfehlen. Dabei ist indes zu beachten, daß gewisse Völker (Orientalen, Ungarn, Walachen) und Subjekte (ein Holländer wog 503, der Engländer E. Bright 609 Pfund) auf Grund falscher Ernährung, schlaffer Konstitution oder von »gewissen sexuellen Vorgängen« zu übermäßiger Korpulenz neigen. Weil »jüngere Frauen bei daniederliegender Geschlechtsthätigkeit oft außerordentlich schnell fettleibig« werden, ist gerade in diesem Lebensalter die »angemessene Regulierung der Geschlechtsfunktion von großer Wichtigkeit«.

EMBRYONEN haben in der vierten Woche »die Größe einer Ameise oder Fliege« und sind »noch durchsichtig« (*Brockhaus* 1812). Erst im dritten Monat »bekommt alles mehr Ausdruck, das Geschlecht wird deutlicher, er wächst nun als Fötus fort, und kommt als Kind zur Welt«. *Brockhaus* entdeckt 1892 die →**Empfindsamkeit** des Embryos: »Seine Sinne scheinen zu schlummern; doch erregt Berührung, Kälte u.s.w. in den spätern Fruchtmonaten allerdings Zuckungen der Glieder, also Reflexbewegungen.«

EMIGRANTEN. Im Unterschied zu späteren Ausgaben, die meistens nur noch die Vertreibung der Hugenotten aus Frankreich und der Protestanten aus Salzburg erwähnen, faßte *Brockhaus* 1864 den Begriff – sachlich und zeitlich korrekt – breiter. Sachlich: »Die Geschichte aller Völker und Zeiten bietet das Schicksal der Emigration dar.« Zeitlich wird dann verwiesen auf die Vertreibung der Mauren und Juden aus Spanien im 16. Jahrhundert bis zur erzwungenen Auswanderung von Katholiken aus Tirol im Jahre 1837, von Demokraten und Republikanern aus deutschen Staaten nach der Niederlage der 48er Revolution (→**Auswanderungslust**, →**Asylrecht**). »Nach der nationalsozialistischen Revolution 1933 in Deutschland gingen zahlreiche für den Niederbruch des Deutschen Reiches und die Zersetzung des deutschen Volkes verantwortliche Marxisten und Pazifisten ins Ausland, meist nicht aus politischen Gründen, sondern um sich der Verantwortung für die verschiedenartigsten Straftaten zu entziehen... Die Emigranten entfalteten überall eine volksverräterische Tätigkeit, besonders der jüdische Teil zeichnete sich durch maßlose Greuelhetze gegen das Dritte Reich aus; den schlimmsten Hetzern wurde daraufhin die deutsche Staatsbürgerschaft entzogen.« (*Meyer* 1936, Artikel »Emigranten«). Die Verjagten bewirkten also den »Niederbruch« – eine treffliche Worterfindung der Nazis. Im gleichen Artikel ist davon die Rede, die Emigranten würden vergeblich »auf den erhofften Zusammenbruch des Dritten Reiches unter einem allgemeinen wirtschaftlichen Boykott« warten. Der Boykott blieb zwar aus, der »Zusammenbruch« nicht. Und der »Niederbruch« war ohnehin nur eine propagandistische Floskel wie die Bezeichnung der Konzentrationslager als »Verwahrungs- und Erziehungslager« für »Gewohnheits-, Trieb- und Berufsverbrecher« sowie »Kommunisten und andere Feinde des nationalsozialistischen Staates«. Die Lexikonredaktion marschierte im Takt, den die Tagespolitik diktierte: Der 1939 erschienene Artikel »Konzentrationslager« zitiert als Quelle eine Rundfunkrede Himmlers vom 28. Januar 1939.

EMPFINDSAMKEIT ist die »Fähigkeit des menschlichen Herzens, durch etwas, das wirklich rührend ist, leicht gerührt zu werden«, sowie die Fähigkeit, »sittliche Empfindungen zu haben«, weiß 1812 der *Brockhaus*, während unter dem Stichwort »Empfindlichkeit« die »zur Fertigkeit gewordene Neigung« dargestellt wird, »die Einwirkungen anderer auf uns beleidigend zu finden«. *Brockhaus* 1827 ordnet der Empfindsamkeit die »Empfindlichkeit« aber auch die »Empfindelei« zu, worunter eine »überspannte Empfindsamkeit« verstanden wird. Dem *Damen-Conversationslexikon* galt Empfindsamkeit noch 1835 als »einer der edelsten Vorzüge des weiblichen Herzens«. *Brockhaus* kennt 1864 nur die Empfindung, führt aber keinen eigenen Artikel zur Empfindsamkeit auf. 1892 rührt *Brockhaus* 1892 alle Empfindeleien zusammen und verwirft sie barsch als »eine starke Erregbarkeit durch Empfindungen von rührender Art, besonders wenn man diese geflissentlich sucht, sie gern zeigt und in ihnen schwelgt«.

ENERGIE war für *Brockhaus* vor Mitte des 19. Jahrhunderts kein Thema. 1882 gibt es den Artikel Energie gleich zweimal, worunter einerseits die »nachdrückliche Wirksamkeit«, entweder des »gesamten Organismus oder einzelner Teile« gemeint ist, oder andererseits die »Arbeits- oder Wirkungsfähigkeit der Körper«. 1892 besteht laut *Brockhaus* »nach der heutigen Auffassung der Physiker« der »Satz der Erhaltung der Energie (Erhaltung der Kraft) darin«, daß durch Aufwand von mechan. Arbeit »nicht nur lebendige Kraft, sondern auch Wärmezustände, elektrische Zustände u.s.w. hervorgebracht werden können, die beim Verschwinden wieder die mechan. Arbeit zu erzeugen vermögen«, was letztlich wieder auf die nachdrückliche Wirksamkeit der Energie hinausläuft.

ENGLÄNDER. »Im Allgemeinen«, gibt *Brockhaus* 1819 zu, »herrscht bei diesen Insulanern der Verstand« – solange sie nicht gerade ihrem →**Spleen** »in den wilden Bewegungen der politischen Clubs« Raum geben. »Nur Politik macht sie beredt und ein Trinkgelag«, bestätigt 1835 das *Damen-Conversationslexikon.* »Ihre Phantasie hat immer eine speculative Richtung; ihr Gemüth geht unter in den ewigen Sorgen um Gewinn und Verlust. Sie lieben aber das Großartige, ehren das Genie und unterstützen erhabene Leistungen. Übertrieben ist ihre Pferdeliebhaberei« und die Wettsucht. »Die barbarische Sitte des

→**Boxens**, die Hähnenkämpfe etc. entzücken sie. In der dramatischen Kunst lieben sie grelle Effecte; sie reisen gern, aber nur selten mit Nutzen.« In der Regel zeichnen sich die Engländer jedoch durch »stumme Verschlossenheit, Langeweile und Einsilbigkeit« aus. Ihre Empfänge »sind nichts als Verwirrungen und Gedränge ohne heitere, gesellige Unterhaltung; auf den Bällen und Maskeraden gehen Männer und Frauen still und schweigsam wie Automaten auf und ab.« Der Brite ist im allgemeinen »muthig, unternehmend bis zur Tollkühnheit, unempfindlich gegen Schmerz und Entbehrungen, nie kleinmüthig im Unglück, aber leicht zum Selbstmorde geneigt.« So hat er seinem Volk »wenn auch nicht den Namen der moralischsten, so doch den der größten, intelligentesten Nation erworben«. Selbst die Herrenmode wird »wissenschaftlich und mathematisch« betrieben, während geschmacklose Damengarderobe zu den »Schatten des Nationalcharakters« gehört. Die Kochkunst der Engländer zeichnet sich »durch besondere Eigenthümlichkeiten« aus; jedoch essen sie Fleisch nicht völlig roh, sondern nur blutig. Allerdings konnte die britische Hausmannskost »einen Grad von Unverdaulichkeit erlangen, dem unsere Constitutionen selten gewachsen sind«.

ENTARTUNG. Im *Brockhaus* finden sich 1882 und 1892 zu diesem Stichwort nur äußerst kurze Einträge: »In der Naturwissenschaft, s. Ausartung; in der Medizin, s. Atrophie.« Dies sollte sich in späteren Ausgaben ändern: Der Begriff aus dem Gelehrtendiskurs wurde alsbald zur politischen Parole.

ENTDECKUNGEN sind im *Brockhaus* 1882 unter dem Stichwort »Erfindungen und Entdeckungen« zusammengefaßt. *Brockhaus* erklärt 1892 die feinen Unterschiede: »Im Gegensatz zur Entdeckung ist Erfindung die Auffindung eines neuen Weges, wie durch menschliche Thätigkeit ein neuer nützlicher Gegenstand oder ein bekannter Gegenstand vorteilhafter hergestellt werden kann, oder eines neuen nützlichen Verfahrens, oder eines Mittels, ein bekanntes Verfahren vorteilhafter ins Werk zu setzen. Der Unterschied ist von großer Bedeutung, weil Erfinderpatente nicht auf bloße Entdeckungen erteilt werden, sondern nur auf Erfindungen.« Diese noch immer treffliche Unterscheidung hat die Europäische Gemeinschaft und das Europäische Patentamt nicht davon abhalten können, inzwischen mehr als 1200 Erfinderpatente auf die Entdeckung bestimmter Gene, Proteine oder Zellarten auszustellen.

ENTERBTE DES LIEBESGLÜKKES nannte »ein preußischer Assessor, Ulrichs,« in den 1860er Jahren die Homosexuellen (→**Homosexualität**). Er schilderte die »eigentümlichen Empfindungen und Schicksale« der Schwulen »in einer Broschüre und brachte für die Homosexualen den Namen Urninge auf (s. Urningsliebe)« (*Meyer* 1902, Artikel »Homosexualität«). Da der Geschlechtstrieb im Dritten Reich allein unter dem Primat der Fortpflanzung stand, wurde den bereits ihres Liebesglücks Enterbten dieser Impuls ebenfalls abgesprochen. Für *Meyer* war 1936 »auch der sexuell nicht normal Veranlagte durchweg imstande, sich zu beherrschen, und somit für sein Tun verantwortlich zu machen. Jegliches Mitleid wäre falsch und unangebracht.«

ENTROPIE. 1882 entdeckt der *Brockhaus* die Entropie. Sie klingt so recht nach Faulenzerei, jedenfalls nach Ruhe, die in »unangebbar langen Zeiten« einkehren wird. Denn sie ist der Teil »eines Körpersystems, welcher sich nicht in Arbeit (s. d.) verwandeln läßt«. Zehn Jahre später (*Brockhaus* 1892) ist der Umstand wichtiger, »daß Wärme nur dann Arbeit leistet, wenn sie eine ›absteigende‹ Richtung hat, d. h. wenn sie von einem wärmern Körper zu einem kältern übergeht«. Daher sieht man im Weltall, »daß die Wärme des Universums immerfort zunimmt und einem Maximum zustrebt«. Wird einst in unendlichen Weiten und Zeiten dieses Maximum erreicht sein, »wird auch jeder Unterschied der Temperaturen im Universum ausgeglichen und also ewige Ruhe im Weltall eingetreten sein«.

ERBE. Daß »der Neger und der Weiße, der Tatar und der Samoide, sämmtlich zu einem und demselben Geschlechte gehören« (→**Neger**, →**Samoa**), ist nach dem *Brockhaus* von 1812 (Artikel »Abstammung des Menschengeschlechts«) dadurch »unlängbar bewiesen«, daß sie »bei der Vermischung eine der weiteren Zeugung fähige Nachkommenschaft hervorbringen« (→**Aristokratie** der Haut). Dabei gilt, daß »der Einfluß der Aeltern auf den Organismus der von ihnen erzeugten Kinder so groß ist«, daß sich auch »die besondern Eigenschaften auf die Kinder wenigstens zum Theil« übertragen (*Brockhaus* 1864, Artikel »Erbliche Krankheiten«). Daraus folgt, durchaus überraschend: »Daher ist das Aussehen der Kinder dem der Aeltern in mancher Hinsicht ähnlich.« 1892 findet sich im *Brockhaus* (Artikel »Erbliche Krankheiten«) eine Erläuterung zum biologischen Erbe: »In der That kommt es nicht selten vor, daß der Sohn in dem selben Lebensalter von einem Gebrechen oder einer Krankheit ergriffen wird, in welchem der Vater daran litt. Was hier vererbt wird, ist nicht die Krankheit, sondern die Anlage zu derselben; die Ausbildung der wirklichen Krankheit erfordert immer noch andere Umstände, welche sie begünstigen.« Umwelt und Lebensführung wird immerhin ein Einfluß zugebilligt (→**Gen**). Die Liste der Krankheiten, die angeblich erblich sind, kann jedoch keine Gültigkeit mehr beanspruchen: »Von eigentlichen Krankheiten werden nicht bloß die sog. Konstitutionskrankheiten, wie Tuberkulose, Syphilis, Gicht, Zuckerharnruhr, Bluterkrankheit, Fettleibigkeit, u. a., sondern auch Geisteskrankheiten, Epilepsie, Hypochondrie und Hysterie, Kretinismus, Neigung zu Schlagfluß und Steinbildung vererbt.« (*Brockhaus* 1892). Selbst die Tuberkulose wird als Erbkrankheit eingestuft: »Die Kinder schwindsüchtiger Eltern z. B. sind oft bis in das 20. und 25. Jahr ganz gesund und erkranken dann auf einmal und gewöhnlich viel schwerer als bei erworbener Tuberkulose; freilich sterben viele auch schon in den ersten Lebensjahren.« Obwohl fast alles »vererbt« wird, sind die physiologischen Gesetze dieser Übertragung »noch völlig unbekannt. Der Einfluß des Vaters hinsichtlich der Vererbung von Krankheitsanlagen kann natürlich nur während der Zeugung stattfinden; die Mutter wirkt dagegen auch während der Schwangerschaft und während des Stillens noch auf das Kind, und es ist die Möglichkeit zuzugestehen, daß auch hierdurch noch die Gelegenheit zu Erblichen Krankheiten, namentlich der Tuberkulose, gegeben wird.« Zur Vorbeugung von Erbschäden »ist eine vernünftige geschlechtliche Auslese und die durch sie bedingte Kreuzung (s. d.) der Stämme das beste Mittel, um der Ausartung der Geschlechter vorzubeugen.« Therapeutisch empfohlen wird eine »verständige Kräftigung und Abhärtung (s. d.) des Körpers, wobei namentlich der möglichst ungeschmälerte Aufenthalt in guter reiner Luft von Bedeutung ist«.

ERBSCHAFT. Das Lexikon von *Meyer* verabschiedete den Philosophen Edmund Husserl 1936 mit der Invektive, »der Jude« sei »einer der Hauptschrittmacher der jüdischen Überfremdung der deutschen Philosophie«. Nach Husserls Entfernung von der Universität (1936) erhielt der Jurist Karl Larenz (1903–1993) dessen Stelle und machte sich einen Namen bei der Reorganisation des Jurastudiums im Sinne der Nationalsozialisten. Das schadete seiner akademischen Nachkriegskarriere so wenig wie seiner lexikalischen.

ERBSWURST. Vom Koch Grünberg erfundene, im Deutsch-Französischen Krieg »zum erstenmal in großartigem Umfang als Verpflegungsmittel der deutschen Truppen verwendete Conserve« (*Brockhaus* 1875). Zehn Millionen Pfund dieses nahrhaften und »zur Verproviantierung der Festungen trefflich geeigneten Fabrikats« (*Brockhaus* 1892) wurden damals in Suppen- oder Wurstform genossen. Heute erinnert im Lexikon nichts mehr an den eigentlichen Sieger von Sedan, allenfalls die stets auf die Erbswurst folgende »Erbsünde«.

ERDBEERSPINAT hat es wohl zu Recht nicht auf unseren Speiseplan gebracht. Die spinatähnlichen Kräuter mit »spießförmigen, buchtiggezähnten Blättern und gekräuselten Blüten« sind nämlich laut *Brockhaus* von 1864 »Scheinfrüchte« und haben einen »süßlichen, aber faden Geschmack«.

ERDE, FEUER, WASSER, LUFT. Einen letzten Versuch, die vier →**Elemente** noch einmal wenigstens lexikalisch zusammenzubringen, unternimmt *Meyer* 1902 ausgerechnet in dem Artikel »Radioaktivität«, die entsteht, wenn Elemente – oder Teile von ihnen – zerfallen. Er kann die neue Art von Strahlung noch nicht recht verorten und wird nach einem kurzen Ausflug in die Unterwelt (»Elster und Geitel bemerkten, daß negativ geladene Drähte in Kellern, tiefen Schächten, etc. einen radioaktiven Überzug erhielten, der sich abreiben läßt. Sidotblende, negativ elektrisch gemacht, kommt in Kellerluft allmählich zum Szintillieren.«) schließlich elementar. »Fangoschlamm zeigt starke induzierte Radioaktivität, ebenso Schlamm und Wasser aus Thermalquellen, die aus großer Tiefe hervordringen. Die denselben entweichenden Gase enthalten Emanation. Hiernach hat es den Anschein, als ob in großer Tiefe in der Erde radioaktive Substanzen in größerer Menge enthalten wären.« Dann kommt eine nicht näher erläuterte Überleitung vom Erdinnern zum Sonnenäußeren: »Die Anwesenheit von Helium auf der Sonne scheint damit in Beziehung zu stehen.« Und eine Hypothese beschließt den fast vierseitigen Eintrag und bringt das vierte Element ins Spiel: »Auch das stets vorhandene Leitungsvermögen der Luft ist vielleicht teilweise durch radioaktive Stoffe hervorgerufen.«

ERECTION. Der Artikel im *Brockhaus* von 1892 ist ein Kunstwerk. Das Lexikon bringt es fertig, alles zum Verständnis Notwendige zu sagen, ohne die Geschlechtsorgane konkret zu benennen: Die Erektion kommt demnach »infolge der reflektorischen Reizung gewisser Nerven, namentlich der sog. vasomotorischen oder Gefäßnerven (s. d.), durch eine periodische Anhäufung des Blutes in den eigentümlich verteilten Blutgefäßen der betreffenden Teile zu stande und ist für die normale Verrichtung ihrer physiol. Funktionen von der größten Bedeutung«. Die Grenzen der Aufklärung bestimmte die bürgerliche Sexualmoral.

ERFRISCHUNGSINSELN im Südatlantik haben ihren Namen von Seefahrern erhalten, die »daselbst ihre Erfrischungen« (*Brockhaus* 1827) einnehmen. Die Inseln verfügen laut *Brockhaus* von 1843 über »vortreffliches Wasser und zwei gute Häfen« und sind »reich an Vögeln, Seethieren, wilden Ziegen und Schweinen«. Napoleon erfrischte sich ganz in der Nähe, auf St. Helena, lange Jahre mit frugalen englischen Sandwichs. Die ehemaligen Sandwich-Inseln hören heute hingegen auf den Namen Hawaii (→ **Samoa**).

ERHÄNGEN. Beliebteste Form des → **Selbstmords**, wenigstens in Preußen (61 Prozent). Erhängen wird »nur ganz selten in mörderischer Absicht vorgenommen«; doch sind Zweifelsfälle nur durch »scharfsichtigste Verwertung aller einzelnen Momente zu entscheiden«. *Brockhaus* widmet sich 1892 mit makabrem Behagen den pathologischen Details von Leichenfarbe, Strangrinne und Strangulationsmarke, bevor er zur einfühlsamen Erörterung der Vorzüge und Nachteile verschiedener Suizidmethoden schreitet. Jugendliche Selbstmörder greifen »mit Vorliebe« zum Strick, später tritt das »Ertränken, Erschießen und Vergiften in den Vordergrund«, ehe im Alter das Erhängen wieder zu seinem verdienten Rechte kommt. Bei den weiblichen Suizidanten wird das in der Jugend favorisierte Ertränken nach und nach »durch das Erhängen ersetzt«.

ERKÄLTUNG heißt 1812 im *Brockhaus* Erkaltung und besteht auch 1827 noch darin, daß ein Körper »einen Theil seines freien, fühlbaren Wärmestoffs verliert«. Der Körper muß nicht der eines Menschen sein, zur medizinischen Bedeutung der Erkältung verweist das Lexikon auf den Begriff »Rheuma«. Im *Brockhaus* von 1843 werden unter Erkältung »Processe in der Ökonomie des thierischen Körpers«, namentlich der »Ausdünstung« verstanden. Besonders die Nerven, Muskeln und Brustorgane fühlen »die schädlichen Einwirkungen des zurückgehaltenen, für die Ausdünstung bestimmten Stoffs«, und Entzündungen, Rheuma und Katarrh sind die Folge. Im Widerspruch zu manchen Ermahnungen zur →**Abhärtung** warnt das Lexikon nicht nur vor Zugwind, sondern auch vor »äußerer Abkühlung durch kaltes Wasser«. Dem *Brockhaus* geht 1892 alles auf die Nerven: »Viel wahrscheinlicher ist es, daß beim Erkältungsvorgange das Nervensystem eine wichtige Rolle spielt, indem bei der Abkühlung die sensiblen Hautnerven in einen krankhaften Erregungszustand versetzt werden, welcher bis zu den Centralorganen des Nervensystems fortgeleitet und von hier auf reflektorischem Wege auf gewisse andere, für diesen Reiz besonders empfängliche Nervenbahnen übertragen wird; erfolgt die Übertragung auf sensible Nerven, so entstehen rheumatische Schmerzen, während bei der Übertragung auf das der Wärmeregulierung vorstehende Nervencentrum Fiebererregungen zu stande kommen.« Nach dieser Theorie ist es einleuchtend, daß »eine innige Beziehung zwischen dem erkälteten Hautteil und gewissen nahe gelegenen Organen« besteht: »Menstruationsstörungen entstehen häufig durch Erkältung der Füße, Durchfälle nach Erkältung des Leibes u. dgl.« Und immer noch gilt: »Zu den schädlichen Ursachen, die Erkältung herbeiführen, gehören vorzüglich Zugwind und innere oder äußere Abkühlung durch kaltes Wasser.« Am »gefährlichsten« aber sind »die Erkältungen schwitzender Füße, weshalb man nasse Strümpfe so schnell als möglich wechseln soll«.

ERLEBNIS. Diese »Phantasmagorie des Müßiggängers« (Walter Benjamin) war *Brockhaus* im 19. Jahrhundert gänzlich unbekannt. Noch 1996 ist es ihm als »i. e. S. jedes beeindruckende Geschehen« nur ein paar Zeilen wert – ganz im Gegensatz zu der von Gerhard Schulze analysierten »Erlebnisgesellschaft« mit ihren Erlebnisbädern und -kneipen, Kauf- und Leseerlebnissen. Inzwischen – dies erfahren wir aber unter dem Stichwort »Esoterik« – »expandiert der Erlebnismarkt immer mehr in Bereiche, die früher noch erlebnisneutral waren, wie Arbeitswelt, Bildung und Politik«. »Gewollt werden kann nicht das Erlebnis, nur die Gelegenheit dazu«, glaubte *Brockhaus* dagegen noch 1928. Der »Erlebnis-Unterricht« etwa sei zwar durchaus kindgemäß, aber »nicht planmäßig und über lange Strecken durchzuführen«. Die exoterische Geschichte des Erlebnisses als bewußtlose »Vorstufe der Erfahrung und Erkenntnis« begann im Dritten Reich. »Einen besonderen Inhalt bekam der Begriff Erlebnis erst durch den Nationalsozialismus«, behauptet jedenfalls *Meyer* 1936. »Das Erlebnis des Weltkrieges, des Schützengrabens und Trommelfeuers, der Frontkameradschaft wird oft als Geburtsstunde des National-Sozialismus bezeichnet. ... Aber auch heute noch spielt das Erlebnis für die national-sozialistische Erziehung eine große Rolle: die nationalen Feiern, die Gemeinschaft und der Geist der Lager, die gemeinsame Arbeit und die →**Kameradschaft** aller national-sozialistischen Gliederungen tragen erlebnismäßig den National-Sozialismus an alle Volksgenossen heran.« Der Geist der Lager ist ein Erlebnis, das sich, im Gegensatz zu Ernst Jüngers »Kampf als inneres Erlebnis«, in der postmodernen Konsumgesellschaft kaum wiederholen läßt. Aber die Weltanschauung *Meyers* war ja »überhaupt mehr auf das Erlebnis, auf Fühlen und Glauben aufgebaut als auf intellektuelles und abstraktes Wissen«.

EROTOMANIE, auch Liebeswahnsinn oder »Gouvernantenwahn« (*Meyer* 1936) genannt, ist eine »Form von Gemüthskrankheit« (*Brockhaus* 1864), die oft durch »unrichtig gewählte Lektüre« erzeugt wird, aber auch in Nonnenklöstern vorkommt. Von Nymphomanie bzw. Satyriasis unterscheidet sie sich dadurch, daß »keine Aufreizung zum Geschlechtsgenuß stattfindet«. 1892 betrachtet *Brockhaus* die Erotomanie als »Störung der Intelligenz« und »Verrücktheit im Sinne der neuern Psychiatrie«. Nur von »ältern Irrenärzten« werde diese fixe Idee noch »irrtümlicher- und unzweckmäßigerweise« mit der »Verletzung des äußern Anstands, lascivem Gebaren u. dgl. m.« assoziiert. Im Gegensatz zur »Manie«, die sich in leichteren Fällen durch Heiterkeit und »abnorm reiches Zuströmen der Gedanken« auszeichnet (in schwereren jedoch durch eine bedenkliche Neigung zu sinnlosen Projekten und Reimereien, »Heirat mit unwürdigen Personen«, Grimassen und vor allem die »excessive Steigerung des Geschlechtstriebs mit schamloser Befriedigung desselben«), ist die Erotomanie »in der Regel unheilbar«. Was die zugrunde liegende »Erotik« betrifft, so wird sie von Plato als Zeugung im Schönen, von Freud als ein im steten Kampf mit Thanatos liegender Trieb, vom *common sense* aber meist als schöne Schweinerei begriffen. Letzterer verkennt dabei sträflich die neuere »Pluralisierung der erotischen Modelle und Erscheinungsformen« (*Brockhaus* 1996, Artikel »Erotik«). Erotik in diesem Sinne ist »eine Ausdrucksform zwischenmenschlicher Kommunikation«. In der »Erotischen Literatur« dagegen ist die existentielle »Frage nach der Dominanz oder Nichtdominanz des Sexus von unterschiedlicher Bedeutung«.

ERREGUNG hat für *Brockhaus* nichts mit Erotik zu tun. Im *Brockhaus* folgt 1812 die Erregungstheorie John Browns auf das Stichwort »erotisch«, was »auf Eros, also auf Liebe Beziehung hat«. *Brockhaus* bleibt 1827 ebenfalls noch bei John Brown, dessen Therorie aber »durch Bearbeitung deutscher Ärzte und Einmischung mehrerer Sätze« modifiziert wurde. Dito 1843. In der Auflage von 1892 findet sich dieses Stichwort immer noch nicht im *Brockhaus*, dafür aber noch mehr Wissenswertes über die Erregungstheorie Browns. Danach »entsteht das Leben durch die Thätigkeit der Erregbarkeit«, deren jeder Organismus »eine gewisse Menge besitzt und die ihren Sitz im Nervenmarke und in den Muskelfasern« hat. Diese Erregbarkeit »wird zu ihrer Thätigkeit durch gewisse Reize« veranlaßt, womit wir wieder bei der Erotik sein könnten. Doch sie werden unterteilt in welche, die »teils allgemein, teils örtlich wirken und in äußere (Luft, Wärme, Nahrungsmittel, Arzneien, Gifte) und innere (Bewegung, Empfindung, Thätigkeit der Denkkraft, Gemütsbewegungen)«. Das Verhältnis der Erregbarkeit zu einwirkenden Reizen »kann nun ein verschiedenes sein«. Das ganz richtige Verhältnis »mit etwas mehr oder weniger auf der einen oder der andern Seite ist Gesundheit«. Bei zu viel Erregung kommt es zur »Stehnie«, bei Verminderung »entstehen asthenische, d.h. Schwächekrankheiten«. Letztere können auf Überreizung beruhen oder darauf, »daß überhaupt die Lebensreize mangelten« oder »entzogen wurden«, was ebenfalls nichts mit Erotik zu tun haben muß (→**Erröten**).

ERRÖTEN ist dem *Brockhaus* 1812 und 1827 kein eigener Artikel wert. 1864 empfindet er es »besonders deutlich bei Personen mit zarter, weißer Haut und leicht erregbarem Nervensystem« (→**Schamhaftigkeit**). Das Erröten beruht laut *Brockhaus* von 1892 »auf einer plötzlichen Wallung des Blutes nach den Gefäßen der Haut, insbesondere des Gesichts«. Sowohl Erregungen des Gehirns (Scham, Zorn) »als anderer Organe können die Thätigkeit gewisser Nerven, welche in der Wandung der kleinen Arterien endigen, plötzlich umstimmen, sozusagen lähmen, infolgedessen die zarten Muskelfasern der Gefäße erschlaffen«.

ERZIEHUNGSKAPITAL. Kosten, die man aufwendet, um ein Individuum durch seine »unproduktive Kindheits- und Jugendperiode« (*Brockhaus* 1892) bis zur Erwerbsfähigkeit durchzubringen, also nicht mit dem modernen »Humankapital« zu verwechseln. »Eine streng abhärtende Erziehung, die in arge Übertreibung verfallend, schon aus Knaben Herkulesse machen wollte … schadet weit mehr, als sie nützt«; eine kostenneutrale Erziehung wird darum der »Verweichlichung hauptsächlich dadurch entgegenwirken, daß sie der Jugend alle nicht nothwendigen Bedürfnisse so viel als möglich entbehrlich zu machen versucht« (*Brockhaus* 1843, Artikel →»**Abhärtung**«). Für die Aufzucht von Mädchen empfiehlt das *Damen-Conversationslexikon* 1835 unter dem Stichwort »Erziehung« weichere pädagogische Grundsätze. Zarter, hingebender und leider auch erregbarer als der Knabe, trägt es in sich eine gefährliche »Versuchung zum Unstätten, Oberflächlichen, Unzusammenhängenden«, der man durch mäßigen Tanz, Spiele und eine »nicht überspannte geistige Thätigkeit« entgegenwirken kann. Der Frau fehlt »von Natur die Fähigkeit des männlichen Geistes, sich der Gegenstände zu bemächtigen, dabei zu verweilen, sie zu durchdringen und begreifen; die menschliche Würde beruht aber mit auf dieser Fertigkeit«; hier springt die Bildung ein. »Da nun die Frau für das Haus erzogen werden soll, so ist auch dasselbe das zweckmäßigste Asyl für deren Erziehung … Seine Beschränkung bietet der weiblichen Regsamkeit keine Fülle von Gegenständen, welche zu Flatterhaftigkeit und Oberflächlichkeit Anlaß geben.« Soll die Frau, entgegen ihrer »physischen Organisation« und ihren »überwiegend sympathetischen Neigungen«, außer Haus erzogen werden, müssen wenigstens die »Scenen menschlicher Verderbtheit« von ihr ferngehalten werden. Einen guten Ruf haben die Berliner Pensionen von Frl. Stubbe und Frau von Lämmers, während die Mädchen in den englischen »boarding-scools« (sic!) nur »eine gewisse →**Dressur** und Politur erhalten«, die in keinem Verhältnis zum dafür notwendigen Erziehungskapital steht. Neuerdings vollzieht sich die »Einbindung des Heranwachsenden in ein bestehendes Sozialgefüge aus dem (nur im Idealfall harmon.) Zusammenspiel von normativen und emanzipator. Erziehungsstrategien« (*Brockhaus* 1996, Artikel »Erziehung«).

ESELSBRÜCKE. Für Engels waren die Konversationslexika die »Eselsbrücken des deutschen Bildungsphilisters«. Für *Brockhaus* dagegen war die Eselsbrücke 1892 ein »Hilfsmittel zum Verständnis eines fremden Schriftstellers, das den Zweck hat, dem Lernenden das eigene Nachdenken zu ersparen, also auf dessen Faulheit und Trägheit berechnet ist«. Im Volksmund als Klatsche, unter Gebildeten jedoch als *pons asinorum* bekannt, ist sie »aus pädagogischen Gründen verboten«. »Drei, drei, drei / bei Issos Keilerei«: Über derartige Eselsbrücken wagt heute kein Lehrer mehr zu gehen. Der humanpädagogische *Brockhaus* spricht 1996 daher lieber von »Merkhilfen« und »Gedächtnisstützen«.

ESSAY. Der Essay hatte immer einen schweren Stand in der deutschen Literatur, »die von jeher mehr eine erschöpfende Erörterung als elegante Skizzen liebt« (*Brockhaus* 1892). *Meyer* empfand 1936 die spielerische Gestik und stilistische Eleganz des Essays geradezu als undeutschen »Mißbrauch« des Genres: »In der Nachkriegszeit, mit der Entfesselung eines verantwortungslosen, artfremden Literatentums, bot die Form des Essays, die bis zu einem gewissen Grad offen, unverbindlich erscheint, alle Möglichkeiten für die Literaten, die mit ihren unsachlichen Denkspielereien prunken wollten.«

ETYMOLOGIE ist ein dorniges Gebiet. *Brockhaus* verwies 1966 noch auf eine »altgermanische« Wurzel im Wort »Schlaf«, was die Auflage von 1996 so nicht wiederholen wollte. Dafür meinte man 1966 im Artikel »Schoppen« noch, das Wort stamme von »schöpfen« ab. *Brockhaus* klärt 1986 das volksetymologische Mißverständnis: »Schoppen (aus altfrz. chopine)«.

EUBULUS. Ein verantwortungsloser Staatsmann im antiken Athen, dem Demosthenes leider »zu spät« das Handwerk legte. Nicht genug damit, daß Eubulus 355 v. Chr. einen »übereilten Frieden« schloß: Als Herr des Theorikon, der »Kasse für die Belustigungsgelder«, setzte er unter Androhung der Todesstrafe durch, »daß die Überschüsse des Staates, statt wie bisher zu Kriegszwecken verwandt zu werden, an die ärmern Bürger verteilt wurden, um ihnen die Eintrittsgelder in die Theater zu ersetzen« (*Brockhaus* 1892). Finanzminister Hans Eichel darf belustigt lächeln: »Seine Reden waren im Altertum geschätzt; erhalten hat sich nichts davon.«

EUNUCHEN. Griech.: Bettschützer, dt. auch: Hämmlinge, wie alle »Onanisten, Päderasten und Sodomiten meist Weiberfeinde« (*Brockhaus* 1875, Artikel »Misogynie«). Das Halten verschnittener Haremswächter, berichtet *Brockhaus* 1892, ist einerseits eine »Folge der Vielweiberei« und konnte im Abendland nur dort Fuß fassen, wo »asiatische Wollüste und Sitten eindrangen«. Origines und die frühchristliche Sekte der Valesianer haben indes »die Selbstentmannung vorgenommen, um leichter das Himmelreich zu erwerben«. Der Widerspruch löst sich auf, wenn man den Harem für das Paradies nimmt. Den »schwarzen Eunuchen« wurde das komplette Gemächte genommen, den weißen »bloß die Hoden«. Bei der »unblutigen« Kastration geschah dies »durch Zerreibung und Zerquetschung«, die blutige übergehen wir hier lieber. Kein Wunder jedenfalls, daß es den Kastraten an »eigentlicher Frische« mangelt; sie sind träge, willenlos, egoistisch, im Alter »auffallend hässlich«. »In geistiger Beziehung verrät der Kastrat überall das Bewußtsein des Mangels an wirklicher Kraft, welche er meist durch Hinterlist zu ersetzen sucht.« (*Brockhaus* 1892, Artikel »Kastration«).

EUROPA. Mythos als Märchenstunde, Teil 1: »Europa, d. h. die Weiße, war die Tochter des phönizischen Königs Agenor und Schwester des Kadums, und erhielt der Sage nach von einer Dienerin der Juno ein Schminkkästchen vom Putztische dieser Göttin zum Geschenk. Durch die Anwendung seines Inhalts ward sie so reizend, daß Jupiter sich in sie verliebte, als sie eines Tages am Ufer des Meeres weilte, in einen weißen Stier verwandelt ihr nahte und sich so einladend gebärdete, daß sie den Stier zu besteigen wagte, der sofort ins Meer sprang und nach der Insel Kreta hinüberschwamm. Hier nahm Jupiter die Gestalt eines Jünglings an und Europa ward Mutter des Minos, Sarpedon und Rhadamanthus« – so niedlich verliefen Verführung, Entführung, Vergewaltigung und Schwangerwerden durch Jupiters »Gestalt annehmen« noch 1837 in *Brockhaus' Bilder-Conversations-Lexikon*. Mythos als Märchenstunde, Teil 2: »Zeus sah sie auf einer Wiese in Phönikien; als Stier entführte er sie nach Kreta, wo sie Mutter des Minos, Sarpedon und Rhadamanthus wurde.« 1892 sieht *Brockhaus* immerhin schon den Tatbestand der Entführung, allerdings verbunden mit der Zumutung, daß Europa allein dadurch schwanger geworden sein und Drillinge geboren haben soll. Mythos als Märchenstunde, Teil 3: Alles wie gehabt. Mit einer netten Nuance nach der Geburt der Drillinge wartet *Meyer* (1902) auf: »Zeus überließ sie dann dem König Asterios von Kreta, der ihre Söhne erzog und ihnen die Herrschaft über die Insel hinterließ. Europa genoß auf Kreta … göttliche Ehre.« Mythos als Märchenstunde, Teil 4: 1936 ist *Meyer* die ausschweifenden Geschichten leid und kommt mit sechs Zeilen aus, dafür direkt zur »Liebe«, bei der die Drillinge zu Zwillingen schrumpfen: »Nach griechischer Sage phönizische Königstochter, von Zeus geliebt; er nahte sich ihr in Gestalt eines Stieres und verleitete sie, sich auf seinen Rücken zu setzen, entfloh dann mit ihr über das Meer nach Kreta, wo sie ihm Minos und Rhadamanthys gebar.« Mythos als Märchenstunde, vorerst letzter Teil (*Brockhaus* 1996): Wie Gewalt »Verbindung« wird. »Zeus nahm ihretwegen die Gestalt eines Stieres an, verlockte sie am Strand, seinen Rücken zu besteigen, und entführte sie nach Kreta. Aus ihrer Verbindung mit Zeus gingen Minos, Rhadamanthys und nach einem Teil der Überlieferung Sarpedon hervor.« Mythos ohne Philologen- und Lexikographen-Märchenzusätze: Die Jungfrau Europa war eine Barbarin aus Kleinasien. Sie wurde von Zeus in der Gestalt eines weißen Stieres verführt, entführt, schließlich vergewaltigt und zuletzt von Aphrodite – Tochter des Zeus – verhöhnt. Aphrodite, die Göttin der Liebe, riet ihr mordsschwesterlich, sich über die Vergewaltigung durch ihren Vater Zeus damit hinwegzutrösten, »gewaltig groß Schicksal« (Sophokles) zu ertragen, da sie trotz ihrer barbarisch-kleinasiatischen Herkunft dereinst einem ganzen Kontinent ihren Namen leihen dürfe: glückliches Europa, auf Kosten der Barbarin Europa.

EVOLUTIONEN »sind Front- und Formationsveränderungen einer Truppenabteilung. Sie zerfallen in Evolutionen in Linie, Colonnenformationen, Evolutionen in Colonne und Entwicklungen der Colonne zur Linie. Alle Evolutionen müssen selbst auf dem Schlachtfelde einfach und leicht auszuführen sein, am einfachsten die der Cavallerie und Artillerie.« (*Brockhaus* 1875). In dieser Art fährt der ganze Artikel fort und belegt damit eine eher untypische Verspätung, denn von Darwins revolutionärer Übertragung des Evolutionsbegriffs vom Schlachtfeld auf die Naturgeschichte hat man bei *Brockhaus* scheinbar noch nichts gehört, obwohl dieselbe Auflage einen ausgesprochen langen Artikel »Darwinismus« enthält und Darwins Hauptwerk bereits 1859 ins Deutsche übersetzt worden war. →**Darwinismus.**

EXISTENZ, catilinarische. Im neuesten *Brockhaus* (1996, Artikel »katilinanarisch«) erfährt man zwar die allgemeine Bedeutung des Wortes (»bildungssprachl. veraltend für: heruntergekommener, zu verzweifelten Schritten neigender Mensch, der nichts mehr zu verlieren hat«), aber nichts mehr über dessen doppelte historische Quelle: »Ein von Bismarck am 30. September 1862 geprägtes Wort zur Bezeichnung von Leuten, die wie der Römer Catilina ein großes Interesse an politischen Umwälzungen haben« (*Brockhaus* 1928). Was das Interesse an »politischen Umwälzungen« betrifft, so trafen sich Bismarck und Cicero eher darin, »Staatsfeinde« ausfindig und dingfest zu machen. Cicero wünschte sich ebenso vergeblich wie konsequent, »es möge doch jedem auf die Stirn geschrieben werden, was er über den Staat denkt«. Bismarck hatte mehr und anderes im Sinn, als eine »bildungssprachliche« Marotte zu pflegen – er bediente sich des durch die gymnasiale Bildung verbreiteten Abscheus gegenüber dem historischen Catilina in Ciceros Reden für den aktuellen Kampf gegen jene, die er nach der Reichsgründung »Reichsfeinde« nannte: Sozialdemokraten, Katholiken, Liberale. Im Deutschland Bismarcks wurde auch *Brockhaus* bismarckisch. Kernige Stellen aus seinen Reichstagsreden schafften den Sprung zum Lexikonartikel: »Nach Canossa gehen wir nicht« (*Brockhaus* 1882), sagte Bismarck in einer Rede vom 14. Mai 1872 – mitten im sogenannten Kulturkampf, das heißt im Kampf gegen die katholische Zentrumspartei und den Papst. – »Ehrlicher Makler, Zitat aus einer Rede des Fürsten Bismarck vom 19. Februar 1878, worin er angesichts des Projekts eines in Berlin behufs Regelung der Orientfragen abzuhaltenden europäischen Kongresses die Stellung Deutschlands zur Orientfrage präzisierte und hervorhob, daß Deutschland mit dem Kongreß die Rolle der

Vermittlung des Friedens zufalle« (*Brockhaus* 1882). Bismarcks Wort, der »deutschen Bundesreform« mit »Eisen und Blut« (1862) bzw. mit »Blut und Eisen« (*Brockhaus* 1892) nachgeholfen zu haben, wurde zuerst zum Sprichwort und dann zum Synonym für »nackte Gewaltpolitik« (*Brockhaus* 1996).

EXTREME sollen sich berühren, weiß der Volksmund. In älteren Lexika geläufiger ist ein überraschender Gegensinn oder Doppelsinn von Wörtern. »Tiefsinn« verbucht *Brockhaus* (1833) als »Schwermuth« und als »Beschaffenheit des philosophischen Geistes.« Hier bildet der »Tiefsinn« den Gegensatz zu »Witz und Scharfsinn«. Was psychologisch schwer aufs Gemüt schlägt, sieht philosophisch also ganz munter aus der Tiefe der Gründe hervor.

F

FALSCHGEBÄREN und auch Nichtgebären konnten tödlich enden – so könnte man das Schicksal der Anna Boleyn zusammenfassen. Der Lexikographie verschlägt es selten die Sprache. Allenfalls wenn es um religiöse, moralische oder Fragen des sexuellen Verhaltens geht, wird es kritisch. Nach einem Aufenthalt am französischen Hof kehrte Anna Boleyn 1527 nach England zurück »und wurde Ehrendame bei der Königin Katharina. Hier verliebte sich deren Gemahl Heinrich VIII. so heftig in sie, daß er die Trennung seiner Ehe beschloß, indem er bei Anna außerdem kein Gehör für seine Wünsche fand.« Selbst wenn man das Wort »indem« im Sinne von »zumal« versteht, purzelt der Satz mit der Abscheu über den Wüstling ins Abseits: Warum trennte er sich von Katharina, wenn er doch »kein Gehör« fand bei Anna? Im übernächsten Satz ist vom »ungeduldigen Heinrich« die Rede (*Brockhaus' Bilder-Conversations-Lexikon,* 1837, Artikel »Anna Boleyn«). Im Wilhelminischen Reich ordnete man Heinrichs »Scheidungs«-gründe vollends der Staatsräson unter: »Heinrichs Liebe zu Anna schwand« jetzt »bald dahin, zumal da sie ihm nur eine Tochter, Elisabeth, geboren hatte« (*Brockhaus* 1892). »Zumal da sie nur« – vier ziemlich kurze Worte zur Rechtfertigung weiblicher Inferiorität überhaupt und eines Todesurteils als Zugabe: Anna »wurde des wiederholten Ehebruchs und der Blutschande beschuldigt und in den Tower geworfen. Obwohl sie ihre Unschuld beteuerte, wurde sie am 15. Mai 1536 durch ein Gericht von 26 Peers schuldig gesprochen und am 19. Mai enthauptet.« »Peers« sind Adlige; »to peer« bedeutet in poetischer Sprache »zum Vorschein kommen«. Was das adlige »Gericht« im Mai 1536 »zum Vorschein« kommen ließ, war schlicht »peerless« – unvergleichlich. Gegen Ende des vergangenen Jahrhunderts befreite *Brockhaus* (1996) Anna Boleyn vom rustikalen Zugriff der männlichen Lexikographie: »Statt des erhofften Sohnes gebar Anna am 7.9.1533 (die spätere Königin) Elisabeth. Der König verstieß Anna wegen angeblichen Ehebruchs, ließ sie zum Tod verurteilen und hinrichten.«

FAULTIER. Das Faultier ist von der Natur sehr stiefmütterlich und selbst vom gütigen Tiervater Brehm mit bösen Vokabeln wie »Stumpfsinn, Dummheit und Gleichgültigkeit« bedacht worden: »Von Geist ist bei Faulthieren kaum zu reden. Es läßt sich fast erwarten, daß solche Thiere blos ein einziges Junges werfen. Das Eine scheint der Mutter schon zu viel zu sein.« Das *Neue Natur- und Kunstlexicon* berichtet 1801, daß diese bedauernswerte Kreatur sich vor »Beleidigungen des Menschen« durch eine häßliche Stimme, »jämmerliches, Mitleid erweckendes Ansehn« und einen »traurigen, mit Thränen begleiteten Blick« zu schützen versucht. Allein, diese Verstellung hilft ihm so wenig wie sein legendärer Stumpfsinn. »Man mag es schlagen, wie man nur will; es geht doch nicht schneller als gewöhnlich; ja man hat es anatomirt und ihm lebend die Eingeweide und das Herz herausgenommen, ohne daß es besondere Zeichen des Schmerzes von sich gab.« Doch hat diese masochistische Blödigkeit auch ihr Gutes. Wir würden uns nämlich »sehr irren, wenn wir den Ai für das unglücklichste Geschöpf unter den Säugethieren und vielleicht in der ganzen Schöpfung ansehen. Seine grobe Organisation, seine Unempfindlichkeit und Gefühllosigkeit machen ihn höchst wahrscheinlich in seiner Art eben so glücklich, wie jedes andere Thier, seiner Natur nach, sein kann.« 1892 waren kleinere Faultiere laut *Brockhaus*-Preisliste schon für 150 Mark erhältlich; sie »werden aber selten gern genommen«.

FELLOW. In England Bezeichnung für »höchstberechtigte Mitglieder gelehrter Körperschaften«. Der Titel, mokiert sich *Brockhaus* 1892 in einem Anflug seltenen Humors, wird häufig als wertvolles Prädikat angesehen; »man kann aber aus der Führung nicht ohne weiteres schließen, daß der Inhaber von der betreffenden Wissenschaft mehr als den Namen kennt.«

FEMINA war auch eine zapfige Schreinerphantasie. *Meyer* (1839–55) verzeichnet das lateinische Wort »Femina« in drei Bedeutungen: »1) Frau; 2) bei Tieren das Weibchen; 3) Balken, in welchen ein anderer eingezapft ist.« In den folgenden Auflagen verschwand zuerst die dritte Bedeutung, dann auch die beiden anderen. Heute ist »Femina« ein Produktname, ohne Aussicht auf lexikalische Würdigung.

FERIENKOLONIEN. 1876 gegründetes Institut zur Kinderlandverschikkung, das der »Gesundheit armer, kränklicher und schwächlicher Stadtkinder« durch kräftigende Ernährung und Bewegung aufhelfen soll. Den »Anstalten zur Sommerpflege« stellte man bald eine Art Winterhilfswerk mit »Milchkolonien« zur Seite. *Brockhaus* rühmt 1892 vor allem Bolles Meierei und erstaunlicherweise auch die Bierbrauerei Schultheiß für ihre Verdienste um die »reichliche und zweckmäßige Beköstigung« der kleinen →**Berliner**. Im Supplementband 17 vermeldet *Brockhaus* 1897 eine »bemerkenswerte Erweiterung des Brustkastens«, Gewichtszunahme und schöne Erfolge bei der Gewöhnung der Milch- und Rotzbuben an »Ordnung, Sauberkeit, Gehorsam, Verträglichkeit, Dienstfertigkeit«. Heute wird in den deutschen Ferienkolonien am mallorquinischen Ballermann-Strand der Ruf nach Bier-Sponsoren wieder lauter.

FERNSEHEN. Eigentlich »unzutreffender Name« für ältere Erfindungen wie Telektroskop, elektrisches Teleskop oder Kopiertelegraf, die nie in »ernsten Gebrauch« (*Brockhaus* 1892) kamen; nicht zu verwechseln mit dem »hellen Fernsehen« gewisser Sensitiver, von dem *Brockhaus* 1827 unter dem Stichwort »Somnambulismus« Wunderdinge erzählt. »Die Annahme, daß man im Wege des Fernsehens ganz nach Belieben Geschehnisse überblicken oder die Vorgänge in einer fernen Stadt schauen könne, entspricht nicht den technischen Möglichkeiten«, gibt *Brockhaus* 1928 zu bedenken. »Jede Übertragung setzt einen Sender voraus.« Schon damals, als das Fernsehen noch in den Kinderschuhen steckte, berichtet *Brockhaus* auf zwei Seiten von Kerrzelle, Nipkowscher Scheibe, Weillerschem Spiegelrad und dem »Gleichlauf der Apparate«. *Meyer* kennt 1936 bereits Fernsehstuben und Fernsehgespräche, die nicht mehr als eine Reichsmark pro Minute kosten. *Brockhaus* warnt 1996 mit Neil Postman vor den Folgen des »Lebens aus zweiter Hand« und dem Quotenfetischismus, aber auch vor einer allzu vulgären Fernsehpsychologie: »Entgegen einer verbreiteten Vorstellung ist es sehr schwierig, die Wirkungen des Fernsehens zu bestimmen.«

FERNTRAUUNG, »während des 2. Weltkrieges eine erleichterte Form der Eheschließung in Abwesenheit des Mannes« (*Brockhaus* 1952). Die Ehe galt als geschlossen, wenn die Verlobte an der Heimatfront innerhalb von sechs Monaten vor einem Standesbeamten der Ehe zustimmte. War der »Ehemann« inzwischen gefallen – die Untergründe des Zivilrechts sind unergründlich-komisch –, galt als Hochzeitstag nicht sein Todestag, sondern das Datum der Erklärung seiner Heiratswilligkeit vor dem Bataillonskommandeur. Weil spätere *Brockhaus*-Ausgaben den Benutzer um solches Basiswissen prellen, wird es hier nachgetragen.

FEUILLETON. Kulturteil einer Zeitung oder das, was »unter dem Strich«, im Rez-de-chaussée (Erdgeschoß), steht und manchmal auch unterirdisch schön geschrieben ist. Anders als der gewöhnliche Zeitungsmann in der Beletage will »der Schreiber des Feuilletons seine Leser dadurch anziehen, daß er ihnen die Dinge in durchaus subjektiver Weise vorführt« (*Brockhaus* 1892); dafür wurde er von Karl Kraus und anderen als »Erzpressbengel« gescholten. Im Dritten Reich galt das Feuilleton als »äußerlich glänzend, innerlich leer« (*Meyer* 1936). Noch 1996 beschreibt *Brockhaus* die »spielerische Denk- und Stilhaltung« des Feuilletonismus als »Anwendung schablonierter affektierter Sprachformen mit dem Ziel, den Leser zu überraschen, zu überreden oder zu blenden«.

FILM. *Meyer* verbreitet sich 1936 auf 25 Seiten über den Film und zeigt schon damit, welche »kulturpolitische Sendung« Goebbels dem Medium zumaß, das bis vor kurzem noch als »kultur- und salonbolschewistischer Tummelplatz« gegolten hatte. Film, heißt es da etwas holprig, ist »gestaltetes Geschehen, das in seiner Folgerichtigkeit und Schicksalhaftigkeit im Beschauer seelische Bewegung und Idee auslöst«; insofern habe erst der Nationalsozialismus ihn als »Kunstwerk wie als publizistisches Führungsmittel in seiner ganzen Tiefe erkannt«. So sei etwa der Kriminalfilm, der lange Zeit »mit den zergliedernden Mitteln der Psychoanalyse die pathologische Rechtfertigung des Verbrechertums« betrieb, in seine »nationalen Grenzen – spannende Unterhaltung und Kampf gegen die asozialen Elemente der Volksgemeinschaft – zurückgeführt« worden; im Lustspiel triumphiere nun »lebensechter und gesunder Humor«. Auch die deutschen Filmschauspieler hätten sich von »jüdischer Seelenlosigkeit« und »plattem Amerikanismus« entfernt, um eine Schönheit ganz eigener Art zu gewinnen: »Aus der starren, auch in Lebensgefahr holdselig lächelnden Maske von untadeliger Schönheit des Filmhelden oder der Diva wurde die Charaktermaske.« Aus dem Vamp, jener »dämonisch-verführerisch hergerichteten Lebedame, die dazu bestimmt ist, das biedere Glück junger Liebes- und Eheleute zu erschüttern«, wurde so – Zarah Leander, aus dem »in Ehren flirtenden Mädchen mit besonderer Vorliebe für schnittige Autos« – Lilian Harvey und aus dem »Edelverbrecher« des Westerns – Luis Trenker, der arische Bergfex. Hollywood, erläutert *Meyer* im Artikel »Schauspielkunst«, bevorzugt »statt der durchgeformten schauspielerischen Leistung die bloße äußere Erscheinung, Gesicht und Bildwirkung«; in Deutschland dagegen sei »das Starwesen weitgehend wieder überwunden«: Der Vamp trat ins Glied der Volksgemeinschaft, der Verführer hinter den Führer zurück.

FLEXIBILISIERUNG. Der neueste *Brockhaus* (1996) kennt diesen Begriff aus der Betriebswirtschafts- und Leitartikelprosa nicht als Artikelstichwort. Der Sache nach freilich gehört Flexibilisierung – unter periodisch wechselnden Namen – seit langem zum Kernbestand massenhaft verbreiteter Irrtümer: »Da die Fabrikarbeit die Bequemlichkeit der damit Beschäftigten mehr als alle anderen Berufsarten unterstützt, so müssen wir fragen, warum die Arbeiter sie durch gesetzliche Fesseln zu hemmen suchen. Es ist deshalb, weil sie glauben, ein Gesetz, das ihren Herrn nöthige, alle Personen unter 18 Jahren nach zehnstündiger Arbeit zu entlassen, werde ihn wirklich zwingen, den Gang der Fabrik einzustellen. Er müßte dann« – legt man den zwölfstündigen Normalarbeitstag zugrunde – »ein Sechstel Garn weniger produzieren und auf diese Art nothwendig den Preis erhöhen oder zu spinnen aufhören.« Das »Gesetz« wird sofort zum »groben Fehler« erklärt, das Vertrauen zu dem »klugen Besitzer«, der die Löhne nur reduziert oder einfriert, wenn er »durch die Noth dazu gezwungen wird«, dagegen zur Bürgerpflicht (*Meyer* 1839–55, Artikel »Manufaktur«). Flexibilisierung hat situativ sehr flexible Begründungsmuster: »Vertrauen«, »Noth«, Standort, Zukunft.

FOLTER wird nicht akzeptabler, wenn man sie zur Tortur verharmlost und für den Fall rechtfertigt, »wo wirklich ein Zwang zu einem Geständnisse vernünftigerweise gedacht werden kann, wenn schon gewiß ist, daß etwas zu gestehen ist – z. B. wenn der Dieb nicht angeben will, wo er das gestohlene Gut versteckt hat, wenn Mitschuldige verleugnet werden« (*Brockhaus* 1833, Artikel »Tortur«). In Hannover war die Folter acht, in Gotha zwei Jahre zuvor abgeschafft worden. Im »barbarischen« Zarenreich 1801. In den USA diskutierte man 2001 ihre Zweckmäßigkeit.

FORTPFLANZUNG sorgt im *Brockhaus* 1882 dafür, daß »die Art erhalten bleibt«, wobei »das Wesen dieses Vorgangs, der als eine Erscheinung des auf Ernährung beruhenden Wachstums aufzufassen ist«, ziemlich »große Verschiedenheiten« zeigt (*Brockhaus* 1892). Was im *Brockhaus* auf weniger als einem Dutzend Zeilen verhandelt wurde, breitet der *Meyer* von 1902 auf fast zwei Seiten aus und klärt endlich über die »geschlechtlichen und ungeschlechtlichen« Aspekte der Fortpflanzung auf.

FRANZOSEN. Bezeichnung für die Syphilis, die Tuberkulose der Haustiere sowie für ein Volk mit »sehr bedeutendem« Weinverbrauch und vier Ziegen auf hundert Einwohner. Der Franzose zeichnet sich durch »Lust am Luxus, rasches Umschlagen der Stimmung, Sucht nach Neuerung, kriegerische Neigungen, Gabe der treffenden Rede« (*Brockhaus* 1892) aus; dagegen hat sich sein Wandertrieb weitgehend verloren. Er ist im Schnitt 1,64 Meter groß, beweglich und gewandt und »von geringer Muskelkraft«; sein Kunstschaffen darf – trotz »sittlicher und Anstandsbedenken« – als das derzeit »regsamste in Europa« gelten. *Ersch/Gruber* beschrieb ihn in seinem 130-Seiten-Essay über »Frankreich« schon 1848 als robust und klein, aber von »großer Schmiegsamkeit« und leichter Erregbarkeit. Beides verhindert eine »Hinneigung zum Fettwerden«, macht ihn aber anfällig für radikale Umtriebe: Die »Verwilderung des Volkes« durch die Revolutionen wirkte »nicht wohlthätig« auf die Moral der Franzosen. »Unrichtig würde es jedoch sein, wenn man aus den in der neuesten Zeit vorgekommenen Bestechungen unter hohen Beamten und mehrern auffallend verbrecherischen Handlungen in den gebildeten Ständen auf eine sehr gesunkene Moralität schließen wollte«; derlei kommt in den besten Völkern vor. Andererseits hat, wie der bedächtige *Brockhaus* 1875 im Artikel »Arbeiterbewegung« sein Unbehagen am ewigen Aufruhr formulierte, »das französische Volk bisher nur das Verneinen verstanden, nicht das positive Schaffen; es hat für die Besserung des politischen wie des socialen Zustandes jene Hingebung nicht besessen, welche nothwendig ist, um langsam aber sicher vorwärts zu kommen.« – Was die Französin oder vielmehr Pariserin betrifft, so beschreibt das *Damen-Conversationslexikon* ihren Charakter 1835 als »chamäleontisch-liebenswürdig«: »Die deutsche Frau weiß demuthsvoll zu dulden, die Französin klagt laut und leidenschaftlich und ist immer au désespoir« und »voll kühner Ansprüche«. Die Französinnen haben unzweifelhaft mehr Grazie, Esprit und Geschmack, werden aber selten glücklich damit: »Sie denken mehr als sie fühlen! Der Deutschen ist das Fühlen Beschäftigung, der Französin nur das Denken, jenes nur Spiel.« So trippelt die Französin kokett vernünftelnd und »zierlich aufgeschürzt« vom →**Boudoir** in den →**Salon** und »würde lieber ihren Ruf opfern, als in den Verdacht der Langeweile kommen wollen«. »Sie spricht viel, schwatzt liebenswürdig, sucht aber schön zu sprechen und amüsant zu schwätzen« und richtet mit ihrem frivolen Leichtsinn doch nur Unheil an: Frankreich ist »das Land der Selbstmorde aus Liebe«. Allerdings sind die Französinnen neuerdings auf dem Wege der Besserung, soll heißen: »viel deutscher geworden. Der Zauber einer edlen Häuslichkeit hat Anklang gefunden, die Grundsätze des wahren Anstandes, der Sittlichkeit haben über die Gesetze des bon ton triumphirt, die Generation hat sich veredelt. Untreue ist nicht mehr Bizarrerie, Galanterie, sondern Verbrechen.«

FRANZÖSISCHE MODE ist für das *Damen-Conversationslexikon* 1835 ein faszinierendes Greuel, eine dauernde Vergewaltigung, deren akkurate Beschreibung ihm zwölf Seiten wert ist. Schon im 14. Jahrhundert glich der Kopfputz der Witwen herzförmigen Mützen oder unförmigen Hörnern; später kamen Zuckerhüte, Strümpfe aus Spinnweben, Haarbeutel mit Pferdeschweifen und entblößte Busen in Mode. Korsett und Reifrock führten zu »Schwielen und Hornhaut« und machten unter Ludwig XIV. aus den Hofdamen »spazierende Mörser«. →**Schnürbrust**, →**Muff** und vor allem die »Gefühlsbuffen«, eine Art phantastisch aufgezäumte Haararchitektur, ließen Rousseau über die Unterdrükkung der Natur räsonnieren; hernach durften wenigstens die »armen gequälten Kleinen« den bequemen Matrosenanzug tragen. Gerade als Marie Antoinette einfache weiße Gewänder »um die schönen Glieder, die bald der furchtbare Samson von der Guillotine schleifen sollte, wallen ließ, brachen die Gräuel der Revolution über das unglückliche Land«. Damit war auch die »Tyrannei jenes Putzsystems« gebrochen. Die Französische Mode des Empire erforderte »freilich lauter Hebegestalten, um erträglich zu sein«. Die Herren standen mit ihren »unermeßlichen Cravatten« gleichsam nackt da und versuchen seither ihre »jämmerlichen Storchenbeinchen« mit Hosen zu verhüllen, die ihre Konturen »mehr bezeichnen, als zur ästhetischen Anschauung gehört«. Die Hüte wachsen, die Taillen sinken wieder, und einige deutsche Dämchen setzen neuerdings sogar wieder frankophile Hütchen auf, »die wir jedoch Bibi nennen«. Wer weiß, wohin dieses Retrodesign führt: »Mit dem Pudern hat man einen mißlungenen Versuch vor kurzem gemacht, behüte uns die Zukunft vor den Reifröcken!«

FRANZÖSISCHE REVOLUTION. Kurz vor der Revolution von 1848 konnte über die Französische Revolution nur in poetischer Form gesprochen werden, kurz danach nur noch in geisterbeschwörender. Der Band mit dem Artikel »Revolution« der ersten Auflage von *Meyer* (1839–55) erschien 1850, und da wurde festgestellt, die »lähmende Kraft« der Liberalen habe zwar das Fiasko von 1848 verursacht, doch »der Lauf des revolutionären Umschwungs der Dinge ist noch nicht vollendet, aber er wird sich seinen Weg über Trümmer und Leichen hinweg nehmen, um der Menschlichkeit und Bruderliebe die Bahn zu brechen.« Drei Jahre und 18 Bände früher erstrahlte *Meyer* (Artikel »Französische Revolution«) in unerhörtem poetischem Pathos: »Wenn aus schwarzumflortem Himmel der zündende Blitz herniederfährt auf Hütten und Paläste, oder der Ernte goldene Garben aufgehen läßt in Flammen und wenn dann der Regen sich ergießt aus dem geöffneten Schoße der Wolken, die Wurzeln der Bäume lostrennend von der mütterlichen Erde, Bäche und Flüsse anschwellend, daß die Felder und Wiesen verheerend überströmen, die kühnen Bogen der Brücken sprengen und die Hütte des Uferbewohners mit sich fortreißen, da steht wohl händeringend der kurzsichtige Mensch und klagt jene gewaltige Naturkraft der Grausamkeit an, die ihr eigenes Werk mit dem Menschenwerk zugleich vernichtet ... Und jener Sturm ist nichts gewesen als ein gewaltsames Ausscheiden gefährlichen Giftstoffes aus den Elementen, der sich im Ringen des Kampfes in Segen verwandeln mußte für die schmachtende dürstende Erde. Zwar verlor der Einzelne bei diesem Kampfe böser und guter Naturgeister, aber das große Ganze gewann; der Einzelne erntet den Fluch, aber alle den Segen ... Insbesondere verhält es sich so mit jenem großen welthistorischen Ereignisse, das die Geschichte unter dem Namen ›französische Revolution‹ in ihre Tafeln eingegraben hat ... Sie schrieb mit Blut ihre Gesetze und ihr Atem glich dem glühenden Sirocco, der die Brust austrocknet und die Lippen versengt ... Aus den blutigen Furchen, die sie mit dem Schwerte zog, sproßte eine junge, fruchtverheißende Saat ... eine neue sociale Ordnung, aus der verwesenden Leiche einer längst verstorbenen Staatsform ein neues, frisches Leben der Nation, die Idee des Staates der Zukunft.« Soviel zum Thema »Poesie, lexikonmäßige«.

FRAUEN. »Man hat sie bald Engel, bald Teufel genannt« und »weitläufig die Frage untersucht, ob sie wirklich zum Menschengeschlechte gehören« (*Brockhaus* 1827). Die Antwort war stets: Ja, aber. Nicht grundlos, schmeichelt *Brockhaus* schon 1812, »sprechen wir von dem schönen Geschlecht«: Aber nur wenn die »Kraft des Mannes« durch »weibliche Anmuth gemildert« wird, kann die »Verbindung dieser entgegengesetzten Naturen« Früchte tragen. Frauen, worunter *Brockhaus* 1875 übrigens im Gleichklang mit dem »edleren Sprachgebrauch das ganze weibliche Geschlecht« versteht, sind in allen Ländern und Kulturstufen »die Repräsentanten der Sitte, der Liebe, der Scham, des unmittelbaren Gefühls, wie die Männer die Repräsentanten des Gesetzes, der Pflicht, der Ehre und des Gedankens«. Das Weib empfindet, der Mann »erkennt das Richtige«, dieser ist »stark im Handeln, Mitteilen und Befruchten«, jene »im Dulden, Empfangen und Gebären« und somit auch dazu berechtigt, an den männlichen Schöpfungen »aufnehmend und mitempfindend« teilzunehmen. Die spätere Frauenbewegung sah Frau und Mann so eng aneinandergekettet wie Fisch und Fahrrad. 1835 drückte das *Damen-Conversationslexikon* diese Verwandtschaft noch unzynisch botanisch aus: »Das Weib ergänzt den Mann ... Er ist die Ulme, sie die Rebe; er voll Kraft, hoch emporstrebend, voll Mark, schattenreich; sie, zart, duftig, glühend im Innern, leicht zu beugen, aber voll herrlichen Feuers, fruchtbringend, begeisternd: Rebe und Ulme geben nur vereinigt ein Bild.« Wer spricht da vom schwachen Geschlecht? »Die Frau hat Alles gegen sich: des Mannes Fehler, ihre Schüchternheit, ihre Schwäche; zu ihrer Verteidigung hat sie bloß ihre Sanftmuth, ihre Schönheit. Aber zu welcher moralischen Größe, zu welcher Höhe der Kraft erhebt sich nicht das Weib! Jede Frau kann liebenswürdig sein, der Mann selten... Was wäre die Welt, die Menschheit und ihre Geschichte, würde sie nur durch Ausbrüche der Gewalt in ihrer Bahn vorwärtsgetrieben, ohne Beimischung der sanfteren Elemente?« Selbst die Fehler der Frauen sind im Grunde Tugenden. Ihre Eitelkeit etwa entspringt ja nur dem innigen Wunsche, »der Sieger möge sich seiner Beute nicht zu schämen haben«, und wenn sie den »männlichen« Mann liebt, dann nur aus Bescheidenheit und Demut: »Wie sie sich gern zu seiner Höhe zu erheben müht, verlangt sie nie, daß er zu ihr hinabsteige.« Bei uns wurden die Frauen daher von jeher höher geachtet als anderswo. Schon bei den Germanen, erinnert *Brockhaus* 1892, »war die Frau, die sich durch Zucht und Keuschheit auszeichnete, des Mannes Genossin in Freud und Leid, die Herrin im Hause, die dem Manne aber auch in die Schlacht folgte, ihn im Kampfe anfeuerte und seine Wunden verband. Die Germanen sahen in den Frauen etwas Heiliges und Weissagendes, sie suchten in schwierigen Fragen ihren Rat.« Heute muß sie nicht mehr als Schlachtenbummlerin ihren Mann stehen, und das ist gut so: »Die sentimentale Richtung entspricht dem Grundwesen der deutschen Frau, die mehr gemütvoll und häuslich-schlicht als witzig und geistreich ist, bei der daher, im Gegensatz zur romanischen Galanterie, die Liebe und der Umgangston weit eher nach der Seite des Ernstes und der Empfindsamkeit, der innigen Sympathie und träumerischen Schwermuth herüberneigte.«

FRAUENBAZAR. Der Sklavinnenmarkt von Konstantinopel ist vielleicht kein Paradies der Damen, aber man muß die »wohlgebildeten Negerinnen« (Preis: 200–300 Franken) und schönen Zirkassinnen (bis zu 20 000 Franken) nicht bemitleiden. »Sie werden versorgt und das ist doch allein das Ziel ihres Verlangens«; die Selbständigkeit der Europäerin kennen und vermissen sie nicht. Sie sind, beruhigt das *Damen-Conversationslexikon* 1835 seine Leserinnen, »wie Kinder, welche eine Perlen- oder Korallenschnur entzücken, aber kein Gedanke an eine düstere Zukunft erschüttern oder betrüben kann.« Auch hat das Leben im Harem durchaus seine Vorzüge. Der Türke, erfahren wir im Artikel »Türkei«, gilt zu Unrecht für »einen absoluten Tyrannen«; dabei darf er das Serail nur mit Erlaubnis seiner Frauen betreten, die überdies den »größten Theil des Jahres« mit Besuchen außer Haus verbringen. Schwer nachzuvollziehen, warum der Pascha unter diesen Umständen soviel Geld im Frauenbazar läßt. »Frauenhäuser« nennt *Brockhaus* 1892 übrigens jene »Wohnstätten feiler Sinneslust«, in denen einst die Hübschlerinnen und »thörichten Töchter« ihre Haut selber zu Markte trugen; die Reformation »machte diesem Unfug allmählich ein Ende«.

FRAUENFRAGE. Die Frauenfrage konnte, anders als die → **Chinesenfrage** und die Schulbankfrage (→ **Schulhygiene**), von *Brockhaus* 1892 noch nicht abschließend beantwortet werden. Fest steht nur, daß »die Rolle, welche der Frau im Unterschiede zum Manne im Geschlechtsleben von der Natur angewiesen ist, eine völlige Gleichstellung der Geschlechter für alle Zeiten unmöglich« macht. Das schließt ihre rechtliche Gleichstellung keineswegs aus. So ist die Frau bereits jetzt »nicht unfähig, Schiedsrichter zu werden« (kann aber von jeder Partei abgelehnt werden); auch behauptet fast niemand mehr, daß sie »überhaupt gesetzlich unfähig wäre, öffentliche Staatsämter zu bekleiden«. Die niedrigeren Löhne der Frauen allerdings finden »eine dauernde Stütze in der Anspruchslosigkeit und Wehrlosigkeit des weiblichen Geschlechts«; und die Sorge um Geburt und Aufzucht der Kinder kann ihnen nun wirklich »in keinem wie immer gearteten Gesellschaftszustand abgenommen werden«. Die Frauenfrage läßt sich am ehesten noch durch die Deregulierung des Heiratsmarkts lösen. Leider machen sich viele Frauen durch die Disproportionalität von geringem Vermögen und hohen Ansprüchen »erfahrungsgemäß den Männern für die Ehe minder begehrenswert«. Aber auch »mit der gedankenlosen Phrase, daß jedes Mädchen den Beruf habe, Gattin und Mutter zu werden, ist diese sehr ernste Frage offenbar nicht zu beantworten« (*Brockhaus* 1875). Eine angemessene Verheiratung hängt schließlich »nicht vom Willen derjenigen ab, die zur Gattin erwählt worden« ist. Das Kloster fällt in den »germanischen Culturstaaten« als Asyl unverheirateter Frauen weitgehend aus, und Fabrikarbeit führt »bei weiterer Verbreitung und fortgesetzter Vererbung zum Verderben des Volkes«. *Meyer* hatte 1936 eine Lösung für dieses Dilemma gefunden. Die deutsche »Frauenbewegung« (im Gegensatz zu jener »entarteten«, die nur der »internationalistisch-pazifistische Stoßtrupp« des Kulturbolschewismus ist) versucht, »die der Frau eigenen Kulturkräfte zu entwickeln und der Gesamtheit dienstbar zu machen«. Arbeit gibt es jetzt genug: »Bei dem rassischen Wiederaufbau des dt. Volkes wird der dt. Frau die Hauptaufgabe zufallen.« Von Gleichstellung und liberaler »Vermännlichung« will diese Gebärmaschine naturgemäß nichts mehr wissen. 1996 beschreibt *Brockhaus* im Artikel »Frau« die Geschichte der Frauenfrage nicht ganz zu Unrecht »als eine Geschichte des Verschweigens, der Ausgrenzung und der Absenz«, ohne dabei die »humanen und glückspendenden Möglichkeiten der Frau« zu vergessen, die »ihren kongenialen Ausdruck in Mütterlichkeit und Mutterliebe« finden können. Der Frauenbewegung sei es gelungen, »Frauenanliegen politikfähig zu machen«, »Denkanstöße« zu vermitteln und breite soziale Schichten zu »sensibilisieren«; ihren Höhepunkt habe die → **Emanzipation** aber heute »wohl überschritten«.

FRAUENKRANKHEITEN. »Der Mann ist mehr dem Zorn, der Wut und der

Raserei, das Weib mehr der List, Eifersucht und Melancholie unterworfen.« (*Brockhaus* 1892). Die Geschlechter kennen allerdings auch noch andere Gebrechen: Die Frau »oder Weib, der erwachsene Mensch weiblichen Geschlechts, im engern Sinn der verheiratete« steht in allen »körperlichen und geistigen Eigenschaften, durch die das Weib sich vom Manne unterscheidet«, im »innigsten Zusammenhange mit der Bestimmung desselben, Mutter zu werden« (*Brockhaus* 1892). Die Krankheiten des Weibes sind allerdings »im allgemeinen minder stürmisch als beim Manne; auch unterliegt der letztere einem chronischen Siechtum viel rascher als das Weib. Akute Entzündungskrankheiten sind bei dem Weibe seltener, chronische Krankheiten häufiger. Krämpfe, Lähmungen und andere Affektionen des Nervensystems, die beim Manne fast stets das Zeichen gefährlicher innerer Störungen sind, haben beim Weibe häufig keine tiefere Ursache und heben sich oft unerwartet rasch wieder.«

FRAUENSTUDIUM war *Brockhaus* 1892 wenigstens einen Versuch wert: »Diejenigen, welche an die Befähigung des weiblichen Geschlechts für das Gebiet höherer Geistesthätigkeit nicht glauben, haben am wenigsten Ursache, die Möglichkeit einer praktischen Probe abzuschneiden. Daß das Frauenstudium große Dimensionen annehmen und das weibliche Geschlecht seiner natürlichen Aufgabe entfremden wird, ist nicht anzunehmen. Die Möglichkeit, später zu heiraten, wird stets eine weitergehende Verbreitung des Studiums hemmen.« 1902 konnte *Meyer* den geglückten Ausgang des Experiments melden: »Die Erfahrung lehrt, daß Frauen ganz wohl mittlern Ansprüchen der Berufsstudien gerecht zu werden vermögen.« Die männliche Besorgnis, man bilde damit ein Volk von →**Blaustrümpfen** heran, »ist mindestens übertrieben«. Das Frauenstudium wird »aus naheliegenden Gründen stets auf engere Kreise begrenzt bleiben. Wo es einmal über das natürliche Bedürfnis, durch besondere Umstände ermuntert oder agitatorisch gepflegt, hinausgreift, bleibt die Reaktion gewiß nicht aus.«

FREIHEIT. Pech hatte der Bearbeiter des Artikels »Freiheit«, weil der entsprechende Band von *Meyer* (1839–55) ein Jahr »zu früh« (1847) erschien. Ein Jahr nach dem revolutionären »Völkerfrühling« zog das Lexikon ganz andere Saiten auf (→**Staatengemeinschaft**), aber jetzt hielt man sich noch ganz zurück. »Freiheit« wurde vorpolitisch als »sich stufenweise bildendes Vermögen von der Wiege zum Grabe« definiert. »Bei dem Kinde erwacht sie erst mit dem Bewußtsein; sie ist zuerst Volition, dann Instinkt, wird nun tierische Willkür und tritt mit dem vollen Erwachen des Ichs als volle Seelenkraft hervor… Im Jugendalter erwacht die Lust, die Liebe zur Welt und zu den Vergnügungen des Lebens… Noch tiefer greift die reife Kraft des männlichen Alters in die Verhältnisse des Lebens ein … es steht ihm nun die schauende Vernunft, die Klugheit, die Erfahrung zur Seite… Im Greisenalter endlich nimmt die Freiheit eine Richtung nach innen; die Rechtsbegierde weicht der Innigkeit und Liebe, der Ehrgeiz der ruhigen Besonnenheit, die Einbildungskraft verblüht und die Leidenschaften ermatten. In dem sich enger schließenden Bewußtsein ist die Freiheit reif für diese Erde und bedarf eines neuen Reizes in einer höheren Welt.« Wenn es lexikalisch um Freiheit ging, hatten Frauen ausgesprochen schlechte Karten – sie kamen gar nicht vor. Aber die männliche Freiheit ist ja auch nicht viel mehr als ein Reifeprozeß bis zur Einsargung – trosteshalber – »in eine(r) höhere(n) Welt«.

FREMDE. »Die Gesetzgebung eines Volkes in Bezug auf die Fremden ist ein Maßstab seiner Cultur. Rohe Völker behandeln meist die Ausländer als Feinde und als rechtlos ... Wirklich gebildete Völker gestehen dagegen dem unverdächtigen Fremden das Recht zu, ihr Gebiet zu betreten und mit ihnen zu verkehren, ja rufen sogar nicht selten solche Kategorien von Fremden, von denen sie Nutzen für die Entwicklung hoffen, ins Land.« (*Brockhaus* 1875). Dieser Ton verstummt innerhalb von gut zwanzig Jahren so gut wie vollständig in den Konversationslexika. *Meyer* behandelt (1902) nur das Adjektiv »fremd« als »Gegensatz zu einheimisch« bzw. »alles (Person oder Sache), was nicht der Heimat angehörig ist« und geht dann über zu juristisch-administrativen Bereichen in den Artikeln »Fremdenpolizei« und »Fremdenrecht«. Thema ist nicht mehr die kulturelle Dimension des Verhältnisses von Fremden und Einheimischen, sondern allein die rechtlich-administrative Ab- und Ausgrenzung der Fremden. →**Emigranten**, →**Auswanderungslust**, →**Asylrecht**, →**Einwanderung**.

FREMDWÖRTER. »Die Eindringlinge wieder auszumerzen«, schrieb *Brockhaus* 1892, »ist eine berechtigte nationale Forderung und eine Forderung des guten Geschmacks.« *Meyer* macht die militante Sprachreinigung 1936 sogar zur nationalen Pflicht: Der Nationalsozialismus habe die »Gefahren der Fremdwörter wohl endgültig beseitigt«; die Franzosen bezeugten den Tiefstand ihrer Kultur schon durch »meist fehlerhafte« Germanismen wie L'Edelweiß oder Le Krach. *Meyer* rühmte 1902 die Assimilationskraft der deutschen Sprache, die (wie noch heute bei Franz Beckenbauer) »Chance« in »Schanze« und »bleu mourant« in »blümerant« verwandelt habe. 1971 waren die Fremdlinge dann weitgehend eingebürgert. *Meyer* hält die Fremdwörter jetzt für »oft genauer und sachlicher und weniger mit Gefühlswerten und Assoziationen verbunden« als ihre deutschen Entsprechungen: »Mit ihrem besonderen Stilwert können sie die Sprache bereichern.« Allerdings sind die von *Brockhaus* 1892 gefeierten Etappensiege, die Heinrich von Stephan damals gerade im Kampf gegen die frankophile »Ausländerei« im Eisenbahn- und Postwesen errungen hatte – Briefumschlag statt Couvert, Bahnsteig statt Perron, Fahrkarte statt Billet –, von den Nachfolgeorganisationen Telekom und Bahn leichtfertig verspielt worden.

FREUNDSCHAFT. »Freundschaft, dieses milde sanfte Sternen- und Mondlicht in der Nacht der Leiden, die Milchschwester der Liebe, wer wünscht und sucht sie nicht?« fragt 1835 das *Damen-Conversationslexikon*. Der Mann findet sie jedenfalls nie. Im Reich der

Freundschaft verhält er sich zur Frau »wie Talent zu Genie«. Das Weib ist die geborene Freundin. Der Mann dagegen, von Natur aus verschlossener und nüchterner, kann sich allenfalls an ihrer Milchschwester schadlos halten: »Freundschaft unter Männern ist darum seltener, am seltensten zwischen Männern von gleichem Geschäfte.« *Meyer* hält 1902 die Geschäftsfreundschaft immerhin für die niedrigste Form der Freundschaft. »Nicht viel höher« zu bewerten ist das »bloße Wohlgefallen am Umgang (z.B. Mädchenfreundschaften oder Freundschaft am Biertisch)«, das *Meyer* aber immerhin zur »ästhetischen Freundschaft« adelt. Am höchsten steht jedoch die ethische Freundschaft, die aus dem Gefühl echter innerer Übereinstimmung wächst. »Im 19. Jh. hat die Schätzung der Freundschaft einen entschiedenen Rückgang erfahren.«

FRIEDE. »Weder der bellum omnium contra omnes« (der martialisch maskuline Artikel belegt zumindest, daß der immer noch hochgelobte humanistische Bildungsstand im 19. Jahrhundert nicht beim Nennwert zu nehmen ist) »noch der Ewige Friede ist der Ausgangs- oder Zielpunkt der menschlichen Gesellschaft und des Staatenverkehrs, und das Kriegsrecht wird so lange das jus eminens des Staates bleiben als es eine Mehrheit souveräner Staaten nebeneinander gibt« (*Brockhaus* 1875). Dieses vermeintlich »herausragende Recht« der Staaten auf Krieg nannte Kant schon 1796 »die barbarische Freiheit der schon gestifteten Staaten«, aber diese unerhörte Formulierung paßte nicht mehr in die Bismarckzeit. Kants Friedensschrift wird verharmlosend als Beschwörung eines »idealen Zustandes« dargestellt. *Meyer* (1902) bietet eine zeitgemäße Eminenz auf, um den Königsberger Aufklärer zu widerlegen: »Der ewige Friede ist ein Traum und nicht einmal ein schöner Traum. Der Krieg ist ein Element der von Gott eingesetzten Weltordnung. Die edelsten Tugenden entfalten sich daselbst« (Generalfeldmarschall Helmut von Moltke, 1800–1891). Sein Neffe und persönlicher Adjutant, Helmuth Johannes von Moltke (1848–1916), konnte als Chef des Generalstabs noch in den Ersten Weltkrieg ziehen und erfahren, wie sich dabei »die edelsten Tugenden« in den Materialschlachten entfalteten.

FRIEDENSMÄRSCHE »bezwecken die Versetzung einer Truppe von einem Ort zum andern, für ihre Anordnung und Ausführung sind nur disciplinäre, sanitäre und ökonomische Rücksichten maßgebend« (*Brockhaus* 1892).

FRIGIDITÄT. Im *Brockhaus* findet sich 1892 unter dem Artikel »frigid« die Erklärung: »kalt, kaltsinnig, gefühllos; frigidieren, kühl, kalt machen; Frigidität, Kälte, Kaltsinn, Gleichgültigkeit«. Im *Meyer* von 1902 (Artikel »Sexualpsychologie«) wird die Frigidität – sicherlich zum Widerwillen heutiger Narkoseärzte – als »Anästhesie« bezeichnet, die bei der Frau »teils angeboren, teils erworben sein kann«. In gewissem Widerspruch dazu steht die Geschlechtersoziologie des *Meyer* von 1902 (Artikel »Gemüt«), wonach »der reine Verstandesmensch, der immer ›kalt‹ bleibt und nur aus nüchterner

Berechnung handelt«, ein »ebenso ungesundes Extrem« bezeichnet wie der »reine Gemütsmensch, der durch äußere Eindrücke nur zu Gefühlen, nicht zu Gedanken angeregt wird und nach seiner jeweiligen Stimmung, nicht nach klaren Grundsätzen handelt, bzw. überhaupt energischer Tatkraft ermangelt. Jenes kommt beim männlichen, dieses beim weiblichen Geschlecht am häufigsten vor.« 1928 fängt der *Brockhaus* an zu psychologisieren und erkennt als Ursache der Frigidität »bestimmte, oft schon in früher Jugend stattgehabte Sexualerlebnisse und Gefühlsverdrängungen, bedingt durch psychische Hemmungen, die das Bewußtwerden der Lustgefühle verhindern«. Im *Brockhaus* von 1966 sind im Artikel »Sexualneurosen« diverse »Unstimmigkeiten im sexuellen Funktionsablauf und Erleben« verzeichnet, wobei jedoch »wie bei allen Neurosen« die Störung funktionell ist, »d. h., es liegt kein besonderer anatom. Befund vor«. 1996 tadelt *Brockhaus* den Begriff Frigidität als »unpräzisen Ausdruck für sexuelle Empfindungslosigkeit bzw. ›Gefühlskälte‹ der Frau in sexueller Hinsicht«. Das Lexikon sieht als »eigentl. Ursache der Frigidität« entweder »Erziehungsfehler« oder »mangelndes Einfühlungsvermögen ihres Partners oder dessen Unkenntnis über den sexuellen Reaktionsablauf der Frau«.

FRISCHZELLEN sind im *Brockhaus* 1928 noch kein eigener Eintrag, dafür findet sich unter dem Artikel »Organtherapie« eine ähnliche Behandlungsmethode, unter der allerdings auch die bis heute übliche Hormonersatztherapie aufgeführt wird. Während der Erfinder der Frischzellentherapie, der Schweizer Paul Niehans, meist Gewebeextrakte von Schaf, Kalb oder Schwein verwendete, scheint *Brockhaus* 1928 noch auf rein menschliche Ressourcen zurückgreifen zu wollen. Das Lexikon berichtet, daß »man seit 1926 im Leberextrakt, später auch im Magenextrakt, ein überaus wirksames Mittel zur Behandlung der Biermerschen Krankheit gefunden« hat, und glaubt, »im Milzextrakt ein entsprechendes Mittel gegen die krankhafte Vermehrung der roten Blutzellen (Polyzythämie) zu haben«. Doch das ist nicht alles. »Von Interesse sind ferner auch neuerdings Versuche mit Extrakten aus Herzmuskel (Hormocardiol) sowie aus Skelettmuskel (Lacarnol, Myoston) für die Behandlung von Erkrankungen des Herzens geworden.« Den Mythos vom Jungbrunnen, der die Frischzellen besonders in den 1950er bis 1970er Jahren umgab, deutet *Brockhaus* 1928 bereits an: »Nachdem schon die Volksmedizin sich rein instinktiv jener Stoffe bedient hatte, konnte (1887) Brown-Séquard durch Verwendung von Hodensaft Erscheinungen des Alterns zum Schwinden bringen.« Der Hodensaft hat sich nicht bis in unsere Tage durchgesetzt, dafür werden Bestandteile der Plazenta zur Anfertigung von Creme- und Salbenpräparaten gegen das Altern verwendet.

FRISEURE sind in den letzten Jahren kreativ geworden und nennen ihre Etablissements neuerdings »Haarmani«, »Kopfsalat« oder »Haarem«. Der Friseur unserer Tage versteht sich nicht länger nur als schnöder »Handwerker, der die Pflege des Haupthaares und des Bartwuchses zur Aufgabe hat, also Rasieren, Haarschneiden, -waschen und -formen, ferner auch Kopfmassage und die Anfertigung künstlicher Haararbeiten«, wie *Brockhaus* 1928 schreibt. Unter den »körperlichen und geistigen Voraussetzungen«, die das Lexikon aufführt, wird schon das Streben nach Höherem erkennbar. Von »völliger Beweglichkeit der oberen Gliedmaßen« und »Handgeschicklichkeit« ist dort ebenso die Rede, wie von »Formensinn« und »Sprachgewandtheit«. Daß »Schweißhände, Hautausschläge, starke Behinderung der unteren Gliedmaßen« im *Brockhaus* von 1928 berufsuntauglich machen und auch heute nicht gerade zum Friseur prädisponieren, versteht sich. Weitere Informationen bietet das Standardwerk von »Karl Müller: *Der Friseur* (Am Scheidewege, Bd. 69, 1920)«.

FROSCHLAICHBAKTERIUM. »(Leuconostoc mesenterioides van Tieghem), der die Froschlaichzersetzung (Schleimgärung) des Rübensaftes bei der Zuckerfabrikation erzeugende Mikroorganismus« (*Brockhaus* 1892).

FÜHRER, »lat. dux, 1) Führung, → **Herrschaft.** 2) Bergführer; auch Reisehandbuch. 3) Musik: das Thema der Fuge in seiner ersten Aufstellung« (*Brockhaus* 1952). Mit diesem Diät-Artikel wollte man offensichtlich »den« Führer ganz weit weg in die Vergangenheit verbannen.

FUSSBALL. »Ein in England bei der erwachsenen Jugend sehr beliebtes Nationalspiel«, das von zwei Parteien von »gewöhnlich 15 (jedoch auch bis zu 50) Personen« gespielt wird. Das seltsame Spiel hatte nach Auskunft des *Brockhaus* von 1892 »neuerdings auch in Deutschland Eingang gefunden«. Freilich auch bereits Feinde, wie K. Plancks 1898 erschienenes Pamphlet gegen die »Fußlümmelei« jener »feuchtohrigen Laffen« bezeugt, die mit ihren »frisch aus Albion geholten Flicken und dem breitesten englischen Bulldoggengesicht« diesem widernatürlichen Aftersport huldigten. Die Flikkenträger waren für *Brockhaus* 1892 durch ihre »verschiedenfarbigen Flanellanzüge« aber noch leichter auseinanderzuhalten als ihre oft seltsamen Versuche, den »mit Leder überzogenen Gummiball« – *Meyer* beschreibt ihn 1902 dagegen als »mit weichem Leder überzogene Ochsenblase« – »nur mit Hilfe der Füße auf das Gebiet der Gegenpartei zu bringen«; kein Wunder, da der Ball oft »über Wege und Felder hinweg durch das gegnerische Dorf- oder Stadttor« (*Brockhaus* 1996) getrieben wurde. 1928 sah *Brockhaus* den Sinn dieses »Kampfspiels zwischen zwei Mannschaften« darin, den »Ball ins feindliche Tor zu stoßen«; die Läufer bildeten das »Rückgrat der Mannschaft«. 1971 hatte man den Ball nach *Meyer*s zivilerer Spielordnung »nach bestimmten Regeln über die Torlinie zu spielen«; die »früher gebräuchlichen Bezeichnungen Verteidiger, Läufer und Stürmer sind fast völlig verschwunden«. Bei allen taktischen Umstellungen ging es aber von jeher rustikal zur Sache, wie schon aus *Brockhaus*' »Calcio«-Artikel von 1827 hervorgeht: »Man zieht mit fliegenden Fahnen und kriegerischer Musik auf den Kampfplatz und stellt sich in zwei Parteien vier Mann hoch gegenüber.« Jeder Spieler hat genug »Raum, das seinige zu thun, wenn der Ball vor seine Füße kommt«, doch kommt kaum einer »ohne mit Blut unterlaufenen Waden und Schienbeinen davon«. »Eine Schattenseite dieses nützlichen Bewegungsspiels«, bedauert *Meyer* noch 1902, »bleibt es, daß Drängen, Stoßen und Ringen dabei unvermeidlich sind und im Eifer zuweilen Ausschreitungen begangen werden.« 1936 hatte sich die ungestüme Fußlümmelei der deutschen »Rumpelfüßler« (Franz Beckenbauer) so weit vervollkommnet, daß *Meyer* »unter Ballbehandlung sauberes und sicheres Schießen, Stoppen und Dribbeln des Balles« verstehen konnte. Anders als in England gebe man im nationalsozialistischen Deutschland »heute dem sinnvollen und zweckmäßigen Zusammenspiel (Kombination) den Vorzug«. Fußball blieb allerdings eine Schule »harten Draufgängertums und ritterlichen Verhaltens«. Erst nach 1968 wurde er als Kompensation für »phys.-psych. Deformationstendenzen der modernen Arbeitswelt« und ritualisierter Rangkampf in »Gruppen ansonsten homogener Unterprivilegierter« durchschaut, kurz: als »massenmäßige ›Ersatzbefriedigung‹« für Aggressions- und Frustrationspotentiale, die »im ›ordentl.‹, ›friedl.‹ Leben nicht ›entladen‹ werden können« (*Meyer* 1971). Die soziologisch kontrollierte Offensive führte zu verstärkten Defensivbemühungen. Heute, schreibt *Meyer*, werde der »größere Wert auf die Deckung des eigenen Tores und die Abwehr des gegnerischen Angriffs gelegt«. Die Wahrheit liegt auf dem Platz, aber Tore gelten nicht mehr als »erstes Ziel«.

FUSS-SCHWEISS. »Die Schwitzung derer Füße« ist nach Beobachtungen von *Zedlers Großem vollständigem Universal-Lexicon* von 1734 »nicht nur eine sehr gemeine Excretion«; sie verursacht bei »ungehindertem Success« auch »einige Incommodiae«, worunter man sich vor allem den Geruch zu denken hat. Andererseits bewahrt der Fußschweiß vor »kranckIichen Anfällen« und »beschwerlichen Feuchtigkeiten«, bösen Augen, → **Schwindel** und »Schwerigkeit des Kopfes«. Bierling behaupte darum von sich, er befinde sich nur »so lange ihm die Füße schwitzten bei völliger Gesundheit«. *Ersch/Grubers Allgemeine Encyclopädie* nennt 1850 unsere Kenntnisse über diese »so zahlreiche und bedeutende Krankheitserscheinung in Hinsicht auf Quantität und Qualität zur Zeit noch sehr dürftig«. Der Autor des Artikels, Dr. med. Gruber, hat unserem Wissen über diese bedeutsame »kritische Ausscheidung« aber wenig qualitativ Neues hinzufügen können.

G

GALANTERIE. Inbegriff des artigen, weltmännischen Betragens, vor allem gegenüber dem weiblichen Geschlecht. Der alte *Zedler* definierte 1735 Galanterie noch als »anständige Weise, in Worten, Reden, Umgang, Kleidung sich klüglich, freudig und ungezwungen aufzuführen und dadurch bei jedermann beliebt zu machen«. Allerdings ist die

Unsitte, Pferde und Häuser galant zu nennen, beim »Pöbel sonderlich eingerissen«. *Brockhaus* mißtraut der Galanterie 1892 unverhohlen, weil sie, wie alles Französische, »nicht aus der Anerkennung innerer oder äußerer Vorzüge der Frauen« hervor-, sondern oft ins Unanständige übergeht. So verbinde man mit der Sucht, »durch Entwicklung von Witz und Geist wie durch gewinnende Umgangsformen zu glänzen«, nicht zu Unrecht »häufig sogar den Nebenbegriff der Sinnlichkeit und der lockern Sitten«. Unter »Galanteriefieber« versteht *Zedler* nicht etwa die Franzosenkrankheit, sondern eine 1712 nach einer »empfindlichen May-Monaths-Hitze« in Europa grassierende Seuche. »Galantismus« gilt ihm auch als eine Art Epidemie, nämlich der Mißbrauch der Gelehrsamkeit durch reformpädagogische »Stutzer«. Sie betrachten Lateiner als trockene Schulfüchse und »die alte Art zu studieren« als lächerliche Pedanterie, sie lehren »statt Grammatik Politic« und befleißigen sich einer abgeschmackten »Schul-Meister-Methode ohne Zucht und Ordnung«. Nach deren Rahmenrichtlinien bekommen die Schüler Brei vorgesetzt, wenn sie »ego lingo« konjugieren sollen, müssen bei »remigo« mit den Armen rudern, »und es fehlte nicht viel, daß sie nicht in andere Welt geschiffet wären.« Galantistisch in diesem Sinne sind auch jene affektierten deutschen Gelehrten, die ihre Bücher »memoires, reflexions, pensees iudiceux« nennen und ungeniert für die Journale schreiben, weil sie anders nicht »vor einen Gelehrten gehalten« zu werden fürchten. Wir lernen: »Die Worte, die auf ismus endigen, haben gemeiniglich eine schlimme Bedeutung und pfleget man sonderlich denen Secten und Ketzereyen zu geben.«

GALOPADE. Wilder Modetanz im Dreivierteltakt, der »trotz aller Einwendungen der ihm leidenschaftlich ergebenen Jugend dennoch das traurige Vorrecht (behauptet), noch zerstörender als die sonst so verrufenen Walzer auf die Gesundheit zu wirken« (*Damen-Conversationslexikon* 1835). Die schnellen Bewegungen und das »mänadenähnliche Umherdrehen« geben ihm »nicht nur ein sehr unästhetisches Ansehen, sondern verursachen auch eine höchst verderbliche Hemmung des Athmens, namentlich bei den nach der Mode zu Wespen geschnürten Tänzerinnen, und werden Ursache vieler und schwerer Krankheiten« – ähnlich wie später Petticoats und hodenquetschende Jeans beim Rock 'n' Roll. Grazie und Anstand der Mädchen blieben natürlich auf der Strecke; die halbstarken Männer büßten statt ihrer Zeugungsfähigkeit aber nur ihre »sittliche Kunstfertigkeit« ein.

GASKAMMEROFEN. *Brockhaus* verweist 1952 auf »keramische Öfen« und verzeichnet auf etwa sechs Seiten rund vierzig Komposita, darunter auch den »Gaskrieg« mit dem Hinweis, im Koreakrieg würden keine Kampfgase verwendet. Zu den Gaskammern in den nationalsozialistischen Vernichtungslagern kein Wort.

GASTMAHL. Lange pflegte *Brockhaus* die Kulturgeschichte des Gastmahls vom goldenen Zeitalter bis auf die Gegenwart mit nachgerade schmatzendem Behagen abzuhandeln; heute ist sie ihm gerade noch drei dürre Zeilen wert. *Zedler* kannte und schätzte 1735 eine »köstliche Mahlzeit, womit eine ansehnliche oder liebe Gesellschaft bedienet und nebst Speise und Tranck mit liebreichen Gesprächen oder auch anderer Ergötzlichkeit vergnüget wird«. Die Gastronomie indes war ihm noch unbekannt, dafür rühmt er die »Gastra« als Vorläufer des öffentlichen Pissoirs bzw. der Waschmittel: »Gewisse Töpfe oder Eymer, so die Fullones in Rom an die engen und finstern Wege setzten, damit die Leute ihr Wasser daselbst abschlagen konnten, welches sie gar nothig brauchten, die schmutzigen Kleider wiederum weiß und rein zu machen.« Das *Damen-Conversationslexikon* versteht 1835 unter »Gastronomie« die »Kunst, nach Regeln fein zu schwelgen«, beruhigt zartere Mägen jedoch: »Der Deutsche ist im Essen kein römischer Wüstling ... Seine liebsten Gerichte sind seine heimathlichen; der Freund der Seefische heißt bei uns schon Gourmand.«

GEBÄRMUTTER. Der optimalen Betreuung von Kranken und Pflegebedürftigen kann nicht genug Aufmerksamkeit gewidmet werden. *Brockhaus* spricht 1892 in dem Artikel »Gebärmutterkrankheiten« gelassen aus, was keineswegs nur bei → **Frauenkrankheiten** gelten mag – Armut und Bedürftigkeit gehören einfach verboten: »Ebenso ist gebärmutterkranken Frauen das Wohnen in kalten und feuchten Räumen, in Souterrains und Neubauten gänzlich zu verbieten, da eine gesunde, sonnige und trockne Wohnung für Heilung derartiger Krankheiten ganz unumgänglich erforderlich ist.«

GEBURT ist ein Schritt zu mehr Autonomie, weiß der *Brockhaus* schon 1812. Denn wenn die Frucht »ihre gehörge Zeit« in der Gebärmutter zugebracht hat, »und im Stande ist, ein selbstständiges Leben zu führen, so reißt sie sich von der Mutter los, um das ihr nach ihrer Art zukommende Leben, unabhängig von jener, zu leben«. Im *Brockhaus* von 1864 wird die Geburt medikalisiert, es geht ausführlich um Fehlgeburt, Frühgeburt und Spätgeburt. Seit sich die Medizin zu Beginn des 19. Jahrhunderts von Diätetik und Säftelehre verabschiedete und naturwissenschaftliche Verfahren einführte, wurde der menschliche – besonders der weibliche – Körper zunehmend der Vermessung und Pathologisierung unterworfen. In diesem Prozeß, der bis heute fortdauert, hält *Brockhaus* 1892 noch einmal inne und besinnt sich: »Das Gebären selbst ist demnach an und für sich ein physiologischer Prozeß, das heißt eine Verrichtung des weiblichen Körpers, die in seiner Natur und Bestimmung begründet ist.« Daß die Geburt »in der Mehrzahl der Fälle nachts zwischen 12 und 3 Uhr« stattfindet, konnte in wissenschaftlichen Studien bis heute nicht bestätigt werden.

GEDANKENLESEN. »Der Name Gedankenlesen würde ... besser durch ›Muskellesen‹ ersetzt; denn der Gedankenleser liest in Wahrheit nicht in den Gedanken des Mediums, sondern dieses wird durch seine unwillkürlichen und unbewußt bleibenden Muskelbewegungen und durch seine Aufregung selbst zum Verräter seines Gedankens.« (*Brockhaus* 1892).

GEFÄNGNISWISSENSCHAFT. Die Auseinandersetzung darüber, wie Delinquenten zu bestrafen seien, trieb eine »Gefängniswissenschaft« hervor (*Brockhaus* 1882, Artikel »Gefängniswesen«): Wo »Wissenschaft« entsteht, liegen überall »Systeme, Theorie und Praxis, finanzielle Staatsinteressen ... miteinander im Kampfe und verwirren die öffentliche Meinung«. Besonders umstritten war die Isolierung der Gefangenen mit der Hoffnung, »das unbedingte Schweigegebot« trage zur Reue und Besserung der Delinquenten bei (→Abschreckungstheorie, →Folter). *Brockhaus* stellte fest, das amerikanische »silent system« widerstrebe »der menschlichen Natur«, weil »der Anreiz zu Mitteilungen in der Tatsache der Gesellschaftlichkeit der Verbrecher« liege und das Schweigesystem nur mit »harten Disziplinarstrafen« durchzusetzen sei. Daß in der Isolationshaft »ein gewaltiger Fortschritt« gesehen wurde, obwohl zugleich eingeräumt wurde, daß »mehrjährige Einzelhaft höchst gefährlich ist«, gehört zu den Inkonsistenzen des Lexikons wie der »Gefängnismaschine«, die sich als »Vollzugstechnik« nicht auf »eine Handlung«, sondern auf »ein Leben bezieht« (Michel Foucault). Im Artikel ist die Rede von einer »selbständig gewordenen ›Gefängniswissenschaft‹«, die sich bemühe, »gemeingültige Erfahrungsgesetze und Regeln für das Gefängniswesen aufzustellen«. Michel Foucault zitiert in *Überwachen und Strafen* (1975) auch einige deutsche Quellen, aber das Lob für die »fast selbständig gewordene ›Gefängniswissenschaft‹« hätte er denn doch wohl sehr apart gefunden in seiner Analyse des Diskurses über die Zurüstung von Körper und Geist im neuzeitlichen Gefängnis.

GEFÜHL. »Das Gefühl kann schnell erregbar, aber bald vorübergehend seyn, oder auch tief eingreifen und dauerhafte Empfindung werden; so kann die Erregung des Begehrungsvermögens schnell auflodernd oder vorübergehend, oder auch langsam erregbar seyn, aber wenn es einmal aufgeregt ist, zu bleibender Thatkraft werden.« (*Brockhaus* 1812). 1875 forderte *Brockhaus* von einem »gesunden und männlichen Charakter« die Balance von Gefühl und Verstand, noch 1892 sah er das Gefühl »mannigfaltigen Irrtümern und Täuschungen« aus- und fast »immer der ruhigen Überlegung« entgegengesetzt. Selbst der neueste *Brockhaus,* dem doch alles Wissen der Welt zu Gebote steht, verharrt 1996 einigermaßen ratlos vor diesem »Grundphänomen des subj., indiv. Erlebens, das jedem bekannt ist, sich unmittelbarer Erfahrung jedoch entzieht«. Das weibliche Gefühl ist nach Auffassung des *Damen-Conversationslexikons* von 1835 weniger trügerisch, nämlich schwächer: »Es gibt einen Mittelweg zwischen Ignoranz und Vielwisserei; der ist für Frauen; es führt ein Pfad zwischen Strenge und krankhafter Hingebung gegen alle Eindrücke, der ist für das edle Weib. Das Weib sei reizbar, d. h. es soll keiner gewaltsamen Anregung bedürfen, um für oder gegen Etwas eingenommen zu sein ... Eine edle Frau gewahre keine Thräne, ohne sie im tiefsten Herzen mit zu weinen.« Im Gefühl erlittenen Unrechts das Auge niederzuschlagen, ist ein Heiligenbild »wahrer weiblicher Schwäche«. Diese ist nämlich »das bescheidene Anerkennen nothwendiger Selbstbeschränkung, persönlicher Unzureichbarkeit im Leben und der hieraus folgenden Abhängigkeit vom Manne... Die Lippen fest, das Auge halb geschlossen, die rechte Hand am Herzen, die Linke gen Himmel, sitzend neben dem stehenden Manne, unter schimmernden Engeln: so male man ein edles Weib, und will man einen weiblichen Engel malen, so male man ihn ohne Flügel.«

GEHEIMMITTEL sind im *Brockhaus* von 1892 »wirkliche oder angebliche Arzneimittel, deren Zusammensetzung geheim gehalten wird«. Dabei steht der Preis dieser Mittel »meist in solchem Mißverhältnis zu dem natürlichen Wert, daß bei ihrem Vertrieb eine verwerfliche Ausbeutung der Käufer stattfindet«. Die Geheimmittel sind so geheim, daß *Brockhaus* 1892 in sieben eng bedruckten Spalten die »bekanntern« und ihre Zusammensetzung mit ihrem Preis und dem eigentlichen Wert preisgibt. Da ist etwa die »Barterzeugungspomade von Royer, besteht aus 1 Teil gepulverter roter China und 15 Teilen schlechter Pomade, kostet 2 M. 90 Pf., wäre aber um 20 Pf. herzustellen«. Andere Geheimmittel sind das »Eau d'espérance von Rothe, unübertreffliches Schönheitswasser, enthält Alkohol, Salicylsäure und Borax und kostet 3 M., wirklicher Wert 50 Pf.«, die »Gedächtnislimonade von Rauser«, oder auch der »Jugendspiegel, zuverlässiger Rat und sichere Hilfe für Geschwächte und Impotente«.

GEHEN »ist die gewöhnlichste Art der Ortsbewegung beim Menschen« schreibt der *Brockhaus* 1864. →**Auto.**

GEHIRN ist von unsicherer Farbe. Im *Brockhaus* ist es 1812 eine »theils röthlich graue theils weißliche, in der Hirnschale befindliche« Substanz. Es ist »um so größer und schwerer, je jünger der Mensch ist«, mit dem Alter wird es »spezifisch leichter«. *Brockhaus* weiß 1864, daß »man über die Function der einzelnen Hirntheile« ... »wenig Bestimmtes« weiß. Dieser »entschiedene Mangel unserer Kenntnisse in Betreff der speciellen Functionen der übrigen Hirntheile« führt zu den »hauptsächlichen Vorwürfen« gegen Kranioskopen, Phrenologen und andere cerebrale Spökenkieker. *Brockhaus* stellt 1892 trotzdem Berechnungen an und beschreibt eine »weißliche oder graue Masse«, die »beim Manne im Durchschnitt zwischen 1300 und 1500 g, bei der Frau aber durchschnittlich 125 g weniger wiegt«. Wir ersparen uns die Schlußfolgerungen. Außerdem finden »Überstrahlungen und Reflexe« überhaupt »sehr leicht im Gehirn, selbst bei bewußtlosem Zustand, statt, wie eine Reihe unwillkürlicher, aber zweckmäßiger Bewegungen bei Schlafenden, Chloroformierten und Hypnotisierten beweist«.

GEISTERSEHEREI wurde leider auch durch die »Phantastereien von sonst um die Wissenschaft verdienten Männern verbreitet, hauptsächlich in Scene gesetzt aber von Betrügern und Charlatanen« (*Brockhaus* 1892). Einer dieser »verblendeten Selbstbetrüger« war J. Beaumont, der von Geistern berichtete, die sangen, ihn schlugen und sich sogar zu ihm ins Bett legten. So hielt der Fortschritt Einzug in die Geisterseherei: Der Morsetelegraph zog das »Geisterklopfen«, die Daguerrotypie die Geisterphotographie nach sich. Mit dem Tonband kamen die Geisterstimmen auf, mit dem Auto die Geisterfahrer. Inzwischen ruht die transpersonale Kommunikation mit dem Jenseits auf der technologisch gesicherten Grundlage der Neuen Medien.

GEISTESKRANKHEITEN. »Die ziemlich allgemein verbreitete Annahme, daß die neuere Civilisation das Entstehen von Geisteskrankheiten begünstige, ist streng wissenschaftlich nicht zu erweisen«, schreibt *Brockhaus* 1892. Widerlegt werden konnte sie bisher aber auch nicht.

GEISTESSCHWÄCHE läßt sich systematisch kaum fassen. *Brockhaus* versuchte 1892 wenigstens eine Hierarchie zu liefern. Ganz unten steht demnach der angeborene oder nach »mißglückten →**Erhängungsversuchen**« auftretende Blödsinn, darüber der Stumpf- und endlich der Schwachsinn, der in die »Dummheit« übergeht. Das Perfide und Paradoxe daran ist, daß es großer Geistesstärke bedarf, um Geistesschwäche bei anderen zu erkennen. Vor allem Delinquenten verwenden oft viel Scharfsinn und kriminelle Energie darauf, sich dümmer zu stellen, als die Polizei erlaubt, »so daß event. große psychiatrische Erfahrung nötig ist, um sie klar nachzuweisen. Schwachsinnige blenden oft Unkundige durch eine gewisse Schlauheit und Verschlagenheit … Auch simulieren mäßig Schwachsinnige nicht gar selten höhere Grade von Geistesschwäche und zeigen hierbei (infolge ihrer Urteilsschwäche) häufig eine große Kühnheit. Bei der Simulation Verdächtigen hat deshalb der Experte hierauf Rücksicht zu nehmen.«

GEMEINGEIST. »Demokratie« definiert *Brockhaus* (1819) als »Herrschaft der blinden, veränderlichen Volksgunst und des Neides über das Verdienst«. Generell galt sie damals als Einrichtung der »alten Zeit«: »In der neueren Zeit gediehen die Demokratien nicht.« Besonders zahlreiche Versuche, sie gedeihen zu lassen, gab es damals freilich nicht. Und an anderer Stelle heißt es – der Möglichkeit nach mit demokratischer Tendenz – über »Gemeingeist«: »Die Theilnahme, welche die Actionärs an der Staatsgesellschaft (die Bürger) nehmen, heißt der Gemeingeist. Er ist nur da vorhanden, wo die Gemeine selbst die Angelegenheiten besorgt, und practisch Hand ans Regieren und Verwalten legt.« (*Brockhaus* 1819).

GEMÜTLICHKEIT war *Zedler* 1735 noch unbekannt. Das *Damen-Conversationslexikon* versteht darunter 1835 das dem Deutschen eigentümliche »gemäßigte Temperament«, das ihn vor allen anderen Völkern auszeichnet. »Der Franzose z. B. weiß nicht viel von Gemüthlichkeit, wofür er auch kein Wort hat.« Das mediterran aufbrausende Temperament hat Folgen auch für die Literatur. »Die Spanier leuchten, die Italiener strahlen, die Franzosen schimmern«; beim Engländer wird der warme Hauch der Gemütlichkeit vom »scharfen Wind der Politik abgekühlt«. Nur der zarter besaitete Deutsche, der eine schöne Mitte zwischen südlicher Glut und kalter Melancholie hält, versucht's auch mal mit Gemütlichkeit; darum sind unsere Dichter allen andern überlegen. 1892 definiert *Brockhaus* Gemütlichkeit ernüchtert als Fähigkeit eines Menschen, durch »seine eigene Gemütsäußerung das Gemüt eines andern Menschen in einen angenehmen Zustand« zu versetzen. *Meyer* hält 1902 unter dem Stichwort »Gemüt« alles für gemütlich, was das Gemüt nur »anspricht« oder »befriedigt«. Erstmals taucht die Gemütlichkeit »im übeln Sinne« auf: als »Neigung zu behaglich-geselligem Verkehr, der zu nichts verpflichtet, die Scheu vor strengem Denken und entschiedener Tat, die dem Ernst des Lebens aus dem Wege geht«. Bei *Brockhaus* war es 1928 und ist es noch 1996 vorbei mit der Gemütlichkeit.

GEMÜTSKRANKHEITEN. »Der reine Verstandesmensch, der immer ›kalt‹ bleibt und nur aus nüchterner Berechnung handelt, bezeichnet ein ebenso ungesundes Extrem wie der reine Gemütsmensch, der durch äußere Eindrücke nur zu Gefühlen, nicht zu Gedanken angeregt wird und ... überhaupt energischer Tatkraft ermangelt. Jenes kommt beim männlichen, dieses beim weiblichen Geschlecht am häufigsten vor.« (*Meyer* 1902, Artikel »Gemüt«). Bei den Gemütskrankheiten ist die »gemütliche Seite der psychischen Tätigkeit« gestört. Auch *Brockhaus* sah 1892 keine »Störung der Intelligenz« vorliegen, aber »schon heftige Leidenschaften, welche die Ruhe des Herzens stören« (darunter Liebe, Eifersucht oder Melancholie), auf der abschüssigen Bahn ins Irrenhaus. Eine spezielle Gemütskrankheit ist der Gemütswahnsinn oder das »moralische Irresein«, das *Brockhaus* 1892 unter dem Stichwort »Moral Insanity« verhandelt: »Die betreffenden Kranken erscheinen als unverbesserliche Verbrechernaturen«, da sich bei ihnen oft Größenwahnsinn mit dem »vollständigen Fehlen moralischer Begriffe« paart. *Meyer*, der 1936 Gemüt als eine »dem Deutschen eigentümliche, unübersetzbare Bezeichnung für die gefühlsartig empfundene Innerlichkeit der Seele« definierte, wollte »Moral Insanity« – nicht nur als Begriff – ausgemerzt wissen: Die Gemütswahnsinnigen seien zwar keine »intellektuellen Minderleister«, aber »charakterlich abnorm«. *Zedler* war humaner: Er empfahl 1735 »Music« gegen Gemütskrankheiten, die sich oft in Blähungen und »Blödigkeit des Magens« manifestierten.

GEN. Es hat harmlos angefangen. *Brockhaus* beschreibt 1812 in dem Artikel »Krankheit« die »Krankheitsanlage«, die heute als Prädisposition, vielleicht auch genetischer Art, beschrieben werden würde (→ **Gesundheit**). Darunter versteht das Lexikon die »hervorstechende Neigung zu irgend einer besondern Abweichung von der relativen Gesundheit. Wer z. B. eine schwache Brust, reizbare Lungen hat, kann sich immer dabei relativ gesund befinden, jedoch wird er bei kalter feuchter Luft eher von Catarrh oder einer andern Brustkrankheit befallen werden, als bei andern der Fall seyn würde.« Im *Brockhaus* 1892 (Artikel »Leben«) geht es kaum um Vererbung; »Leben ist Stoffwechsel – muß die einfachste Definition des Begriffs Leben lauten.« *Meyer* kennt 1902 den Begriff Gen noch nicht und führt nur »Gêne« auf als »Zwang, den man sich oder anderen auferlegt«. Den Artikeln »Gemüse« und »Gemüt« werden noch jeweils mehrere Seiten eingeräumt. Im *Brockhaus* nehmen die Gene 1928 erst fünf Zeilen ein und werden als »in der Vererbungslehre von Johannsen zur Erklärung der Vererbungserscheinungen angenommene Anlagen in den Geschlechtszellen« bezeichnet. Das Gemüse wird hier noch auf eineinhalb Seiten gewürdigt. Das Gemüt hat noch weniger Platz. Der Trend ist eindeutig: Im *Brockhaus* werden 1996 Gemüse und Gemüt auf weniger als einer Seite zusammengepfercht, die Gene erstrekken sich mit ihren zahlreichen Komposita über mehrere Seiten. Das Gen ist mittlerweile nicht mehr nur Objekt wissenschaftlicher Vermessung und Untersuchung, sondern auch ein ideologisches Konstrukt, das für manche Forscher und manches Feuilleton sogar den Wesenskern des Menschlichen »an sich« beinhaltet. In der rhetorischen Überhöhung des Genoms wird bei der Untersuchung des Erbguts nicht nur die DNA einzelner Menschen untersucht, sondern der kollektive Genpool, das Charakteristische der Menschheit insgesamt. Folgerichtig definieren viele Forscher den Menschen als das Lebewesen, dessen Erbgut am stärksten mit dem humanen Genom übereinstimmt. Das Genom des einzelnen ist demnach das formale Prinzip, durch das sowohl seine Identität als Person als auch die Zugehörigkeit zur Spezies Mensch bestimmt wird – ein säkulares Äquivalent zu früheren Vorstellungen von der unsterblichen → Seele.

GENIE. Ursprünglich Synonym für Geist überhaupt und daher männlich. Für *Zedler* ist 1735 der Genie ein »langsamer oder hurtiger, durchdringender und scharffer oder stumpffer und schwacher Trieb oder Wesen des dem Menschen beywohnenden Verstandes im Judiciren und Aussinnen, den Wohlstand eines Dinges zu begreiffen oder dessen zu verfehlen«. Menschen von besonders »scharffer Penetration« haben demnach einen großen Genie. Kleinere Genies können durch Fleiß und Lektüre ihr »sonst von Natur stumpfes Ingenium einiger maßen poliren«, sind aber leicht derart aus der Fassung zu bringen, daß sie sich »weder zu rathen noch zu helffen« wissen. Den Mechanicis sieht man die »Verstandesstärcke schon von ferne« an, den Künstlern oft nicht einmal aus der Nähe. Im Sturm und Drang wurde Genie dann zum Inbegriff menschlicher Selbstverwirklichung durch schöpferische Originalität umgedeutet, mit Kant zu reden: »die meisterhafte Originalität der Naturgabe eines Subjekts im freien Gebrauch seiner Erkenntnisvermögen«. Das entfesselte Genie wurde aber von der Klassik wieder in seine gesellschaftlichen und ästhetischen Schranken verwiesen. *Brockhaus* forderte 1892 vom Genie Neues und Überraschendes, aber doch auch Musterhaftigkeit, »denn eine Originalität ohne Musterhaftigkeit könnte auch Narrheit sein. In neuerer Zeit ist auf einen gewissen Zusammenhang von Genie und Wahnsinn vielfach hingewiesen worden.« 1928 definiert *Brockhaus* das Genie noch zurückhaltender als einen Menschen, »der für die neuen Werte, die er seiner Zeit brachte, eine äußergewöhnliche Verehrung genießt«; dabei verkümmerten oft Teile seiner Persönlichkeit, »was zu der Ansicht von der Amoralität des Genies geführt hat«. Resultat: »Geniekult ist mit der fortschreitenden wissenschaftlichen Einsicht in die natürl. Bedingtheit auch der höchsten Begabung im Schwinden.« Bereits 1896 wurden die »Genietruppen« der k. u. k.-Monarchie in Pionierabteilungen umgewandelt. Musils *Mann ohne Eigenschaften* sah in dem Versuch, auch Rennpferden und Boxern Genie zuzubilligen, ein Vorzeichen des Ersten Weltkriegs.

GENTLEMAN. Mitglied des höheren Mittelstands und niederen Adels in England, im weiteren Sinne »jeder Mann von ehrenhaftem, zuverlässigem Charakter« (*Brockhaus* 1892), Takt und Lebensart. George IV., König von England und Bruder von Ernst-August von Hannover, nannte sich gern »erster Gentleman von Europa«, »war aber thatsächlich einer der liederlichsten Männer seiner Zeit, ein Trinker, Spieler und Wüstling, ohne jedes Schamgefühl, als Fürst und Mensch gleich niedrig in seinem Denken und Handeln«. In diesem »absonderlichen Verstand« kann sich also auch jeder Bürger »als Gentlemann aufführen« (*Zedler* 1735). Für *Meyer* war der Gentleman 1936 dagegen der »englische Führertypus«.

GERMANEN. *Brockhaus* schrieb ihnen 1892 rohe Tierfelle, Männerröcke und mit Dünger abgedichtete Hütten zu. *Meyer* hält 1936 derlei »Märchen von den Erdhöhlenwohnungen« für widerlegt. Die Germanen kannten demnach bereits Gefolgschaftstreue und Führerideal, »kunstvoll gefertigte Haarnetze« und Wollmützen, Hirschhaarmäntel und Blusen in Kimonoform, ja sogar Sicherheitsnadeln (Fibeln), Hosenträger und Hakenkreuze. Für ihre geschmackvolle Kleidung seien sie selbst von den Griechen bewundert worden, und auch ihr Rechtsempfinden zeuge von bedeutender »Kulturhöhe«: Der Friedensbrecher wurde als »Wolf« aus der Gemeinschaft ausgestoßen, des Mannes Ehrenwort war mehr als nur ein Lippenbekenntnis. Streit wurde durch Zweikampf geschlichtet: »Der, der siegte, hatte recht.« Schon darum behielt *Meyer* mit seinem Märchen von der Hochkultur der Germanen gegenüber *Brockhaus* unrecht.

GESCHICHTE und die Lehren daraus. Das Konversationslexikon des 19. Jahrhunderts war das Lehr- und Informationsmittel des Bildungsbürgertums und insofern politisch eher desinteressiert oder aus Zensurgründen vorsichtig – wenn man einmal von der ersten Auflage von *Meyer* absieht. Dennoch gingen immer politische Lehren – illusionsbeladene und situationsbedingte, offene und versteckte – in die Artikel ein. Am stärksten spürbar ist dies bei *Meyer* in der ersten Auflage (1839–55): »So sind es namentlich zwei Lehren, welche die Geschichte auf jedem ihrer Blätter bestätigt, einmal: daß die geistige Kraft stets größer ist als die physische Gewalt, und dann: daß alles Unglück, welches die Herrscher, die Nationen und Individuen betroffen hat, wenn es nicht die unmittelbare Folge von Naturrevolutionen gewesen, immer zunächst aus eigener Verschuldung der davon Heimgesuchten hervorgegangen ist. Die lebendige Überzeugung hiervon muß aber den Menschen ermuntern, nichts zu versäumen, und ihn stählen, auch unter widrigen Verhältnissen im Kampfe für Recht und Wahrheit und alle höheren Interessen der Menschheit nicht zu ermatten.« 1902 ist bei *Meyer* im Artikel »Geschichte« von diesem Pathos nichts mehr zu spüren. »Das Studium der Geschichte« wird jetzt dem »Staatsmann« empfohlen und dieser geradezu als »praktischer Historiker« angesprochen. Dem 20. Jahrhundert ist das nicht gut bekommen.

GESCHMACK. »Der Nutzen des Geschmacks ist so einleuchtend, daß darüber nichts erinnert werden darf.« (*Neues Natur- und Kunstlexicon* 1801). *Brockhaus* hält es 1892, trotz Kant, für »sehr fraglich«, ob man allgemeingültige Regeln für die ästhetische Urteilskraft aufstellen könne. Er räumt dem guten Geschmack kümmerliche fünfzehn Zeilen ein, während das nahe »Geschoß« acht und das »Geschütz« sogar 24 Seiten erhalten. 1996 hält er den guten Geschmack für weitgehend in das Kunstgewerbe und in den soziologischen Diskurs abgewandert.

GESELLSCHAFT. Hegel, Comte, Smith, Ricardo und Marx zum Trotz kannte *Meyer* (1839–55) den modernen Begriff »Gesellschaft« noch gar nicht, nicht einmal im Sinne der alten »societas civilis«, die bis ins 18. Jahrhundert mit »Gesellschaft« im heutigen Sinne nichts zu tun hat, sondern den Staat meinte, also jene mehr oder weniger kleine Männergruppe, die sich – auch – um die *res publica* kümmerte. *Meyer* verzeichnete nur den juristischen Begriff der Handels- und Aktiengesellschaft. Das hat sich mittlerweile gründlich geändert. Der deutschen Sprache, die die Bildung beliebiger Komposita zuläßt, verdanken wir es, daß Amateur- und Profi-Soziologen, Leitartikler und Kulturkritiker in jeder Saison erneut erklären, in welcher Gesellschaft zwischen der »Arbeits-« und der »Zivilgesellschaft« man gerade lebt. Angela Merkel stiftete jüngst die »Wir-Gesellschaft« bei. Da derlei Tandembegriffe auf die Dauer anöden, gingen die Windschnittigsten zu Dreifachsprüngen über und präsentierten die »Multioptionsgesellschaft« sowie im Anschluß an Ulrich Becks »Und-Gesellschaft« die »Und-Und-Gesellschaft«. Die Lage wird wirrer und diejenige vieler Autoren mit ihr.

GESINDE. Dienstboten wollte das *Damen-Conversationslexikon* 1835 auch im Interesse ihrer Herrschaften »streng rechtlich, mild und schonend« behandelt wissen, denn »Rauheit der Behandlung stumpft ab oder verstockt mit der Zeit, Freundlichkeit aber macht geschmeidig«. In Nordamerika ist das Gesinde gebildeter, selbstbewußter und respektloser als in Europa. Knechte und Mägde nennen sich dort Gehülfen, Dienstmädchen tragen seidene Kleider und Glacéhandschuhe und geben »nirgends ein Beispiel von Rohheit, Frivolität, unanständiger Rede«. Allerdings stellen sie viele überflüssige Fragen (»Freilich mag dabei auch die Neugierde einen Antheil haben«): »Eine natürliche Folge davon ist, daß man in Nordamerika in der Regel schlecht bedient wird, obwohl dieß von den Reisenden häufig übertrieben worden ist.« Mit französischen Kindermädchen hat man bei uns schlechte Erfahrungen gemacht. »In Deutschland lehren sie ihre Sprache schwatzen und sind eben nur französische Kindermuhmen, die sich aber gar viel einbilden.« Sie tragen schreiend bunte Kleider und eine laxe Moral zur Schau; man ersetze die Bonnen daher besser durch heimische Gouvernanten.

GESUNDHEIT ist schwer zu erhalten, denn laut *Brockhaus* von 1812 gilt: »je höher die Stufe des Lebens ist, auf welcher ein organisches Wesen steht, desto vollkommener (muß) auch seine Organisation seyn«. Das im *Brockhaus* von 1864 »höher organisirte, aber immer noch nicht bis zum Selbstbewußtsein sich erhebende Thier«, welches sogleich mit an der Seele erkrankt, wenn »die Functionen seines Körpers auf schmerzhafte Weise gestört« werden, ist sich nie seiner Gesundheit, sondern »höchstens seiner Krankheit bewußt«. Nur der Mensch genießt die Gesundheit »auch mit dem Gefühle des Wohlbefindens, der Leichtigkeit und der Kraft« (→ **Trendsportarten**). Aber Vorsicht, *Brockhaus* weiß 1892, daß »ein Körper, der absolut gesund wäre, d.h. in dem alle Teile den ihnen zukommenden Grad von Größe und Stärke, die normale Form und Struktur haben, in welchem alle Verrichtungen vollkommen regelmäßig verlaufen«, nie gefunden wird. Wohl aber »giebt es einen Zustand, die sog. relative Gesundheit, in dem zwar der eine Teil des Körpers stärker ist als der andere, aber die Schwäche des schwächern nicht empfunden, also nur das Wohlsein gefühlt wird«. *Brockhaus* hat 1996 aus der Gesundheit zwar keinen Komplex gemacht, aber eine eierlegende Wollmilchsau ist schon bei ihrer Charakterisierung herausgekommen – bezeichnenderweise in dem Artikel »Krankheit«. Demnach ist → **Krankheit** »i.w.S. das Fehlen von Gesundheit, i.e.S. das Vorhandensein von subjektiv empfundenen und/oder objektiv feststellbaren körperl., geistigen und/oder seel. Veränderungen bzw. Störungen, die vorübergehend oder dauerhaft sein können und im Extremfall zum Tod führen«. Vielleicht hat sich das Lexikon dem Anspruch der Weltgesundheitsorganisation angepaßt. Die WHO hat mit ihrer Definition von Gesundheit als »Zustand vollkommenen körperlichen, geistigen und sozialen Wohlbefindens« die Latte jedenfalls ziemlich hoch gelegt. Denn wer ist schon alles auf einmal: glücklich, aufgehoben im privaten wie im beruflichen Umfeld, zufrieden mit seinem Liebesleben und zugleich kerngesund? Wird jemand krank, ist der WHO-Definition zufolge wenigstens ein Aspekt des Wohlbefindens gestört. Geradezu folgerichtig, daß bei dieser unklaren Lage rund um die Krankheitsentstehung dem Artikel im *Brockhaus* 1996 nur eineinhalb Spalten eingeräumt werden, während die Krankheitsversicherung auf vier Seiten ausgebreitet wird.

GESUNDHEITSZUSTAND. Auf den Gesundheitszustand von Fabrikarbeitern Mitte des 19. Jahrhunderts machte sich *Meyer* (1839–55, Artikel »Manufaktur«) seinen eigenen Reim. »Das traurige Verzeichnis von Krankheiten«, die man sich in der Fabrik holen kann, ist kein Beweis für die Risiken dieser Arbeit, denn »wie wir gesehen haben«, hält jenes »Verzeichnis ... keinen Menschen« davon ab, »in die Fabrik zu gehen und dort sein Brot zu verdienen«. Und das nicht etwa, weil die Arbeiter keine Alternative hatten, sondern »weil man eben auch weiß, daß diese Krankheiten wenig oder nicht vorkommen, sondern das bloß eingebildete Übel sind, die in der Wirklichkeit gar nicht existieren«. → **Gesundheit.**

GEWERKSCHAFT. Bevor das Wort »Gewerkschaft« im Deutschen gebräuchlich wurde, bezeichnete man diese mit dem englischen Wort »Union«. Das war für *Meyer* (1839–55, Artikel »Manufaktur«) im wesentlichen ein Sammelbecken für »Böswillige und Ruhestörer«, die sich zu »verderblichen Verbindungen« zusammenschlossen. »Sie rühmten sich, ein geheimes Tribunal zu besitzen, durch dessen Befehl sie jede Fabrik, deren Besitzer sich ihren Wünschen nicht füge, zum Stillstehen oder den Mann ins Verderben bringen könnten, der ihnen das ganze Jahr hindurch eine gewinnreiche Beschäftigung gegeben hatte. Durch Schmeichelei und Einschüchterung erhoben sie Geldbeträge von ihren Verbündeten in den Fabriken, deren Arbeiten sie gestatteten, um Geld zum Unterhalte der Unbeschäftigten während der beschlossenen Unterbrechung zu haben.« Der etwas dunkle Satz meint wohl die Schaffung einer Streikkasse. »Es begann der Geist der Zerstörung sich unter einigen Anhängern der Union zu zeigen.« Da ist auch sofort von »außerordentlicher Grausamkeit« die Rede. Gewerkschaften bedrohen die Fabrikarbeit, Hypochondrie und Speck den Fabrikarbeiter, wie das Konversationslexikon im nächsten Abschnitt vorführt: »Skropheln überhaupt kommen nur im äußerst seltenen Falle vor, und die anderen Krankheiten sind der Art, daß, wenn sie eintreten und den Tod herbeiführen, dies hauptsächlich durch andere Umstände, am aller wenigsten aber durch Fabriken, hervorgerufen wird. Die vorherrschende Krankheit der am höchsten bezahlten Arbeiter ist Hypochondrie, eine Krankheit, welche durch Arzneimittel noch verschlimmert werden kann und ihre Heilung in einem geistigen Regime findet. Sie ist eine Folge des übermäßigen Genusses von Fleisch, besonders aber von Speck, den die Arbeiter in großen Quantitäten verzehren und wozu natürlich auch die geistigen Getränke nicht fehlen dürfen, oder wenn sie diese nicht erlangen können, löschen sie ihren Durst mit Thee, welchen sie noch mit Rum und dergleichen versetzen.« → **Berufskrankheiten,** → **Gesundheit.**

GLEICHHEIT. In seiner ersten Auflage ging *Meyer* (1839–55) im Artikel »Gleichheit der Rechte und Pflichten der Staatsbürger« sehr ausführlich auf alle damit verbundenen rechtlichen und politischen Probleme ein. Insbesondere nannte er ein paar »noch bestehende historische Rechtsungleichheiten« beim Namen, die zum Teil bis 1918 weiterbestanden: »Die verschiedenen Vorrechte des Erbadels, die persönliche oder angeborene Unfreiheit der Bauern, die Unterschiede zwischen Herren- und Bauerngut, die Erhebung des Soldatenstandes über den bürgerlichen, die Ausschließung oder Zurückdrängung der Gemeinen oder Ärmeren vom höheren Staatsdienst, die Steuerexemtionen, die privilegierten Gerichtsstände etc.« Das alles fungiert unter den »Überbleibseln einer finsteren Feudalzeit«, die im »wahren Rechtsstaate verschwinden müssen«. Der *Meyer* von 1902 handelte »Gleichheit« kurz ab, ging jedoch auf keine einzige der fortbestehenden »Rechtsungleichheiten« ein und rettete sich mit dem Hinweis aus der Affäre, »Bevorzugungen gewisser Klassen in Ansehung der Wahlrechte und der Wählbarkeit« bestünden »zwar noch in manchen Staaten, doch« fehle es »nicht an Bestrebungen, auch hier völlige Gleichheit herbeizuführen«. Das schaffte in Preußen erst die Novemberrevolution von 1918.

GLEICHSCHRITT erlaubt das dichte Aufschließen marschierender Mannschaften und gibt so »Halt und feste Ordnung. Er wird daher nicht nur auf dem Exerzierplatz und zu Paradezwecken, sondern auch auf dem Gefechtsfelde dann angewendet, wenn es darauf ankommt, bei überwältigenden Eindrücken des Kampfes eine geschlossene Truppe in ruhiger und geordneter Bewegung zu erhalten. In allen übrigen Fällen vermeidet man den Gleichschritt, der auf die Dauer große Anstrengung erfordert.« (*Brockhaus* 1892). Links zwei, drei überwältigende Eindrücke, und schon sucht die schlappe Truppe ihr Heil im ungeordneten Rückzug. *Meyer* kennt 1902 nur den »Gleichtritt«, der beim deutschen Heer mit dem linken Fuß begonnen werde. 1928 gibt *Brockhaus'* Gleichschritt nur noch ganz allgemein »Halt und Ordnung«. Das deutsche Marschtempo von 114 Schritten bzw. Tritten pro Minute wird von den Franzosen über-, von den Engländern unterboten. Die Schlagzahl bei der Loveparade liegt etwa bei derselben Frequenz, doch spricht man beim Techno von »beats per minute« (bpm).

GLEIWITZ. Daß die Stadt 1945 »unzerstört unter polnische Verwaltung« kam, wußte *Brockhaus* 1952. Daß in der Stadt mit dem fingierten Überfall einer Einheit des SD-Chefs Heydrich auf den Radiosender am 31. August 1939 der Zweite Weltkrieg provoziert wurde, entging dem Lexikon – zufällig oder aus Platzgründen.

GLOBALISIERUNG. »Colonialwaaren, wie man im allgemeinen die Bodenerzeugnisse der amerikanischen, west- und ostindischen Colonie, namentlich Kaffee, Zucker, Reis, Gewürze, Tee, Specereien, Baumwolle, Färbe- und Tischlerhölzer usw. nennt. Anfänglich galten diese Dinge als Luxusartikel, allein gegenwärtig sind viele derselben allgemeine Bedürfnisse, selbst der Armen in Europa, und der Handel hat dadurch einen vorher nie gekannten Umschwung erhalten.« (*Brockhaus' Bilder-Conversations-Lexikon,* 1837, Artikel »Colonien«). Die Grunddefinition von *Brockhaus* (1996, Artikel »Globalisierung«) bestätigt, daß das relativ junge Schlagwort unter anderen Namen schon seit geraumer Zeit existierte – der Tendenz wie der Sache nach: »Bezeichnung für die Entstehung weltweiter Märkte, d. h. für die zunehmende Internationalisierung des Handels der Kapitalmärkte sowie der Produkt- und Dienstleistungsmärkte und die internationale Verflechtung der Volkswirtschaften.«

GLÜCK gehört als »ebenso seltener wie schnell vorübergehender Zustand« (*Brockhaus* 1892) nicht unbedingt zum menschlichen Lebenszweck. Eher schon die »Zufriedenheit«, die *Brockhaus* 1827 als jenen »dauernden Gemüthszustand« bezeichnete, »vermöge dessen der Mensch seine Schicksale und Verhältnisse seinen Wünschen angemessen findet«. Dazu muß man nur »seine Wünsche zu beschränken, sein Streben auf die unvergänglichen Dinge zu richten und der Vorsehung unbedingt zu vertrauen« versuchen. Den Nazis war das Glück vollends verdächtig: Das mit ihm »meist verbundene Aufgehen in Passivität und Gefühl hat von jeher das Mißtrauen kämpferischer Menschen wachgerufen« (*Meyer* 1936). Heute herrscht vielfach die hedonistische Ansicht vor, die »komplexe Erfahrung der Freude« könne vom Subjekt aktiv hergestellt oder gar erzwungen werden. Die oft bedenklichen Mittel – Medien- und Drogenkonsum, esoterische Ekstasetechniken, Selbstentäußerung in Sekten – führen aber bestenfalls zu einer kritischen »Reflexion der eigenen Glücksvorstellungen« (*Brockhaus* 1996). 1928 schob *Brockhaus* das Glück in den Artikel »Eudämonie« ab und verzeichnet unter dem Stichwort »Glück« nur zwei Grußformeln: »Glück ab!« ist der »Heilruf der Flieger«, »Glück auf!« der Wunsch aller Bergleute.

GOETHE. Hermann Theodor, Pomologe, Ampelograph und Wanderlehrer; schrieb das *Handbuch der Tafeltraubenkultur* und redigierte die »Mitteilungen des Vereins zum Schutze des österreichischen Weinbaues« (*Brockhaus* 1892). Auch sein weinseliger Namensvetter Johann Wolfgang schrieb »Gelegenheitsdichtung im höchsten Sinne«.

GOTTES GNADE. Frömmigkeit in politischen Dingen reimt sich auf »Gottes Gnade«. Dazu belehrte *Brockhaus* noch vor etwas über hundert Jahren das Publikum unübertrefflich: Den Titel von »Gottes Gnaden« führten zunächst Bischöfe mit ausgesprochen fragiler Berufung auf ein paar Bibelstellen (z. B. 1. Kor. 15,10). Seit dem 13. Jahrhundert legten sich die Päpste das Schmuckstück zu, »Statthalter Christi auf Erden« zu sein: »Dei et apostolicae sedis gratia«. Seither erben sich – frei nach Goethe – Ansprüche und Titel wie eine »ewige Krankheit« fort. Zur Jahrhundertwende wollte *Brockhaus* (1892, Artikel »Gottes Gnaden«) Goethe wenigstens einmal widersprechen: »Seit den Karolingern bedienen sich weltliche Fürsten« der Formel »von Gottes Gnaden. Allmählich ging sie auf alle christlichen Fürsten über und steht in dieser Weise heute noch in Gebrauch zur Bezeichnung einer von aller irdischen Macht unabhängig gedachten monarchischen Gewalt.« *Meyer* (1902) wurde die Sache peinlich – er latinisierte den Begriff und verwies von »Gottes Gnaden« auf »Dei gratia«. Hier kommt die Kritik am hybriden Anspruch hasenfüßig daher: »Man legt der Formel wohl die Bedeutung bei, daß sie den unmittelbar göttlichen Ursprung der königlichen Gewalt (Königtum von Gottes Gnaden), im Gegensatz zum Ursprung aus dem Willen des Volkes, ausdrücken soll.« In der wilhelminischen Form von »hoc volo, sic iubeo« verewigte sich Wilhelm II. noch anfangs des 20. Jahrhunderts in einem Stadtbuch mit dem satirisch gemeinten Satz Juvenals. Wilhelm II. ließ freilich den dritten Satzteil weg: »Hoc volo, sic iubeo, sit pro ratione voluntas.« (»Dies will ich, so befehle ich es, der Wille gelte als Grund dafür.«) Er verkürzte die satirisch gemeinte lateinische Sentenz zur autokratischen und weltkriegstauglichen Devise. Den kaiserlichen »Willen als Grund« dechiffrierte der deutsche Historiker Fritz Fischer im Jahre 1961 als »Griff nach der Weltmacht« und bekam deshalb mit der Mehrheit seiner Kollegen und mit der Bundesregierung viel Ärger. Diese strich ihm damals den Zuschuß zu einer Vortragsreise. Die Wirkung seines Buches und die neue Sicht auf den Ersten Weltkrieg vermochten diese Manöver nicht auf Dauer zu stören.

GOTTESURTEIL. Von Wasser-, Feuer- und auch »Blutproben« hat man vielleicht schon gehört. Letztere war im Mittelalter indes kein einfaches Röhrchen-Blasen: Der Mordverdächtige mußte Hand an die Wunden des Ermordeten legen und galt nur dann für unschuldig, wenn die Leiche sich nicht rührte und auch kein frischer Schaum aus ihrem Mund trat. Beim Kreuzgericht stellten »die Gegner sich mit ausgestreckten Armen vor ein Kreuz; wer die Arme zuerst sinken ließ, hatte verloren.« Auch die »Probe des geweihten Bissens« war eine Art Folter: Man steckte »dem Angeklagten ein Stück Brot oder Käse unter vielen Verwünschungen in den Mund. Derjenige, welcher es ohne Mühe verschlucken und nachher weder Krankheit noch Schmerzen empfand, wurde von der Strafe befreit.« (*Brockhaus* 1892)

GREIS. Frauen werden älter als Männer, obwohl sich laut *Brockhaus* von 1892 ihr Körper früher abnutzt: »Das Greisenalter oder Greisentum (senium, senectus), die Zeit, wo die, auch geringe, Abnutzung des Körpers größer ist als der Ersatz für das Verbrauchte, beginnt im allgemeinen beim Mann zwischen dem 50. und 60. Jahre, bei der Frau zwischen dem 40. und 55. Jahre.«

GRENZWISSENSCHAFT. »Hier, wo sich beide Gebiete berühren, an der Grenze, an der Schwelle des bereits Erkannten (Erfahrenen) und des noch Unerkannten, Fremden (Unerfahrenen) ist die eigentliche Domäne des Okkultismus. Deswegen bezeichnet man diesen auch als Grenzwissenschaft (Xenologie)«, schreibt *Meyer* 1902 unter dem Stichwort →**Okkultismus** reichlich geheimnisvoll. Denn »jedes Fach hat seine Grenze, seine Spitze, seinen Gipfel, mit dem es (gemeinschaftlich mit den übrigen Disziplinen) in das große Unbekannte hineinragt. Die Verlängerungslinien aller Fächer zusammengenommen, also die Synthese aller Spitzen, bildet den Okkultismus.« Obwohl sich hier etliche Anknüpfungspunkte für interdisziplinäres Überwinden der okkulten »Grenzwissenschaft« gefunden hätten, scheuten die akademischen Disziplinen vor Grenzüberschreitungen oder wenigstens einer Synthese aller Spitzen zurück und klöppelten zumeist stumpf auf dem bereits Erkannten herum. Dabei lassen sich mit »Spitzen«, diesen Produkten »aus allen Arten von Gespinsten«, manch »selbständige Erzeugnisse« herstellen, die sich, wenn es gutgeht, zu »duftig sich entfaltenden ornamentalen Flächen« zusammenweben lassen (*Meyer* 1902, Artikel »Spitzen«).

GRÈVE. Daß die heutige Place des Vosges in Paris früher Place de Grève hieß, braucht ein Lexikon nicht unbedingt mitzuteilen. Daß damit lexikalisch auch ins Vergessen gerät, was dort geschehen ist, wiegt jedoch schwer: »Damiens wurde zu dem martervollen Tode verurtheilt, nachdem ihm die rechte Hand durchstochen, bei einem gelinden Feuer verbrannt und er mit glühenden Zangen zerfleischt, in die Wunden siedendes Blei gegossen worden, von vier Pferden zerrissen zu werden, was am 28. März 1757, wo er auf dem Grèveplatz in Paris hingerichtet wurde, nach halbstündigen Bemühen erst gelang, nachdem seine außerordentlich festen Sehnen durchschnitten worden waren« (*Brockhaus' Bilder-Conversations-Lexikon* 1837, Artikel »Damiens, Robert François«). Durch den Satzbau zittert gleichsam das Entsetzen des Lexikographen nach, der nicht mitteilen will, was der göttliche Casanova in seinen Memoiren erzählt. Dieser hatte dem grausamen Spektakel von einem Fenster aus zugeschaut und sich gleichzeitig von hinten an einer niedlichen Gespielin, die das grausame Staatsschauspiel von einem Fenster aus genoß, zu schaffen gemacht. *Meyer* berichtet 1902 mit knappen biographischen Angaben über den Täter und das (erfolglose) Attentat auf den König und schildert das staatlich organisierte Tötungstheater von 1757 so: »Er wurde auf dem Grèveplatz zu Paris hingerichtet.« Seit Ende der 1920er Jahre fehlt Damiens vollständig in den großen Lexika.

GRISETTEN »heißen in Frankreich die jungen Mädchen gemeinen Standes, welche im Häubchen und mit der Schürze ausgehen«. Die »vielgerühmten, niedlichen Ouvrierères« zeichnen sich durch »besondre Nettigkeit im Anzuge« aus; die Desmoiselles oder »Laufmädchen« der Warenhäuser sind fast noch netter gekleidet. Was dem *Damen-Conversationslexikon* 1835 die Grisetten, waren *Brockhaus* 1864 die »Loretten«: »Elegante Sünderinnen« – Modelle, Schauspielerinnen, auch Musiklehrerinnen –, die, »frei auf eigene Hand lebend«, den Männern ihre Gunst verkaufen. Sie können tanzen und singen, geschickt Zigaretten drehen, »verrathen einige Lectüre, und manche versteigen sich sogar bis zur Orthographie. Ihr Haupttalent dagegen ist das Kartenlegen.« Bei der Lorette aber will der Mann manchmal mehr als nur Patiencen legen und Rechtschreibung üben. »Bei ihr raucht man, macht sich's bequem, sagt alles, was einem in den Sinn kommt, und geht nach Belieben weg.« Nur »feine Kenneraugen« können diese Dämchen von ehrbaren Frauen unterscheiden.

GROSNYJ. Jüngst bekannt geworden als Steinwüste – nach monatelangen Kämpfen und Bombardements. Zwischen 1834 und 1859 wurde der Kaukasus durch die zaristische Armee in blutigen Kämpfen erobert. »Schamyl war ... der bedeutendste Heerführer« auf der Seite der Tschetschenen und »voll von der unüberwindlichsten Klugheit und der todesverachtendsten Kühnheit«. Das außerordentliche Lob von *Meyer* (1839–55, Artikel »Kaukasus«) half »Schamyl dem Schreckbaren. Held und Prophet im Kaukasus« – so die Legende zum ganzseitigen Bild im Lexikon – nicht. Die russischen Truppen behielten nicht zuletzt durch Terror (lat. terror, der Schrecken) die Oberhand und nannten die Hauptstadt der Tschetschenen fortan auf russisch Grosnyj (»die Schreckliche«).

GROSS-POPO. Der kolonialherrliche *Brockhaus* ließ 1892 keinen noch so kleinen Flecken aus, worauf deutsche Siedler ihren Fuß gesetzt hatten. Groß-Popo ist ein französischer Hafen am nordwestafrikanischen Arsch der Welt; »Klein-Popo« trat der Franzose 1887 großzügig an das deutsche Togoland ab. Bewohnt werden Hafen und Postagentur von dreitausend Schwarzen und drei Weißen. *Meyer* spricht 1902 eleganter von »Grand-Popo«, läßt aber auch keinen Zweifel an seiner patriotischen Gesinnung aufkommen: »An dem Handel Grand-Popos hat Deutschland einen hervorragenden Anteil.«

GRÜBELSUCHT. Früher verbreitete Zwangsvorstellung. Der Kranke stellt »sich selbst allerhand zwecklose, vielfach unlösbare Fragen (z.B. Warum gibt es Menschen? Warum hat der Mensch zwei Beine? Warum ist der Mensch geschaffen?) oder auch Reihen von Fragen (krankhafte Fragesucht), die er nicht willkürlich aus dem Bewußtsein zu bannen vermag« (*Brockhaus* 1892). Die Grübelsucht ist oft angeboren, vielfach auch durch »sexuelle Excesse« hervorgerufen und ein »sehr hartnäckiges« Leiden; Reisen und Zerstreuungen können aber Linderung schaffen. Warum *Meyer* die Grübelsucht 1902 sowenig kennt wie spätere *Brockhaus*-Ausgaben, kann einen schon zum Grübeln bringen.

GRÜNDLICHKEIT. »Cromwell duldete entgegen der 1290 durch Eduard I. verfügten Ausweisung der Juden stillschweigend deren Wiederansiedelung.« Über hundert Jahre Lexikographie hinweg änderte sich zwischen 1837 und 1936 die rundum positive Beurteilung von Oliver Cromwell nur in Nuancen und in der Erweiterung der Literaturangaben. Erst im Jahre 1936 entdeckte der braune *Meyer* in seiner Pedanterie den bislang übersehenen »Fehler« Cromwells.

GUERILLA. »Um die Guerilla auf andere Weise zu schwächen, gaben die französischen Generale den Befehl, alle Ortschaften, die Guerillas stellten, niederzubrennen und die Einwohner derselben zu erschießen. Dagegen machten die Guerillas bekannt, daß für jeden erschossenen Spanier, für jedes verwüstete Haus drei Franzosen bluten und die höchsten Offiziere dies zuerst an sich selbst erfahren sollten.« (*Meyer* 1839–55). Die beiden Rollen von Militär und Guerilla blieben, ihre Träger wechseln laufend, und wie damals (die Rede ist vom Jahre 1808) zahlen nicht die »höchsten Offiziere« die Zeche, sondern die Zivilbevölkerung und die einfachen Soldaten. Hundert Jahre später verkündet *Brockhaus* 1952 etwas übereilt angesichts der beginnenden Entkolonialisierung und ihren Guerillakriegen: »Heute spricht man von Partisanen.«

GUERNICA. »Stadt in der zu den baskischen Provinzen gehörenden spanischen Provinz Vizcgaya … mit (1950) 3400 Einwohnern, war bis 1878 der Tagungsort des Landtags von Vizcgaya, der sich hier unter der alten Eiche versammelte. Das baskische Nationallied ›Guernikako Arbola‹ spielt darauf an. Im Bürgerkrieg völlig zerstört, ist Guernica als moderne Stadt wieder erstanden.« (*Brockhaus* 1952). Ende der Information – Kalter Krieg.

GUTEN-ABEND-TICKET. Errungenschaft der Bahn ausgangs des zweiten Jahrtausends n. Chr., von *Brockhaus* 1996 auf immerhin sieben Zeilen gewürdigt.

GYMNASTIK. Kunst der Leibesübungen im alten Griechenland, dort von nackten Knaben im Gymnasium unter Aufsicht der Gymnasiarchen und Kosmeten ausgeübt. *Ersch/Grubers Allgemeine Encyclopädie* beginnt 1880 seinen 82seitigen Abriß wie so oft bei Adam und Eva bzw. den alten Ägyptern und endet nicht beim Steckenpferdreiten, »Blindenmaus«- und Plumpsackspielen der Knaben im Mittelalter. »Der Starke erhebt sich leicht zum Herrn des Schwächeren, ebenso wie der riesenhafte Große sich leicht den Kleineren unterwirft. Ob die Würdigung dieses Verhältnisses schon bei den frühesten Völkern des Orients einige körperliche Kraftübungen herbeigeführt habe, können wir nicht beurtheilen.« Wahrscheinlich ist es jedoch, denn »ohne Helden mit starkem Arme und kriegerischer Gewandtheit würde jedes Epos seines schönsten Schmuckes entbehren«. Schon Odysseus rühmt sich ja mehr seiner Kraft als seiner Intelligenz: »Ganz natürlich! Klugheit und Schlauheit ohne männliche Kraft kann auch ein Weib besitzen, ohne zu großen Thaten berufen zu sein.« Die modernen »Schaugymnastiker«, die »selbst das Einhörnchen nicht« *(Ersch/Gruber)* an Biegsamkeit übertrifft, nennt *Brockhaus* 1892 »Künstler, die sich mit turnerischen Schaustellungen Broterwerb suchen«. *Brockhaus* favorisiert aber, in scharfer Abgrenzung vom englischen →**Sport**, das deutsche »Turnen« als Königsdisziplin »harmonischer Körperausbildung« und nationaler »Wehrhaftmachung«. »Die Geschichte der Wiederbelebung der Gymnastik als einer allseitigen, systematischen Leibesbildung«, bestätigt 1902 *Meyer*, »ist die Geschichte der Gymnastik in ihrer deutschnationalen Entwickelung.« – Auch dem Mädchen kann ein wenig Gymnastik im Kampf gegen »allgemeine Muskel- und Nervenschwäche, Bleichsucht und Engbrüstigkeit« sowie als Vorbereitung auf seine »schweren Pflichten als Gattin und Mutter« (*Brockhaus* 1892) nicht schaden. Die Gymnastik der Spartanerinnen nötigte schon 1835 dem *Damen-Conversationslexikon* »entzücktes Erstaunen« ab. Stubenhockerei und ungesunde Tänze verminderten bei der jetzigen Frauengeneration die notwendige »Ausdünstung« und hemmten die »kräftige Ausbildung der äußeren Brust«. Seilhüpfen, Schaukeln und Ballspiele könnten die »krankhaft blassen, reizbaren, schnell verwelkenden Gestalten« aber rasch wieder in tüchtige Mütter und →**Hausfrauen** verwandeln. 1936 wies *Meyer* der rhythmischen Gymnastik höchste Bedeutung für das »restlose Funktionieren der Urbewegungen« bei der deutschen Frau zu. Was braucht sie Kosmeten und Kosmetik? Gymnastik schafft jene »innere Heiterkeit, die die Mutter notwendig braucht«.

H

HAAR. 1770 erfand Juwelier Scharf die Haarmalerei; 1782 gelang drei Schwestern in Celle die erste Haarstickerei, eine Kunst, die in Frankreich unter dem Namen »Poussieren« viel Beifall fand. In der Regel aber war das lange Haar, ähnlich wie der volle →**Bart**, ein »Zeichen männlicher Würde und Freiheit« (*Brockhaus* 1892), das nur durch geschlechtliche Ausschweifungen und »anhaltende geistige Anstrengungen« verlorengehen und durch keinerlei →**Geheimmittel** wiedergewonnen werden kann. Eine Zeitlang hielt man die gekräuselte »kunstvolle Unordnung« der Frisur für den Ausweis freier Gesinnung; sie hat sich als Künstlerlocke »nur noch bei jenen erhalten, die äußerlich als Künstler zu erscheinen sich bemühen«. Sonst wird das deutsche Männerhaar heute »mehr oder minder glatt gescheitelt«. Die Locken, die einst so galante Namen wie »entschlüpfte Seufzer« oder »Herzensräuber« trugen, sind nach Auffassung des *Damen-Conversationslexikons* von 1835 nicht nur der »holdeste Schmuck des Menschenantlitzes«, sondern auch trefflich geeignet, körperliche »Fehler zu verbergen und Mängeln abzuhelfen«. Die Guillotine, die »vorzugsweise die schön frisirten und gelockten Köpfe« fällte (während der »wildeste Haarputz der Schreckensmänner« lange ungeschoren blieb), setzte dem künstlichen Lockenwesen ein Ende. Ihr folgten allerdings die Korkenzieherlocken gleichsam auf dem Fuße; die »kleinen Undinger« wuchsen und wuchsen, bis sie zeitweise »den Dimensionen nach ziemlich verwandt mit dem Vließe der sanften Schafe« waren. Wirres Haar aber entstellt »die reizendsten Züge und schadet der Gesundheit allemal«. Das *Damen-Conversationslexikon* bricht daher eine Lanze für das viel verspottete, dabei aber reinliche, wohlfeile und bequeme Kunsthaar: Für Menschen, »denen eine höchst arbeitsame Lebensweise nur wenig Zeit zum Ankleiden übrig läßt«, ist es eine Wohltat, enthebt es den Träger doch der Versuchung, sein Haar jeden Morgen zu waschen; diese Unsitte führt bekanntlich zu Haarausfall und vorzeitigem Ergrauen. Nach 1945 verwirrte sich das Haar trotz aller Warnungen wieder in Gestalt von Pferdeschwänzen, Fransen, Enten-Po-Frisuren, Schmachtlocken und Beatlemähnen. *Brockhaus* registrierte die Verkümmerung des glatten männlichen Scheitels 1996 mit leisem Stirnrunzeln: »Hippiebewegung und Studentenrevolte förderten mit langen, oft ungepflegten Haaren bei der Jugend eine weit verbreitete Antimode, der erst in den 1970er-Jahren von mit Farbe und Haargel kantig gestylten Punkfrisuren bis zur Skinhead-Glatze eine neue Ausrichtung gegeben wurde.«

HAMBACHER FEST. Zum Teil entstanden die frühen Lexika buchstäblich im Pulverdampf politischer Nahkampfgefechte. »Die Augen von ganz Deutschland sind jetzt« (der entsprechende Band von *Meyer* erschien Mitte Mai 1849) »auf die Pfalz gerichtet, wo ein ganzes Volk für die Einheit und Freiheit des gesamten Vaterlandes in den Waffen steht. Eine solche Erhebung, wie sie nirgends in Deutschland die Massen so tief ergriffen, und eine solche Einmütigkeit, welche Bürger und Soldaten in festgegliederte Scharen verwandelt hat, muß wohl einen Grund mehr haben als die Liebe zur Freiheit; da ist auch der Haß, der Haß gegen das altbayerische Regiment mit in die Schranken getreten. Ob dieser Haß gerechtfertigt ist? Wir glauben die vollkommenste Rechtfertigung in den blutigen Ereignissen zu Hambach und Neustadt an der Haardt am Jahrestage des Hambacher Festes und in den Vorgängen, welche die Assisenverhandlungen zu Landau begleiteten, gefunden zu haben und widmen deshalb diesem Artikel, wegen seiner engen Beziehung zu der Gegenwart, einen größeren Raum.« (*Meyer* 1839–55). Daraus wurden rund 23 Spalten! 1902 schrumpfte der Artikel auf 18 Zeilen zusammen, 1952 bei *Brockhaus* auf acht. Die letzte Ausgabe (1996) widmet einem Schlüsselereignis der demokratischen Geschichte immerhin 21 Zeilen und einen brauchbaren bibliographischen Hinweis.

HANSWURST. Der grotesk-komische Possenreißer des deutschen Stegreifspiels, ein dummschlauer Verwandter des Harlekins. Von Sebastian Brant und Hans Sachs auf die Bühne gehievt, im Wiener Volkstheater zu tölpelhaft-gefräßiger Vollendung gebracht, wurde der Hanswurst (alias Kasper, Larifari, Staberl oder Lipperl) vom Freiherrn von Pendel und Gottsched bekämpft, von der Neuberin 1737 sogar symbolisch verbrannt, von Lessing und Justus Möser aber verteidigt. Merkwürdig scheint dem *Damen-Conversationslexikon* 1835, daß alle Völker des Nordens ihre Spaßmacher nach ihrem Nationalgericht nennen: »Pickelhäring« in Holland, »John Pudding« in England, Hanswurst bei den Deutschen. Daß letzterer bei Luther noch Hans Mist hieß, deutet auf eine Verfeinerung unserer Eßgewohnheiten hin; die BSE-»Risikowurst« hat diesen Fortschritt freilich relativiert.

HARAKIRI. *Brockhaus*, in suizidalen Dingen wie immer akkurat und bewundernswert gefaßt, beschreibt 1892 das »ziemlich schwierige Ceremoniell« des japanischen Kriegerstandes für alle deutschen Nachahmer: Beim erzwungenen Harakiri wird dem Verurteilten nachts ein neuneinhalb Zoll langer Dolch in weißer Scheide auf weißem Taburett gereicht. Beim gewöhnlichen Harakiri genügt es, wenn der Selbstmörder sich ohne weitere Umstände »durch einen Querschnitt von links nach rechts den Bauch« öffnet; danach schneidet er sich »gewöhnlich« aber noch die Kehle durch. *Meyer* führt den tödlichen Schnitt 1902 dagegen von rechts nach links unterhalb des Bauches; ein wohlmeinender Freund schlug dem Selbstmörder den Kopf ab, »sobald der Verurteilte das Messer einstieß«, zum Teil angeblich auch vor dem Harakiri. Heute ist dieser elegante »Ausweg aus einer Ehrensache« (*Brockhaus* 1928) selten geworden.

HASS. Der Nazi-*Meyer* konfrontiert 1936 in einem haßtriefenden Artikel den »feigen Haß des Judentums« mit dem »heldischen Hassen« des Deutschen: Jener – nur auf ihn treffe die Redensart »Haß macht blind« zu – sei niederträchtig und heimtückisch, dieser enthalte eine »unerbittliche, aber ehrliche, gerade und mutige Härte«, die von Einsicht, Pflicht und Verantwortungsbewußtsein zeuge. 1996 scheint *Brockhaus* dagegen jeder Konflikt therapeutisch oder kommunikativ auflösbar zu sein: Haß gilt jetzt als »intensives Gefühl der Abneigung«, dessen Motive »bewußt gemacht und in einem Prozeß der Selbstaufklärung seelisch verarbeitet werden« können.

HAUSFRAU. Das *Damen-Conversationslexikon* rühmt die Hausfrauen 1835 als »schützende Genien der Ordnung und des Wohlstandes«. Der tätige Mann verbreitet nur selten »Segen, Freude und Zufriedenheit um sich«, die Frau aber, vor allem die deutsche, zieht ihre »süßeste, vollgiltige Befriedigung« aus ihrer hausfraulichen Beschränkung: »Hier erblüht dem bescheiden verlangenden Gemüth der echten Weiblichkeit ein schönerer Kranz als draußen auf der dornigen Laufbahn der Künste und Wissenschaften.« Die Griechinnen waren bereits »Hausfrauen im vollsten Sinne des Wortes«, im alten Rom und im Orient aber ließ die Sklaverei »die herrliche Blume der Häuslichkeit« verwelken: Um eine gute Hausfrau zu werden, muß die Frau »frei, geachtet, dem Manne gleich gestellt sein«.

HAUT GOUT ist »das Ziel des gastronomischen Künstlers« (*Damen-Conversationslexikon* 1835). Der »geadelte Geschmack« ist »vornehm, reizend, pikant; er kitzelt den Gaumen, schmeichelt ihm. Nur der wahre Feinschmekker kennt den Haut gout und ist Richter in Sachen desselben. Der gewöhnliche Esser ist zu sehr Materialist; es gibt auch eine Idealität des Magens.« Heute liegt »das Ideal des Feinschmekkers« schwer im materialistischen Saumagen: Schon 1902 galt der ausgesprochene Hautgout »beim Feinschmecker als Fehler« (*Meyer* 1902).

HEIMWEH. Als die Heimat noch für »Wahrheit, Wirklichkeit und Ruhe« stand, galt das Heimweh als ernste Krankheit, die »sich durch eigenthümliche Schwermuth und Abspannung kund thut, in Marasmus und Schwindsucht übergeht und den Tod zur Folge hat« (*Damen-Conversationslexikon* 1835). Besonders anfällig dafür sind alle Bergvölker: »Der Schotte vergießt in der Fremde Thränen, hört er die Molltöne der Sackpfeife ... Unendlicher Schmerz ergreift den Schweizer beim Klange des Kuhreigens, und es war nicht selten, daß, wenn diese Melodie ertönte, die in Frankreichs Regimentern dienenden Schweizer haufenweise desertirten, so daß man diese Musik unter harter Strafe zu verbieten genöthigt war.« Männer sind häufiger vom Heimweh betroffen als Frauen, da sie bei ihrem »Leben im Freien« öfter mit Sackpfeifen und Kühen in Berührung kommen. *Meyer* ließ 1902 die Schweizer Söldner beim Klange des Kuhreigens sogar haufenweise sterben, hält das Heimweh aber für eine »seelische Verstimmung«, die nur Individuen und Völker auf einer »niederen Stufe der Zivilisation« befällt. »Zur Verhütung des Heimwehs in Armeen, Lagern, Garnisonen« und ähnlich zivilisierten Anstalten empfiehlt er »alles, was Heiterkeit, Mut und Hoffnung zu erwecken imstande ist: humane Behandlung, Vermeidung von Müßiggang, Neckereien, gymnastische Übungen, nützlicher Unterricht«. *Brockhaus* hält Heimweh 1928 für den »ärztlichen Fachausdruck einer schweizerischen Krankheitserscheinung«: Bei Jugendlichen, bei denen das Heimweh oft nur Symptom einer tieferen Depression sei, helfe die Rückkehr in die Heimat selten, wohl aber bei »Psychopathen, die sich andern Verhältnissen nicht anpassen können«. *Meyer* kannte noch 1936 »Heimwehverbrechen«: Fern der Heimat zünden depressive Jugendliche oft das Haus des Arbeitgebers an, der sie von der Heimkehr abhalten will, oder vergreifen sich gar an dessen Kindern (→ **Brandstiftungstrieb**). Der weltoffene, unsentimentale *Brockhaus* von 1996 hat weder für Verbrechen noch für Fahnenflucht Verständnis: »Eine geringe Bereitschaft oder Fähigkeit, sich an die Gegebenheiten etwa eines Gastlandes zu gewöhnen, verursacht den Mangelzustand, der als Heinweh empfunden wird.«

HEKTIK »beruht allerdings auf einer allgemeinen krankhaften Beschaffenheit des Blutsystems, welches nicht stark genug ist, ein kritisches Fieber zu erregen, sondern nur die ruhige Circulation durch ein stetes schleichendes Fieber fördert, so daß keine richtige Ernährung des Körpers statt finden kann« (*Brockhaus* 1812, Artikel »Schwindsucht«).

HERRENBANK. Mit beachtlichem Engagement und Risikobereitschaft drängten die frühen Konversationslexika auf eine Konstitutionalisierung, tendenziell gar auf eine Demokratisierung der deutschen Zustände. Ohne »eine Beschränkung des Adeltums« und die Beseitigung der »Kasteninteressen auf der Herrenbank« des pseudokonstitutionellen Zweikammersystems im Vormärz war das nicht zu erreichen. Und die Lexika sprachen in dieser Hinsicht – vor 1848 – ohne verschleierndes Beiwerk: Nach 1815 richteten sich »alle Blicke auf die neuen Ständeversammlungen, die unter ganz ungewohnten Formen die Angelegenheiten des Volkes öffentlich verhandelten und der freien Gesinnung das freie Wort gestatteten, und bald ward auch in den Gemächern, wo noch Prälaten, Ritterschaft und Städte sich in schwerfälligen Formen bewegten ... die Forderung wahrer Volksvertretung laut ... Die Aristokratie, die 1815 den Augenblick für günstig hielt, zur Beschützung ihrer Vorrechte eine durch ganz Deutschland verbreitete, durch Landesgrenzen unabhängige, enge Verbrüderung vorzuschlagen, bildete wirklich eine ›Kette‹, die jede Beschränkung des Adeltums zu vereiteln bemüht war, und es konnte ihr um so leichter gelingen, je mehr ein altes Vorurteil, auf Montesquieus mißverstandenen Ausspruch sich stützend: point de noblesse, point de monarque, bei den Mächtigen noch immer Anklang fand.« Das Fazit: »Eine Ständeversammlung« sollte »das gesamte Volk als eine politische Einheit vertreten.« Das vormärzliche Zweikammersystem jedoch wirkte »desto nachteiliger auf die Entwicklung freithümlicher Staatseinrichtungen, je mehr Kasteninteressen auf der Herrenbank« saßen. Auf dem »neu aufgeputzten Altar der erstarkten Ritterhand« wurden die Ansprüche des aufgeklärten Staatsbürgertums geopfert (*Meyer* 1839–55, Artikel

»Deutschland«). Diese klare Diktion in politischen Fragen haben spätere Auflagen dieses Konversationslexikons verlernt.

HERRNPFLAUME, frühe. Wie der Name sagt, handelt es sich um eine Pflaumensorte: »Frucht: groß, dunkelviolett, bisweilen fast schwarzblau… Stiel: grünlich, mäßig dick, kurz behaart« (→**Obst**). *Meyer* (1839–55) beschreibt sie eingehend und überzeugend auf genau 13 $^1/_2$ Zeilen. Genau gleich viel Platz benötigt das Lexikon für den Artikel »Herrschaft«. In der Auflage von 1902 hat *Meyer* aufgeräumt – mit der »Herrnpflaume« und mit der »Herrschaft«. An die reale »Herrschaft« unter Wilhelm II. erinnert lexikalisch gesehen nur noch deren Abwesenheit in den Artikeln »herrenlose Sachen« bzw. »herrenlose Tiere«. Der Nazi-*Meyer* von 1936 kannte ebenfalls die Herrschaft nicht mehr, und nach dem Krieg gerann sie im *Brockhaus* (1952) zu »Führung, Leitung, social control u. ä. In der modernen Demokratie ist der ›rationale‹ Typus der Herrschaft, unter möglichster Ausschaltung der sichtbaren, unmittelbar fühlbaren und aufdringlichen Symbole der Herrschaft konsequent durchgeführt.«

HEXEN waren unschuldige Opfer »plumper Wahngebilden auf niedrigstem Bildungsgrad« (*Brockhaus* 1875) – und einer bemerkenswerten sozialen Differenzierung. Während die teuflischen Verführer, die Frauen durch »verbrieften Pact« und »wunderliche Ceremonien« erst zu Hexen machten, in der Regel »aus den höheren Ständen« kamen, stammten »ihre Opfer mit wenigen Ausnahmen« aus den »untersten Klassen« der Gesellschaft. 1892 hatte für *Brockhaus* der »Hexenmeister« mehr Bildung und daher auch mehr Schuld: Unter dem Einfluß von Zauberbüchern und Formeln nahm bei ihm die Hexerei »oft eine mehr kunstreiche, gewissermaßen wissenschaftliche Gestalt an«; dank dieser Dialektik der Aufklärung steigerte sich seine »Bosheitszauberei bisweilen zu der höchsten Stufe raffinierter diabolischer Frevelthat«.

HILFSKONSTRUKTIONEN sind eine Möglichkeit, »durch die Strecken, Winkel usw. gefunden werden, die dann in der Hauptkonstruktion verwendet werden sollen« (*Brockhaus* 1928). Seit 1936 werden Penisimplantate als Hilfskonstruktionen zur Behebung der →**Impotenz** verwendet. Eingepflanzte Stücke aus Rippenknorpeln sollten erschlafften Gliedern die nötige Stabilität verleihen. Allerdings warnte der *Brockhaus* 1928 schon vor dem Gebrauch von derartigen →**Geheimmitteln.** Schließlich führt er »nur zu unnötigen Geldausgaben und verstärkt durch die Mißerfolge den Mangel an Selbstvertrauen« (Artikel »Impotenz«). Seit den 1970er Jahren sind die Aufbauhelfer verbessert worden. Zunächst gab es stabförmige Prothesen, die allerdings eine Dauerversteifung bewirkten. Dies führte jedoch zu Beeinträchtigungen in Beruf und Freizeit. Heute stehen impotenten Männern hydraulische Implantate zur Verfügung, die mit einer im Hodensack befindlichen Pumpe reguliert werden können (→**Hydraulik).** Auf Knopfdruck entleeren sich im Unterbauch eingepflanzte Flüssigkeitsbehälter in zwei im

Schwellkörperbereich eingelegte Zylinder und führen so Versteifung herbei. Wird sie nicht mehr benötigt, kann durch erneuten Knopfdruck ein Ventil geöffnet werden; die Flüssigkeit läuft zurück, Erschlaffung tritt ein. In Zukunft könnte eine Hilfe gegen Impotenz in der Überwindung der Schwerkraft bestehen. Wie im Jahr 2000 bekannt wurde, hat die NASA 1996 bei Flügen der Space Shuttles testen lassen, welche Stellungen sich am besten für Sex im All eigneten. Das NASA-Dokument 12-571-3570 gibt Auskunft über das Liebesleben in der Umlaufbahn. Das Bodenpersonal hingegen weiß ebenfalls seit dem Jahr 2000, wieviel Standhaftigkeit gegen die Schwerkraft nötig ist. Niederländischen Ärzten ist es nämlich gelungen, den Geschlechtsakt mit einem Kernspintomografen aufzunehmen. Jetzt verdanken wir Medizinern aus Groningen die Erkenntnis, dass der Penis im Winkel von 120 Grad bei der Kopulation nach oben zeigt und die Form eines Bumerangs annimmt. Die Versuchsbedingungen vor Ort waren allerdings schwierig: Kaum ein Paar konnte im Kernspingerät lange genug stillhalten – immer wieder verwackelte die Aufnahme. Zwar hatten sich genügend Paare für die Studie bereitgefunden, doch den meisten gelang es nicht, zu zweit in die nur 50 cm enge Röhre zu gelangen und dort eine fotogene Position einzunehmen. Schließlich genügte nur ein Paar den Anforderungen für die Aktfotos. Die beiden treten, wie bekannt wurde, in ihrer Freizeit als Akrobaten auf.

HOCHZEIT. Für wichtige Lebensabschnitte hatten die alten Lexika immer anrührende Sittengeschichten zur Hand, mitten aus dem Leben. »Lappland. Hat ein junger Mann ein Mädchen ausersehen, das er heiraten möchte, so geht er mit seinem Vater und einem Freunde zu den Eltern derselben und nimmt einen guten Vorrat Branntwein mit. Während seine Begleiter in das Haus gehen und mit den Bewohnern desselben den mitgebrachten Branntwein trinken, nimmt er irgendein seinem künftigen Schwiegervater nützliches Geschäft in der Nähe der Wohnung vor. Wird er herbeigerufen, so ist das für seine gehegten Wünsche ein günstiges Zeichen, und nimmt das Mädchen von ihm einige Stücke gekochtes Fleisch, so ist die Verlobung abgemacht. Eine größere Schwierigkeit verursacht die Festsetzung des Hochzeitstages. Denn da der junge Mann, so oft er zu seiner Braut kommt, Branntwein und Tabak mitbringen muß, welches das angenehmste Geschenk ist, das man einem Lappen machen kann, so sucht der Schwiegervater die Hochzeit so lange als möglich zu verschieben« (→**Spirituosen**). Bei den Letten spielte sich alles etwa gleich ab, allerdings mit der Schikane, daß die Neuvermählten »die erste Nacht in der Scheune« verbringen mußten. In den »kultivierten und gebildeten Ländern Europas« verlief das frugaler. »In Deutschlands Mitte« – also in Thüringen und Franken – genügten damals für eine ordentliche Hochzeit »20 Eimer Bier und 30–40 Flaschen Branntwein« (→**Bier**). Zu Anfang des 20. Jahrhunderts scheint zumindest in den Städten die trockene Hochzeit Mode geworden zu sein: »In Deutschland … haben sich die Feierlichkeiten sehr vereinfacht; das Brautpaar entzieht sich sogar oft noch vor Beendigung der Hochzeit den Gästen durch die Hochzeitsreise… Nur auf dem Lande feiert man die Hochzeit noch mit mehrtägigen Schmäusen und Gelagen« – so *Meyer* 1902 – leider ohne Mengenangaben.

HOFNARREN. Vorläufer der Satiriker und Stand-up-Comedians, jedoch meist in Amt und Würden. Wie alle Beamten wurden auch die Hofnarren mit Titeln bedacht und in Klassen eingeteilt: Ganz oben in der Hierarchie etwa standen die »Lustigen Räte«, durchaus »geistreiche Männer, die sich des Vorrechts der freien Rede bedienten, um die Thorheiten und Gebrechen ihrer Zeit und ihrer Umgebung aufs unbarmherzigste zu verspotten« (*Brockhaus* 1892). Mit dem »seltsam-unwürdigen Beruf« wurde viel Unfug getrieben. »Später, als die Derbheit der Sitten an den Höfen verschwand, ergötzte man sich an sog. Kammerzwergen sowie an einfach blödsinnigen oder gebrechlichen Menschen.«

HÖLLENFURIE. Ein in den Sümpfen Nordschwedens hausender Wurm, der, wie *Brockhaus* 1892 vorsichtshalber ergänzt, »unsichtbar sein soll«. Warum dieses »sagenhafte Geschöpf« jeden Sommer Menschen und Tiere zu Tode sticht, ist ein Rätsel oder Folge einer »akut verlaufenden Blutvergiftung, deren Ursachen freilich noch unbekannt sind«. Vgl. »Helferstein, *Naturgeschichte der schädlichen Insekten.*« Gesicherter sind Geschichte und Wirkung der »Höllenmaschine«. Das *Damen-Conversationslexikon* erschauerte 1835 schon bei der bloßen Nennung des »schrecklichen Worts«: Napoleon entging an Weihnachten 1809 knapp einem mit Pulver, Kartätschen und Brandkugeln gefüllten Karren; der Urheber des Attentats »büßte, wie Napoleon auf St. Helena sagte, in einem Trappistenkloster freiwillig seine böse That«. Auch die von einem »mystischen Dunkel« umschwebte Höllenmaschine des Fieschi, eine Art früher Stalinorgel, verfehlte 1835 den König von Frankreich, nicht aber ein deutsches Mädchen und viele unschuldige Franzosen, »von denen wir nur den Marschall Mortier nennen«. *Brockhaus* beschreibt das Gerät 1892 als eine »verbrecherischen Absichten dienende Vorrichtung, um im größern Maßstabe und auf hinterlistige Weise Menschen zu töten«. Der Vorläufer des Torpedos wurde zum ersten Mal 1693 von den Engländern im Seekrieg eingesetzt, wenn auch »niemals mit erheblichem Erfolg«. Um so erfolgreicher wirkte die Höllenmaschine als landgestützte Geheimwaffe aller Verschwörer und Versicherungsbetrüger. Berühmt wurde die aus einem Faß Dynamit bestehende »Infernalmaschine«, mit welcher der skrupellose Amerikaner Thomas 1875 in Bremerhaven ein Schiff mit hundert Menschen in die Luft sprengte. »Seine eigentl. Absicht wurde durch eine zu früh erfolgte Explosion vereitelt« (*Brockhaus* 1928), weshalb seit damals ein »lautloses Uhrwerk« in jeder Höllenmaschine tickt. Anderen Berichten zufolge hatte aber schon Thomas an ein »unhörbar gehendes Uhrwerk von acht Tagen Gangzeit« (*Meyer* 1902) gedacht. *Brockhaus* entzauberte die Wunderwaffe 1996 als »einfallsreich angefertigte, verborgen deponierte Sprengstoffladung«.

HOLLYWOOD. In älteren Lexika sucht man das Wort vergeblich. *Meyer* verbucht aber schon 1839–55, rund 45 Jahre vor der Erfindung der Gebrüder Lumière, das Wort »Kino. Gummi Kino, Kinogummi. Mit diesen Namen werden verschiedene gummiartige Pflanzensäfte belegt, die man durch Auskochen gewinnt. Über ihre Abstammung herrschen noch viele Unsicherheiten.« Jedenfalls soll das »Kino verum« aus Afrika stammen und »blutrot« sein, während das »Kino orientale« erst »rot« ist und an der Sonne »schwarz« wird. Über die Abstammung des anderen Kinos gibt es heute keine Unsicherheiten mehr, und was das »Auskochen« betrifft, so bleibt der neuere »Kinematograph« (*Meyer* 1902) mit dem »Kinogummi« dauerhaft verwandt.

HOMÖOPATHIE. Im *Brockhaus* sind die Fronten 1827 klar: »Mit Recht kann ... die ältere Medicin den Homöopathikern den Vorwurf machen, daß sie die Natur der Krankheit nicht nur nicht kennen, sondern es auch verschmähen, sie zu erkennen.« *Brockhaus* ist 1864 etwas subtiler und geht milde herablassend auf die »Pülverchen, Tröpfchen, Streukügelchen, Riechfläschchen« und weitere Diminutive ein, ohne zu verkennen, daß sich die »heutige medic. Verfahrensweise« in »manchen Punkten der Homöopathie genähert« hat. 1892 äußert sich *Brockhaus* sogar lobend: »Die Homöopathie hat eine Reaktion gegen die Anwendung von Arzneien in großen Dosen und unnötigen Zusammensetzungen (die ›langen Rezepte‹) hervorgebracht und die Aufmerksamkeit auf die Naturheilkraft und auf die Bedeutung der Diät gelenkt.« Über eine besondere Form der Homöopathie berichtet *Brockhaus* 1892 allerdings zurückhaltend. In dem Artikel »Elektrohomöopathie« wird »ein auf den Grafen Cesare Mattei in Rochetta bei Bologna (Ende der sechziger Jahre) zurückgehendes Heilverfahren« beschrieben, das verdünnte Arzneien nach Art der Homöopathie anwendet und »nur wegen seiner angeblich blitzschnellen Wirkung elektrisch genannt wird«. Leider wird über den genauen Wirkmechanismus der Substanzen wenig verraten, denn die erwähnten »Arzneien (›Anticanceroso‹, ›Antiscrofuloso‹ u. a., ferner ›grüne, blaue, gelbe und rote Electricitäten‹), deren Zusammensetzung unbekannt ist«, gehören zu den →**Geheimmitteln.**

HOMOSEXUALITÄT wird im *Meyer* von 1902 (Artikel »Sexualpsychologie«) zwar als »eine sehr häufige Anomalie des Sexualtriebes« erwähnt, doch auch relativ neutral als »gleichgeschlechtliche Liebe, konträres Geschlechtsgefühl« erklärt, »bei der sich, im Gegensatz zur normalen Heterosexualität, das sexuelle Begehren auf Individuen des gleichen Geschlechts beschränkt« (→**Enterbte des Liebesglücks**). *Brockhaus* bricht 1928 eine Lanze gegen den genetischen und für den psychopathologischen Determinismus, denn »im Gegensatz zu der vielfach verbreiteten Meinung, die Homosexualität sei eine angeborene Anlage, dringt heute die Ansicht durch, daß die Homosexualität eine in früher Jugendzeit erfolgende Umwandlung der Richtung des Geschlechtstriebs darstellt«. Als Erklärung vermutet das Lexikon, daß sich homosexuelle Neigungen »auf Grund einer gewissen affektiven (neurotischen) Veranlagung durch entsprechende Erlebnisse entwickeln«. Ganz ohne Biologie geht es aber auch trotz dieser Erklärung nicht. Angeblich finden sich bei manchen männlichen Homosexuellen »ein dem weibl. Körperbau entsprechendes breites flaches Becken und stark entwickelte Brüste«. Homosexuelle erkennen »sich gegenseitig an gewissen Sinnesempfindungen und Bewegungen, sie finden sich zusammen in gewissen Pensionaten, Bädern und halten zuweilen gemeinsame Vergnügungen unter der Maske von Karnevalsscherzen, Damenimitationen, Herrenabenden, etc. ab« (*Meyer* 1902). Eine Therapie hält *Brockhaus* immerhin für möglich, denn »ein Teil der Homosexuellen, bei dem sich die Homosexualität ähnlich wie eine Neurose entwickelt, leidet oft auch an andern neurotischen Symptomen, ist durch psychotherapeutische Behandlung beeinflußbar, in manchen Fällen heilbar« (*Brockhaus* 1928). *Meyer* sieht 1902 die Homosexualität »meist auf Grundlage einer angeborenen perversen Empfindung« entstehen, seltener aber auch »als Folge von Ausschweifungen, so daß ungewöhnliche Reize zu Hilfe genommen werden, um die entnervte Geschlechtssphäre zu erregen«. *Meyer* bemüht 1902 das Klischee des kultivierten Schwulen, sind doch die »männlichen Homosexualen oft fein entwickelte, ästhetisch hoch kultivierte Personen«. Um so mehr verwundert es, daß diese hochkultivierten Personen angeblich selbst »betonen, daß sie wohl biologisch, aber nicht ethisch als minderwertig zu betrachten seien«.

HOSEN. Im alten Rom trugen nur germanische Söldner, Kranke und Alte, später auch der greise Augustus »Feminalia«; später verbot Kaiser Honorius die Hosen »innerhalb des Weichbildes« (*Brockhaus* 1892) der Stadt. Adelwald, König der Langobarden, führte die langen Strumpfhosen mit Füßlingen ein. Unter Franz I. erreichten die kurzen Hosen dann »noch nicht das Knie«. Als die Damen sich mit ihren Reifröcken aufzuplustern begannen, »hielt man es für notwendig, auch die Hosen der Herren entsprechend auszupolstern und zu wattieren«. In England wurden sie bald so »ungebührlich« ausgestopft, daß Elisabeth I. die Parlamentsbänke verbreitern mußte. *Honny soit qui mal y pense.* Die Lappinnen legen nicht einmal nachts ihre Hosen ab. Der Hosenträger jedoch verdankt seine Erfindung dem »Pantalon«, das nicht nur ein »verbessertes Hackbrett« und eine Figur der Commedia dell'arte ist, sondern auch eine Art verbesserter Hose: »Richelieu tanzte die bekannte Sarabande vor Anna von Österreich in Pantalons von grünem Sammet. Sie schon damals zur Straßenkleidung zu machen wurde versucht, gelang aber nicht … Gegen das Pantalon bestand lange ein Widerstreben, obgleich es manche wegen seiner Bequemlichkeit anlegten, bis Friedrich Wilhelm III. von Preußen 1797 in Teplitz mit diesem Kleidungsstück erschien und es zur fast ausschließlichen Bekleidung des männlichen Beines machte. Das Pantalon führte 1792 zur Erfindung des Hosenträgers.« (*Brockhaus* 1892, Stichwort »Pantalon«). Noch vor den Preußen begannen die blutrünstigen Sansculotten lange Hosen anzuziehen. »Beim Training«, empfiehlt *Meyer* 1936, »trägt man, von den Schwimmern abgesehen, in der Regel lange, an den Knöcheln verengerte Hosen (Teil des ›Trainingsanzugs‹).«

HOTTENTOTTEN. Sie nennen sich nach *Meyer* (1839–55) so nach »dem Worte Qua, das in ihrer Sprache Mann bedeutet«. Gut sechzig Jahre Aufklärung münden 1902 in das Zugeständnis, daß »Hottentotten (Stotterer)« die Ureinwohner Südafrikas seien und so »von den Holländern« genannt wurden und zwar »wegen der Schnalzlaute in ihrer Sprache«. Die Selbstbezeichnung laute, belehrt das Lexikon weiter, »Khoi-Khoin, was Menschen den Menschen (d. h. Urmenschen) … bedeutet«. In der ersten Auflage von *Meyer* hieß es, die Abstammung betreffend: »Die Hottentotten stehen rücksichtlich ihrer Abstammung rätselhaft da, ohne deutlich ausgesprochene Verwandtschaft mit anderen Nationen Afrikas, von manchen als der Übergang von den Menschen zu den Affen bezeichnet. Wenigstens sind sie eines der häßlichsten Völker.« So grob wollte man es 1902 nicht mehr sagen: »Die Moral der Hottentotten ist gering. Wankelmut, Großmannssucht, Lügen, Diebstahl und Sinnlichkeit sind ihre Hauptlaster.« Verfeinerung ist auch ein Prinzip, entlang dem sich Rassismus als Normalität ins Bewußtsein der Europäer gräbt.

HÜHNERHAUS. *Brockhaus* gab dem gebildeten Heimwerker immer wieder praktische Ratschläge und Bastelanleitungen an die Hand. 1892 widmet er sich ausführlich den Problemen von Statik und Wärmedämmung im Hühnerhaus, von der Treppe bis hinauf zur Dunstabzugsröhre. Die Hühnerhausbewohner müssen auf »gleichhohen (0,50 bis 1,00 m) Sitzstangen« im Abstand von 15 bis 20 cm sitzen, die Latten 0,07 m breit und an den scharfen Kanten abgerundet sein; die Fensterflügel der Eingangstür sollten sich nach außen aufschlagen lassen. Jede Stange, ergänzt *Brockhaus* 1928, bietet so vier Hühnern Platz, und »das Fallnest ist das zuverlässigste Mittel, um eine ausreichende Zuchtwahl treffen zu können«. *Meyer* räumt 1936 den Käfighennen noch mehr Raum und Komfort ein; beim Stichwort »Hühnerzucht« ringt er sich gar zu einer Absage an seine sonst so unmenschliche Rassentheorie durch: Die roten Malaien und gelben Cochins sind demnach leistungsfähiger als deutsche »Reichshühner«, wie überhaupt die Legeleistung »viel weniger durch die Rasse als durch die Familie und das Einzeltier bestimmt wird«. Wenig später, unter dem Stichwort »Humanität«, holt *Meyer* dann aber zur ideologischen Rechtfertigung der Käfighaltung von Menschen aus: Das sogenannte Humanitätsideal (»volkstümlich: Humanitätsduselei«) sei längst »zu einer lebensbedrohenden Gefährdung jedes arteigenen, wertvollen, starken und schöpferischen Menschentums entartet«.

HUMANITÄT. Hier ist ein veritabler Fortschritt zu verzeichnen. Zwischen 1839 und 1902 erhöhte *Meyer* die Zeilenzahl des Artikels von 16 auf 68 – also auf das Viereinhalbfache. Der größte Teil des Artikels aus dem Jahre 1902 drehte sich freilich um den »Streit zwischen Gymnasium und Realschule, humanistische und realistische Bildung«, also um den Anteil der klassischen Sprachen Latein und Griechisch am Bildungskanon bzw. in den Lehrplänen. *Meyer* ließ Humanität Humanität bleiben und plädierte in jenem Schulstreit entschlossen für »die besonnene Mitte«, das heißt die Berücksichtigung von modernen Sprachen und Naturwissenschaften an den Gymnasien, ohne »den hohen Wert der klassisch-humanistischen Schulung« zu vernachlässigen.

HUMOR. »Große Humoristen gab es schon, ehe man über den Begriff des Humors ins klare gekommen war.« (*Meyer* 1902). Die Alten allerdings kannten die »höchste Form des Komischen« nach *Brockhaus*' Beobachtungen von 1892 »wenig oder gar nicht«, das Mittelalter hatte immerhin Schwänke und gotische Wasserspeier. Unter den Tieren zeichnen sich Pudel und Pinscher »in hohem Grade« durch einen »drolligen Humor« aus. Den romanischen Völkern dagegen »fehlt der Humor, der der begleitenden Sentimentalität nicht ganz entraten kann, fast vollständig«. Mit einem Wort: Der Deutsche ist in allen humoristischen Disziplinen Weltmeister. Für *Meyer* war der »lebensbejahende, vollblütige, fröhliche und doch ernsthafte« Humor 1936 naturgemäß »Haupteigenschaft«, ja Privileg des arischen Menschen. Nachgerade »ins Geniale gesteigert« werde er im »grimmen Humor« der germanischen Heldensagen, und »daß Tapferkeit und Humor einander nicht ausschließen, bezeugt der Frontsoldatenhumor«. Der Humor, gab *Meyer* allerdings schon 1902 auf zwei Seiten zu bedenken, »ist nicht immer komisch, er erzeugt oft nur ein mildes Lächeln, während das Komische, wo es normal und glücklich ausgebildet ist, ein kräftiges →**Lachen** bewirkt«. Immerhin entwirrt der Humor den »verworrenen Knäuel unsers Lebens« und animiert zu herber Fröhlichkeit und einem »beherzten Aufrütteln unsrer Kräfte«. Er zeigt, bestätigt *Brockhaus* 1928, »am Ernsten und Großen das Unbedeutende und Kleine, ohne jenes jedoch aufzuheben«; dem Widrigen und Schlimmen nimmt er die Schärfe: »Humor an sich selbst geübt, enthält Freude am eigenen Überlegenheitsgefühl und Traurigkeit über die eigene Beschränktheit.« – »Weibliches Wesen«, säuselte noch 1835 das *Damen-Conversationslexikon* gar nicht traurig, ist für diesen edlen, kämpferischen »Zorn der Himmlischen« entschieden »zu mild, zu weich, zu schonend. Zur Schlichtung der großen Lebensfrage ist der Mann berufen; Zwischenfragen indeß bekämpfen Frauen mit Witz und Laune glücklich. Sie sollen ja nur lieben, dulden, verzeihen, während der Mann kämpft und schafft.« Oder eben grimme Landserwitze reißt. Neuerdings ist der männlich erigierte deutsche Humor im Lexikon überall zur »heiteren Gelassenheit gegenüber den Unzulänglichkeiten von Welt und Menschen« (*Brockhaus* 1996) erschlafft.

HUND. Ein »gemeingefährliches Geschöpf« (*Brockhaus* 1892), die »gefährlichste Parasitenherberge«, immer zum Beißen und Stehlen geneigt und überhaupt »durch die Zeitfortschritte seiner ursprünglichen Bestimmung vielfach entfremdet und mehrenteils zum bloßen Spielzeug des Menschen geworden«. Der Hund kann daher nur durch »strenge Milde« erzogen werden. »Kein Thier vergißt Beleidigungen so leicht wie der Hund«, lobte das *Neue Natur- und Kunstlexicon* 1801. »Unverschuldete Mißhandlungen empfindet er tief; verdienten Züchtigungen unterwirft er sich ohne Widerstand, und nur durch Winseln und bittende Geberden sucht das reuige Thier die strafende Hand zu entwaffnen.« Fast vergessen ist seine Heilkraft: »Lebendige Hunde auf die leidenden Theile des menschlichen Körpers gelegt, sollen wirkliche Lähmungen, Koliken und ähnliche Uebel geheilt haben«; die wohltätige Wirkung des Hundefetts ist unbestritten. *Meyer* berichtet noch 1902, daß Hunde außer von Eskimos und Indianern auch von Sachsen gern gegessen werden: Von den 470 Hunden, die 1901 in Deutschland verzehrt wurden, kamen allein 371 aus den Schlachthöfen von Chemnitz. Allerdings werden »viele Hunde heimlich geschlachtet, um ihr Fleisch zu allerlei Fälschungen (Wurst) zu benutzen«. Umgekehrt ist auch der Hund kein Kostverächter: »Für heranwachsende Hunde stellt die Firma Spratt Lebertranbiskuits her, zur Abwechslung eine Marke ›Rodnin‹, die selbst von den verwöhntesten Tieren gern genommen werden.« Hunde sind nach dem Dafürhalten des *Damen-Conversationslexikons* von 1835 vorzügliche Kriminalisten, die oft nach Jahren die Mörder ihres Herrchens zur Strecke bringen. Diese Beobachtung wird durch Fernsehserien zwar bestätigt; doch sind nach derselben Quelle die Neufundländer, »welche bekanntlich Schwimmhäute haben«, Kreuzungen von Hund und Fischotter. Der kynophile *Brockhaus* von 1996 hält den Hund für »überwiegend sozial«. Selbst seine »Lautfreudigkeit«, die sich im »Chorheulen« Bahn bricht, hat heute nur noch »gesellige Bedeutung«.

HUNGERKÜNSTLER. *Brockhaus* berichtet 1892 unter dem Stichwort »Hunger« von dem »20jährigen ital. Maler Merlatti, welcher volle 50 Tage hindurch, vom 27. Okt. bis 15. Dez. 1886, unter allerdings nicht ganz einwandfreier ärztlicher Kontrolle im großen Saal des Grand Hotel zu Paris hungerte; er rauchte bloß täglich einige Cigarren und trank etwas filtriertes Wasser. Am Ende des Fastversuchs war sein Körper auf das äußerste zusammengeschrumpft, die Hände und Füße erschienen ungewöhnlich lang, das Gesicht war außerordentlich abgemagert, die Nase auffallend spitz, und aus seinem Munde entströmte ein Geruch, wie ihn wilde Tiere in Menagerien verbreiten.« Der italienische Hungerkünstler konnte nach einiger Zeit zwar wieder etwas essen, doch »nach einem spätern Hungerversuch ging er elend zu Grunde«.

HURRAH. Einst Hetzjagd-, dann Schlacht-, heute Freudenruf. Deutsche Weltkriegsveteranen erinnern sich nur noch an das schreckliche »Urräh« des Russen. Doch hatte sich sein Feldgeschrei seit den Befreiungskriegen auch in der deutschen Armee beim Bajonett- und Kavallerieangriff »reglementarisch« (*Brockhaus* 1892) eingebürgert. Unklar ist aber, ob sich Hurrah vom tatarischen »úrá« oder von mittelhochdeutsch »hurren« (sich schnell bewegen) herleitet.

HYDRAULIK. Die Physik hat sich in wesentlichen Bereichen längst von der klassischen Mechanik verabschiedet. In der Sexualwissenschaft geht das »klass. Modell« laut *Brockhaus* von 1996 (Artikel »Sexualität«) hingegen von »einem Sexualtrieb aus, der sich aus einer biologischen, im Wesentlichen hormonellen Quelle speist und zur Abfuhr durch sexuelle Aktivität drängt«. Dieses »Triebdruckmodell« variiert »von der einfachsten Vorstellung, die Sexualsekrete erzeugten einen mechan. Druck in den Genitalien, bis zu dem differenzierteren Modell der frühen Psychoanalyse«. Zwar erwähnt *Brockhaus* 1996, daß zu Freuds Modell »die angestrebte Reduzierung dieser inneren Spannung« gehört, »wie bei Hunger und Durst«, und daß diese Vorstellung als »psychohydraulisch kritisiert« wurde. Schließlich habe die Verhaltensforschung belegt, »daß sich auch bei langer sexueller Enthaltsamkeit keine Hinweise auf unentladene Sexualspannung finden lassen«. Dafür entlädt sich der Druck im *Brockhaus* 1996 woanders, nämlich in der Überwindung von Angst und Schwäche: »in dieser Hinsicht ist der Orgasmus nicht nur Triebabfuhr oder Lustbefriedigung, sondern ein ›megalomaner Ausbruch der Freiheit‹ (Stoller)«.

HYPOCHONDRIE ist »der Proteus unter den Krankheiten« (*Brockhaus* 1812) mit Sitz unter den kurzen Rippen, äußert sich durch »die mannigfaltigsten und veränderlichsten Zufälle in dem ganzen Körper«. Mal fühlt der Hypochonder Drücken auf der rechten Seite, »und er glaubt, daß er Leberverhärtung habe«, plötzlich entsteht ein Klingen, Sausen und Brausen vor den Ohren, »und er erwartet einen Blutschlagfluß«. Ihm wird »ein wenig Durchfall zur Ruhr, eine eingeschlossene Blähung zum Centnerstein«. Heilung ist selten, in glücklichen Fällen kommt sie im Alter vor, »wo sich die übergroße Empfindlichkeit des Nervensystems von selbst legt. Am Ausgang des 19. Jahrhunderts wird die Hypochondrie auch nicht recht ernst genommen: »Bald halten sie sich für herzkrank, bald für schwindsüchtig, bald für syphilitisch, bald fürchten sie Rückenmarks- oder Gehirnkrankheiten, Impotenz oder Magenkrebs, alles abwechselnd und oft in Widerspruch zu ihrem häufig blühenden Aussehen.« (*Brockhaus* 1892). Die Krankheit tritt »meist bei Männern zwischen dem 20. und 40. Jahre« auf; manchmal ist sie angeboren, »häufiger wird sie durch schwächende Einflüsse aller Art, namentlich durch übermäßige geistige Anstrengungen, durch geschlechtliche Ausschweifungen, die Entbehrung frischer Luft und eine dauernde sitzende Lebensweise sowie durch ein unthätiges Leben, durch Übersättigung von Genüssen, durch das anhaltende Unbehagen über getäuschte Hoffnungen, über verfehlte Spekulationen, über ein falsch angewendetes Leben« hervorgerufen. Vorbeugend empfiehlt das Lexikon: »Excesse in der Liebe sind durchaus zu meiden.« Dies gilt jedoch nicht nur für Männer. Frauen werden allerdings bei Liebesleid und anderen Exzessen eher von der Hysterie als von der Hypochondrie befallen: »Man findet die Hysterie häufig bei kinderlosen, unglücklich verheirateten Frauen, Witwen und alten Jungfrauen, und hier ist, wenn nicht Geschlechtskrankheiten vorliegen, das niedergeschlagene Bewußtsein eines verfehlten Lebens als Ursache anzusehen. Die Nichtbefriedigung oder unnatürliche Befriedigung des Geschlechtstriebs trägt an der Krankheit viel seltener die Schuld, als oberflächliche Ärzte behaupten.« (*Brockhaus* 1892, Artikel »Hysterie«). →**Gewerkschaft.**

I

IDENTITÄT, nationale. »National bezeichnet das, was einem Volke eigentümlich ist, namentlich auf Sitten und Gebräuche... Auch von Pferden kann, in richtigem Sinne aufgefaßt, ein National gegeben werden«, verstanden als Steckbrief von Alter, Geschlecht und Abstammung (*Brockhaus* 1843, Artikel »National«). In den 80er Jahren des 20. Jahrhunderts setzte die Konjunktur des Begriffs »Identität« ein. Besonders verbreitet ist seither die Rede von der »nationalen Identität« oder von der »Identität der Nation«, von denen zwar keiner weiß, was sie bedeuten, die aber wohl gerade deshalb so beliebt sind. Ist schon für »Nation« unter Historikern und Politikern kaum ein Konsens zu erzielen, woraus sie besteht, so erst recht nicht für ihre »Identität«. Das ganze Ungemach mit den beiden Begriffen hat ein Schweizer Romancier vorausgesehen, der die Begriffe überhaupt erstmals in einen Ausdruck zusammenspannte, so wie man Pferde zusammenspannt, die ja nach *Brockhaus* auch ein »national« haben. Der Ausdruck »Identität der Nation« findet sich wie ein Solitär in der ersten Fassung von Gottfried Kellers *Grünem Heinrich* (1854/55). Im Buch IV, 7 nimmt Heinrich Lee seine Heimkehr im Traum vorweg: Er reitet darin auf einem Pferd namens »Goldfuchs« und redet mit diesem. Das Fabelwesen verkörpert die schwärmerisch-fiktive »Identität« von Gold, Reichtum und Einsicht. Das Pferd heißt nicht nur Goldfuchs, es hat auch die Fähigkeit, dem notorisch an Geldmangel leidenden Heinrich die Taschen mit Gold zu füllen. Heinrich überquert hoch zu Roß eine überdachte »Prachtbrücke« aus Marmor. Auf »dieser wunderbar belebten Brücke« fließen »Vergangenheit, Gegenwart und Zukunft« ineinander und werden »ein Ding«. Auf Heinrichs Frage, »was dies für eine muntere und lustige Sache« sei, antwortet das Pferd: »Dies nennt man die Identität der Nation!« Über die Frage, was die marmorne »Identität der Nation« ausmache, können sich Heinrich und das Pferd nicht einigen und stürzen sich in logische Turbulenzen. Das Pferd ist der Meinung, wer die Frage beantworten könne, arbeite »an der Identität selber mit« und erwerbe sich eben damit den Anspruch, an eine Heldenwand gemalt zu werden. Am Ende des Disputs stellt sich die »ganze Identitätsherrlichkeit« als profane Geldherrschaft heraus. Die »Identitätsbrücke der Nation« soll das durch unterschiedliche Interessen und Mentalitäten gespaltene Volk verbinden. Die vermeintliche Brücke hat keinen Ort in der Realität. Kellers Held träumt – wie Don Quijote hoch zu Roß – ein Ideal herbei, das die Real- und Nationalgeschichten der letzten 200 Jahre mit reichlich Blut in die Geschichtsbücher gemalt haben. Und das absehbare Ende dieser Geschichten beschert dem Begriff »Identität« im politischen Diskurs eine berauschende Konjunktur.

IDEOLOGIE. Das war und ist eine ziemlich komplizierte Sache. »Ideologie« definierte *Meyer* (1839–55) so: »In Frankreich eine erweiterte Form der Metaphysik, die eklektisch auch die Grundzüge der Anthropologie, allgemeinen Grammatik und Logik in sich aufgenommen hat.« Es folgt der obligate Hinweis auf Destut de Tracy, der am 21. April 1796 »Ideologie« als »Wissenschaft von den Ideen« bzw. »Fähigkeit zu denken« definiert hatte. Über hundert Jahre später legte sich *Meyer* (1902) die Sache mit der Ideologie und der Metaphysik so zurecht: »Bezeichnung für eine Richtung der französischen Philosophie, die, an Condillac anknüpfend, die Philosophie unter Verwerfung aller Metaphysik auf Anthropologie und Psychologie zurückzuführen und von diesem Gesichtspunkt aus auch die Ethik, Pädagogik, Rechts- und Staatswissenschaft zu reformieren und auf rationelle Grundlage aufzubauen suchte.« Neben Destut de Tracy erscheinen Condorcet und Royer-Collard als Gewährsleute. Ob »erweiterte Form der Metaphysik« oder »Verwerfung aller Metaphysik« – selbst zu Beginn des 20. Jahrhunderts hielt die maßgebliche Lexikographie »Ideologie« noch für eine exklusiv französische Angelegenheit. Hier bahnte sich etwas Ähnliches an wie mit den Begriffen »Kultur« und »Zivilisation«: 1914 wertete man im Kaiserreich das Fremde zur »Zivilisation« ab und das Eigene zur »Kultur« auf. Die Träger der deutschen »Kultur« mit den »Ideen von 1914« meinten, auf den Schlachtfeldern die französische »Zivilisation« und ihre »Ideologen von 1789« zu treffen (→**Civilisation**). Nach dem Zweiten Weltkrieg ordnete *Brockhaus* (1952) die Ideologieproduktion im Zeichen des Kalten Krieges einseitig den »totalitären Systemen« zu – »zum Zwecke der Werbung, der Schulung und der Integration, nach außen hin als Kampfparolen«. Die *sanior pars* unter den Über-Fünfzigjährigen hat das alles etwas anders mit- und buchstäblich in die Köpfe eingehämmert gekriegt.

IMPOTENZ. »Wenn ein Mann weiß, daß die Epoche seiner stärksten Potenz nicht die ausschlaggebendste der Weltgeschichte ist –: das ist schon sehr viel«, schrieb Tucholsky. Manche Männer wissen dies zwar, wollen sich aber dennoch nicht damit abfinden, daß sie impotent sind (→**Erektion**). Außerdem ist »für die gerichtliche Medizin die Feststellung mangelnden Zeugungsvermögens von hoher Bedeutung, da dieser Mangel einen Ehescheidungsgrund darstellen kann« (*Meyer* 1902, Artikel »Zeugungsvermögen«). Und so wird seit Jahrhunderten allerlei gegen das Nachlassen der Manneskraft ausprobiert (→**Hilfskonstruktionen**). Das *Deutsche Ärzteblatt* veröffentlichte im Jahr 2000 eine Serie über »Sexuelle Funktionsstörungen«. Funktionsstörung ist ein sonderbarer Begriff, wenn es um Impotenz geht – man vermutet sie bei Motoren oder Dynamos, aber beim Sex? Vielleicht liegt ein Grund darin, daß ein Verfasser des einleitenden Editorials in der »Abteilung Ergonomie« des »Instituts für Arbeitsphysiologie« der Universität Dortmund tätig ist (→**Hydraulik**). Der *Brockhaus* gibt 1892 weitere Hinweise zum Verständnis. Funktion ist schließlich, »was eine Sache leistet oder zu leisten vermag«. Im Artikel »Funktionswechsel« findet sich außerdem eine gültige Erklärung, die die Entwicklung der Impotenz beschreibet: »Durch Steigerung einer Nebenfunktion und Zurücksinken der Hauptfunktion ändere sich die Gesamtfunktion, die Nebenfunktion werde allmählich Hauptfunktion und die Folge dieses Prozesses sei die Umgestaltung des Organs.« Ursachen für Funktionswechsel sind laut *Meyer* von 1902 »vor allem in einem Wechsel der Lebensweise zu suchen, der durch Veränderungen der Umgebung, des Klimas, etc. bedingt sein kann«. *Brockhaus* kennt 1892 neben körperlichen auch psychische Ursachen. Zu ersteren gehören »Schwächezustände jeder Art, insbesondere nach fortgesetzten geschlechtlichen Ausschweifungen, angeborene Trägheit zum Geschlechtsgenuß, ferner Trunksucht«. Die »psychischen Ursachen sind vorzüglich: Haß und Abneigung gegen den andern Teil, Schüchternheit und Mangel an Selbstvertrauen, besonders mit dem Bewußtsein einer ausschweifenden Vergangenheit, ferner übermäßig heftige Begierde zum Beischlaf, besonders bei übergroßer Reizbarkeit des Nervensystems, deprimierende Gemütsbewegungen (Kummer, Sorgen) und anhaltende Anstrengungen des Geistes« (→**Erregung**). Die Behandlung der Impotenz erfordert wenn nicht gar eine »Psychokatharsis« (*Brockhaus* 1928), so doch »sehr sorgfältiges Individualisieren« (*Brockhaus* 1892), was nie falsch sein kann. Doch ist fraglich, ob »nahrhafte animalische Kost, reichliche Körperbewegung in freier Luft, Aufenthalt auf dem Lande« und besonders »warme Bäder und kühle Abwaschungen der Genitalien, unter Umständen die Anwendung der Elektricität« wirklich den gewünschten Erfolg zeitigten (→**Elektrotherapie**). Diese kurativen Vorschläge stehen auch im Widerspruch zu einer anderen Empfehlung: »Den Geschlechtsteilen selbst muß selbstverständlich längere Zeit hindurch völlige Ruhe und Schonung gegönnt werden, sie dürfen weder durch örtliche Mittel, noch durch aufregende Gedanken und Bilder in Thätigkeit versetzt werden, da jedwede Schwäche nur die vorhandene Schwäche steigert.« Und, das mag heute noch gelten: »Alle gegen die Impotenz empfohlenen Geheimmittel sind unnütze Charlatanerien, ebenso muß vor dem Gebrauch aller Aphrodisiaka (s. d.) eindringlich gewarnt werden.« (*Brockhaus* 1892). Das gleiche gilt für entsprechende Druckerzeugnisse, denn »die vorübergehenden Zustände von Impotenz nach geschlechtlichen Exzessen werden von spekulativen Ärzten und Laien in einer Fülle trauriger Literaturerzeugnisse abgehandelt, deren Früchte nur den Herausgebern, nicht aber den hilfesuchenden, eingeschüchterten und künstlich in Besorgnis erhaltenen Lesern zugute kommen« (*Meyer* 1902, Artikel »Zeugungsvermögen«).

IMPROVISATION. Stegreifdichtung. Anders als »bei Völkern von lebhafter und fruchtbarer Phantasie« wie →**Arabern** oder →**Negern**, sind in Deutschland »Volkscharakter und Sprachform der Improvisation nicht günstig«

(*Brockhaus* 1892). Eine bescheidene Blüte erlebte sie immerhin in Tirol und der Steiermark. Auch erlangte der »Blitzdichter« Prof. Wolff aus Jena dank seiner reichen Bildung eine »geniale Leichtigkeit« in diesem Fach, die von Gymnasialprofessor R. Neubaur nicht ganz und vom reisenden Improvisateur Langenschwarz »bei Weitem nicht erreicht« (*Damen-Conversationslexikon* 1835) wurde. Auch E. Volkerts schönes Talent im Vortrag sogenannter »Schnaderhüpfel« wurde 1865 »von Armut und Sorge erdrückt« (*Meyer* 1902). Heute ist die Kunst der Improvisation sowohl in Tirol wie in den Bildungsanstalten verkümmert.

INDIANER. Sie hatten wenige Freunde – und unter den Lexikographen bis ins 20. Jahrhundert gar keine. Diese schossen dafür gelegentlich ein Eigentor. »Nicht lange nach der Entdeckung der Neuen Welt mußte sogar durch eine päpstliche Bulle (1537) der Zweifel gelöst werden, ob die Indianer überhaupt zum Menschengeschlechte zu rechnen seien. Genauere Beobachtungen Neuerer haben gezeigt, daß der Indianer allerdings mit dem Kaukasier in geistiger Beziehung nicht auf gleicher Stufe steht. Das Begriffsvermögen der roten Rasse ist beschränkter und langsamer, die Phantasie stumpfer … Der Indianer lebt nur in der Gegenwart und berechnet nie für die Zukunft. Weil er die Zukunft nicht zu erfassen vermag, sieht er auch in allen Fällen gleichgültig den Tod herannahen, geht der Kriegsgefangene dem unvermeidlichen Untergange ohne Klage entgegen … Hat sich jedoch des Indianers einmal der Gedanke erlittenen Unrechts bemächtigt, so verfolgt er den Feind unermüdlich mit der schlauen Heimlichkeit des Raubtieres, bis seine Rachsucht Befriedigung gefunden.« (*Brockhaus* 1864, Artikel »Indianer«). Bei *Meyer* (1902) kehrt das alles in kürzerer, jedoch kaum milderer Form wieder: »Im Kampf gegen den Feind ist der Indianer mutig, listig und grausam.« Einige Details fehlen allerdings – so der Verweis auf Raubtierhaftigkeit, Zukunftsunfähigkeit und Kurzsichtigkeit. → **Rothaut.**

INTELLEKTUELLE sind »Menschen, die i. d. R. wissenschaftlich gebildet sind«, eine geistige, künstlerische oder journalistische Tätigkeit ausüben und deren Neigungen und Fähigkeiten »auf den Intellekt ausgerichtet sind« (*Brockhaus* 1996). Der Begriff gelangte im Gefolge der Dreyfus-Affäre erst im 20. Jahrhundert – mit »i. d. R.« polemischer Konnotation – in die deutschen Lexika. 1892 kannte *Brockhaus* nur den »intellektuellen Urheber« einer Handlung als »denjenigen, der sie ausdachte, die Ausführung aber einem andern überließ«. *Meyer* sprach 1902 knapper vom »Anstifter«, führte aber immerhin bereits die »intellektuelle Anschauung« (»Lieblingsidee mystischer Philosophen und Theosophen«) sowie den »Intelligenzwimpel« der österreichischen Marine (»siehe Tafel Flaggen II«) auf. 1936 war der Intellektuelle für *Meyer* dann »ein einseitig verstandesgemäß ausgebildeter, daher meist überkritischer und unschöpf. Mensch«: Da zu viel Intelligenz nur zu »Schwäche und Müdigkeit im Körper des dt.Volkes« führe, habe das Dritte Reich den Intellektuellen durch die

»geistig aktive Führerpersönlichkeit« ersetzt. Der politisch engagierte, aber frei schwebende Intellektuelle, der sich als Funktionär des Allgemeinen und Hüter gefährdeten Sinns für alles zuständig fühlte, blieb auch nach 1945 in der Kritik. *Brockhaus* konstatiert noch 1996 bei (westlichen) Intellektuellen »eine gewisse Hilflosigkeit angesichts der ständigen Zunahme widersprüchlicher Fakten, die häufig an konkurrierende Interessen gebunden sind«.

INTERESSE. Die Systemtheorie basiert u. a. auf der Beobachtung, daß moderne Gesellschaften eine höhere Komplexität aufweisen als ältere. Freilich gilt auch, daß Systeme keine unbegrenzte Zunahme ihrer Komplexität aushalten. Am Begriff des Interesses in den Konversationslexika ist die Steigerung der Komplexität abzulesen und das Erreichen einer Grenze. *Brockhaus* (1851) behandelte den Begriff zuerst als Kategorie der Moral: »Das, was sich auf die Menschheit und deren Bestimmung bezieht. In diesem Sinne erhebt sich das ästhetische, sittliche und religiöse Interesse über alle anderen desselben.« An zweiter und letzter Stelle stand der juristische Sprachgebrauch: »Id quod interest, heißt der Nutzen oder Schaden, welchen jemand bei der Handlung eines Anderen oder irgend einem Ereignis hat.« Gut fünfzig Jahre später differenzierte *Meyer* (1902) zwischen »Interesse« (moralisch, juristisch und ökonomisch), »Interessenharmonie«, »Interessenpolitik«, »Interessenvertretung« und »Interessensphäre«. Über letztere sollen sich die Staaten »durch Verträge mit anderen Staaten, die ähnliche Ziele verfolgen könnten«, einigen. An dieser Komplexitätsstufe von Interessenpolitik haben sich die politischen Systeme im letzten Jahrhundert mehrmals überhoben.

IRONIE. Von Sokrates entwickelte Weise uneigentlichen Redens, in der Romantik als Gefühl für den Gegensatz von prosaischer Endlichkeit und künstlerischer Unendlichkeit geschätzt, von Thomas Mann als Verfahren artifizieller Distanzierung ausgebildet. Für *Meyer* kam sie 1936 »dem Relativismus und der Zersetzung nahe« und verdeckte nur »die Unfähigkeit zu gesichertem, charaktervollem Denken, Werten und Fühlen«. Nach dem Krieg wieder als »Vehikel didaktischer Kommunikation« und »positiver Erkenntnisanstrengung« (*Brockhaus* 1996) rehabilitiert, ist sie heute, nach der postmodernen Ironisierung aller Lebenssphären, schon wieder der »fatalistischen Relativierung aller Werte« verdächtig: Irony is over.

ITALIENER. Der Italiener als solcher taugt wenig, obwohl *Meyer* 1936 in Mussolinis Italien Anzeichen einer »erfrischenden Redlichkeit« entdeckte und *Brockhaus* schon 1892 einige »Männer, die sich mit den besten Kräften des Auslandes messen können«. Damals waren 131 585 von ihnen im »Cultus«, also als Pfarrer oder Monsignores, tätig und 129 681 als »Gefangene und Bettler«; die 17 Millionen italienischen Zitronen- und Orangenbäume trugen im Schnitt jeweils 244 bzw. 232 Früchte. Italiener heißt auch die gelbfüßige Haushuhnrasse mit großem Kamm und »hoch getragenem Schwanz« (*Brockhaus* 1892), die sich durch besonders große Eier auszeichnet. Das *Damen-*

Conversationslexikon unterstellt dem Italiener 1835 »eine lebhafte Phantasie, die zu schrecklicher Leidenschaftlichkeit ausarten kann, Lust an öffentlichen Schaustellungen, eine leicht erregbare Sinnlichkeit, Liebe zum Gesang, Reizbarkeit und Eifersucht in der Ehe«. Er kleidet sich malerisch; selbst in Lumpen sieht er »originell, wenn auch manchmal grotesk« aus. »Er spricht laut, ja er schreit sogar; denn er spricht auf der Straße... Er lebt sorglos und ist das Bedürfniß des Tages erschwungen, so ergibt er sich dem dolce far niente. Der Müßiggang ist seine liebste Beschäftigung.« Die Italienerin galt Winckelmann als schön; Hagemann wollte das »nicht so allgemein behaupten«. Tatsächlich findet man in den Städten die »schönsten weiblichen Formen«, oft mit unwiderstehlich »aufgeworfnen Lippen, die gewöhnlich mit einem leichten sammtnen Anfluge schwarzer Haare besetzt sind«. Aber Hitze, vegetabilische Nahrung und die vom männlichen Nichtstun unerledigte Arbeit richten die Schönheit »schon vor ihrer völligen Entwickelung zu Grunde«. Ihrem Charakter nach ist die Italienerin heiter, launenhaft, kokett, »gebieterisch und wieder hold schmiegsam, treu in der Liebe, aber nicht so in der Ehe... Der schöne Mund spricht das Wort ›ammazare‹ eben so leicht aus, wie das deutsche Mädchen auf dem Lande das ›ich bin schon engagiert‹«. Das deutsche Schmachten, Schwärmen und »Schwelgen im Grame« liegt ihr jedenfalls nicht: »Was sie träumen und sehnen, das suchen sie auch in Wirklichkeit.« Italienerinnen lieben selten unter ihrem Stand oder gar ihre Diener (»Nenne man dieses Streben immerhin Eitelkeit, es bleibt ehrenwerth«); Treulose müssen mit dem Tod rechnen. Fazit: Die leidenschaftliche Liebe in Italien dauert nicht so lange wie unsere »gemüthlich sinnige«, dünkt aber die von ihr »Berauschten eine Ewigkeit«. Lieben kann man auch bei uns oder »in der Schneehütte Grönlands«: »Aber wer zöge nicht bei freier Wahl Italiens warme Luft, seine balsamischen Haine, seine glutentzündenden Herzen vor?«

J

JAGDTERRORISMUS. In einem langen Artikel zeigte *Brockhaus* 1875, was alles erfunden werden mußte, um das fürstliche Jagdprivileg juristisch festzuzurren. Die Rechtsfigur der »herrenlosen Sache« (→**Herrenbank**) und das anachronistische Rechtsinstitut des »Obereigentums« gehörten ebenso dazu wie die Unterscheidung zwischen »hoher und niederer Jagd« und die Konstruktion der »Jagdhoheit«. Und dann fährt das Lexikon in ungewohnt rustikalem Ton fort: »Unter dem Einflusse dieser Ansichten, welche die Vorliebe für das Weidwerk zugleich als heiliges Recht und als Regierungstätigkeit darstellten, steigerte sich der fürstliche Jagdterrorismus zur wirklichen Landplage. Das Wild verwüstete Saaten und Äcker, und der wehrlos gemachte Landmann mußte noch dazu Jagdfronen, besonders Treiber- und Trägerdienste, Wildprets- und Jagdzeugfuhren verrichten, hin und wieder die Jäger ins Quartier, die fürstlichen Jagdhunde ins Futter nehmen oder eigene Abgaben, wie Wolfsjagdienstgelder, Hecken-, Wald- und Wildhufenbeiträge, Wildhafer, Jagdgülden, erlegen.« *Meyer* übernimmt die Passage (1902) fast wörtlich, spricht aber von »unerträglichen Verhältnissen« statt vom »fürstlichen Jagdterrorismus.«

JAKOBINER. Die Jakobiner, denen selten Gutes nachgesagt wird, begrüßte *Meyer* (1839–55) mit einem kräftigen Fanfarenstoß: »Name eines politischen Klubs während der ersten Französischen Revolution, der durch ganz Frankreich verbreitet war und einen großen Einfluß auf den Gang und die Entwicklung der damaligen Bewegung äußerte. Er ist das Abbild der Revolution und läuft ihr gewissermaßen parallel, wenigstens zu der Zeit, als sie noch im vollsten Gange war und ihre größte Kraft entwickelte. Über diesen Klub daher den Stab zu brechen, hieße nichts Anderes, als die großartigste der politischen Umwälzungen der Neuzeit selbst verdammen.« Ein Wort, das anschließend auf neun vollen Spalten eingelöst wird. 1902 kochte *Meyer* den Artikel auf eine Spalte ein, der historische Fakten aufreihte und seine entschiedenen Vorbehalte mit jenem Vokabular vortrug, das unter Bismarcks Sozialistengesetz (1878–1890) wie im wilhelminischen Deutschland für die sozialdemokratischen »Reichsfeinde« verwendet wurde: »hauptstädtische Demagogen«, »revolutionäre Propaganda«, »Filialen«, die »blindlings die Befehle« ausführen … In der ersten Auflage (1839–55) tönte dagegen noch aus jeder Zeile des Artikels heraus, was vom Leser auch offen verlangt wurde: Verständnis und Bewunderung für die »unerhörte Kraftanstrengung eines erwachten Volkes«. Und was die Phase des Terrorregimes betrifft, so plädierte das Lexikon für Nachsicht: »Lassen sich nun die Übergriffe, zu denen die Jakobiner mitwirkten, nicht absolut rechtfertigen, so lassen sie sich doch durch ihre relativen Gründe und Zwecke entschuldigen«, nämlich den Kampf gegen die »böswilligen Machinationen der Feinde im Herzen des Landes« und den militärischen Druck »der Despoten von außen«. Daß derlei Texte überhaupt unbehelligt blieben von Zensur und Staatsanwalt, liegt wahrscheinlich am prohibitiven Preis der Konversationslexika, der sie dem Bildungsbürgertum vorbehielt. Was »die Motive und Leistungen der Jakobinerdiktatur« (so der Mainzer Historiker Rolf Reichardt) betrifft, bewegte sich *Meyer* (1839–55) näher beim wissenschaftlichen Forschungsstand als die Auflage von 1902.

JAZZMUSIK. »Die auf Erotik abgestellten Texte und die Aufmachung der Jazzkapellen zeigten einen völligen Kulturverfall, herbeigeführt von Juden und Negern, die den Jazz industrialisiert nach Europa verpflanzten; doch ließ sich Europa nur kurze Zeit von den amer. Übertreibungen blenden und schuf bald einen gemäßigteren Stil, der oft der älteren Salonmusik nahe steht. Bes. die dt. Jazzmusik hat den Stil des Hot (engl., ›heiß‹, eindeutig rhythmisch aufpeitschender Stil) verlassen und im →**Schlager** des Tonfilms die beliebteste Art seiner Tanzmusik gefunden.« (*Meyer* 1936).

JEDERZEIT war ein harmloses Wort gewesen, bis das »Gesetz zur Wiederherstellung des Berufsbeamtentums« vom 7. April 1933 mit dessen Hilfe ein Kriterium bastelte, Sozialisten, Kommunisten, Pazifisten, Juden vom Beamtendienst auszuschließen bzw. gar nicht erst zuzulassen, weil sie alle nicht »jederzeit rückhaltlos für den nationalen Staat« einzutreten gewillt seien (*Meyer* 1936, Artikel »Beamter«). Nach eigener Aussage war es der gröbste Fehler in Willy Brandts politischem Leben, daß er in dem von ihm inspirierten Radikalenerlaß vom 28.1.1972 die juristisch und politisch amorphe Bestimmung »jederzeit« erneut benutzte, um tatsächliche oder auch nur vermeintliche »Verfassungsfeinde« aus dem öffentlichen Dienst zu entfernen oder von diesem fernzuhalten. Das harmlose Wort »jederzeit« hat der Verfassung, dem Ansehen der Bundesrepublik im Ausland und dem Rechtsstaat geschadet. »Jederzeit« ist eine totalisierende Leerformel, die juristisch nicht faßbar ist und etwa auf dasselbe hinausläuft wie »alles ist alles« und »nichts ist nichts«, wofür logisch immer auch das Gegenteil auch gilt: »alles ist nichts« und »nichts ist alles«. Wie viele solcher Leerformeln barg auch »jederzeit« in der Hand von Bürokraten und Juristen ein ziemlich großes destruktives Potential.

JUDENFRAGE. Ohne jeden antisemitischen Unterton informiert *Brockhaus* 1892 über den Ende der 70er Jahre aufgetauchten Begriff Antisemitismus. Dessen Verwendung, nachdem eine antisemitische Partei bei den Reichstagswahlen vom 20. Februar 1890 fünf Sitze in Hessen-Nassau errungen hatte, wird mißbilligt: »Die Konservativen glaubten bei Feststellung ihres neuen Parteiprogramms auf dem Parteitag zu Berlin … durch Aufnahme eines antisemitischen Passus der Bewegung Rechnung tragen zu sollen« (→**Antisemitismus**). Im Artikel »Juden« wird in der gleichen Ausgabe unmißverständlich festgehalten: »Neuerdings sind interessante Untersuchungen über die Rassenfrage, die im gegenwärtigen Antisemitismus eine weit bedeutendere Rolle spielt als die der Religion, geführt worden, und man ist zu dem Ergebnis gelangt, daß die Juden, anthropologisch betrachtet, keine Rasse für sich, sondern die Reste einer Religionsgemeinschaft sind, deren Angehörige sich aus ganz verschiedenen Rassen zusammengefunden haben.« 1928 relativiert *Brockhaus:* »Anthropologisch stellen die Juden ein Rassegemisch dar. … Daß die jüdische Bevölkerung die alten Rassenmerkmale über viele Jahrhunderte teilweise erhalten hat, ist nichts Auffälliges.« Schließlich wartet *Meyer* kurz vor dem Zweiten Weltkrieg mit der Erfindung einer »seelischen Rasse« auf, um den Antisemitismus zu begründen: »Die Juden stellen also keine reine Rasse dar… Sie sind eine orientalisch-vorderasiatische westisch (mediterran-) hamitisch-nordisch-negerische Mischung… Ausgesprochener noch als die körperliche ist die seelische Eigenart der Juden; man kann sie gleichsam als ›seelische‹ Rasse bezeichnen« (Artikel »Judentum«). Und dennoch: »Die mittelalterliche Lösung der Judenfrage« durch Taufe wird abgelehnt, da das Judentum nicht als Religion, sondern eben doch als Rasse verstanden werden müsse: »Erst der Nationalsozialismus hat mit den Nürnberger Gesetzen eine wirklich endgültige Lösung der Judenfrage für das deutsche Volk eingeleitet, die durch die Gesetze des Jahres 1938 als endliches Ziel eine völlige Ausschaltung des Judentums aus Deutschland vorsieht.«

JUGENDKULTUR. *Meyer* schlug 1936 unter dem Stichwort »Jugend« auf dreißig Seiten einen Bogen von der Jugendbewegung des Hohen Meißner (und auf dem Schlachtfeld von Langemarck) bis zum Volkstanz und dem »einwandfreien« Puppentheater des Dritten Reichs. Der deutsche Junge sollte naturgemäß »schlank und rank sein, flink wie ein Windhund, zäh wie Leder, hart wie Kruppstahl« werden, das deutsche Mädel ungeschminkt, gebärfreudig und schön sein. Allerdings hat »der Begriff der Schönheit nichts mit Mode und einer vom Materiellen abhängigen Eleganz zu tun. Die Bildung zum schönen Mädel, zu der ihm eigenen natürl. Anmut, wird durch die Arbeitsgemeinschaft für Leibesübungen und Gymnastik und durch planmäßige Körperpflege gefördert.« Heute ist die Jugendkultur angesichts einer »permanenten Reizüberflutung« und einer Kommerzialisierung selbst der Subkulturen zum Glück »vergleichsweise visionslos« (*Brockhaus* 1996). Im aussichtslosen Bemühen, sich an die aktuelle Jugendkultur heranzurobben, gibt *Brockhaus* in seinem affengeilen Glossar der »Jugendsprache« »anmachen, anbaggern« als Synonym für »sich um ein Mädchen bemühen« an. »High« ist demnach eine »eine extrem positive Befindlichkeit«, und »Ich glaub', mich tritt ein Pferd« signalisiert Überraschung. *Brockhaus'* Pferd tritt damit 1996 ungefähr auf der Stelle, wo etwa um 1980 die *Bravo* oder gar Hans Apel (SPD) mit den Hufen scharrten.

JUNGES DEUTSCHLAND. Dem losen vormärzlichen Schriftstellerbund unter dem Namen »Junges Deutschland« wurden nicht nur politische Ambitionen nachgesagt, sondern auch Bestrebungen »für die Emanzipation des Weibes; eine Angelegenheit, die ihnen die härtesten Vorwürfe zuzog, obschon sie es damit keineswegs so arg meinten« (*Brockhaus* 1851). *Meyer* (1902) signalisierte vollends Entwarnung der vergifteten Art. Man sprach den Dichterclub von »antinationaler Liebäugelei mit Frankreich« frei, »emanzipierte« das »Weib« zum »Fleisch« und plazierte das Wort »sogenannt« vor das Ganze: »Die sogenannte Emanzipation des Fleisches, die am ungeniertesten Heine zu Anfang der 1830er Jahre unter dem Einfluß des Saint-Simonismus verkündigte, gehörte keineswegs zu den Programmpunkten der ganzen Schule, deren meiste Vertreter sich vielmehr als tugendhafte Ehemänner bewährten.« →**Emanzipation der Frau.**

JUNGFRAU. Die Natur, gibt Funkes *Neues Natur- und Kunstlexicon* 1801 zu bedenken, hat das Weib »in der Regel« nicht mit dem »weit umfassenden Verstand« gesegnet, der den Mann »zum anhaltenden und tiefen Nachdenken so geschickt macht«. Um so größer ist die Verantwortung, die auf dem mannbar werdenden Jüngling lastet: »Nur Schamhaftigkeit und Vernunft vermag die Flamme zu dämmen, die jetzt im Busen des aufblühenden Menschen lodert.« Das *Damen-Conversations-lexikon* präzisiert 1835 den jungfräulichen Verhaltenskodex mit hegelianischer Logik: »Sie soll sich nicht blöde wie ein Kind, und doch auch nicht mit der Zuversicht einer Frau benehmen... Die Unschuld, die das Bewußtsein ihrer Geltung hat, ist noch faktisch eine; aber in der Idee ist sie es nicht mehr. Die Form bleibt, aber der Blüthenstaub ist verflogen.« 1892 löscht *Brockhaus* im Artikel »Jüngling und Jungfrau« Feuer, Flamme und Blütenstaub mit dem kalten Wasser der Medizin: »Die rasche Entwicklung des Gehirns ist oft verknüpft mit extravaganter Stimmung, unklarem Schwärmen, religiösen und geschlechtlichen Verirrungen und häufig unmotiviertem Lebensüberdruß. Daher die in diesem Lebensalter ausbrechende Melancholie, der erotische und religiöse Wahnsinn, der Veitstanz, der Beginn der Epilepsie, bei Mädchen hysterische Krämpfe... Geschlechtliche Aufregung muß vermieden, verkehrter Geistesrichtung energisch entgegengewirkt werden. Schwächlinge bedürfen besonderer Pflege.«

JURISTEN, furchtbare. Einer der weniger bekannten ist der Strafrechtler Edmund Mezger (1883–1962). Er war ein Genie der Anpassung, denn *Meyer* (1936) und *Brockhaus* (1952) berichteten mit identischen dürren Daten über seine akademische Vita und sonst nichts. Sein Strafrechts-Lehrbuch von 1932 veröffentlichte Mezger 1949 unverändert – es blieb über seinen Tod hinaus ein Standardwerk in der Juristenausbildung. Und was dazwischen lag, interessierte fast niemanden. Dabei erwies sich Mezger als äußerst flexibel, machte »Ausmerzung« und »Aufartung« juristisch salonfähig und übernahm von einem österreichischen Kriminologen den Totschlag-Begriff der »Lebensführungsschuld« zur Begründung von Sicherungsverwahrung. Das »gesunde Volksempfinden« wollte er ebenso zur Rechtsquelle erklären wie die Gesinnungsjustiz zur Normalität: »Materiell rechtswidriges Handeln ist Handeln gegen die deutsche nationalsozialistische Weltanschauung.« 1945 machten die Amerikaner »Schwierigkeiten«, aber schon 1948 war er wieder ordentlicher Professor im Beamtenverhältnis – in München.

JUSTIZMORD »pflegt man den Mißbrauch der Criminalgewalt durch Verurteilung eines Unschuldigen zum Tode zu nennen. Ein derart absichtlicher und böswilliger Mißbrauch kann nur unter tyrannischen Regierungen vorkommen. Ungerechte Verurteilungen aber, welche aus Irrtum der Richter entstehen, dürfen, wie furchtbar auch ihr Erfolg sein mag, mit diesem Namen nicht belegt werden, denn über Irrtum ist der Mensch in keinem Gebiete erhaben ... Am allerwenigsten aber kann man die Todesstrafe überhaupt einen Justizmord nennen.« (*Brockhaus* 1928). Etwas später hatte sich der Tatbestand »Justizmord« entschieden vereinfacht zur »im Volk üblichen Bezeichnung für eine infolge Justizirrtums an Unschuldigen vollzogene Strafe, besonders Todesstrafe« (*Meyer* 1936, Artikel »Justiz«). Nicht einen Justizmord, sondern eine ganz gewöhnliche Mordserie an 83 Menschen (darunter Ernst Röhm) am 30. Juni 1934 erklärte der Jurist

Carl Schmitt unter dem Titel »Der Führer schützt das Recht« zum Justizakt aus Notwehr. Die Quittung dafür erhielt Schmitt fünf Jahre später, als die Nationalsozialisten seine Rechtfertigungspirouetten nicht mehr brauchten. Das Lexikon kreidete ihm nun jene juristischen Girlanden, mit denen Schmitt das neue Regime zuvor geschmückt hatte, als »Situations-Jurisprudenz« an (Artikel »Schmitt, Carl«), das heißt als Willkürentscheidungen in rechtlicher Gestalt. Wo sich die Willkür als Staatsmaxime etabliert, braucht man eben nicht einmal mehr die sprichwörtlich furchtbaren Juristen. Nach dem Zweiten Weltkrieg verhielt sich *Brockhaus* (1952) sehr zurückhaltend und reservierte für den schwer belasteten Schmitt ziemlich genau gleich viel Platz wie für den katholischen Ethnologen Wilhelm Schmidt (1868–1954), der nach 1927 im Ausland lebte. Der jüngste *Brockhaus* (1996) erwähnt zwar Carl Schmitts Rechtfertigung der »dreitägigen Mordaktion ab dem 30.6.1934«, aber nicht die Zahl der Opfer.

K

KACKERLAKEN nannte man einst die Albinos oder weißen Mohren *(blafards)*. Funkes *Neues Natur- und Kunstlexicon* fand 1801 diese milchweißen, rotäugigen Wesen »welche nichts anderes als Patienten« sind, auf der ganzen Welt, auch unter Hühnern, Mäusen und Kaninchen. Selbst Linnés Troglodyt ist ja im Grunde nur ein »unbegreifliches Gemisch« aus einem »kränkelnden Kackerlaken und des nun weit besser gekannten Orang-Outangs«.

KAFFEE. »Als tägliches Getränk«, diagnostiziert das *Neue Natur- und Kunstlexicon* 1801, »erschlafft er den Menschen, verursacht Unvermögenheit, allgemeine Schwächlichkeit, Zittern, Bleichsucht und andere Übel. Als Arznei dagegen ist er sehr schätzbar«: »Schade, daß ihn Ärzte so selten als Medicamente brauchen.« Kaffee ist nämlich das »beste Erweckungsmittel für Scheintodte, besonders aber für solche, welche durch Kohlendampf, durch die in Kellern gährenden Flüssigkeiten und dergleichen erstickt sind«.

KAMERADSCHAFT. Diese »gemeinsame innere Haltung dem Schicksal gegenüber« kann nur in einem Männerbund gedeihen, der einer »soldatisch-heroischen Ordnung« (*Meyer* 1936) gehorcht. Ohne politische Idee, »willensmäßige Gleichrichtung«, Disziplin und Führerprinzip schleicht sich in die Kameradschaft leicht »gleichgeschlechtl. Erotik u. a.« ein. *Meyer* verurteilte auch die (kinderlose) »Kameradschaftsehe« »schärfstens«. Unter Sepp Herberger wurde die Kameradschaft im Fußball zeitweilig rehabilitiert, heute wird sie nur noch bei der Bundeswehr und in der rechten Szene geübt. Im *Brockhaus* klafft 1996 eine Leerstelle.

KAMPF kommt in neueren Lexika fast nur in Form von Komposita vor. Unter dem Artikel »Kampf« ist im *Brockhaus* 1996 lediglich der »Maler und Grafiker« Arthur Kampf (1864–1950) vermerkt, der »Historienbilder von nahezu fotograf. Genauigkeit« wie die »Aufbahrung der Leiche Wilhelm I. im Dom zu Berlin, 1888« erstellte. Dafür finden sich unter dem Artikel Kampfflugzeug ein längerer Eintrag und drei Abbildungen vom »Phantom F-4 F«, dem »F-117 A mit Stealth-Technik« und einem »Tornado in der Bemalung der deutschen Marineflieger, ausgerüstet mit vier Luft-Seeziel-Lenkflugkörpern sowie einem Gerätebehälter für die elektronische Kampfführung«. Daß die Verbindung zwischen Mensch und Kampfmaterial durchaus immer noch innig ist, läßt die sprachliche Personalisierung vermuten, wenn es um notwendige Fähigkeiten heutiger Kampfflugzeuge geht: »Zur Erfüllung der militär. Kampfaufgaben muß ein Kampfflugzeug folgenden Grundforderungen genügen: Durchsetzungsvermögen gegen gegner. Abwehrmaßnahmen und Überlebensfähigkeit gegen Angriffshandlungen gegner. Streitkräfte durch überlegene Flugleistungen und -eigenschaften, zweckgerechte militär. Ausrüstung und Fähigkeit zur Selbstverteidigung; geringe Wartungsansprüche; hohe Kostenwirksamkeit«. Unter dem Artikel »Kampfverhalten« findet sich am Ende eines Jahrhunderts der Kriege und Kämpfe lediglich der Hinweis auf ein »bei Tieren angeborenes Verhalten, das sich gegen Artgenossen und Artfremde richtet und das durch kampfauslösende Merkmale (Schlüsselreize) aktiviert werden kann«. Nachdem die Kampfgruppen, Kampfhubschrauber, Kampfkraft, Kampfmittel, Kampfpanzer, Kampfschwimmer, Kampfstoffe und Kampftruppen unter einem eigenen Stichwort erläutert wurden, wäre es allerdings auch unangemessen, den Menschen mit unter das Stichwort »Kampfverhalten« zu fassen. Schließlich lesen wir hier, daß »bes. bei Arten, die mit gefährl. Waffen ausgestattet sind (z. B. Zähne, Klauen, Gehörn), bestimmte Hemmmechanismen ausgebildet« sind, »die die Tötung der Artgenossen verhindern«.

KANARISCHE INSELN. Gelegentlich haben Lexikographen Visionen. So *Meyer* (1902), als er den Inseln ihre Verwendung als Bettenbehälter des Massentourismus voraussagte: »Die Kanarier sind ehrlich, mäßig, zuverlässig, arbeitsam, voll Pietät für das Alter und von unbegrenzter Gastfreundschaft.«

KAPITAL. War *Meyer* (1839–55) marxistisch *avant la lettre?* »Der Hauptzweck des Kapitals ist, durch dasselbe neue Güter zu erzeugen. So oft man nun auch behauptet hat, daß dieses unmittelbar geschehen könne, so kann doch diese Ansicht auf keine Weise gebilligt werden. Güter können nie Güter schaffen; schaffende Gewalt besitzt bloß die Natur und der menschliche Geist.« Was heute auf den internationalen Finanz- und Devisenmärkten an spekulativen Operationen als normal gilt, kritisierte *Meyer* schon, als sich diese Geschäfte noch im embryonalen Zustand befanden. Er befürchtete damals »ein grauenvolles Anwachsen des Kapitals«, wogegen »es nur ein Mittel« gebe. »Und dieses besteht in einer starken Kapitalsteuer, mag diese nun als reine Abgabe vom Kapitale oder als Einkommenssteuer zur Erscheinung kommen.« Entsprechend zwiespältig fiel die Definition des »Kapitalisten«

aus: »Kapitalist (Rentier, Rentenirer) heißt derjenige, der von den Zinsen und Einkünften seiner nutzbaren Kapitalien ohne eigene Arbeit lebt.« Ungefähr so dachte sich auch Marx das Kapital – als ein gesellschaftliches Verhältnis der Disparität zwischen solchen, die Geld, Boden, Immobilien oder materielle Produktionsmittel besitzen, und solchen, denen diese fehlen. »Seitdem die Arbeiter der Sklaverei und der Leibeigenschaft entwachsen sind, ist es eine sozialpolitische Notwendigkeit geworden, Vorkehrungen dagegen zu treffen, daß die Warennatur der Arbeit die freie Persönlichkeit des Trägers der Arbeitskraft schädige.« (*Brockhaus* 1882, Artikel »Arbeit«). Über den Einzug seines Gedankens von der Gefährdung der »freien Persönlichkeit« durch »die Warennatur der Arbeit« in ein durch und durch »bürgerliches« Konversationslexikon hätte sich Karl Marx gefreut. Aber abrupt wechselt der Ton bei *Meyer:* »Wer baute die Kanäle, die Eisenbahnen, die Häfen, die Docks, die Gasanstalten etc. und jene Wunderwerke der großen Industrie, der Stolz der Civilisation und des Jahrhunderts! Ohne die Hülfe der Kapitalisten würde auch der Staat es nicht können; denn alle Eisenbahnbauten, von Regierungen unternommen, sind bloß durch Anleihen bestritten worden, welche bei den Kapitalisten aufgenommen wurden. Der Kapitalist hilft also, indem er sein überflüssiges Geld nutzbar zu machen sucht, den Nationalreichthum vermehren und die Arbeitskräfte der Nation zu üben und produktiv zu machen. Sie sind ein nützlicher Theil der Gesellschaft, ob sie schon nicht selbst die Hand an den Pflug, die Schaufel, den Webstuhl legen. Sie roden nicht, sie dämmen das Meer nicht ein, aber ihr Geld lichtet die Wälder, bevölkert die Einöden, trocknet (wie in Holland) den Strom aus … Deshalb ist es unvernünftig, wenn socialistische Systemmacher es den Kapitalisten verbieten wollen, ihr Geld durch fremden Fleiß benutzen zu lassen.« Derlei Grundsätze konnten »nur im Tollhause erfunden und nur von Idioten gepredigt werden«. Marx hätte diesen Ton »grobianisch« genannt.

KARTOFFEL. Um den Erdapfel, dessen Benennung »auf einer Verwechslung mit den knollenartigen Fruchtkörpern der Trüffel« beruht, macht sich der *Brockhaus* 1996 besonders verdient. Immerhin ist der Pro-Kopf-Verbrauch von Kartoffeln »in Dtl. gesunken«. Dem weiteren Ansehensverlust der Kartoffel versucht das Lexikon entgegenzuwirken: Einerseits scheint über ihren Lebenszyklus noch viel zu wenig bekannt zu sein: »Die Kartoffeln tragen in unterschiedl. Anzahl ruhende Knospen (Augen), die an ihren schuppenartigen Blättchen erkennbar sind. Sie sitzen jeweils in der Achsel eines abgefallenen, nur noch an seiner (wegen des Dickenwachstums der Knolle stark verzogenen) Narbe erkennbaren Tragblattes. Aus diesen Augen treibt die als Überdauerungsorgan fungierende Kartoffel am Beginn der Vegetationsperiode wieder aus.« Zum anderen versucht das Lexikon das Vorurteil auszuräumen, Kartoffeln machten dick. Dies gilt nämlich nur für Kartoffelerzeugnisse: »Diese sind häufig sehr energiereich. So können z.B. 100 g Kartoffel-Chips 2435 kJ (582 kcal) und 100 g Pommes frites 1054 kJ (252 kcal) enthalten, hingegen 100 g gekochte Kartoffeln nur 301 kJ (72 kcal).« Schließlich finden sich in dem Artikel »Kartoffelerntemaschinen« (mit Abbildung) Begriffe, die es wert sind, dem Vergessen entrissen zu werden. Wo sonst könnte man vom »Pralltuch«, dem »Sammelbunker«, der »Gummifächerwalze«, der »Rodeschar« oder gar einer »Krautzupfzone« lesen?

KATZE. »Schon daß der Löwe zum Katzengeschlecht gehört«, warnt das *Neue Natur- und Kunstlexicon* 1801 eindringlich, »läßt uns von seinem Edelmuthe nicht viel erwarten.« Die gemeine Hauskatze ist vollends ein Ausbund von Blutgier und Falschheit. Manche Menschen fallen ihretwegen in Ohnmacht, andere ziehen sich allein durch den Katzenatem eine tödliche Schwindsucht zu. »Auf jeden Fall ist es zu rathen, daß man Katzen nicht zu viel traue… Sie unterdrückt ihre Mordlust in Gegenwart des Menschen mehrentheils, läßt ihr aber freien Lauf, sobald sie sich unbemerkt glaubt.« Leider hat diese Bestie kaum natürliche Feinde. »→**Hunde** müssen schon sehr hungern, wenn sie eine Katze verzehren sollen, doch thun sie es.« Auch Chinesen, Kalmücken, →**Neger** und einzelne Belgier tun es »sehr gern«.

KATZENMUSIK ist »eine absichtlich ohrenzerreißende Musik, mit der jemand in Form eines Ständchens Mißfallen bezeigt oder Hohn angetan wird« (*Meyer* 1902). Sie ist nicht zu verwechseln mit der »Janitscharenmusik«, unter der »eigentlich die wildlärmende Militärmusik der Türken« verstanden wird (*Brockhaus* 1892), aber auch »jede Musik, bei der die melodiespielenden Blasinstrumente von einer Menge nur auf einen einzigen Ton eingestimmten Instrumente zur Hervorhebung des Rhythmus begleitet werden«.

KEIME. Mit der Erforschung der Infektionskrankheiten in der zweiten Hälfte des 19. Jahrhunderts und der Identifizierung etlicher Erreger wurde die Krankheitsentstehung immer mehr auf eine notwendige Ursache reduziert. Die rasante Weiterentwicklung der Bakteriologie trug dazu bei, daß sich die Medizin von einer diätetischen Heilkunde zu einer naturwissenschaftlich belegbaren Disziplin wandelte. Nachdem Kausalitäten zwischen bestimmten Keimen und Beschwerdebildern identifiziert werden konnten, wurden manche Krankheiten überhaupt erst als eigene Entitäten definiert. Dieser Umbruch ist lexikographisch nachvollziehbar. *Brockhaus* räumt 1882 dem Stichwort »Bacterien« nur eine halbe Spalte ein und führt sie zunächst als Gärungs-, dann als Fäulnis- und erst an dritter Stelle als gerade erst entdeckte Krankheitserreger auf. Als Beispiele werden ein Pilz, der »Bestandteil der sog. Essigmutter« sei, und Keime erwähnt, die »im Milchsaft faulender, milchsafthaltiger Pflanzen vorkommen«. Die »Erscheinungen des Blau- und Gelbwerdens der Milch« werden Bakterien ebenso zugeschrieben wie »eine Krankheit der Seidenraupen«. Im *Meyer* nehmen die Bakterien (und die Bakteriologie) 1902 bereits mehrere Seiten ein, es wimmelt von Bazillen, Spirillen und Spirochäten, denn Bakterien »sind ungemein verbreitet; Staub ist kaum jemals frei von Bakterien, diese haften an allen Gegenständen, die der freien Luft ausgesetzt sind, sie wuchern in den Gewässern, besonders in unreinen, und im Boden, unsre Kleidung, die äußere Haut, die Mundhöhle, der Darm sind sehr reich an Bakterien.« Das Lexikon führt zahlreiche pathogene Keime und Infektionskrankheiten auf und vermutet in den omnipräsenten Keimen auch die Ursache für viele andere Leiden, bei denen »dieser Nachweis vielleicht nur durch die Unzulänglichkeit der Methoden und der optischen Hilfsmittel bis jetzt nicht gelungen« ist. Für die Therapie war die Ausrottung der Keime ebenfalls von Bedeutung. Nicht der Patient und seine Lebensführung waren für die Entstehung und Verbreitung der Krankheit verantwortlich, sondern ein äußeres Agens wie das Bakterium. Folglich mußte primär der Keim bekämpft und nicht der Gesamtorganismus des Patienten gestärkt werden. Nebenbei wurde der Arzt in diesem Rationalisierungsprozeß zum unumgänglichen Spezialisten, der als einziger in der Lage schien, die Ursache der Krankheit wirklich in den Griff zu bekommen (→**Desinfektion**).

KEY WEST. »Haupterwerbszweige sind Tabakverarbeitung, Schwammfischerei, Schildkrötenfang, Salzbereitung und das Bergen der 40–50 Schiffe, die hier jährlich scheitern.« (*Meyer* 1902).

KINDERARBEIT ist »gesund«. »Wir wollen zu beweisen suchen ... daß es in Bezug auf die Kinder kein Geschäft gibt, das so gesund und bequem ist als gerade die Baumwollspinnerei.« Der Beweisgang ist einigermaßen kompliziert und zieht über »die unbezweifelbaren Tatsachen« alle rhetorischen Register bis zur »Absurdität und Ungerechtigkeit des Geschreies über den Fabrikanten in Betreff der Kinder«. Am Ende hilft nur der Verweis auf die Konkurrenz der Religionen, notorisch das Feld von Ressentiments: »Das Schmähsystem in England ist gewissermaßen dem ähnlich, welches sich die Heiden gegen die Christen bedienten, wenn sie dieselben beschuldigten, sie lockten Kinder in ihre Versammlungen, um sie zu schlachten und zu verzehren.« Conclusio: »Wenn es zu irgend einer Zeit Grausamkeiten gab, so waren nicht die Fabrikherren, sondern die Arbeiter die Schuldigen.« (*Meyer* 1839–55, Artikel »Manufaktur«).

KITSCH. Der von »kitschen« (schmieren, streichen) abgeleitete Begriff tauchte um 1870 im Münchner Kunsthandel als Bezeichnung für stimmungsvolle »soßig-braune« (*Brockhaus* 1996) Modebilder auf und dehnte sich von hier aus, meist in moralisierender Absicht, auf die triviale Afterkunst und ihre unreflektierte, sentimental genießende Rezeption durch die ungebildeten Klassen aus. Auch dem soßigbraunen *Meyer* von 1936 galt Kitsch als »Schund« und Pseudokunst ohne »echte Empfindung« und innere Wahrheit; nicht etwa, weil der Anstreicher Hitler in seinen Münchner Jahren in diesem Genre dilettierte, sondern weil nach 1933 durch Hitler- und Hakenkreuz-Nippes gerade in nationalsozialistischen Kreisen viel Mißbrauch mit dem »wohl ehrlich gemeinten, aber instinktlosen Empfinden« getrieben worden sei. Nach 1945 hielt die bildungsbürgerliche Diskriminierung des Kitsches an. Die marxistische Ästhetik koppelte ihr Verdikt an die Warenform der Kunst, Adorno an seine Ranküne gegen die Kulturindustrie. Seit den 1970er Jahren wird der Kitsch soziologisch, politisch und wirkungsästhetisch rehabilitiert. Postmoderne Denker wie Umberto Eco entdeckten darin legitime Bedürfnisse und einen ironischen »Anstoß zur Reflexion«, *Brockhaus* 1996 »sogar (Selbst-)Erkenntnis«.

KLASSE, bevorrechtete →**Masse**, politisch unberechtigte.

KLASSENKAMPF. Im Sinne eines bürgerlich-demokratischen Interesses mischt sich vor allem *Meyer* (1839–55) mit Vehemenz und Risiko, aber sachlich nicht immer stichhaltigen Argumenten ins politische Handgemenge. Der Artikel »Adel« erschien 1840 und begann mit den folgenden Sätzen: »Die Türkei und Norwegen allein ausgenommen, findet sich gegenwärtig in allen europäischen Monarchien ein vor den übrigen Staats-Insaßen gesetzlich bevorzugter Geburtsstand, ein Adel. Anders stand es in früheren Zeiten.« Nach acht Seiten mehr oder weniger abwägender Darstellung der Adelsgeschichte, schließt der Artikel in stampfend-skandierender Syntax: Der Adel »wird fortbestehen können, und wird auch, vielleicht! lange noch fortbestehen im Strome der Jahrhunderte«.

KOCHKUNST. Auch in diesem »jetzt so wichtigen Industriezweig« läßt sich über Geschmack nicht streiten. Schon der westfälische Pumpernickel, behauptet das *Damen-Conversationslexikon* 1835, »kann einem obersächsischen Magen Krämpfe zuziehen«. Um wieviel mehr gilt das für die sybaritischen Leckereien der alten Römer: Sie verzehrten – ohne Butter und →**Ekel!** – »häßliche Meernesseln«, »ekle« Muscheln, »schleimige Austern« und Schlimmeres. »Das Zarteste, ekelhaft Weichliche liebten diese Gaumenlüstlinge am Meisten«, und sie scheuten nicht einmal vor Tierquälerei zurück, um ihrer Lust zu frönen. »Leider geschieht noch heute zur Schande der Christenheit dasselbe in englischen Küchen.« Die →**Chinesen** haben bekanntlich merkwürdige »Begriffe vom Wohlschmecken« (marinierte Regenwürmer, Rattenbraten, Hundefricassée); auch das tatarische Sattelfleisch ist nicht jedermanns Sache. »Nur Wiens unvergleichliche Bäckereien und gebackene Hähndel können sich rühmen, allen Nationen gleich zu behagen.«

KOHLFURT. So konnte die Geschichtsmetropole Oggersheim zum siebzigsten Geburtstag von Helmut Kohl nach den Spenden- und Aktenaffären nicht mehr umgetauft werden, obendrein gab bzw. gibt es das Dorf schon im ehemaligen preußischen Regierungsbezirk Liegnitz (heute poln.: Legnica) mit »1175 Einwohnern, Oberförsterei, evangelischer Kirche, Glasfabrik, Braunkohlebergbau« (*Meyer* 1902). Die Varianten »Kohlfurth« (Postleitzahl 42349) und »Kohlgrub« (Postleitzahl 82433) sind wie andere Kohlkomposita schon vergeben, »Kohlgrab« wäre pietätlos.

KOKETTERIE. Etymologisch: das Benehmen des (gallischen) Hahns zu den Hennen. Das *Damen-Conversationslexikon* beschreibt Koketterie 1835 als »Polyp des Herzens«, tödliche Seelenschminke und »feinen Selbstmord«. Ihr Gift »wirkt rückwärts; seine unausweichliche Folge ist Selbstvernichtung. In kleineren Dosen – wirkt es wie Opium, es regt auf, erhitzt, entflammt, begeistert, aber – ihm folgen Erschlaffung, Leere des Gemüthes, Ekel.«

KOLPORTAGE. Ambulanter Bücherhandel zweifelhaften Rufs. »Die Anreizung der Kauflust des Publikums durch Gewähren von Prämien, die mit der letzten Lieferung des Werkes an die urteilslose Masse geliefert werden sollten, wie Ringe, Uhren, Frauenkleider, Nähmaschinen usw. ist im Deutschen Reich verboten.« (*Brockhaus* 1892). Im Zeitungswesen gibt es heute aber immer noch derlei Abo- und Werbeprämien. Früher hießen die Drücker noch Kolporteure; sie durften weder wegen Bettelei, Arbeitsscheu oder Trunksucht vorbestraft noch »taub, stumm oder blind sein oder an →**Geistesschwäche** leiden«.

KOMMUNIKATION hat in ihren Anfangsjahren (→**Digital-Analog-Umsetzer**) noch alle Sinne angesprochen. »Elektrische Telegraphen« etwa funktionieren laut *Brockhaus* von 1892, indem sie »durch elektrische Wirkungen am Empfangsorte wahrnehmbare, meistens sichtbare, zum Teil aber auch hörbare oder auch fühlbare Zeichen hervorbringen« (→**Sensophon**). Diese Sinnesvielfalt wurde erst wieder mit Handys erreicht, die nicht nur Melodien spielen, sondern vibrieren, leuchten und mit denen auch Bildnachrichten übermittelt werden können. Selbst die Kirche bedient sich neuerdings dieser Technik und bietet Handybesitzern die tägliche Übermittlung eines Bibelverses an. Wie das im Detail funktioniert, will kaum jemand wissen, denn Gebrauchsanweisungen und technische Erklärungen sind heute noch ähnlich schwer verständlich wie die Beschreibung des elektrischen Telegraphen im *Brockhaus* 1892: »Wird eine der 28 Tasten der Klaviatur TT niedergedrückt, so drückt sie den zu ihr gehörigen der 28 im Kreise angeordneten Stifte q so hoch empor, daß der auf der Achse X umlaufende Schlitten N beim Darüberhingleiten auf ihm emporsteigt, dabei den Muff Q und durch ihn den Arm f des um die in dem Backen P gelagerte Achse x drehbaren, von einer Feder nach unten gedrückten Kontakthebels F nach unten bewegt.« Klingt zwar kompliziert, ist aber harmlos. Beim Gebrauch eines Handys hingegen drohen mannigfache Gefahren. Kanadische Forscher haben gezeigt, daß die Unfallgefahr um das Vierfache erhöht war, wenn während der Autofahrt telefoniert wurde. Als gefährlich erwies sich auch ein Handy, das in einen Löwenkäfig gefallen war. Der Besitzer brach nachts in den Zoo ein, um an sein Gerät zu kommen. Zwar ist »zur Diebstahlsicherung« bei »modernen Handys schon vom Gerätehersteller eine IMEI-Nummer einprogrammiert« (*Brockhaus* 1996, Artikel »Handy«), womit »dem gestohlenen Handy schon beim Einbuchen der Netzzugang verwehrt wird«. Dennoch klingelte das →**Telephon**, als der Mann in den Käfig schlich. Der Löwe wachte auf und griff den Mann an. Wahrscheinlich wurde dem Handybesitzer in der Löwengrube gerade der Bibelvers übermittelt: »Ich bin bei euch alle Tage.«

KONKURRENZ. »Im allgemeinen hat die freie Konkurrenz eine wohltätige Wirkung ... Die freie Konkurrenz führt zu einem Sieg der begabteren Kräfte über die schwächeren, doch ist dies an und für sich volkswirtschaftlich nicht nachteilig, wenn auch dem einzelnen hieraus ein Schaden erwächst.« (*Meyer* 1902). Erst im 20. Jahrhundert werden die Kosten der Konkurrenz auf den Konten der Schwächeren verbucht. Noch zwanzig Jahre früher hieß es: »Die freie Concurrenz entfesselt mit den guten Kräften zugleich die schlechten, und gelegentlich hat es sich gezeigt, daß die letzteren überwiegen. Man hat als freie Concurrenz angesehen, alles das thun zu dürfen, was durch das Strafrecht nicht ausdrücklich verboten ist. Freilich war das nicht der Sinn der befreienden Gesetzgebung in ihrer guten Zeit ... Obendrein zeigt sich neuerdings, daß aus der freien Concurrenz mehr und mehr einzelne übergroße hervorwachsen, mit welchen es die kleineren Concurrenten auf die Dauer nicht aufnehmen können; ferner nimmt man wahr, daß in zahlreichen Fällen die geträumte Concurrenz überhaupt nicht stattfindet, sondern Verabredung, Coalition, Combination (s. Monopol).« (*Brockhaus* 1875). Indem das Lexikon deutlich auf »die Lücken der bloß negativen wirthschaftlichen Freiheit« aufmerksam macht, bewegt es sich näher bei Adam Smith und der Moralphilosophie der schottisch-englischen Aufklärung als bei den Freihändlern und ihrer utilitaristisch fundierten Ideologie. »Die Sorge um das vollkommene Glück aller vernünftigen und fühlenden Wesen« (Adam Smith) bestimmte den intellektuellen Horizont von Smith' Theorie.

KONSTITUTION. Zwischen der 5. Auflage von *Brockhaus* und der 7. Auflage liegen acht Jahre. Der Artikel »Constitution« wuchs im selben Zeitraum von fünf Zeilen auf volle achtzehn Seiten. Man kann darin durchaus einen durchschlagenden Erfolg der von Metternich auf den Weg gebrachten Repressionspolitik im Zuge der »Karlsbader Beschlüsse« sehen. 1827 bemerkte *Brockhaus:* »Es gibt wohl kein Wort, welches mit allen Bewegungen der neueren Zeit so innig verwandt wäre, ja beinahe für sich allein ihren Charakter so vollkommen umfaßte, als das Wort Constitution.« Das Lexikon verbuchte das als Ergebnis des »unvertilgbaren Triebes nach Gesetzlichkeit in den menschlichen Herzen« und »Beweis von geistiger Gesundheit der Völker«. Das schloß freilich eine förmliche Distanzierung von der »Volksregierung« und ein Bekenntnis zum »echten demokratischen Prinzip der ständischen Verfassung« in Harmonie »mit dem echt monarchischen (Prinzip) sowie mit der echten Aristokratie« (*Brockhaus* 1827, Artikel »Demokratie«) nicht aus. Unter der dreifachen Beschwörung des »Echten« blinzelt das politisch Illusionäre der Erwartungen an den »echten« Monarchen und sein notorisch gütiges Regiment durch.

KONVERSATION wird heute allenfalls noch gemacht. Wie und zu welchem Zweck aber kam sie ins Lexikon? Schon Hübners *Staats-, Zeitungs- und Conversations-Lexicon,* das von 1709 bis 1825 immerhin 31 Auflagen erlebte, wollte niemand »cathedralische Eruditionen« aufdrängen, sondern nur den »eigentlich curieusen Leuten gefallen« und ihnen »allerhand zum täglichen politischen Umgang mit gescheuten Leuten unentbehrliche Stücke der galanten Gelehrsamkeit« liefern. Löbels *Conversationslexikon mit vorzüglicher Rücksicht auf die gegenwärtigen Zeiten* konnte 1796 dieser beschränkte Konversationsbegriff nicht mehr genügen: Das allgemeine Streben nach Geistesbildung hat dazu geführt, daß man »gewisse Kenntnisse schon aus Höflichkeit voraussetzt, deren Mangel zwar nicht selten statt findet, aber doch ohne Scham nie verrathen wird«; Löbels Lexikon enthielt alles, was ein »gebildeter Mensch wissen muß, wenn er an einer guten Conversation Theil nehmen oder ein Buch lesen will«. Mit der Entfaltung der aufgeklärten bürgerlichen Öffentlichkeit und dem Umfang des gesellschaftlich notwendigen Wissens wuchsen die Ansprüche an die gute Konversation und ihre Lexika. Hatte *Brockhaus* nach der Übernahme und Vollendung des Löbelschen Projekts 1809 Konversation noch knapp als Verkehr und Unterhaltung definiert, so widmete er dem Begriff 1814 schon einen fünfseitigen Essay. Konversation setzt nun ein gewisses intellektuelles, moralisches und auch soziales Niveau voraus: Wer es an Wissen, Höflichkeit und »gutem gesellschaftlichen Ton« fehlen läßt, wird in den wahrhaft »gebildeten, feineren Cirkeln« daher »bei aller eingelernten und eingeübten Etiquette doch nur ein Figurant bleiben, oder, wenn er Dünkel genug hat, der sich freilich mit Unwissen gewöhnlich paart, ein leerer Schwätzer seyn, die man höchstens duldet, wenn man etwa Rücksichten nehmen muß. Die wahre gute Lebensart besteht wahrlich nicht darin, daß man viele leere Worte sagt; die menschliche Gesellschaft hat den erhabeneren Zweck, und ihre Vergnügungen beruhen auf einem besseren Grunde.« Diese idealtypische Definition behielt *Brockhaus* lange fast unverändert bei; sie fiel allerdings immer kürzer aus. »Hauptsache bei der Conversation ist«, heißt es etwa 1843, »das Gemeine zu meiden oder doch gut einzukleiden.« In der Umbenennung von *Brockhaus'* Konversationslexikon in »Real-Encyclopädie« kündigte sich bereits die wachsende Bedeutung der naturwissenschaftlichen und technischen Realien im späten 19. Jahrhundert an. Der anekdotisch und gesinnungstüchtig ausschweifende Erzählgestus wurde einer nüchternen, streng wissenschaftlichen Objektivität geopfert. Die politische und soziale Ausdifferenzierung der Gesellschaft und das exponentielle Wachstum des Wissens machten der Fiktion eines verbindlichen Bildungskanons den Garaus: Das Konversationslexikon verkam zum Prunkstück repräsentativer Hausbibliotheken. 1892 war der Artikel Konversation im *Brockhaus* auf elf Zeilen (gesellige Unterhaltung, »namentlich in feiner gebildeter Gesellschaft«), 1928 auf ganze fünf geschrumpft. 1986 wird Konversation schließlich als ebenjenes Salongeplauder definiert, gegen das *Brockhaus* sich einst so energisch verwahrt hatte: »früher: (gebildete) Unterhaltung; heute bildungssprachlich für: konventionelles, leichtes Gespräch, das in Gesellschaft häufig nur der Unterhaltung wegen geführt wird.« Konsequenterweise ist das Konversationslexikon eine »heute veraltete Bezeichnung für eine alphabetisch gegliederte Enzyklopädie« (*Brockhaus* 1996).

KONZENTRATIONSLAGER →**Bergen-Enkheim.**

KÖRPER UND GEIST gehören zusammen, wie jeder Lateinschüler (Mens sana in corpore sano …) und alle gesundheitsbewußten Mitbürger heute wissen. Das erkannte *Brockhaus* bereits 1812 in dem Artikel »Temperament«: »Das Naturell ist also bloß physisch, enthält die eine Bedingung und Grundlage einer Bestimmung der Seelenthätigkeit vom Körper aus; das Temperament umfaßt zugleich das psychische, die wirkliche Bestimmung und Modification der Geistesthätigkeiten, nicht durch das Ganze des Organismus, sondern zunächst nur durch bestimmte Theile oder Systeme desselben, die in der ersten Verbindung mit der Seele stehen.« Welche Teile in erster Verbindung mit der →**Seele** stehen, verschweigt das Lexikon nicht; es sind »zunächst das gesammte Nervensystem, und noch bestimmter, der diesem innewohnende Nervenäther«. Die materiellen Zusammenhänge einer modifizierten Viersäftelehre erklärt *Brockhaus* 1812 aus dem Ineinanderwirken von Nervensystem, Gangliensystem, Hirnsystem und Blutsystem, wobei der »Nervenäther« aus dem »feinsten und mit dem Oxygengas der atmosphärischen Luft begeisteten Blute abgesondert wird« und die Lebhaftigkeit seiner Bewegung direkte »Einwirkung auf die Seele« hat. Dabei gilt: »Die Freiheit in der Bewegung bestimmt die Empfänglichkeit des Gefühls, die Energie der Einwirkung bestimmt die Kraft der Begehrung.«

KOSMETIK. Bevor sie als Wirtschaftsfaktor entdeckt wurde, hatte sie in den Lexika keinen guten Stand. »Die Kosmetik war schon im Altertum sehr ausgebildet; auf den höchsten Grad aber hat sie in der neueren Zeit die Spekulation, besonders in Frankreich, getrieben, wo sogar eine besondere Gesellschaft (société hygiénique) sich mit Bereitung solcher Mittel im Großen befaßt. Die wahren Schönheitsmittel wird übrigens kein vernünftiger Mensch in solchen Dingen suchen« (*Brockhaus* 1851), sondern in der Ernährung, Gymnastik und Körperpflege. Nicht weniger forsch urteilte *Meyer* (1902): »In neuerer Zeit macht sich das Unwesen der Geheimmittel auf diesem Gebiete besonders breit. Die wahren Schönheitsmittel beruhen in naturgemäßer Diätetik und Pflege des gesamten Organismus.« 1936 entdeckte *Meyer* nicht nur »großstädtische Schönheitspflegesalons«, sondern auch den Beruf der »Kosmetikerin« und »Parfümerien«, vorerst in Berlin, Frankfurt, Baden-Baden, Dresden und München. →**Parfum**, →**Schönheitsmittel.**

KOSMOPOLITISCHE TIERE. Dazu rechnet *Meyer* 1936 Feldmäuse und Wanderratten; der →**Kosmopolitismus** selbst ist ihm eine nach 1933 »überwundene Ideologie« von »sog. intellektuellen Menschen«.

KOSMOPOLITISMUS. Der aufklärerische Begriff wird im Laufe des 19. Jahrhunderts von der nationalen Gegenaufklärung verdünnt und im 20. Jahrhundert zersetzt. »Mit Recht hat man von den Geschichtsschreibern verlangt, daß sie sich als Kosmopoliten betrachten und vergessen sollten, daß sie irgendeinem Volke angehören. Ihre Erzählungen würden dann ohne Parteilichkeit sein.« (*Brockhaus* 1827, Artikel »Weltbürger«). Der Konditionalis ist berechtigt. Das 19. Jahrhundert machte die Geschichtsschreibung zu national orientierter Erbauungs- und Gesinnungsliteratur. Noch Mitte des Jahrhunderts übersetzte *Brockhaus* (1851) das Wort »Kosmopolitismus« mit »Weltbürgersinn. Der Kosmopolit gehört nicht bloß seiner Familie und seinem Vaterlande an, sondern verbindet mit dem Eifer für das Vaterland eine feurige und edelmütige Liebe zu dem ganzen menschlichen Geschlecht ... Dieser wahre Kosmopolitismus verträgt sich sehr gut mit dem echten Patriotismus, während der Kosmopolitismus, der sich des Patriotismus entbinden zu können meint, eine moralische Entartung ist.« Zu Beginn des 20. Jahrhunderts ist jeder Enthusiasmus verschwunden und erhebliche Distanz spürbar: »Weltbürgertum, Weltbürgersinn, das (in einem gewissen Gegensatze zu dem bloß auf das Wohl des Vaterlandes bedachten Patriotismus) auf das Wohl der gesamten Menschheit gerichtete ideale Streben« (*Meyer* 1902). Unter dem Nationalsozialismus wird der Artikel erheblich erweitert, nur um den Begriff mit wahren Wortkaskaden zu diskreditieren: »Im Leben des deutschen Volkes durch die rassisch-völkische und u. a. durch den Freiheitsbegriff des Nationalsozialismus überwundene philosophisch-politische Ideologie, die sich über alle rassisch-völkischen Bindungen hinwegsetzt.« Verantwortlich dafür sind Antike, Kirchenväter, Humanismus und Aufklärung gleichermaßen, vor allem aber »Freimaurerei, Judentum und Marxismus« (*Meyer* 1936). Nach dem Zweiten Weltkrieg enthält der *Brockhaus* (1952) zunächst gar keinen Artikel »Kosmopolitismus« mehr, sondern nur einen Verweis auf »Weltbürger«; hier beschrieb man die Sache ausgesprochen distanziert im Zeitmodus der Vergangenheit.

KRANKENZERSTREUUNG hat wenig mit der Unterhaltung, aber viel mit der Evakuation von Kriegsverwundeten zu tun. Nur durch dauernden Rückschub können die Feldlazarette »stets an Schlachttagen zur ersten Hilfe bereit« (*Brockhaus* 1928) sein. Mehr zur Hygiene des Schlachtfests unter →**Schlachtfelder.**

KRANKHEIT ist laut *Brockhaus* von 1812 »derjenige Zustand des lebenden Organismus, da die Harmonie der Verrichtungen der einzelnen Theile zur Erhaltung des Ganzen gestört ist. Jede Krankheit trübt also die Idee des Organismus.« Nach dieser – aus heutiger Sicht – ganzheitlichen Definition unterscheidet das Lexikon Krankheiten, die das Leben bedrohen, und solche, die »für das Leben an und für sich nicht gefährlich« werden können. Außerdem folgt eine Unterteilung in örtliche und allgemeine, innere und äußere, sthenische und asthenische, wobei »die erstern von zu starker, die andern von zu schwacher Erregung« herrühren. Nicht zu vergessen die Abgrenzung zur »Kränklichkeit« worunter man den Zustand versteht, »der zwischen Anlage und Ausbruch einer Krankheit mitten inne schwebt«. *Brockhaus* übernimmt 1827 den Eintrag fast unverändert. 1843 ist *Brockhaus* ebenfalls noch der »Idee des Organismus« verpflichtet, stellt aber Erwägungen über die fließenden Übergänge zwischen →**Gesundheit**, Unwohlsein und Krankheit an und die Frage: »Ist Krankheit das Gegentheil von absoluter oder von relativer Gesundheit? Im erstern Fall würde jeder Mensch krank sein, weil absolute Gesundheit nie gefunden wird, im zweiten ist es unmöglich, eine genaue Grenze zu ziehen, weil das Gefühl des Wohlseins, welches bei der relativen Gesundheit die Hauptsache ist, so unmerklich in das des Unwohlseins übergeht, daß das Bewußtsein, das eigene Gefühl selbst sich oft keine genaue Rechenschaft darüber geben kann, und weil oft bedeutende Krankheiten in einem Organismus vorhanden sind, ohne daß sie ein dauerndes Übelbefinden hervorbringen.« Im *Brockhaus* findet sich 1864 das Bemühen, ein stoffliches Substrat der Erkrankung oder ein pathologisches Agens zu identifizieren. Neue Untersuchungsmethoden wie die Auskultation mit dem Stethoskop sind hinzugekommen. Erstmalig werden »die sog. Infectionskrankheiten, welche dadurch entstehen, daß eine die Krankheit erzeugende Substanz (der Keim der Krankheit) in den Körper gelangt (diesen inficirt)« erwähnt. Mit der Verwissenschaftlichung der Medizin im 19. Jahrhundert geht die zunehmende Bedeutung der Ärzte einher. Wurden zu Zeiten von Säftelehre und Diätetik noch die Patienten und ihre Lebensumstände für die Entstehung von Krankheiten verantwortlich gemacht, sind in der zweiten Hälfte des 19. Jahrhunderts zunehmend Experten gefragt. Allein die Mediziner können →**Keime** unter dem Mikroskop identifizieren, Geräusche aus dem Körperinneren abhören und die Beschaffenheit von Körpersäften und -sekreten beurteilen. Kein Wunder, daß den Ärzten 1892 im *Brockhaus* das Deutungsmonopol über die Beschwerdebilder eindeutiger zugewiesen wird als zuvor, auch wenn sie sich untereinander nicht immer einig waren: »Unter dem Einfluß naturwissenschaftlicher Anschauungen teilten sich die Ärzte alsbald in zwei, sich bis in die neuere Zeit lebhaft bekämpfende Parteien; während die einen die Flüssigkeiten und Säfte (humores) des Körpers, insbesondere das Blut, als Ausgangspunkt und Verbreitungsmittel der Krankheit hinstellten (Humoralpathologen), sahen die anderen die festen Teile (solida) des Körpers, namentlich die Nerven, als das bei jeder Erkrankung zuerst Ergriffene an (Solidarpathologen).« Im *Meyer* hat sich 1902 die Zellularpathologie Virchows durchgesetzt. Ein gestörtes Säftegleichgewicht ist nicht mehr Ursache von Krankheit. Erstmals werden jetzt auch detaillierte Angaben über die Krankheitsverbreitung (und die »Krankheiten bei verschiedenen Menschenrassen«) gemacht, wobei dies besonders mit der notwendigen Verhütung von Infektionskrankheiten und »Volkskrankheiten« begründet wird: »Erst die neueste Zeit, die uns den Ansteckungskeim zahlreicher Krankheitsformen in Gestalt kleinster Organismen unmittelbar vor das Auge führte und deren Lebens- und Entwickelungsbedingungen verfolgen ließ, hat die Forschung auf dem Gebiete der Epidemiologie von dem Wege der Spekulation zu dem der exakten Naturbeobachtung teilweise zurückgeführt.« *Brockhaus* konstatiert 1928 bereits den historischen Wandel, denn »unsere heutige Krankheitseinteilung folgt wesentlich prakt. und nicht systematischen Gesichtspunkten. Die alte Einteilung in äußere (chirurgische) und innere Krankheit besteht in der alten Form nicht mehr. Ein äußeres Geschwür kann Symptom einer ›inneren‹ Krankheit sein, ein ›inneres‹ Magengeschwür eine chirurg. Erkrankung.« Neben »Bakterien und tier. Parasiten als belebte ›äußere‹ Krankheitsursachen« führt das Lexikon erstmals auch »hereditäre Krankheiten« auf. *Brockhaus* sieht 1996 die Krankheitsursachen »v. a. in ererbten Krankheitsanlagen oder erworbener Disposition als besonderer Empfänglichkeit gegenüber bestimmten Krankheiten, der Abwehrbereitschaft (Immunität) und der aktuellen körperlich-seel. Verfassung. Sie entscheiden, ob und in welchem Ausmaß eine Krankheit zum Ausbruch kommt« und die Idee des Organismus getrübt wird.

KRAUSISMO. Das heutige Spanisch (*Langenscheidts Handwörterbuch* 1995) kennt genau 69 selbständige Wörter, die mit K beginnen – einschließlich geographischer Bezeichnungen –, darunter »kindergarten«, »kidnapper und »kronprinz«. Das Wörterbuch nennt neben »Kantianismo« auch den noch allgemein bekannten und gebräuchlichen »Krausismo«, der »für bürgerlich-liberale Reformtendenzen« steht, wie sie von »der Mitte des 19. Jahrhunderts bis zum Ende des Bürgerkrieges« (*Brockhaus* 1996) in Spanien zur Geltung kamen. Der Begriff geht auf den »genialen Philosophen und freimaurerischen Schriftsteller Karl Christian Friedrich Krause« (1781–1832) zurück, dem *Brockhaus* 1851 noch mehr als eine halbe Seite widmete und der im deutschen Sprachraum heute fast vollständig vergessen ist.

KREBS. Über die Ursachen bösartiger Geschwulste wurden seit jeher Spekulationen angestellt. Die Bezeichnung Krebs scheint auf »blaue aufgetriebene Adern um die Geschwulst herum« zurückzuführen zu sein, »welche von ihrem Aussehen (besonders auf einer Brust) wahrscheinlich zu dem Namen Veranlassung gegeben haben« (*Brockhaus* 1812, Artikel »Krebsschaden«). Die genaue Ursache für Krebs kennt man bis heute nur in den wenigsten Fällen. *Brockhaus* bringt 1812 im Artikel →**Schnürbrust** die Entstehung von Brustkrebs mit einer unsachgemäßen Lagerung des Organs in Zusammenhang: »Jeder Druck auf diese Theile ist schädlich. Die Natur hat sie mit besonderer Zartheit und mit dem vornehmsten Reize versehen, und zugleich auch durch die edelste Bestimmung geheiligt. Schon ein äußerlicher Stoß, ein Schlag auf die Brüste, hat oft Knoten veranlaßt, welche in den fürchterlichen Krebs aufgingen. Auch ein gelinderer, oft wiederholter und anhaltender Druck auf diese Theile kann dasselbe Uebel veranlassen und man schreibt wirklich das öftere Vorkommen dieser schrecklichen Krankheit dem unvorsichtigen Gebrauche der Schnürbrust zu.« Da »völliges sich Gehenlassen« jedoch auch nicht geht, muß sich das üppige Fleisch an ein »vernünftiges Schnüren« gewöhnen: In bequemes Leder eingenähte Stahlfedern verhindern Verletzungen, Durchrosten und darüber hinaus die Zudringlichkeiten indiskreter »Männerfäuste« (*Damen-Conversationslexikon* 1835, Artikel »Blankscheit«). Die Natur, schwärmt *Brockhaus* 1827 (Artikel »Schnürbrust«), hat dem weiblichen Körper »Zartheit, Vollheit und Rundung, Biegsamkeit und Weichheit« mitgegeben, die der Mensch nicht gewaltsam verformen soll.

KRIEG war im 19. Jahrhundert der Ernstfall. Und deshalb wollte ihm *Meyer* natürlich auch, »mit aufmerksamem Geiste im Buch der Geschichte« lesend und mit Berufung auf »die schönen Sprüche unserer beiden größten Dichter« etwas Positives abgewinnen. Zur Einstimmung die Dichterworte: »Das Leben ist der Güter höchstes nicht« (Schiller), den Nachsatz unterschlagend: »Der Übel größtes aber ist die Schuld.« – »Nur der verdient sich Freiheit wie das Leben, der täglich sie erobern muß« (Goethe), den Kontext ausblendend, daß dies der alte und erblindete Faust sagt. Aber dann ging es munter zur Sache: »Die Erfahrung lehrt, daß Verweichlichung die gewöhnliche Folge eines allzu langen Friedens ist; er wiegt die Völker in Sicherheit ein, und durch ihn verlernen sie die Anspannung der edelsten Kräfte, die Übung der männlichsten Tugenden.« Der Krieg »läßt sich vergleichen den Gewittern, welche allerdings zerstörend auf Staaten und Menschenwohnungen fallen können und fallen, aber durch Reinigung und Erfrischung der Luft und durch Tränkung des vertrockneten Bodens neues Leben in die dahinwelkende Pflanzenwelt ergießen und der vorhin kränkelnden Flur wieder ein blühendes Aussehen verleihen« (*Meyer* 1839 bis 55). Die Konversationslexika von *Meyer* und *Brockhaus* (1843; 1851; 1875) transportierten den bildungsbürgerlich-bellizistisch unterlegten Trivialgeist bis zu den Exponenten der »konservativen Revolution« in der Weimarer Republik und den literarischen »Stahlgewittern«.

KRIEGSARBEIT. Kant sah in der Französischen Revolution ein »Geschichtszeichen«, das heißt einen anonymen Wink der Geschichte selbst, daß sie sich auf dem Weg politischen und moralischen Fortschreitens befinde. Dieser Optimismus erhält eine eigenartige Facettierung dadurch, daß *Meyer* 1902 auf die Artikel »Kriegslieder« und »Kriegslist« verzichtete. Man sollte das freilich nicht als ein Geschichtszeichen im Sinne Kants mißverstehen, denn im Gegensatz zu Kant, der den Frieden zum Thema eines Traktats machte, befaßte man sich nun mit den Euphemismen »Kriegsarbeit«, »Kriegswissenschaften« und »Kriegsakademie«. Dazu paßte die Definition von Krieg: »ein bei zivilisierten Nationen besonders schwerwiegender Ausnahmezustand dadurch, daß die Tötung von Menschen im Krieg erlaubt und sogar geboten ist. Diese Härte und das momentan mit jedem Kriege verbundene Elend hat zu dem schweren kulturgeschichtlichen Irrtum geführt, den Krieg nach eben jenem Elend zu bewerten, anstatt ihn als genetischen (→**Gen**) Prozeß in der jahrhundertelangen Entwicklung der Völker zu beurteilen.« (*Meyer* 1902, Artikel »Krieg«). Die »schwerste Verantwortung« und die »furchtbarsten von außen auf den fühlenden Menschen einstürmenden Eindrücke« adeln »die großen Kriegskünstler« und machen zugleich »die Kriegskunst« zur »höchsten der Künste« (*Meyer* 1902, Artikel »Kriegskunst«). Deshalb hat man dafür wohl auch den Titel »Imperatorik« vorgeschlagen. →**Krieg.**

KRIMINALANTHROPOLOGIE. Der »geborene Verbrecher« zeichnet sich durch geringes Hirnvolumen, abstehende Ohren, vermindertes Schmerzgefühl und eine »gesteigerte Empfindlichkeit für magnetische und meteorolog. Ereignisse« aus. Weder Gesichtsfalten noch Gang entsprechen dem normaler Menschen; pathologisch steht er dem »moralisch Irren« gleich, moralisch dem Wilden. 1892 referierte *Brockhaus* Cesare Lombrosos erbbiologische Verbrechertypologie noch durchaus wohlwollend; im Nachtragsband 17 von 1897 wird die Kriminalanthropologie aber bereits abgelehnt. Das Augenmerk des Polizeimannes richtet sich jetzt auf den »gewordenen Zustandsverbrecher«, auf die neuentdeckten Fingerabdrücke und die »Bekämpfung des Anarchismus vom kriminalanthropologischen Standpunkt aus«. *Meyer* verwirft 1936 Lombrosos Kriminalanthropologie überraschend scharf. »Daß z.B. der ital. Verbrecher vom dt. Verbrecher nicht unterschieden werden könne«, sei ausgemachter »Unsinn«; tatsächlich springt der Unterschied zwischen den Schädelformen von Mussolini und Hitler ja ins Auge.

KRISTALLNACHT. Mit Benutzern, vielleicht sogar »nachgeborenen«, die nach dem Krieg wissen wollten, was der seltsame Begriff bedeutet, rechnete *Brockhaus* 1952 nicht. Weder das Pogrom vom 9./10. November 1938 noch der Anlaß dazu – das Attentat von Herschel Grynspan auf einen deutschen Diplomaten in Paris – gehörten 1952 zum Mitteilenswerten in der »völlig neubearbeiteten Auflage«. »Das Beschweigen der Vergangenheit« (Hermann Lübbe) meinte eben das Ganze und die Details, bis der Pakt nachkriegsdeutscher Verlogenheit 1968 gebrochen wurde.

KRITIK. Im Alltagsverstand Tadel und Beanstandung, im weiteren Sinne Bewertung oder Begutachtung eines Gegenstands, im philosophischen Sinne Hinterfragung von Gott, Mythos, Metaphysik und Erkenntnis durch die Vernunft. Die »diplomatische Kritik« des Philologen arbeitet mit äußeren Zeugnissen, die »innere Kritik« stützt sich dagegen auf Stil und Schrift einer Quelle. Die »divinatorische Kritik« beruht »auf der genauesten Vertrautheit mit der Denk- und Redeweise eines Schriftstellers, infolge deren der Kritiker oft unmittelbar das Richtige findet« (*Brockhaus* 1892); als ihr bedeutendster Vertreter galt lange Marcel Reich-Ranicki. Leider hat sich die übrige »berufene Kritik in die Fachzeitschriften zurückgezogen«, eine »nicht durchaus erfreuliche Entwicklung«. Das

Damen-Conversationslexikon praktizierte 1835 Kritik unter dem Lemma »Ästhetik«: »Der geniale Autor muß auch Kritiker, wenigstens negativ sein, d. i. er muß das Nichtschöne kennen und meiden; der nur talentvolle muß die Kritik positiv üben, d. i. das Schöne nachahmen; der absolute Kritiker, der nichts selbst erzeugt, aber alles erkennt, braucht demnach noch kein Künstler zu sein, um competent zu heißen.« Wie sehr absolute Theaterkritik irren kann, erfahren wir im Artikel über die leider zu früh verstorbene Schauspielerin Sophie Müller: »Sonderbarerweise sind mit der Unzulänglichkeit der dichtenden Kräfte die Anforderungen der Kritik in's Riesenhafte gestiegen; man bedenkt nicht, daß sich das Talent keineswegs amphibisch ergänzen und mithin vergrößern kann, man ist absprechend, bevor man sich die Mühe gegeben, etwas anerkennen zu wollen. ... Wohl tragen einen großen Theil der Schuld die Talente der Zeit, den größern aber die Kritik, die Lauheit der Zeitgenossen, ihre Überfeinerung, ihre totale Passivität ... Einen unbefangenen Genuß kennen sie nicht mehr, sie verbittern sich denselben, indem sie wie Kinder das Kaleidoskop zerbrechen, um über seinen sinnreichen Bau in's Grübeln zu kommen.« Im Dritten Reich wurde »im Zusammenhang mit dem bereinigten Freiheitsbegriff« (*Meyer* 1936) »echte, produktive Kritik« neu definiert als »Kunstbetrachtung«, die mit der »charakterl. und polit. Sauberkeit« und dem »Können des Kritikers unmittelbar zusammenhängen muß und wesentlich frei ist allein auf dem Grunde eines ›bejahenden‹ Bewußtseins«.

KULTUR. Der Begriff »Kultur« ist in den 1980er Jahren in jene Kategorie von Allgemeinbegriffen aufgestiegen, die sich – wie beim Lego-Spiel – beliebig zu zwei- oder mehrgliedrigen Komposita verbinden lassen (→ **Gesellschaft**). Der Kulturkritiker Eckhard Henscheid hat über 600 solcher Kultur-Komposita zusammengetragen: Von Volker Rühes »Verteidigungskultur« bis zu Martin Walsers meinungsstarker und gesinnungsfester »Kultur des Wegschauens« und von der »Frühstückskultur« bis zur »Streitkultur« ist fast alles im Angebot. Neuerdings ist der Kulturbegriff »eigentümlich reduziert und instrumentalisiert«, stellt *Brockhaus* 1996 fest. Diese Bindestrich-Kulturen ändern sich von Saison zu Saison. Das ist zumindest im Blick auf den Kulturbegriff erstaunlich. *Brockhaus* benötigte 1892 für den Artikel »Kultur« genau acht Zeilen: »Kultur (lat.), eigentlich Pflege und Vervollkommnung eines nach irgend einer Richtung der Verbesserung fähigen Gegenstandes, z. B. des Bodens, der Waldungen, einzelner Tiere, besonders aber die Entwicklung und Veredelung des menschlichen Lebens und Strebens. Nur in diesem Sinn wird das Wort gebraucht, wenn von den Anfängen oder der Geschichte der Kultur die Rede ist.« Der »Kulturtopf« war damals noch ein schlichter Blumentopf. Mittlerweile bezeichnet sich ein akademisches Fach als »Kulturwissenschaft«, ohne daß auch nur zu ahnen, geschweige den geklärt wäre, welcher »Gegenstand« damit »nach irgend einer Richtung« verbessert, entwickelt oder veredelt würde. – *Meyer* behandelte 1936 unter dem Stichwort »Deutsche Kultur« in 246 Textspalten und zusätzlich auf 67 Bildseiten fast alles als »deutsche Kultur«: die »Rassereinheit«, für die »altgermanische Heiratsgesetze« sorgten, so gut wie den »deutschen Chemiker« mit seiner »Führerstellung in der chemischen Weltindustrie«.

KÜMMERNIS. »Die heilige, auch Wilgefortis; eine in Süddeutschland verehrte Heilige, dargestellt als gekreuzigte Jungfrau mit langem Bart, den sie von Gott erbeten haben soll, um ihres heidn. Verlobten ledig zu werden; die Versuche, das Wesen dieser rätselhaften Heiligen zu erklären, sind bis jetzt ohne Erfolg geblieben.« (*Brockhaus* 1892).

KUNST entsteht nur dort, »wo nach Befriedigung der Lebensbedürfnisse noch geistige und physische Kraft genug zu ernstem Spiele übrig bleibt« (*Brockhaus* 1892). Weder der beheizte Schafspelz, der als »Künstliche Glucke« fungiert, noch die »hinterlistigen Kunstgriffe«, mit denen man im nahe gelegenen Artikel »Kuppelei« züchtige Frauenpersonen« verführt, sind also Künste im eigentlichen Sinne.

KUSS. »Ist der Mund die Pforte des Herzens, der Quell der Rede und Überzeugung, so entströmt ihm auch die Liebe, deren heilige Glut, verschmelzend in einer Doppelflamme, die Lippen besiegeln! Daher der Drang, was der Mund gesprochen, durch den Druck des Mundes zu bekräftigen; es gilt, Seele in Seele zu hauchen, wo der Ausdruck fehlt, reden nur die Lippen in keuscher Vermählung ... Alles Große und Erhabene personificiren wir im Bild des Kusses; die Sonne küßt das Meer, der Himmel im Lenz die Erde; der Meister drückt seinem Kunstwerke den Kuß der Vollendung auf.« Wo das *Damen-Conversationslexikon* 1835 noch sprachlos stammelnd erglühte, spricht *Meyer* 1902 kalt vom »Aufdrücken der Lippen auf irgend einen Gegenstand«: »Gegen das hygienisch nicht unbedenkliche Küssenlassen der Kinder hat sich in neuerer Zeit eine Anti-Kußliga gegründet.« Für *Brockhaus* ist 1996 der Kuß verhaltensgeschichtlich »möglicherweise« nicht mehr als eine Erinnerung an die tierische Mund-zu-Mund-Fütterung.

L

LACHEN ist »diejenige körperliche Handlung, die sich durch eine stoßweise, gleichsam convulsivische Ausathmung der Luft, mehrentheils mit gleichartigen Tönen der Stimme und fröhlichen Gesichtszügen verbunden, zu erkennen gibt, und wodurch eine fröhliche Gemüthsbewegung angedeutet wird« (*Brockhaus* 1812). Lachen ist gesund, behauptet deutlich knapper der Volksmund. Doch während heutige Wissenschaftler nach immunologischen, hormonellen oder neurologischen Beweisen für diese Annahme suchen, scheint die Erklärung viel einfacher: »Durch eine angenehme Bewegung, die die Einbildungskraft hervorbringt, wird durch die Zusammenkunft der Nerven das Zwergfell zugleich mit dem Herzen in die Höhe gehoben und gleichsam zu wiederholtem Aufhüpfen gereizt.« Hier hüpft das Herz vor Freude und »diese Bewegung theilt sich in so fern auch der Lunge mit, als dadurch das Blut aus dem Herzen häufiger nach der Lunge getrieben wird«. Doch damit nicht genug, schließlich hing im *Brockhaus* 1812 noch alles mit allem zusammen, »wegen des Zusammenhanges der Nerven des Diaphragmas mit den Gesichtsnerven, die Uebereinstimmung des Mundes, der Stimme, des Angesichts und der Gebärden, mit dem Lachen der Brust«. *Brockhaus* geht 1892 auf die protektiven Aspekte des Lachens ein, denn »indem durch die ausgelösten Atembewegungen der Rückfluß des Blutes aus dem Hirn nach dem Herzen gehemmt wird«, ist das Lachen rein physiologisch ein »Schutzmittel gegen die Gefahren einer plötzlichen Druckminderung des Hirns«. An die »lachenerregenden Vorstellungen« verschwendet *Brockhaus* 1892 keinen Gedanken, während er 1996 immerhin eine »gehobene Stimmungslage« und spezifische soziale Beziehungen als Grundlagen des Lachens ausmacht. Für Plato war das Schlechte lächerlich, für La Bruyère entspringt das Lachen intellektuellen Fehlleistungen, nach Bergson infantilen Wurzeln. Freuds Triebökonomie rühmt das Lachen als ersparten Vorstellungsaufwand und Lustgewinn, während Plessner von einer »Reaktion auf den drohenden Verlust sozialer Orientierung« spricht. Konrad Lorenz sieht im Lachen die Umdeutung der stammesgeschichtlich älteren zähnefletschenden Droh- in eine entwaffnende, »beschwichtigende Kontaktgebärde«. Der Hirndruck hält offenbar unvermindert an.

LAGERKUNST. Darunter versteht man heute ein Spezifikum des 20. Jahrhunderts – Kunstwerke, die in Flüchtlings-, Konzentrations-, Arbeits- und Vernichtungslagern entstanden sind. *Brockhaus* meinte mit dem Wort 1819 »die Wissenschaft, ein Lager geschickt abzustecken«, so daß »die eigentliche Schlachtordnung dadurch in großen Zügen nachgebildet ist«.

LÄNGSTES STICHWORT. Der wohl längste Artikeltitel im *Brockhaus* von 1996 benötigt fünf Zeilen für das, was früher →**Nervenschwäche** hieß: »Psychovegetatives Syndrom, vegetative Regulationsstörungen, vegetative Dystonie, vegetative Labilität, neurasthenisches Syndrom, Neurasthenie, Psychasthenie, Nervenschwäche, neurozirkulatorische Asthenie«. Wer noch Zweifel hat, woran wir wirklich leiden, sieht hier alle Zivilisationsbeschwerden aufgelistet: »Es kommt zu Störungen versch. Organfunktionen, bes. im Bereich von Herz und Kreislauf. Die Symptome reichen von körperl. Beschwerden, v. a. Herzbeschwerden mit Druckgefühl und Rhythmusstörungen (z. B. gelegentl. Herzjagen), Kopfschmerzen, ursächlich nicht erklärbaren Stuhlunregelmäßigkeiten, bis zu unklaren Gefühlen des Bedrücktseins, Spannungszuständen, Angst, Unruhe, Schlaflosigkeit, Schwindelgefühl, Magendruck, feuchtkalten Händen und Füßen, bis zur nervösen Erschöpfung.« In der Ursachenforschung (»starke psych. Belastungen, v. a. Stress, aber auch länger andauernde Konfliktsituationen«) und Therapie macht es sich das Lexikon reichlich einfach. Die Behandlung erfolgt nämlich »durch Psychotherapie; wichtig ist auch eine geregelte Lebensführung«.

LAUNE. Die (gute) Laune ist eine »liebenswürdige, gesellige Eigenschaft«. Im Plural, tadelt das *Damen-Conversationslexikon* 1835, sind Launen aber »sehr unliebenswürdige Fehler« schmollender Frauen: »Das Schmollen ist für die Liebe, was die Ebbe für den Hafen; man muß warten, bis die Fluth wieder eintritt, die gewöhnlich mit einer Thränenströmung beginnt.« Allein, die Gezeiten des weiblichen Herzens sind der männlichen Vernunft so unzugänglich wie das Schmollstübchen (**→Boudoir**): »Man frage darüber Mond, Electricität etc., allein man erfährt eben nichts Gewisses.«

LEBEN. »Leben ist ein schwer zu definierender Begriff, obschon vielleicht die meisten Menschen ganz gut zu wissen glauben, was sie sich darunter zu denken haben.« (*Brockhaus* 1851). Nach diesem zarten Hinweis folgen noch ein paar allgemeine Sätze zu den biologischen Stufen des Lebens, und dann schon der Artikel »Lebensversicherung«, der etwa dreimal so lang ist. Lakonik in Sachen Leben ist ein Markenzeichen von *Brockhaus:* »Leben ist Stoffwechsel – muß die einfachste Definition des Begriffs Leben lauten« (1892).

LEBENSFÜHRUNGSSCHULD **→Juristen**, furchtbare.

LEBENSLAUF. »Jussuf, franz. General in Algerien, soll nach einer Nachricht 1807 auf Elba geboren und, als er nach Florenz auf eine Erziehungsanstalt gebracht werden sollte, von tunesischen Seeräubern gefangen genommen ... worden sein. Gewiß ist nur, daß er seine Eltern nicht kennt und daß er nach Tunis gebracht wurde, wo ihn wegen seiner Schönheit der Bey kaufte, der ihn unter den Frauen seines Harems zum Moslem erziehen ließ und bald zu seinem Liebling machte. Herangewachsen wurde er in das Corps der Leibwache des Beys versetzt, in welcher er seine Liebschaft mit dessen Tochter Kabura anknüpfte. Als die Liebschaft von dem Bey entdeckt wurde, mußte Jussuf auf eine französische Brigg flüchten, die ihn nach Algier brachte, wo er in französische Dienste trat und sich bald so auszeichnete, daß ihm als Rittmeister eine Befehlshaberstelle ... übertragen wurde. In dieser Stellung erwarb er sich ebenso durch seinen Mut und seine Geschicklichkeit wie durch Kenntnisse der algerischen Zustände und seinen Einfluß auf die Eingeborenen große Verdienste ... Im Jahr 1837 begab er sich nach Paris, wo er durch seine männliche Schönheit sowie durch sein einnehmendes ritterliches Wesen Aufsehen erregte. Gegen Ende des Jahres nach Algier zurückgekehrt, ward er in Oran Capitän ... dann Oberst ... bis er endlich das Oberkommando über die gesamte irreguläre Reiterei erhielt ... Zum General ernannt, machte er die meisten Feldzüge mit und hat viel zur Unterwerfung des Lands beigetragen. Anfang 1845 kam er wieder nach Paris, trat zum Christentum über und verheiratete sich mit einem Fräulein Weyer, einer Nichte des Generals Guilleminot. Gegenwärtig hat Jussuf als Brigadegeneral den Oberbefehl über die sämtlichen eingeborenen Truppen zu Algier.« (*Brockhaus* 1851).

LEGITIMITÄT ist durch das ganze 19. Jahrhundert hindurch der politische Weichspüler für demokratische Ansprüche und Forderungen nach Demokratisierung der halbkonstitutionell-monarchischen Verhältnisse: »In Monarchien« – außer in der Schweiz seit 1848 und in Frankreich seit 1871 gab es in Europa nichts anderes – »kann selbst ein durch den Willen des Volkes an die Spitze Gestellter als Usurpator erscheinen, wenn dieser Volkswille der Verfassung des Landes nach nicht berechtigt war, solche Verfügung zu treffen.« (*Brockhaus* 1864). »Verfassung« meint hier eine Mischung aus Tradition (»das göttliche Recht«) und dynastischem Hausrecht (das selbstgestrickte Erbrecht), auf die sich nach 1830 die Bourbonen beriefen, weil sie von der Macht verdrängt worden waren. In der ersten Jahrhunderthälfte wurde darüber klarer gesprochen als in der zweiten: »Die Partei der Legitimisten erkennt das Recht der Abänderung der Regierungsfolge durch Volksbeschluß nicht an.« (*Brockhaus' Bilder-Conversations-Lexikon* 1837). Nach 1848 war Legitimität in der Regel ein Synonym für Verfassungsbruch: Bismarcks berühmte Lückentheorie (was in der Verfassung nicht eindeutig oder nur strittig geregelt ist, entscheidet die Exekutive an der Verfassung vorbei, notfalls gegen diese) hebelte das Budgetrecht des Parlaments 1862–1866 »legitim« aus. Obendrein »legitimierte« das sogenannte Indemnitätsgesetz vom 3./14. September 1866 nachträglich alle verfassungswidrigen Staatsausgaben seit 1862. – Mißtrauen verdient der Begriff Legitimität als pseudotheologisches Rechtfertigungsinstrument für Herrschaft. Der ehemalige Bischof von Autun – Charles Maurice de Talleyrand – führte den Legitimitätsbegriff als eine Art Glaubensartikel in die Politik ein. Nach ihm ist der Begriff »heilig«, weil er angeblich »dem Schutz der Nationen« diene. Der anfangs des 19. Jahrhunderts erfundene Legitimitätsglaube des Volkes wird von einzelnen Juristen bis heute zur Grundlage und Rückversicherung staatlicher Ordnung überhaupt erklärt. So verstandene Ordnung beruhte demnach mehr auf dem Glauben als auf gerichtlich überprüfbaren Rechtsnormen. *Brockhaus* spielte 1843 – die Begriffe »Legitimität« und »Legalität« virtuos vermischend – ein geradezu subversives Spiel mit der Glaubensgrundlage des vormärzlichen Halbkonstitutionalismus: »Legitimität heißt soviel als Gesetzlichkeit, und diese ist allerdings Lebensbedingung aller civilisierten Freiheit, womit, da es auch ungerechte und schädliche Gesetze geben kann, noch nicht gesagt sein soll, daß die Freiheit in der Gesetzlichkeit bestehe. Wohl aber ist die Gesetzlichkeit die Bahn, auf der sich die civilisierte Freiheit bewegt, der Probierstein ihrer Waffen. Sie kann nach Änderung des Gesetzes streben, aber so lange es besteht, unterwirft sie sich ihm.« Dieser Exkurs über Legalität leitet den Artikel ein, und am Schluß erst geht es um Legitimitätsfragen als Glaubensfragen im Sinne Talleyrands. Danach ist Legitimität »zuletzt Meinungs- und Gewissenssache… Sofern die Legitimisten meist… einseitig verfuhren und zwar sehr eifrig für das

Recht der Regierungen, aber sehr lax in Betreff des rechtmäßigen Gebrauchs desselben waren. Endlich, da die vertriebenen Dynastien meist im Konflikt mit den Freiheiten des Volkes fielen, … ist die Legitimistenpartei wohl auch zu einer Vereinigung der Anhänger des Absolutismus und der Reaktion ausgeartet und hat der an sich achtbaren Richtung natürlich verdiente Mißgunst zugezogen.«

LEIBEIGENSCHAFT →**Busenhuhn.**

LEIDENSCHAFT. Die Leidenschaft für das »Sittliche, Schöne und Wahre« erlitt gegen Ende des 19. Jahrhunderts im *Brockhaus* einen herben Rückschlag. 1875 rühmte er sie noch als edle →**Begeisterung,** ohne die »noch niemals etwas Großes geschehen« sei. Andererseits war sie als moralisch »nicht berechtigter Trieb« auch »etwas Krankhaftes, Unnormales, welches von der sittlichen Charakterbildung und der überlegenen Vernunft bekämpft werden muß«. 1892 war der Artikel dann auf ein paar dürre Zeilen geschrumpft, in denen Leidenschaft »im genauern Sprachgebrauche der neuern Psychologie« als das »entschiedene Vorherrschen bestimmter Triebe und Willensrichtungen« definiert wird. Nur in der »Sprache des gewöhnlichen Lebens« gilt Leidenschaft jetzt noch als »jede heftigere Störung des normalen Laufs der Gedanken«.

LEISTUNGSSTEIGERUNG. »Der Alkohol hat für den menschlichen und tierischen Körper eine ganz specifische, energische Wirkung«, schreibt *Brockhaus* 1892. Und: »Der Mensch ist nach Genuß geistiger Getränke lebhafter, für Eindrücke leichter zugänglich, er fühlt sich arbeitslustiger und leistungsfähiger.«

LESEN ist »für den Geist, was Diamantbrod für den Diamant; es schleift; was Eisenkleie für den Magnet, es nährt; was Mittheilung für das Gefühl, es beruhigt« (*Damen-Conversations-lexikon* 1835, Stichwort »Lektüre«). Es gehört zwar »nicht zur anthropologischen Grundausstattung« (*Brockhaus* 1996) des Menschen, ist aber, als aktives, verstehendes Deuten von Texten, immer noch eine unverzichtbare Kulturtechnik. Allerdings ist die Lesekultur »stets bedroht und muß gefördert werden«, zumal zwischen Pubertät und Adoleszenz oft ein »entwicklungspsych. bedingter Einbruch« liegt, »in dem weniger oder eher ›triviale‹ Lit. gelesen wird«.

LEXIKOGRAPHENLATEIN. Johann Georg Krünitz ist der Hauptautor der *Oeconomischen Encyclopädie oder allgemeines System der Land-, Haus- und Staatswirthschaft*, von der zwischen 1773 und 1858 zweihundertzweiundvierzig (242) Bände erschienen sind. Der Autor »kam mit diesem unförmlichen, riesenhaften Werke bis zum 73. Bande, wo ihn über dem Artikel Leiche der Tod ereilte« (*Brockhaus* 1819, Artikel »Krünitz, Johann Georg«).

LEXIKONKARRIEREN sind wie die meisten Karrieren von vielerlei abhängig. Aber um mit 32 Jahren in den *Meyer* aufgenommen zu werden, mußte schon Außerordentliches vorliegen. Das war nach 1933 die Meßlatte wie zuvor.

Der am 1. Mai 1905 geborene Ökonomieprofessor Theodor Oberländer stand auf der richtigen Seite, leistete das Außergewöhnliche und schaffte den Sprung in den 1937 erschienenen Band von *Meyer*. Oberländer war der Führer im »Bund Deutscher Osten«, und der war zuständig für »Volkstums- und Grenzlandarbeit« (*Meyer* 1937, Artikel »Bund Deutscher Osten«). Dabei machte sich Oberländer verdient, genauso wie als Offizier in der deutsch-ukrainischen Einheit »Nachtigall«, die 1941 an der Massenerschießung von Juden und Polen beteiligt war. Für den ersten Nachkriegs-*Brockhaus* (1952) wurde Oberländer während der Nazizeit zum »Agrarpolitiker und Volkswirtschaftler« und »Professor«. Nach dem Krieg beschäftigte er sich mit Problemen, die er zuvor mitgeschaffen hatte – jenen der deutschen Vertriebenen. 1956 trat er der CDU bei und wurde Vertriebenenminister, mußte jedoch 1960 zurücktreten, als die Ermittlungen gegen ihn wegen der Beteiligung an Kriegsverbrechen aufgenommen wurden. Das Verfahren verlief im Sande. Keine Lexikonkarriere ohne Knick – der ehemalige Minister erscheint nicht mehr im letzten *Brockhaus* (1996) – da folgt auf den Maler Adolf Oberländer (1845–1923) gleich das Oberlandesgericht.

LIBERALISMUS. »Wenn aber die liberale Gesinnung der Alten als ein Merkmal des freien Mannes überhaupt gegenüber den wenigen Unfreien hervortrat, so ist das Charakteristische des modernen Liberalismus, daß er das Eigenthum des im heutigen Staatsleben unterdrückten unfreien Bürgers gegenüber seinen absolut freien, unumschränkten Beherrschern ist; es hat sich also die Stellung des Subjekts der liberalen Gedanken geradezu umgekehrt.« Wenn *Meyer* (1839–55) »das unerbittliche Seziermesser der Kritik aller Zustände der Gesellschaft« ansetzt, hat er freilich nicht jüngst vergangene europäische Revolutionen von 1848 im Auge. Denn von dieser erwartete das Lexikon nur »Pöbelherrschaft und in einem weiteren Stadium Soldatentyrannei« – also die Herrschaft Napoleons III. nach seinem Staatsstreich. Einen »dauernden Gewinn« räumte *Meyer* freilich auch Revolutionen ein. Sie ermutigen den »gesunden naturgemäßen Fortschritt«, so wie »das großartige Drama in Frankreich« nach 1789 »nicht ohne tiefen Einfluß auf die ganze Mit- und Nachwelt geblieben ist«. So verstandener Liberalismus »will keine Herrschaft des Volkswillens, man begnügt sich mit einem Einfluß desselben auf seine Regierung«. Wegen der Zusammenarbeit der »Altliberalen« mit den »Konservativ-Konstitutionellen« in der Paulskirche und im Erfurter Unionsparlament gegen die Demokraten, gegen Freiheit und Gleichheit und gegen die nationale Einigung gehört der Liberalismus aber »in die Rumpelkammer der historischen Antiquitäten, er wird nie mehr eine in das Getriebe des Staatslebens eingreifende Stellung einnehmen. Es ist schade, daß der schöne, eine lange Zeit Begeisterung erregende Name mit einer so traurigen Prostitution verknüpft wurde.« – Das politische Programm des Liberalismus verblaßt in den Konversationslexika vor 1848 zunehmend. 1833 definierte *Brockhaus:* »Man ist … noch nicht wahrhaft liberal, wenn man als Kämpfer für Preßfreiheit, öffentliche Rechtspflege, Geschworene, landständische Verfassung auftritt … Der echte Liberalismus ist nichts als Liebe der Wahrheit und der Gerechtigkeit, welche in sich selbst ihre Stärke findet und von äußeren Umständen unabhängig ist; der falsche sucht eine äußere Macht; er erhebt das Banner einer Partei, und daher gibt es bei ihm so viele Abtrünnige.« 1843 ist die Absage an die Politik noch entschiedener: »Grundzüge des echten Liberalismus sind seine ideale Richtung, die schöpferische Konzeption, der begeisterte Schwung, die alle Selbstsucht verleugnenden Motive, die freudige Aufopferungsfähigkeit, die Reinheit und Gesetzlichkeit seiner Mittel. Er läuft Gefahr viele von diesen Merkmalen abzuschwächen, wenn er zum Parteiliberalismus, sie wohl ganz zu verlieren, wenn er zum destruktiven Radicalismus wird.« →**Französische Revolution.**

LIBERIA. »Freie Neger-Republik auf der westafrikanischen Körnerküste, eine Gründung dieses Jahrhunderts und der nordamerikanischen Union.« Was die Lebens- und Überlebensverhältnisse in Afrika und anderswo betrifft, so machte *Meyer* (1839–55) einen ebenso lapidaren wie kostengünstigen Vorschlag: »Die wirksamsten Mittel zur Erhaltung der Gesundheit sind in Afrika dieselben wie allerwärts: Vermeidung des Übermaßes in Genuß und Anstrengung, hinlänglicher Vorrat von allem, was zu des Lebens Bedarf und Behagen gehört, und endlich … eine an Abstinenz streifende Mäßigkeit im Gebrauch der Arzneien.«

LIEBE, »rechter Nebenfluß der Weichsel« (*Brockhaus* 1892). Im *Meyer* von 1902 fungiert »Hass.« als »Abkürzung für Arthur Hill Hassall, englischer Botaniker«.

LIEBESTRÄNKE werden aus Schlangengerippe, Uhufedern und geweihtem Taubenblut angerührt und haben »nicht selten Leben und Verstand der Person gefährdet«, der sie eingeflößt wurden. Das *Damen-Conversationslexikon* nennt 1835 in diesem Zusammenhang Lukrez, den »schönen schwarzgelockten Lucullus«; auch Caligula wurde »rasend durch das Gemisch, das ihm seine Gattin Cäsonia zutrank. In neuerer Zeit hat der Glaube an die Wirkung solcher Tränke mit Recht seinen Credit verloren.« Seither steckt die Liebe in einer ernsten Krise. 1875 definierte *Brockhaus* sie materialistisch als »das mit einem mehr oder minder lebhaften Wunsche des Besitzes oder Genusses verbundene Gefühl der Wertschätzung eines Gegenstandes«. 1996 spricht er wenigstens von einer »mit der menschl. Existenz gegebenen Fähigkeit, eine intensive gefühlsmäßige, v. a. positiv erlebte Beziehung zu einem Menschen zu entwickeln«. Soziologen und Psychologen denken heute aber schon wieder »über die Abwertung der hohen Liebesideale zugunsten weniger durch Erwartungen überladener Vorstellungen nach«.

LIED. Das Lied geht zu Herzen, bleibt aber leider oft »bei dem Ergusse des Gefühls stehen« (*Brockhaus* 1824). »Keine Gattung fordert mehr den Charakter der Volksthümlichkeit«, insistiert *Brockhaus* 1827, »und keine ist durch den eingebildeten Vorzug classischer Muster mehr beeinträchtigt worden.« Wenigstens das Volkslied hat sich eine gewisse Unschuld bewahrt, weil es, wie *Meyer* 1902 bestätigt, »durch den oft tausendfach wiederholten Gesang in gefühlvollen Stunden gleichsam von allen Schlacken gereinigt worden ist, alle trocken-verstandesmäßigen Elemente ausscheidet und sich immer inniger dem Herzensbedürfnis einfacher und geistig gesunder Menschen anpaßt«; ganz im Gegensatz übrigens zum »entarteten« Gassenhauer, der nur die »Gemütsverrohung des großstädtischen ›Volkes‹« offenbart. Aber auch das trocken-reflektierte Kunstlied hat in den Deutschen seine Weltmeister gefunden. Auf dem Felde des einstimmigen Lieds haben wir, wie *Brockhaus* 1892 jubelt, »bis zur Gegenwart die Führung zu behaupten gewußt«. *Meyer* wiederum rühmt 1936 das »strophisch gebaute, mit lyrischem Inhalt begabte« Lied als innersten Ausdruck deutschen Wesens und einen gewissen K. Marx als deutschen Meister des kammermusikalischen Sololieds. 1996 kennt *Brockhaus* auch »Liedermacher«, die, analog zu Brechts »Stückemachern«, die »handwerkliche Machart« ihrer häufig zeit- und gesellschaftskritischen Lieder hervorheben; zu ihren bedeutendsten Vertretern gehören Wolf Biermann und Udo Jürgens.

LOKALES. Zwischen 1811 und 1817 residierte die Firma *Brockhaus* in Altenburg. Diesem Umstand verdankt man wohl den Artikel »Prinzenraub« in den Auflagen bis zur Mitte des 19. Jahrhunderts (*Brockhaus* 1843). Hier wird auf mehr als einer Seite die Entführung zweier Prinzen durch »Kunz von Kaufungen aus dem Schloße zu Altenburg in der Nacht vom 7. auf den 8. Juli 1455« in aller Ausführlichkeit beschrieben. Mit Strickleitern, die ein Küchenjunge aus einem Fenster hängte, gelangten die adeligen Entführer ins Schloß und bemächtigten sich der beiden Kinder. Die Entführung mißlang, weil Waldarbeiter die Täter überwältigten und entwaffneten. »Kunz wurde zu Freiberg nach kurzem Prozesse am 14. Juli mit dem Schwert hingerichtet«; der Küchenjunge und drei weitere Komplizen »wurden zu Zwickau gevierteilt«. Die Liebe zum Detail ist sprichwörtlich. Bei *Brockhaus* pflegte man sie hinsichtlich der dynastischen Wechselfälle von kleinen und kleinsten Häusern mit großer Sorgfalt. 1843 wird auf einer ganzen Seite umständlich die wechselvolle Geschichte der Geschlechter der »Wild-, Rhein- und Raugrafen« entfaltet, obwohl einzelne Linien bereits im Spätmittelalter verschwunden waren und die andern 1803 mediatisiert wurden.

LOURDES oder das Geheimnis seines unaufhaltsamen Aufstiegs und Fortschritts: »Lourdes: Franz. Stadt. Département Ober-Pyrenäen. Festung zur Vertheidigung eines Pyrenäenpasses; Staatsgefängnis, Civiltribunal, Schieferbrüche, Leinenweberei, Handel mit Kühen; 4150 Einw.« (*Meyer* 1839–55). Der entsprechende Band erschien im Jahre 1851, also gerade sieben Jahre bevor Bernadette Soubirous zwischen Februar und Juli 1858 ihre 18 »Erscheinungen« einer Frau hatte, die sich als »unbefleckte Empfängnis« vorstellte. Vier Jahre danach anerkannte die katholische Kirche die »Erscheinungen«. Heute erhalten die 16000 Einwohner von Lourdes jährlich von etwa zwei Millionen Pilgern Besuch. Tendenz steigend, seit der Papst den Ort im Jahre 1983 besuchte. »Der Fortschritt ist etwas durch die Natur Gebotenes«, wußte *Meyer* schon 1839–55 (Artikel »Liberalismus«).

LUFTPUMPEN können zu allerlei nützlicher Tätigkeit verwendet werden, so beispielsweise auch zur »Ohrenmassage« (→**Hilfskonstruktionen**). In gleichnamigem Artikel beschreibt *Brockhaus* 1928 ein Verfahren, das bei einer Versteifung des Trommelfells und der Gehörknöchelchen angewendet wird, »um ihre normale Beweglichkeit wiederherzustellen«. Der entsprechende Apparat zur Trommelfellmassage »besteht aus einer Luftpumpe, die durch einen Motor angetrieben wird und die Luft des Gehörganges abwechselnd verdichtet und verdünnt«.

LÜGE. Hierzu erklärt *Brockhaus* 1827 kategorisch: »Aber auch diejenige vorsätzlich falsche Aussage, durch welche man einen guten Zweck zu befördern sucht, ist Lüge und pflichtwidrig.« Doch, so das Lexikon weiter, »von der Lüge endlich ist der Scherz zu unterscheiden, der mit Unwahrheiten getrieben wird unter Leuten, welche sich darüber verstehen und den Scherz als Scherz betrachten.« Humor ist, wenn man trotzdem lacht (→**Scherzgeschäft**). Schließlich wird die »Lügendichtung« 1892 im *Brockhaus* als Gattung beschrieben, »die sich darin gefiel, im ausgelassenen Spiel der Phantasie die unmöglichsten Dinge als wahr darzustellen«. Weiter führt das Lexikon aus: »Besonders beliebt ist die Fiktion einer verkehrten Welt, in der die Blinden sehen, die Tauben das feinste Gehör haben und die Hunde von den Hasen gejagt werden.«

LUXUS. Wie die Industrie das Meer, so ist der Luxus sein Salz, »das es vor Fäulniß bewahrt, und der Kompaß der Schiffer, die es befahren«, lobt das seetüchtige *Damen-Conversationslexikon* 1835. »Weiser Genuß« ist die »Aufgabe des Erdenlebens«, die Seele der Nationalökonomie und das probate Mittel, um alte Standesfesseln in weltumspannende »Rosenkränze« zu verwandeln; unsittliche Genußsucht bestraft sich dagegen selbst. *Meyer* ortet 1902 die letzten Feinde des Luxus unter Sozialisten und Proletariern. Aber auch der »vernünftige, edle Luxus« (*Brockhaus* 1892) wurde oft mit unvernünftigen Abgaben wie Nachtigallen-, Hunde-, Wappenführungs- oder Dienstbotensteuer belegt. Letztere erbrachte in England 1891 immerhin 143038 Pfund, die Luxussteuer für »gepuderte Diener« war 1870 leichtsinnigerweise abgeschafft worden. Heute erscheint der Luxus als Instrument sozialer Differenzierung, Repräsentation und Selbstbehauptung; »bei den sogenannten Yuppies« gilt das Streben danach wenn nicht als Kompaß, so doch als Beitrag zur »Orientierung im Alltag« (*Brockhaus* 1996).

LYNCHJUSTIZ. Der Ursprung des Namens ist nicht geklärt. Es kommen dafür ein Richter aus North Carolina, ein Offizier aus Virginia und ein spätmittelalterlicher irischer Bürgermeister, über den Jürgen Lodemann einen prächtigen Roman geschrieben hat, in Frage. Das Wort ist seit 1841 in Deutschland bekannt. Bereits 1843 enthält *Brockhaus* einen Artikel »Lynchgesetz«, der es an Klarheit nicht fehlen läßt: »abscheulicher Gebrauch«, »eigenmächtiges Strafen«, »kaltblütige Grausamkeit«, »barbarische Volksrache«. »Das Traurige ist, daß niemand von diesen Greueln Notiz nimmt, die Beamten sie ruhig geschehen lassen, die Gerichte die erwiesenen Täter freisprechen und die Gesetzgebung denen, welche unter diesen Gewalttaten von der einen und durch die gewissenlose Nachsicht von der andern Seite gelitten haben, jede Entschädigung und Unterstützung abspricht.« Daran ist alles richtig. Erstaunlich nur, daß die Opfer des »Lynchgesetzes« – fast ausschließlich Schwarze – mit keinem Wort erwähnt werden. *Meyer* verweist 1936 auf 21 Fälle von Lynchjustiz in den amerikanischen Südstaaten im Jahre 1930. An den Zahlen ist nicht zu zweifeln. Freilich betrieb das deutsche Regime, zusammen mit einer willfährigen Polizei und Justiz und in aller Öffentlichkeit schon vor Kriegsbeginn Justiz- und Staatsverbrechen in ungeahntem Ausmaß. Noch der *Brockhaus* von 1952 nennt »Lynchen« zuerst »eine Selbsthilfe der amerikanischen Siedler gegen Verbrecher« und erst an zweiter Stelle »die Tötung von Negern ohne Gerichtsspruch«. Das Lexikon tröstet, daß »das kaum noch vorkomme«. Vierzig Jahre später räumt *Brockhaus* 1996 ein, daß die »Lynchjustiz … in den 60er Jahren des 20. Jahrhunderts im Zuge der Rassengesetzgebung wieder aufflackerte«.

M

MACADAM JOURNAL heißt eine der zahlreichen Zeitungen, die Obdachlose, Arbeitslose, Flüchtlinge und Menschen ohne Papiere in Paris und anderen französischen Städten feilbieten. Dem Wort fehlt kein »e« am Schluß, und mit Damen hat es nur vermittelt zu tun. »Macadam« steht im Französischen bis heute für »Straßenbau«, »Schotterdecke« und »Straße«, aber auch für »auf den Strich gehen« (»faire le macadam«). Von der Mitte des vorletzten bis zum Beginn des letzten Jahrhunderts verzeichneten die Konversationslexika (*Brockhaus* 1846; *Meyer* 1902) unter dem Stichwort »macadamisiren«: »eine besondere Art des Chausseebaus« nach dem Erfinder »dieses Bausystems«, John Loudon MacAdam (1755–1836). »Das System hat von vielen Seiten Anfechtung gefunden, nichtsdestoweniger ist dasselbe seiner vielen Vorteile wegen auch jetzt noch das anerkannt beste. Zufolge desselben erhalten die Straßen eine geringe Wölbung.« →**Asphaltkultur.**

MACHTLOSIGKEIT in der Medizin ist eine Sache, Vorbeugung eine andere: »Je mehr man einsah, wie machtlos der Arzt gegen einmal ausgebrochene Krankheit ist, desto größeres Gewicht legte man auf die Verhütung der Krankheit (Prophylaxis), und die Noth lehrte früher, als es sonst geschehen wäre, auf die Verhältnisse achten, welche die Gesundheit stören oder sie erhalten.« (*Brockhaus* 1864, Artikel »Krankheit«).

MÄDCHENSCHUTZ oder »Bahnhofsdienst«, im Ausland auch organisiert in den »Girls Friendly Societies«, wird, wie *Meyer* 1936 im zackigen Casinoton rapportiert, gewährleistet durch »Belebung des Abwehrwillens« im deutschen Mädel. »Neben vorbeugendem Mädchenschutz muß Hebung Gefallener versucht werden.«

MAJO, heute eher: Macho. Das *Damen-Conversationslexikon* befiel 1835 noch Herzflattern angesichts dieses »Repräsentanten der spanischen Volksgalanterie«. Der Majo legt eine Mischung aus Stolz, herausforderndem Trotz, »nachlässiger Würde« und chevaleresker Höflichkeit an den Tag. Er trägt kurze, eng anliegende Beinkleider, weiße Hemden, hellbraune, bestickte Schuhe, kann »die Guitarre fertig spielen«, singen, tanzen und reiten wie der Teufel. »Er muß Ansprüche unter seines Gleichen machen und sie zu bewähren wissen«, mit Messer oder Degen, gegenüber Rivalen wie auch Stieren; »einige Morde, wenn es nur kein feiger Meuchelmord ist, erhöhen sein Ansehen«. Auch bei den Frauen kommt er rasch zur Sache: »Er mag verliebt sein oder spröde, tändeln wird er nie… So ist ein solcher majo ein nicht immer ungefährlicher, aber doch stets tüchtiger und ergötzlicher Gesell.« Auch sein weibliches Pendant, die »maja«, ist alles andere als eine süße Biene. Sie macht zwar gewöhnlich nur mit Mantilla, Fächer und den Waffen ihrer Koketterie Stiche, weiß aber »im Nothfall auch den Dolch zu führen«.

MALERKUNST. Der Maler sollte Anatomie, Chemie, Geschichte, Mythologie und die Regeln der Perspektive beherrschen. Dazu ist ein »höheres Studium« nötig, das die Frauen nach dem Dafürhalten des *Damen-Conversationslexikons* von 1835 überfordert. »Welche Jungfrau fühlt sich wohl unternehmend genug, diesem Unterricht entgegen gehen zu wollen; welche Mutter möchte wohl ihre Tochter einem Berufe widmen, der ihr mit dem schwer errungenen Namen einer Künstlerin den schönsten Schmuck, die echte Weiblichkeit, rauben muß? Dennoch gaben sich viele dem Wahne hin, auch ohne dieß Ausgezeichnetes leisten zu können, und das ist der Grund zu der so gewöhnlichen Verspottung malender Damen … Warnend für jede Mutter sei es gesagt, daß es am Öftesten zu gar Nichts führt, wenn ihre Tochter, unter der dabei allemal nur zu viel helfenden Leitung eines Lehrers die schönsten Köpfe von der Welt kopirend, crayonnirt und nebenbei nicht im Stande ist, das kleinste Strickmuster aus freier Hand zu entwerfen.«

MÄNNERKINDBETT. Der Mann in anderen Umständen »ahmt die Geburt in oft dramat. übersteigerter Weise nach, läßt sich im Wochenbett pflegen und beachtet weibl. Speise- u. Verhaltenstabus«. 1996 verweist *Brockhaus* zartfühlend auf »psychoanalyt. Erklärungsversuche«; 1892 hatte er weniger Verständnis für das Theater um das damals noch unter »Couvade« geführte Männerkindbett: Teils versuche der Mann, in dunkler Erinnerung an mutterrechtliche Traditionen, durch sein gespieltes Leiden »ein Anrecht auf das Kind zu erhalten«, teils erliege er dem Aberglauben, »heftige Bewegungen und Diätfehler des Vaters« könnten dem

Neugeborenen auf sympathetischem Wege schaden. Der normale Mann im »Vollgenuß seiner Kräfte« verurteilt Voodoo-Praktiken so entschieden wie die »Mannjungfrauschaft« schwach menstruierender, aber stark behaarter »Mannweiber«. 1996 registriert *Brockhaus* im Zuge der Auflösung patriarchalischer Strukturen wohlwollend einen »Trend zur partizipativen Vaterschaft«. Er kennt zwar weder eine Männerbewegung noch -gruppen, macht aber viel Aufhebens um die Identitätskrise des neuen Mannes: Der alte Adam habe für seinen autonomen Vernunftbegriff und seine Herrschaft über Frau und Natur mit der »Unterdrückung von Sinnlichkeit und Emotionalität« büßen müssen. Heute indes tragen selbst die »Männerzeitschriften« einem »geänderten Rollenverständnis Rechnung«: Der zeitgenössische Waschbrettbauch will »fit for fun« sein. Von der alten »Mannszucht« will das moderne Weichei nichts mehr hören. Diese, wußte *Brockhaus* noch 1843, regelt nämlich den unbedingten Gehorsam und das »sittliche Betragen des Soldaten«. Befehlshaber, die sich durch Lockerung der Mannszucht lieb Kind machen wollten, leisteten nur Exzessen und »Erpressungen jeder Art« Vorschub.

MANUFAKTUR. Für den gehobenen Bedarf vertreibt eine Firma unter dem Namen »Manufactum« edle und teure Produkte, die auf die Aura des Handgemachten und Handwerklichen im oberen Konsumentensegment spekulieren. Das war zu erwarten angesichts einer Flut von kurzlebigen Wegwerfprodukten, für die eine Reparatur überhaupt nicht vorgesehen ist. Vor über hundertfünfzig Jahren hatte das »Manufaktur-, Fabrik- und Gewerbswesen« einen etwas anderen Klang: *Meyer* distanzierte sich (1839–55) von der Einschätzung, »Arbeiter für einen Sklaven des Kapitalisten« zu erklären, mit dem Hinweis, »daß Kapital und Arbeit« zu den »sich gegenseitig unterstützenden und bedingenden Faktoren der Produktion« gehören und »die allgemeinen Verhältnisse des Marktes es mit sich bringen, ob der Fabrikant den Arbeiter oder der Arbeiter den Arbeitgeber sucht«. Ob »zwei Fabrikanten einen Arbeiter suchen oder ob sich zwei Arbeiter bei einem Fabrikanten um Arbeit melden«, spielt dieser handgestrickten Logik zufolge keine Rolle. Daraus folgt vermeintlich automatisch, »daß ein Angriff gegen das Kapital ein indirekter Angriff gegen den Arbeiter ist«.

MASCHINE. Vieles von dem, was im 19. Jahrhundert über die Tendenz und die Richtung der wirtschaftlich-gesellschaftlichen Entwicklung in die Lexika eingegangen ist, besteht aus einer Mischung von Albtraum und Verharmlosung: »Die Maschine ist das komplizierte Werkzeug, welches, in Bewegung gesetzt, durch sich selbst wirkt, während das einfache Werkzeug für seine fortgesetzte Wirkung die fortgesetzte Kraftanwendung des Arbeiters verlangt. ... Die Maschine macht also die menschliche Kraft und insbesondere die komplizierte Handarbeit zum großen Theil überflüssig ... Der einzelne Arbeiter ist gleichsam der Stift oder das Rädchen der Maschine, welche, von ihr losgelöst, die Brauchbarkeit verlieren, nur mit dem Unterschiede, daß der Arbeiter sich verwerten muß, wenn er leben will. ... Ebenso tritt mit der Ausdehnung des Maschinenwesens das Moment der Arbeitsersparnis, welches der Industrieentwicklung wesentlich ist, am unzweifelhaftesten hervor.« (*Meyer* 1839–55, Artikel »Kommunismus«). »Das Moment der Arbeitsersparnis« hat sich längst zum gesellschaftlichen Dauerproblem der Arbeitslosigkeit gemausert. Das Erscheinungsjahr des Bandes (1850) und die Plazierung im Lexikon (Artikel »Kommunismus«) lassen immerhin die Vermutung zu, daß das Gespenst des Kommunismus den Albtraum befeuert hat.

MASSE, politisch unberechtigte. In politischen Fragen waren die Konversationslexika um 1848 herum oft viel mutiger als im letzten Drittel des Jahrhunderts. »Der Gegensatz zwischen der Regierung und der ›Volksvertretung‹ verdeckt ... den Gegensatz zwischen der politisch berechtigten Klasse und der politisch unberechtigten Masse, er soll ihn aber verdecken, um diese Masse hinter die berechtigte Klasse, statt ihr gegenüber zu heben. Mit anderen Worten: der Konstitutionalismus fürchtet die Massenherrschaft und deshalb wagt er es nicht, die Selbständigkeit der Regierung förmlich aufzuheben« (*Meyer* 1839–55, Artikel »Konstitution«). Und als ob das noch nicht klar genug wäre, fährt das Lexikon im Artikel »Konstitutionalismus« noch schärferes Geschütz auf: »Der Konstitutionalismus lügt, wenn er von der Herrschaft der Majoritäten spricht, welche im System durchgeführt sei, da er die Mehrzahl des Volkes – und zwar auch bei einem ›freisinnigen‹ Wahlgesetz – zur politischen Nichtigkeit verdammt ... Sagen die Konstitutionellen offen: die Massen sollen und müssen politisch unberechtigt bleiben, und es ist gerade der Triumph des konstitutionellen Systems, daß es dieses Resultat erreicht, ohne die politische Nichtigkeit der Masse klar hervortreten zu lassen, zugleich aber den Absolutismus der Regierung wesentlich modificirt: so müssen sie auch gestehen, daß es dem System höchst gefährlich ist, wenn das Bewußtsein dieses Verhältnisses in die Masse eindringt, sie müssen also auch die Bewußtlosigkeit derselben zu konserviren suchen ... Die Masse soll politisch rechtlos sein, weil sie politisch ungebildet ist, und damit sie ihre Rechtlosigkeit nicht erkenne und aufzuheben suche, soll sie politisch ungebildet bleiben ... Der Gegensatz der besitzenden und besitzlosen Klasse, ihrer Anschauungsweise und Bildung, ihrer Interessen und Bestrebungen ist vorhanden und wird täglich schroffer: der Konstitutionalismus möchte ihn nicht zur Erscheinung kommen lassen.« (*Meyer* 1839–55, Artikel »Konstitutionalismus«). Die begriffsjuristische Verhüllungstaktik des positivistischen Staatsrechts siedelte »die staatlichen Daseinsbedingungen« oberhalb »aller Rechtsordnung« an und leitete daraus den Vorrang der »faktischen Ordnung« (Georg Jellinek) vor der Rechts- und Verfassungsordnung ab. *Meyer* (1902, Artikel »Konstitutionalismus«) braucht deshalb für eine der wichtigsten Grundsatzfragen neben der »sozialen Frage« nur noch drei Zeilen gegenüber den 23 Seiten gut fünfzig Jahre zuvor. Nach der Bismarckschen Reichsgründung ist kein Konversationslexikon mehr gegen den obrigkeitsstaatlichen Halbkonstitutionalismus in Preußen aufgetreten.

MEDIZINALWEIN. »Jede gute Sorte eines mittelschweren bis schweren Weins kann als Medizinalwein gelten.« (*Brockhaus* 1892).

MELANCHOLIE ist an sich »eine der leichtesten Geisteskrankheiten« (*Brockhaus* 1892). In schwereren Fällen wie dem englischen →**Spleen**, die mit Wahnideen, grundlosen Selbstanklagen und »gräßlichen Gewaltthaten« (furor melancholicus) einhergehen, ist der Schwermütige jedoch gegen ärztliche Hilfe immun. *Meyer* nennt 1902 noch andere Symptome dieser »traurigen Gemütsstimmung«: »Versündigungs-« sowie »Kleinheitswahn«, Denkhemmungen, »Abneigung gegen ernste Beschäftigung« und »wirkliche Raserei«; »die große Gefahr besteht darin, daß die Irren sich ihrem Leiden durch →**Selbstmord** zu entziehen suchen.« Reisen, Gesellschaft, Musik und eine »moralische Behandlung« (*Damen-Conversationslexikon* 1835) können den Trübsinn lindern, aber selten heilen. Als Sitz der Melancholie galten seit dem Altertum schwarze Galle und Milz. Der braune *Meyer* machte 1936 auch »humanitäre Mitleids- und Weltfluchtideen« als Infektionsherde aus; Naturvölker und Deutsche unterlägen »infolge natürlichen Ausmerzens« kaum der Melancholie. *Brockhaus* berichtete aber schon 1864 im Artikel »Indianer« über →**Rothäute**, deren Züge »etwas Melancholisches« annehmen, sobald der Prozeß der Zivilisation ihnen das »Strenge und Rohe« ihres Naturzustandes ausgetrieben hat. Immerhin gehen sie in ihrem Stumpfsinn »dem unvermeidlichen Untergang ohne Klage entgegen«, woraus sich freilich auch ihre »Faulheit und Sorglosigkeit« erklärt.

MENSCHENFRESSEREI. Liebe geht durch den Magen, sagt der Volksmund, egal ob es sich um Tiefkühlspinat oder ein Fünfgängemenü handelt. In früheren Zeiten scheint man Sorge gehabt zu haben, daß die Lust zu stark wird, und wollte dem Magen deshalb lieber Speisen zuführen, die sich hemmend auf die Libido auswirken. Unter dem Artikel »Antaphroditische Mittel« vermerkt *Meyer* 1902 jedenfalls: »Gegen erhöhte Begierde zur Ausübung der geschlechtlichen Funktion sind anstrengende körperliche und geistige Arbeit, magere, gewürzlose Kost, Enthaltsamkeit von Spirituosen und anderen Erregungsmitteln, kühles, hartes Bett und Enthaltsamkeit von allem, was die Phantasie geschlechtlich anregen kann, die besten Mittel.« Hier geht es zwar nicht allein ums Essen, doch auch für den ambitionierten Hobbykoch finden sich ein paar Ratschläge, die sich gewürzlos in die Praxis umsetzen lassen. Sonst kann es leicht dazu kommen, daß fleischliche Begierde und Essenslust ungeahnte Koalitionen eingehen. Schließlich ist die Menschenfresserei, wie im *Meyer* 1902 unter dem Stichwort »Antropophagie« nachzulesen ist, eine »nicht bloß bei niedersten Stämmen vorkommende Sitte«. Als Gründe, »Menschenfleisch zu genießen«, kommen für Genießer auch »die Feinschmeckerei, religiöse und selbst pietätvolle Vorstellungen, vorzüglich aber der Glaube, daß sie nur so den Feind ganz vernichten und seine Kräfte erben können, in Betracht«. Die Menschenfresserei, 1902 angeblich »noch in Afrika, Asien, Amerika, Australien und auf den Südseeinseln im Schwang«, scheint aber auch die Liebeslust steigern zu können. Zumindest gilt dies für die »früher stark auf Neukaledonien und den Fidschiinseln« verbreitete Menschenfresserei, »wo sie sich zu einer solchen Feinschmeckerei entwickelt hat, daß man besondere Gewürzpflanzen, den Malawi (Trophis antropophagorum) und die Borodina (Solanum antropophagorum), im Umkreis der ›Freudenhäuser‹, als unentbehrliches Gewürz für die darin stattfindenden Schmäuse, anbaute«. Doch wozu in die Ferne schweifen. Schließlich gibt es – zumindest laut *Meyer* von 1902 – auch bei uns »einzelne Menschenfresser aus unbezwinglichem, krankhaftem, zuweilen erblichem Gelüst«. Ja, man beobachtete diese Gewohnheit »auch wiederholt in zivilisierten Staaten, z. B. bei schwangeren Frauen«. Und wie es eben kommt, wenn sich Gepflogenheiten ausbreiten, hatte man auch in Europa »Beispiele, wie zufälliger Genuß von Menschenfleisch den Appetit nach mehrerem erregte und Ermordungen veranlaßte« (*Damen-Conversationslexikon* 1835). »Die Gewohnheit machte die bestialische Fresserei zuletzt zur Liebhaberei, der nur durch die härtesten Strafen Einhalt getan werden konnte«, schreibt *Meyer* im Jahre 1902. Da sollte man aufpassen, was auf den Tisch kommt, gerade wenn man auswärtig speist. Denn wer weiß schon, ob es sich dabei um antaphroditische Mittel oder ein anthropophagisches Liebesmahl handelt.

MENSCHENRECHTE. »Es bedurfte einer Arbeit von Jahrtausenden, ehe die Völker und Staaten auf die Höhe der Sittlichkeit und Civilisation gelangten, daß dem Einzelnen die allgemeinen Rechte und Güter auch nur in der Theorie zugestanden wurden.« (*Brockhaus* 1843). Sehr theoretisch blieb das Lexikon bei der Darstellung der Situation der Menschenrechte in den deutschen Staaten. Der gründliche Artikel stellt auf fast drei Seiten die Entstehung der Menschenrechte zwischen 1776 und 1789 in den Vereinigten Staaten und in Frankreich dar und enthält zu den deutschen Zuständen kein einziges Wort. Er zeigt jedoch, wie die Menschenrechte im Zuge des Exports der Revolution durch Napoleons Soldaten erheblich diskreditiert wurden und später unter der Restauration und in der Julimonarchie fortschreitend zu reiner Rhetorik herabsanken. Dabei blieb es für lange Zeit. Noch der *Brockhaus* von 1952 behandelt die Menschenrechte auf ganzen 11 Zeilen. Für die studentische Mensur, die der Bundesgerichtshof 1953 für straflos erklärte, benötigte das Lexikon 44 Zeilen, für den unkritischen Artikel »Menschenrassen« doppelt soviel.

MESMERISMUS ist laut *Brockhaus* von 1882 (Artikel »Tierischer Magnetismus«) zwar längst überholt, doch das Lexikon widmet ihm noch fast zwei Spalten. Es beschreibt zunächst ausführlich die auf Anordnung Ludwigs XVI. von einer Kommission 1784 erhobenen Befunde (»Nach einiger Zeit stellten sich dann die sog. magnetischen Krisen ein, wobei Einzelne der Magnetisierten bisweilen in starke Zuckungen verfielen, andere konvulsivisch husteten, noch andere schrien, lachten oder weinten«), um dann auf die Gegenwart einzugehen. Denn auch in den 1880er Jahren gab es angeblich »unter der halbgebildeten und ungebildeten Menge viele, welche den sog. magnetischen Kuren Wirksamkeit zusprechen«. Durch den »magnetischen Schlaf« des Mesmerismus sollten beim Probanden »seine geistigen Fähigkeiten ungemein gesteigert werden, er soll den Bau seines Körpers erkennen, soll auf die Herzgrube gelegte Briefe lesen, für sein Leben und ebenso für die Krankheiten anderer die Heilmittel angeben können usw.« *Brockhaus* beruft sich auf »neuere sorgfältige Untersuchungen«, die »mit Sicherheit ergeben« haben, »daß diese Angaben teils auf grobem Betrug und Täuschung, teils auf einem eigentümlichen hypnotischen Zustande infolge von Überreizung der Großhirnrinde beruhen«.

MEXIKO. Über die spanische Eroberung Amerikas im 15. und 16. Jahrhundert konnte man 1837 in *Brockhaus' Bilder-Conversations-Lexikon* (Artikel »Amerika«) noch lesen: »Die Eingeborenen wurden zu Sklaven gemacht und an ihnen, aus Habsucht und Bekehrungseifer, die verabscheuungswürdigsten Unmenschlichkeiten verübt.« Am Ende des Jahrhunderts wurde dieser Teil der Geschichte umgeschrieben und gesinnungsstark versachlicht: »Vor allem aber führte Ferdinand Cortez 1519 seinen berühmten Zug gegen Mexiko aus, durch den er das Reich Montezumas zerstörte und der spanischen Herrschaft einen ersten festen Halt auf dem amerikanischen Kontinent schuf.« (*Brockhaus* 1892, Artikel »Amerika«) Cortez wurde das Lexikon zu »einem der edelsten Charaktere unter den spanischen Konquistadoren« ernannt. Daß Wissen auf dem Weg durch die Geschichte des 19. Jahrhunderts hindurch auch verlorengehen konnte, ist trivial und lexikographisch notwendig angesichts der Wissensvermehrung. Als spannend erweist sich jedoch die Frage nach dem, was verloren wurde.

MINDERWERTIGKEIT. »Rassen sind stets nur anders-, niemals aber unter- oder minderwertig«, beteuert *Meyer* 1936; alles andere sei »eingebildete, unobjektive Anmaßung und Überheblichkeit«. Aber schon der nächste Satz (»Alle Völker, die in ihrem natürlichen Lebensraum eigene Lebensformen schufen, haben in sich Wert«) legitimiert implizit die Vernichtung von »Untermenschen« und »Parasiten«: → **Zigeuner** und Juden werden »mit den Wertmaßstäben der jeweiligen Wirtsvölker gemessen und hierbei als asozial gesinnt und charakterlich minderwertig erkannt und bezeichnet«.

MODEN waren 1835, in der »gefährlichen Epoche der Ärmel-Krisis«, für das *Damen-Conversationslexikon* »lachende, spielende Kinder«, die schnell vergreisen. Die Mode, präzisiert der Artikel »Hüte«, ist »ein Saturn, der seine eigenen Kinder verzehrt ... Sie ist nichts als eine große Lüge; ein ewiges Thermometer, dessen Säule → **Laune** und → **Bizarrerie**, Geschmack und Phantasie nach Willkür, Muthwillen und Übermuth bald sinken, bald steigen lassen.« Vor allem ist das Thermometer aber ein Tyrann; »wäre die Mode eine moralische Person, sie wäre der mächtigste Herrscher«. Schon deshalb ist sie für *Meyer* 1936, in der Epoche des Braunhemds, nur ein »künstlich geschaffener Zeitstil, der vorwiegend effektvoll sein will, weder zweckdienlich noch natürlich schön oder sinnvoll«. *Meyer* war 1902 im Vollgefühl seines aufgeklärten Fortschrittsoptimismus noch toleranter: »Es gibt Gebiete, in denen die Willkür ihr Spiel treiben darf, weil die Vernunft sich jedes Rechts der Einsprache begibt.« Immerhin gehen »die Launen der Mode aus dem Streben nach Fortschritt hervor.« Auch wenn er sich oft genug als Rückschritt erwies: Jedes Kleidungsstück, selbst Hut, Knopf und Hosenträger, sind »fortdauernder Vervollkommnung fähig«.

MONARCHIE. Zensurbestimmungen und andere politische Rücksichten zwangen den Lexikographen gelegentlich wahre Eiertänze auf. Ganz heikel war der Artikel »Monarchie«, zumal der Monarch selbst durch Majestätsbeleidigungsparagraphen (»crimen laesae maiestatis«) gut abgeschirmt war. Von der Monarchie sagt *Brockhaus* (1843), sie sei »die Herrschaft, oder doch Leitung eines Einzigen«. Mit der Bandbreite zwischen »Herrschaft« und »Leitung« deutet das Lexikon an, daß es dem Ehrgeiz der Regierenden im Prinzip mißtraut, aber dies nicht offen sagen kann oder will. Diese Tendenz wird noch deutlicher, wenn es um die Prinzipien Wahlmonarchie oder Erbmonarchie geht. Gegen die Wahlmonarchie wird alles zusammengesucht, was sie an möglichen negativen Folgen mit sich bringt, während die Erbmonarchie »dem natürlichen Streben der Menschen, ihre Vorteile auch ihren Erben zu überliefern«, zugeschlagen wird. Einige Jahre zuvor riskierte das Konversationslexikon immerhin noch den Satz, »der Theorie nach« sei die Wahlmonarchie »weit vernunftgemäßer« (*Brockhaus* 1833). Einzig der Schlußsatz des Artikels distanziert sich vorsichtig, in einem verschlungenen, mit Konjunktiven abgesicherten Schachtelsatz, von den Zuständen im »Deutschen Bund« im Vormärz: »Dieselben Gründe aber, die für die Erblichkeit der obersten Würde sprechen, sprechen auch dafür, daß der Staat so organisiert sei, daß auch der Monarch nur das Gute, nicht aber das Schlechte durchsetzen könne, daß auch unter ihm der Staat ein freies Gemeinwesen, eine Republik sei, daß das Umschlagen zur Despotie verhütet werde und daß der mit manchen Auslegungen des sogenannten monarchischen Princips verbundene Wahn nicht aufkomme, als liege es in dessen Wesen, daß der Monarch unumschränkt oder daß jedes aristokratische und demokratische Element im Staate verdrängt sei.« (*Brockhaus* 1843).

MONDSUCHT oder magnetischer Schlaf ist ein durch geistige Überanstrengung, Verzärtelung und Vollmond hervorgerufener nervöser Zustand, in dem »besonders die Unterleibsnerven thätig sind« (*Damen-Conversationslexikon* 1835). Man darf die Schlafwandler nicht wecken; Bäder und Trinkkuren mit »Weinsteinrahm und verdünnter Salzsäure« helfen ihrem Leiden ab. Die Kranken empfangen dabei Bilder auf übernatürlichem Wege: »Es sind dann die Augen geschlossen, die Finger und Zehenspitzen sind Organe des Sehens geworden, endlich scheint die Psyche gar keiner Organe zu bedürfen, und sie erhält Eindrücke von außen, ohne daß man ein Medium entdecken kann.« (*Brockhaus* 1812, Artikel »Somnambulismus«). 1827 entdeckte der klarsichtige *Brockhaus* auch das Medium, das man mit geschlossenen Augen sehen kann: »Das helle Fernsehen in der Zeit findet bei Somnambulen ebenso wohl rückwärts in die Vergangenheit als vorwärts in die Zukunft statt.« Später setzte sich dann jedoch die Einsicht durch, daß die intellektuellen Leistungen der Medien beim Zehen- bzw. Unterleibs-Fernsehen »nicht principiell über den jeweiligen menschlichen Erfahrungskreis« hinausgehen und oft sogar »betrügerische Täuschungen« (*Brockhaus* 1892) sind.

MONGOLEN. Bei der Zuschreibung von vermeintlichen Volkscharakteren war man im 19. Jahrhundert nicht gerade zimperlich. 1843 sind Mongolen für *Brockhaus* »offen, mäßig, gastfrei, mild und friedfertig, aber auch träge, schmutzig und dummstolz«. Noch zu Beginn des 20. Jahrhunderts kommen die Mongolen, lexikalisch gesehen, sehr schlecht weg: »Als Charaktereigenschaften sind neben Faulheit Neugierde und Feigheit zu nennen, die vornehmlich durch die Chinesen großgezogen ist, denn früher war gerade Mut eine der glänzendsten Zierden der Mongolen. Scharfsinn, Offenherzigkeit und Gutmütigkeit wird ihnen nachgerühmt, doch trifft dieses Lob nicht die höheren Stände, namentlich nicht die Priester... Die Frauen sind wirtschaftlich, aber moralisch haltlos.« (*Meyer* 1902). →**Nachbar, roher.**

MORAL. »Das Volk«, höhnt *Meyer* 1936, »bringt dem Wort Moral gesundes Mißtrauen entgegen, wie unter anderen auch die Bedeutung des Wortes Moralprediger beweist; oder es verwendet das Wort weisheitsvoll-humoristisch (›Und die Moral von der Geschicht...‹). Die echte, spontane Sittlichkeit wird also heute nicht mehr unter der Moral, sondern unter dem Ethos verstanden.« Die Moral von der Geschicht': Man sollte dem spontanen deutschen Volkshumor mit gesundem Mißtrauen begegnen.

MOSKAU. Das *Damen-Conversations-lexikon* beschrieb die jährliche Maiparade der Arbeiter und Bauern in Moskau schon 1835 als kollektiven Klatschmarsch: »Hier kommt die eigentliche Nationaltracht in ihrem ganzen Glanze zum Vorschein. Die Reihe der Wagen und die Zahl der Reiter ist äußerst groß. Man sieht unter den Bäumen und auf dem Rasen Bauern in ihrem schönsten Anzuge sitzen, und ihre Fröhlichkeit durch Jauchzen und Gesänge kund geben. Die Musik der Balalaika, die schneidenden Töne der Bauernpfeifen, ein unaufhörliches Händeklatschen und die wilden Tänze der Zigeuner machen hierbei ein solches verwirrtes Getöse, daß man betäubt wird.« Später mustern die Jünglinge im Park dann die heiratsfähigen Moskowiterinnen. Sie beeilen sich mit ihrer Wahl, denn in Moskau kommt auf zwei Männer nur eine Frau. »Merkwürdig bleibt, daß es trotz so kurzer, auf dem →**Frauenbazar** gemachten Bekanntschaft verhältnißmäßig hier weniger unglückliche Ehen gibt, als in anderen Städten.« – »Alle glücklichen Familien gleichen einander«, schrieb Tolstoi später, »jede unglückliche Familie ist auf ihre eigene Weise unglücklich.«

MOTORSPORT. Als »Adolf Hitler persönlich« am »Schicksal des dt. Motorsports größten Anteil« zu nehmen begann, mußten alle Räder rollen für den Endsieg. »Der Erfolg«, meldet *Meyer* 1936, »war überwältigend. Die bisherige Führung der ital. Wagen von Alfa Romeo und Bugatti wurde endgültig überwunden. Der gesamte Motorsport wurde belebt.« Später vertauschten Berufs- wie »Herrenfahrer« ihren »ledernen, korkgepolsterten Sturzhelm« mit dem Stahlhelm. Aber erst Michael Schumacher triumphierte in einem überwunden geglaubten Ferrari weltweit.

MUFF. Nippel zum Verbinden von Rohren, tausendjähriger Mief unter den Talaren, Gymnasialschulmann und Publizist (»Was ist Kultur?«), namentlich aber das »bekannte Erwärmungsmittel der Hände« (*Damen-Conversations-lexikon* 1835). Der Muff nahm zeitweilig, vor allem bei Männern, ungeheure Dimensionen und so bizarre Formen an wie die von kleinen Hunden; in Preußen gehörte er zur großen Hoftoilette. Mediziner erzählen schmunzelnd, »wie sie nicht selten darin kleine Kinderleichen bargen und diese auf solche Weise unbemerkt vom anatomischen Theater nach Hause trugen, um sie dort bequemer seciren zu können«. Der Muff wird inzwischen »in mäßiger Größe in allen Pelzsorten allgemein tolerirt«. Lebende Kleinkinder werden heute allgemein in Tragetüchern oder Rucksäcken transportiert, die zuweilen die Form von Pandabären haben.

MÜTTERDIENST. Hauptabteilung VI des Reichsfrauendienstes, zugleich »natürl. Selbstverständlichkeit« und Pflicht der deutschen Frau sowie »das größte Geheimnis auf Erden« (*Meyer* 1936). »Alle sittl. Entartungserscheinungen in Europa seit der Inquisition bis heute« rühren aus mangelnder Ehrfurcht gegenüber der »Mutterschaft« her. »Die marxistische Propaganda und herabsetzende ›Witze‹ in der jüdisch bestimmten Dekadenz führten zur Erniedrigung der Frau und damit zum Volkstod.« 1892 verstand *Brockhaus* unter »Mutterwut« noch →**Nymphomanie**, unter »Mutterplage« jedoch Hysterie. 1996 ist ihm die »Mutter« bloß noch »i. d. R.« die erste Bezugsperson des Kindes. Während der jüngste *Brockhaus* den klassischen Mütterdienst als Instrument des Patriarchats entlarvt, sieht er in der »neuen Mütterlichkeit« jedoch auch eine »Chance für weibl. Selbsterfahrung und -verwirklichung«.

N

NACHBAR, roher. Als »rohen Nachbarn« begrüßt *Meyer* 1839–55 (Artikel »Afrikanische Colonien«) im Namen des gesamteuropäisch-christlichen Dünkels Afrika und die Afrikaner: »Durch sich selbst kann Afrika sich nicht zur Civilisation erheben.« Was die europäische und nordamerikanische »Hilfe« bewirkt hat, ist im einzelnen unklar, aber insgesamt so übersichtlich wie verheerend. Die Diagnose von vor 160 Jahren ist beachtlich und merkwürdig: »Wenn man die Masse von Ländern mit ihrer üppigen Vegetation, mit ihren ebenso kostbaren als mannigfaltigen Erzeugnissen aus dem Tier- und Pflanzenreiche, mit dem Reichtum an Gold und anderen wertvollen Mineralien in Betracht zieht; wenn man berechnet, welche Massen von Menschen hier leben könnten, sobald sie, statt sich wechselseitig zu vernichten, zu unterdrücken, zu berauben und zu Sklaven zu machen, in der Industrie und in wechselseitigem, durch öffentliche Sicherheit und Verkehrserleichterung begünstigtem Austausch sich ihren Unterhalt suchen wollten; wenn man bedenkt, daß in diesen Menschen- und Ländermassen alles auf die Bestimmung hinweist, die Schätze zu sammeln, welche ihnen die Natur bietet … so wird man nicht verkennen, daß Europa die dringendste Aufforderung hat, seinen Unternehmungsgeist auf den Verkehr mit Afrika zu richten.« Als erstes hatten die Europäer dem »rohen Nachbarn« den Sklavenhandel ziemlich effizient abgenommen, darauf folgte die Ausbeutung der Bodenschätze. Nach dem Zweiten Weltkrieg überließ Europa den Kontinent mehr oder weniger sich selbst.

NÄCHSTENLIEBE war für *Meyer* 1936 eine Spezialität »jüdisch-orientalischen Denkens«, die durch das Christentum vom Sippennachbarn auf alle Menschen ausgedehnt und damit zu einer Zwangsvorstellung wurde. »Den Germanen ist Nächstenliebe im kirchlich-christl. Sinne durchaus fremd.« Sie ziehen den »rasseseelisch eigenen Hochgrad einer freiwillig dargebotenen, grundsätzlich altruistischen Zuneigung« vor, die in einer »rassisch ebenbürtigen, unter Treue und Ehre gestellten Lebensgemeinschaft« stets erwartet, aber nie gefordert werden kann. Daß damit kein Nichtarier dieser hochgradig unappetitlichen Nächstenliebe teilhaftig werden konnte, hätte sich verschmerzen lassen, wäre ihre Kehrseite nicht der →**Haß** gewesen.

NACKTKULTUR. Evolutionsgeschichtlich gereicht die Haarlosigkeit dem Menschen zum »Selektionsvorteil«: Je weniger Pelz, klärt *Brockhaus* 1996 unter dem Stichwort »Nacktheit« auf, desto mehr Schweißdrüsen; so konnte der wohltemperierte Urmensch seine Beute länger verfolgen. – Kulturgeschichtlich widerspricht die Nacktheit allerdings sowohl dem »sekundären Bedürfnis« nach schützender Kleidung wie auch der tertiären →**Schamhaftigkeit.** Wo Kleidung zur Norm gehört, empfindet sich der nackte Mensch als »sozial ortlos«; so wurden nach der Wende die Veteranen der ostdeutschen Nacktkultur an den Ostseestränden von westlichen Bikinis und Badehosen ästhetisch diskriminiert und in Ghettos abgedrängt. Die klassische Freikörperkultur entstand um 1900 aus dem Geist der Lebensreform und neuheidnischen Gleichheitsvorstellungen: »Wir sind nackt und nennen uns du.« Die Internationale Naturalisten-Föderation fordert bis heute die »offizielle Anerkennung des Menschenrechts auf funktionelle Nacktheit in natürlicher Umgebung«; sie kann dabei auf die Unterstützung sogenannter Nacktputzer zählen. Auch *Brockhaus* begrüßte 1928 die Absicht der »Körperkultur«, »durch unverhüllte Körperlichkeit sittlich wirken« zu wollen, warnt jedoch gleichzeitig vor ihren – nicht näher beschriebenen – »erheblichen Gefahren«. Immerhin habe sie »trotz ihres ungeistigen Gehalts manche Gesundung der Lebensweise« wie Schlankheit und Beweglichkeit hervorgebracht; sie müsse aber immer in die »große Kulturaufgabe der Völker« eingebunden bleiben. Ganz in diesem Sinne unterscheidet *Meyer* 1936 den »entarteten« Nudismus »sexuell anormaler Kreise«, die »unter dem Deckmantel der Körperpflege und der menschlichen Freiheit der raffinierten Befriedigung anormalen Trieblebens« frönen, »scharf« von der offiziell anerkannten »Körperkultur«: Arno Brekers Recken und Leni Riefenstahls Olympioniken nahmen sich die Freiheit, unter dem Feigenblatt von Gesundheit und Kultur, »Sport und Spiel« eine Lanze für die systemtreue »Ausübung der Nacktheit« zu brechen.

NÄHMASCHINE. Das »uns jetzt kaum denkbare Verfahren« zur Mechanisierung des mühseligen Nähens konnte sich das *Damen-Conversationslexikon* 1835 nicht einmal im Traum vorstellen; dabei hatten verdiente Pioniere wie J. Madersperger (1814), B. Thimonnier (1829) und W. Hunt (1834) doch bereits brauchbare Apparate für das Undenkbare gebaut. 1892 brauchte *Brockhaus* schon fünf Seiten und etliche Schautafeln für die Beschreibung der Nähmaschine. Auf dem langen Weg vom Schlingenfänger bis zu den Stoffdrükkern, -rückern und -schiebern verliert der Leser leicht den Geduldsfaden, und weder Zangenbacken noch Reibungsbremse können ihn wieder einfädeln. »Dennoch ist«, um noch einmal das *Damen-Conversationslexikon* über die Kunst des Nähens zu zitieren, »nicht zu läugnen, daß jede Frau, die gelehrte vielleicht ausgenommen, ein inniges Wohlbehagen bei der Ansicht von dergleichen sauberer Arbeit empfindet.«

NASE. »Die Nase ist für das Gesicht eine Zierde«, behauptet das *Damen-Conversationslexikon* 1835, um aus ihrer physiognomischen »Bildung« keck auf Geist und Seele zu schließen. Die römische Nase verkündet demnach »Nachdenken und Ernst«, die »Stülpnase« Lebhaftigkeit und Mutwillen, die »mittelmäßige Nase Erregbarkeit, Phantasie und Begeisterung«. Nasenlose Gesichter haben »etwas widriges« an sich, sind aber selten geworden, seit die Rhinoplastik, das heißt die »Kunst der Nasenbildung«, in Indien und durch Signor Tagliocozzi endlich auch in Europa »zur Vollendung gediehen« ist. *Meyer* billigt 1902 dem künstlichen Riechkolben nur »eine sehr problematische Schönheit« zu, weiß aber von »nervösen Reflexvorgängen« zu berichten, durch welche die Nase »auch mit den weiblichen Geschlechtsorganen in eigenartiger Verbindung« steht. Spätere Seelenärzte machten auf eine noch eigenartigere Verbindung zwischen der Gesichtszierde des Mannes und seinem Johannes aufmerksam.

NATION. Bevor sie im 20. Jahrhundert als gefährdet und bewahrenswürdig entdeckt wurde, konnte man sie noch für allerlei Nebengeschäfte instrumentalisieren. Besonders beliebt war die Natur im national eingetrübten Sprachspiel: »Die Natur begründet mancherlei Verschiedenheiten unter den Menschen, welche erst bei höherer Bildung erkannt und immer freier ausgebildet werden. Zu diesen gehört auch die Nationalität oder das Leben der Menschen unter der Form und Eigenschaft einer Nation, woraus dann der Nationalcharakter oder die im Leben oder in der Geschichte ausgebildete Eigentümlichkeit derselben hervorgeht, die wir in gewissen übereinstimmenden oder unwillkürlich wiederkehrenden Äußerungen ihrer Glieder wahrnehmen. Die Nationalität wird begründet durch gleiche Abstammung und Sprache, daher man mit Nation einen durch gleiche Abstammung und Sprache unterschiedenen Teil der Menschheit bezeichnen kann. So angesehen, ist die Menschheit die Idee, welche alle Nationen umschlingt; die Nationalität aber soll nur als Form der Menschheit erscheinen.« (*Brockhaus* 1843). Die Tatsache, daß das Konversationslexikon zwei Seiten weiter auch Pferden, »im richtigen Sinne aufgefaßt, ein National« andichtet – ist eine Beleg dafür, mit welch pferdestarker Logik im Grundbestand des Nationalen immer schon herumgerührt wurde. →**Identität**, nationale.

NATIONALISMUS. Hier mutet *Brockhaus* dem Publikum von der zweiten (1815) bis zur zwölften Auflage (1875) einiges zu. Die zentrale Frage, »ob der Nationalcharakter etwas sei, was die Natur aus der Nation gemacht, oder vielmehr etwas, was die Nation aus sich selbst gemacht und gegeben habe« (→**Identität, nationale**), wird zwar schon 1815 gestellt, aber nie beantwortet, sondern immerfort zugeschüttet mit allerhand Versöhnungsformeln und dem Hinweis auf »die herrschende Wechselwirkung zwischen Freiheit und Naturnotwendigkeit«. Gegen Ende des Jahrhunderts setzt sich die durch den Historismus geförderte Tendenz durch, sich einfach mit dem abzufinden, was der Fall ist. Die pathetischen Versöhnungsformeln verschwinden zugunsten von positiven Bilanzen nationaler Ausgrenzung der Anderen und Fremden unter der Firma »nationale Gemeinschaft«: »In unserer Zeit wirkt das Gefühl und das Bewußtsein nationaler Gemeinschaft und nationaler Verschiedenheit stärker als in früheren Epochen der Weltgeschichte. Unserem Zeitalter eigen ist die nationale Staatenbildung, das heißt eine Staatenbildung, welche die nationale Gemeinschaft zur politischen Person erhebt und ihr die Macht verschafft.« (*Brockhaus* 1875, Artikel »Nation«). Dem steht die düstere Ahnung entgegen, daß »eine Neuteilung der Welt nach Nationen« sofort »den Frieden der Welt von Grund auf erschüttern, die Errungenschaft der Geschichte mutwillig zerstören und nicht eine neue sichere Weltordnung schaffen, sondern die Menschheit zerreißen« würde. Damit sind die Abgründe und die Sackgassen, in die entschieden nationalstaatliche Politik führt, ziemlich genau beschrieben. Entgegen der realgeschichtlichen Entwicklung wurden die Bilanzen der nationalstaatlichen Territorialisierung und der Ausgrenzung der Fremden immer positiver bewertet. Bei *Meyer* heißt es 1902: »In dem Begriff der Nation liegt das Bewußtsein der gemeinsamen Abstammung und der Zusammengehörigkeit: das Nationalgefühl. Eben dies ist es aber, das zugleich den Gegensatz zwischen der einen und der anderen Nation hervortreten läßt. Kann zudem eine Nation auf eine große Vergangenheit zurückblicken, oder nimmt sie unter den verschiedenen Nationen eine besonders hervorragende Stellung ein, so steigert sich das Nationalgefühl zum Nationalstolz, während sich jener Gegensatz zwischen verschiedenen Nationalitäten zuweilen bis zum Nationalhaß verschärft.« Der nationale Dynamo war angeworfen.

NATUR ist im *Brockhaus* 1812 noch kosmologisch gedacht, das heißt als »das Weltall, oder der Inbegriff aller erschaffenen Dinge«. 1827 meint das Wort aber auch im engeren Sinn »die Sinnenwelt, oder das Gebiet des bewußtlosen Werdens«. Im *Brockhaus* ist sie 1864 mit einer Maßregelung der Naturwissenschaften verbunden: »Der Gedanke, daß die Naturwissenschaften die Bestimmung haben, das Weltall als ein einziges, großes, systematisches Ganzes der Existenz zu durchdringen und zu begreifen, hat zwar in der Theorie etwas Erhebendes, erweist sich aber in der Praxis als unfruchtbar.« Die Begründung liefert *Brockhaus* 1892 nach, denn »im weitesten Sinne« ist Natur alles, »was sich nach eigenen Trieben und Gesetzen, ohne fremdes Zuthun, gestaltet«. Besonders unterscheidet man die Natur von allem, was Produkt des Gedankens, der Absicht, der Kunst, der Kultur und Erziehung ist: »das Natürliche steht dem Gemachten und Gekünstelten als das von selbst Entstehende gegenüber«. *Brockhaus* schließt auch die Gedanken an Außerirdische nicht aus. Alles eine Frage des Standpunkts: Denn »die Kenntnis der Natur hängt lediglich an der Erfahrung der Sinne, und alle sinnliche Erfahrung im genauern Detail ist zunächst nur auf den Erdball, und auch hier nur auf dessen Oberfläche bis zur Tiefe des Meers und der Bergwerke beschränkt, sodaß schon das allernächste und zur Übersicht des Ganzen notwendige Requisit, nämlich die Kunde von den auf andern Planeten lebenden Wesen, für uns, wie es scheint, jenseits der Grenzen einer möglichen Erfahrung fällt.« (*Brockhaus* 1882). Heute hat die Wissenschaft von der Natur weitgehend den Raum einer möglichen Erfahrung verlassen und fragt sich zu selten, ob sie in der Praxis nicht auch weiterhin unfruchtbar ist.

NATURDICHTER oder Naturalisten nennt *Brockhaus* 1892 »Dichter ohne gelehrte Schulbildung«, die »mit frischer Empfindung und originellem Ausdruck« ans Werk gehen; als Meister dieser naiven Kunst ragen der Löthener Strohflechter Hiller und der Nürnberger Flaschnermeister Grübel, in Frankreich der Friseur Jasmin und der Bäckermeister Reboul aus dem handwerklichen Mittelmaß hervor. Für das *Damen-Conversationslexikon* ist 1835 dagegen »im Grunde jeder Dichter Naturdichter«: »Man kann die Form gewältigen durch festen Willen; aber nicht den Genius dahin beschwören, wo er nicht heimisch ist.« →**Grübelsucht.**

NATURHEILKUNDE ist 1928 im *Brockhaus* ein eigenes Stichwort. Die Naturheilkunde, die »im Gegensatz zur wissensch. Medizin, zur sog. Schulmedizin, in Wasser, Luft, Licht und Diät die einzig ›naturgemäßen‹ Heilmethoden gefunden zu haben glaubt«, wird mit wohlwollender Skepsis behandelt, auch wenn sie »grundsätzlich alle von der wissensch. Medizin anerkannten Behandlungsmittel, besonders solche medikamentöser und chirurgischer Art«, ablehnt. Schließlich behandelt sie »kritiklos die verschiedensten Krankheiten gleich und verzichtet auf wissenschaftliche Feststellung des Leidens«. Außerdem haben die Naturheilkundler »Mangel an ärztlicher Erfahrung und Beobachtung« und erweisen sich als »zwar sehr begeisterte, aber wenig geniale Nachfolger jener großen Laienbehandler« wie etwa Prießnitz, Schroth oder Kneipp. Dennoch begann in der »wissensch. Medizin das Verständnis für die sog. Naturheilmethoden zu erwachen«, ja, es gibt »seit einigen Jahren je einen Lehrstuhl für Naturheilkunde an den Universitäten Berlin (1901) und Jena (1924)«. Und immerhin verweist das Lexikon im Artikel Naturheilkunde auf den Artikel »Heilung«.

NEGER. Kant glaubte zu wissen, daß der Mohr »weiß gebohren« wird (bis auf die von Anfang an schwarzen Zeugungsglieder), seiner dickeren Haut wegen nicht mit Ruten, nur mit gespaltenen Röhren gepeitscht werden darf und »gemeiniglich erstaunend laufen« kann – letzteres eine Beobachtung, die jeder weiße Sprinter bestätigen kann. »Die Farbe des Negers«, vermutet der aufgeklärte *Brockhaus* 1808, »hängt von einem zwischen dem Oberhäutchen und der eigentlichen Haut befindlichen Schleime ab, der der malphigitische genannt wird«; die darunter liegende Haut sei jedoch »bei allen Menschen weiß«. Der Mediziner Marcello Malpighi (1629–1694) wird noch 1996 von *Brockhaus* in Bild und Text gewürdigt, der Neger ist dagegen aus dem Lexikon verschwunden. Lange wurde er mit einer Mischung aus wohlwollender Herablassung, Rassendünkel und klammheimlichem Neid behandelt. *Brockhaus* etwa fand 1864 nichts dabei, ihn mit Affen und »hirnarmen Cretins« auf eine Stufe zu stellen; sein Mangel an »ideellen Gütern«, stellt *Brockhaus* 1892 fest, werde freilich durch seine Fähigkeit zu heiterem Lebensgenuß und unbeschwerter Sinnlichkeit ausgeglichen. *Meyer* hält ihn dem Europäer gar für überlegen »an Geschwindigkeit und stürmischem Kraftaufwand«. Aber er ist nun einmal faul und stinkt: »Den Geruch der Rasse führt Falkenstein auf die öligere Beschaffenheit des Schweißes zurück, der bei unreinlicher Lebensweise leicht ranzige Säure entwickelt.« Im übrigen ist der Neger wie immer »heiter, eitel, gefallsüchtig, lügenhaft und sinnlich, aber sehr gelehrig«. Und musikalisch. Für das *Damen-Conversationslexikon* war die Negermusik 1835 »mehr ein barbarisches, aller Melodie entbehrendes Geräusch«. *Brockhaus* rühmt 1928 bereits die »starke musikalische Begabung« der Schwarzen: »Merkwürdig ist es, daß die beliebtesten Negro Spirituals von dem Weißen St. C. Foster (1826–1864) stammen.« Noch merkwürdiger, daß die weißen Kulturträger im 20. Jahrhundert ihre ganze populäre Musik vom →**Jazzmusik** bis zum Hiphop dem ungeliebten Neger ablauschen mußten. Im allgemeinen neigt der Neger nämlich »durchaus nicht zu selbständiger Kulturarbeit. Dafür besitzt er eine gesunde Zähigkeit; er stirbt nicht bei der Berührung mit der höheren Kultur, sondern findet sich mit ihr ab.«

NERVENSCHWÄCHE, »eine schon aus alten Zeiten bekannte, unter verschiedenen Namen beschriebene Krankheit, welche in unsern Tagen wegen ihrer überraschenden Zunahme das Interesse der Ärzte in hohem Grade verdient« (*Brockhaus* 1892). Was wir seit den 1950er Jahren unter »Streß« verstehen (der Begriff wurde erstmals 1936 von Hans Selye in einem Artikel in *Nature* über das »Streß-Syndrom« erwähnt), firmierte im nervösen Zeitalter des Kaiserreichs zumeist unter dem Begriff Neurasthenie (**→Längstes Stichwort**). *Brockhaus* erkennt 1892 bereits den fließenden Übergang zwischen normal und pathologisch: »Unter Nervenschwäche versteht man eine abnorme Reizbarkeit, Schwäche und Ermüdbarkeit des gesamten Nervensystems. Schwäche, Reizbarkeit, Ermüdung sind ja auch dem Gesunden wohlbekannte Zustände; jeder Mensch ermüdet und hat das Bedürfnis, nach einer starken körperlichen Anstrengung zu ruhen, jeder wird erregt durch Ärger, Verdruß, Sorgen usw.« Doch die Abgrenzung ist eindeutig: »Der Neurastheniker dagegen ermüdet schon bei geringen Leistungen oder ist müde, wenn er nichts gethan hat, er wird erregt und verstimmt durch unbedeutende Ereignisse, sorgt sich um Kleinigkeiten und ängstigt sich über harmlose Vorgänge; die Schwäche, die Reizbarkeit und Verstimmung werden durch Ruhe und Erholung nicht beseitigt.« Die Ursachen sind, wie bei fast allen Geisteskrankheiten, »seelische Erregungen«, »unglückliches Familienleben«, »geschäftliche Aufregungen« sowie »polit. und religiöse Kämpfe«. Zu den körperlichen Ursachen zählt der *Brockhaus* 1892 »übermäßig betriebenen Sport« (vor allem Radfahren), »sexuelle Excesse« (allerdings führt *Brockhaus* im Artikel »Unzucht« die wachsende Zahl der Sexualverbrechen umgekehrt »auf die überhandnehmende Nervosität der letzten Generationen« zurück) und überhaupt »Ausschreitungen jeder Art«. Die Krankheit wirkt am verheerendsten bei intelligenten Menschen, ihre Heilung ist eine »dankbare Aufgabe« für jeden Arzt. *Meyer* hielt 1936 die meisten Kriegs- und »Rentenneurosen« für bloße Drückebergerei.

NEUTRALITÄT. »Sicher ist alle Neutralität nur aus der Kraft, sie zu behaupten.« (*Brockhaus* 1843). Die Achillesverse völkerrechtlicher Neutralität erkannte das Konversationslexikon mit diesem einzigen Satz, denn er meint, daß die starken Staaten »Neutralität« nicht brauchen und die schwachen sie nicht durchhalten. Der Versuch der Schweiz, zwischen 1933 und 1945 »neutral« zu bleiben, zeigt das eindrücklich.

NICHTS. Für Augustinus der Zustand der Welt vor der Creatio ex nihilo, für Hegel das unbestimmte, mit dem reinen Sein identische Unmittelbare, für Kierkegaard und Heidegger der Grund von Daseinsangst und Denken, für Sartre gar der menschlichen Freiheit schlechthin; für *Meyer* 1902 immerhin das »Gegenteil von Ichts (Etwas)«. Das Nichts hat also Karriere gemacht, und das ist immerhin etwas. 1936 wollte *Meyer* den Begriff, der nur zu fruchtlosen Spekulationen geführt habe, dennoch »aus der philosophischen Sprache tilgen«. Daraus wurde nichts: 1996 macht sich das Nichts im *Brockhaus* breiter denn je. Was die »Nihilisten« betrifft, jene bombenwerfende Fraktion der »studierenden Jugend« Rußlands, die sich noch nicht über »positives Wollen klar geworden« ist, gab *Brockhaus* 1892 etwas voreilig Entwarnung: »In neuester Zeit verhielten sich die Nihilisten ruhiger.«

NONNENSAUSEN kommt heute noch bei manchen Formen der Anämie, im 19. Jahrhundert bei der Bleichsucht oder Chlorose vor, die im *Brockhaus* 1996 (Artikel »Chlorose«) als eine »früher häufige Krankheit bei jungen Mädchen und Frauen« aufgeführt wird. Trotz aller Fortschritte der Medizin kann das Lexikon die genaue Pathogenese nicht erklären und vermutet »wohl eine Eisenmangelanämie komplexer Ursache (Ernährung, menstruelle Blutverluste, hormonelle Einflüsse)«, um dann eiligst zur zweiten Bedeutung des Begriffs Chlorose, dem »Ausbleichen grüner Pflanzenteile, v. a. der Blattflächen, infolge mangelhafter Ausbildung oder Zerstörung des Chlorophylls« überzugehen. Nun waren zwar manche Befindlichkeitsstörungen Männern und Medizinern zu allen Zeiten suspekt, doch auch heutige junge Mädchen und Frauen sind komplexen Einflüssen unterworfen – und das nicht nur alimentärer, menstrueller oder hormoneller Art. Konkreter in der Ursachenforschung ist da schon der *Meyer* von 1902, der »unzweckmäßiges Leben und unzweckmäßige Ernährung anzuschuldigen (mangelhafter Genuß frischer Luft, Überanstrengung, mangelnde Nachtruhe, aber auch starke geistige Erregungen)« weiß und noch andere Einflüsse vermutet: Demnach scheint in einzelnen Fällen »eine Beziehung zur Entwickelung der Geschlechtsorgane zu bestehen, wenigstens findet man häufig Anomalien derselben«, während die von Virchow postulierte »angeborene Enge der Gefäße« nur selten angenommen wird. Ob die Kranken »sehr blaß (oft mit einem Stich ins Grünliche)« aussehen, weil sie »eigentümliche Gelüste nach sauren oder pikanten Speisen oder gar nach ungenießbaren Dingen, wie Kohle, Kreide« haben (→**Abführen**), oder ob sie durch den Verzehr dieser Dinge grün anlaufen, bleibt unklar. Jedenfalls hört man bei den Chlorotischen »über dem Herzen selbst und namentlich über den Halsvenen das sogen. Nonnensausen«, was nicht in den womöglich bedeutsamen »geistigen Erregungen«, sondern in der Häufigkeit begründet ist, mit der die Symptome bei Gottesdienerinnen auftreten. Von den Haustieren befällt die Chlorose »fast nur Schafe«. Den Lämmern setzt dabei besonders »Nässe (nasse Weide)« zu.

NORMALKLEIDUNG ist für *Meyer* 1936 z. B. das Jägerhemd aus »Normalwolle«. 1902 verwies *Meyer* unter dem Stichwort »Normalvieh« etwas kryptischer auf »Landwirtschaftliche Betriebserfordernisse, S. 138«; in jedem Falle erlaubt die »Normalisierung« die »leichte Auswechslung von unbrauchbar gewordenen Maschinenteilen«.

NOTWEHR. Aufruhr, Widersetzlichkeit und Befehlsverweigerung wurden immer streng geahndet. Aber im Artikel »Aufruhr« von *Meyer* (1839–55) ist noch ein bemerkenswerter Satz zur Notwehr enthalten, der im Laufe des

Jahrhunderts immer mehr in Vergessenheit gerät. Was ist, wenn die staatliche Gewalt den Boden des Gesetzes verläßt? »Wenn übrigens die Obrigkeit nach klaren Gesetzen ihre Befugnisse offenbar überschreitet und nicht bloß materiell, sondern auch formell unbefugt handelt, und derjenige, gegen den sie auf diese Weise einschreiten will, durch den Schutz einer höheren Behörde die Gewalt nicht von sich abwenden kann, so ist bei ihm das Recht zur Notwehr begründet, und er begeht dann, wenn er nur die Grenzen der Notwehr gehörig einhält, durch gewaltsamen Widerstand kein Verbrechen.« Später ist von Widerstand in bezug auf staatliches Handeln kaum mehr, dafür um so öfter vom »Exzeß der Notwehr« (*Meyer* 1902) die Rede.

NYMPHOMANIE, auch Mannstollheit und Mutterwut, ist laut *Meyer* 1902 »ein durch ausartenden Geschlechtstrieb veranlaßter, übermäßiger, krankhaft gesteigerter Drang zum Beischlaf beim weiblichen Geschlecht«. *Brockhaus* definierte Nymphomanie oder »Furor uterinus« 1892 weniger mißverständlich als »das unnatürlich gesteigerte Verlangen der Frauen nach Geschlechtsgenuß«. Die Krankheit, die gelegentlich selbst bei geistig gesunden, »völlig sittsamen Frauen« auftritt, hat ihre Ursache oft »in der Gegenwart von Schmarotzern (z. B. Springwürmern) in den äußern Geschlechtsteilen oder auch andern, Kitzel und Jucken verursachenden Zuständen oder in Erregung der Phantasie durch unzüchtige Lektüre.« Die männliche Bruderkrankheit »Satyriasis« entsteht analog durch eine »unangemessene, die Sinnlichkeit aufreizende Lebensart, vorwiegende Beschäftigung der Gedanken mit wollüstigen Bildern, zu frühe und unnatürliche Befriedigung des Geschlechtstriebs«, endet aber oft in »Greisenblödsinn«. →**Erotomanie.**

O

OBERKAMPF. Tönt deutsch und ist deutsch, steht aber mitten in Paris und ist der Name einer Métro-Station. Wenn man aus einem deutschen Lexikon erfahren will, was es mit dem Wort auf sich hat, muß man eines nehmen, das mindestens 150 Jahre alt ist – zum Beispiel *Brockhaus* (1843). Auf einer ganzen Seite liest man, wer Christoph Philipp Oberkampf war – »einer der ausgezeichnetsten Industriellen«. Er stammte aus der Nähe von Ansbach und entwickelte mit seinem Vater zusammen ein Verfahren, »die zu seiner Zeit so beliebten aus Persien und Indien eingeführten Stoffe auf mechanischem Wege nachzuahmen«. 1759 ließ er sich in der Nähe von Paris nieder und beschäftigte bald 1500 Arbeiter. In ganz Frankreich entstanden 300 ähnliche Fabriken mit rund 200000 Mitarbeitern. 1787 wurde Oberkampf vom König geadelt. 1790 verhinderte er, daß ihm ein Denkmal gesetzt wurde, was er post mortem – am 4. Oktober 1815 starb er als reicher Mann in Versailles – nicht mehr konnte, als man 1864 eine Straße, später eine Métro-Station nach ihm benannte.

OBSKURANTISMUS »ein vergebliches Bestreben zu nennen«, verbieten »die Tatsachen der Geschichte«, stellte *Brockhaus* schon 1843 fest. Unter »Vernunftkritik« verstanden Kant und mit ihm die aufklärerische Tradition die Bestimmung der Grenzen und Möglichkeiten der Vernunft. Philosophen im modischen Habit der Postmoderne verstehen heute unter »Vernunftkritik« das meist hochspekulative Herumreden über »das Andere der Vernunft« (Georges Bataille). Dem lockeren Gerede von postmoderner »Vernunftkritik« im allgemeinen Sphären-Gemurmel unter abwechselnden Firmennamen gegenüber genügt ein Halbsatz *Brockhaus*' (1843, Artikel »Rationalismus«): »Philosophie ist ihrer Natur nach rational.« Damit wird kein substantieller oder exklusiver Vernunftbegriff unterstellt, sondern nur der Anspruch erhoben, zum Verfahren rationaler, intersubjektiv überprüfbarer Argumentation zurückzukommen. Wie der »Obskurantismus« ist auch die heutige »Vernunftkritik« eine »Tatsache der Geschichte«, und gelegentlich sind die beiden kaum voneinander zu unterscheiden in ihrem ohnmächtigen Bemühen, jenseits der Vernunft vernünftig zu denken. Allerdings kam der Obskurantismus des 18. Jahrhunderts weniger philosophisch als vielmehr politisch daher: »Seine meisten Anhänger finden sich in den höheren Ständen der Gesellschaft, die ... wünschen, daß die niederen Stände nicht über ihre Rechte aufgeklärt werden.«

OBST. In diesem Artikel listet *Brockhaus* 1928 allein bei den Äpfeln 25 Sorten auf. Neben bekannteren Klassikern wie »Coxs Orangenrenette«, »Gravensteiner«, »Jakob Lebel« oder »Ontario« finden sich auch Sorten wie »Baumanns Renette«, der »Boikenapfel«, »Geheimrat Dr. Oldenburg«, »Schöner von Boskoop« oder der »gelbe Edelapfel«. Auf 25 Birnensorten (darunter »Andenken an den Kongreß«, »Gute Luise von Avranches« und »Triumph von Vienne«), 16 Kirschensorten (»Frommes Herzkirsche«) und 11 Pflaumensorten folgen die Sorten von Pfirsichen, Aprikosen und etliche Beerensorten. Erst nach mehreren Seiten ist dieser Obstkorb gefüllt. *Brockhaus* handelt das Obst 1996 namenlos auf nicht einmal einer Spalte ab, vergißt aber nicht den Hinweis, daß ein Teil der Obsternte »in haltbare Formen überführt (Obst-Dauerwaren: z. B. Trockenobst, Konserven, Rumtopf, Tiefgefrorenes)« wird.

OCEANIEN. Wenn der Forschungsgegenstand weit ist, gehen Seemannsgarn und die Ergebnisse ethnologischer Feldstudien schon mal ungeahnte Koalitionen ein. Das geht dann so: »Die religiösen Vorstellungen der Melanesier sind schwankend und verworren.« (*Brockhaus* 1882).

ÖFFENTLICHE MEINUNG. »Die wahrhafte öffentliche Meinung ist eine gar gewaltige Macht, stärker als Kanonen und Bayonnette, vielfach die höchste Instanz in irdischen Dingen und den Gang der Weltgeschichte an ihrem Teile bestimmend ... Sie ist eine organische Kraft mit Naturgewalt wirkend. Auch ihre Gegner unterliegen ihrem Einfluß.« (*Brockhaus* 1843). »Gewaltige Macht«, »höchste Instanz« und »Naturgewalt« – nur das Göttliche fehlt offensichtlich der öffentlichen Meinung zum Absolutheitsanspruch. Das für das 19. Jahrhundert typische idealistische Trivialpathos wurde nicht erst durch den beschworenen »Gang der Weltgeschichte« widerlegt, sondern ließ sich nicht einmal im ganzen Artikel durchhalten. Am Schluß wird das Lexikon recht bescheiden: »Auch wird zuweilen eine sich sehr laut machende, von manchen öffentlichen Wortführern sehr heftig verfochtene Meinung mit der öffentlichen verwechselt oder sucht sich selbst dafür auszugeben und dadurch zu imponieren. Deshalb ist es jederzeit sehr bedenklich, sich Gründen gegenüber auf die öffentliche Meinung zu berufen, da dem Gegner in jedem Falle freisteht, dieselbe in Abrede zu stellen ... Es fehlt an einem sicheren Kriterium, die öffentliche Meinung zu erkennen, sobald sie bestritten wird, und eben ihr Sieg, ihre Herrschaft ist ihr wahres Kennzeichen, ihre sicherste Kundgebung ... Die öffentliche Meinung ist auch Irrtümern ausgesetzt, und wirkt deshalb nicht weniger kräftig; der Kampf gegen ihre Irrtümer, den ein der Zeit überlegener Geist führt, ist vergeblich, wenn er auch ehrwürdig sein mag.« Am Pathos des Artikelbeginns gemessen, ist das ein Absturz ins Bodenlose.

OGGERSHEIM →Kohlfurt.

OHRENPROBE bezeichnete im *Brockhaus* 1882 die »Untersuchung der Paukenhöhle eines toten neugeborenen Kindes, um aus der Beschaffenheit derselben zu bestimmen, ob das Kind bereits geatmet habe oder tot geboren sei«. Ihr lag die Auffassung zugrunde, daß die Paukenhöhle »beim neugeborenen Kinde keine eigentliche Höhle, sondern ein aus weichem gallertartigem Schleimgewebe bestehendes Polster« sei, »welches letztere erst nach der Geburt, wenn die atmosphärische Luft in die Atmungswege und durch die Ohrtrompete auch in das Mittelohr gelangt, verschwinde und einer mit Luft erfüllten Höhle Platz mache«. In späteren Lexikonausgaben verschwindet die Ohrenprobe (*Meyer* erwähnt sie 1902 nur noch auf sechs Zeilen, *Brockhaus* 1928 gar nicht mehr). *Brockhaus* hatte 1882 bereits darauf hingewiesen, daß »die Ohrenprobe durchaus nicht als zuverlässig erachtet werden« kann, einen Umstand, den sie mit dem →**Gottesurteil** gemeinsam hat. *Brockhaus* verläßt sich 1996 daher zur »Klärung der Frage, ob ein Neugeborenes tot geboren wurde oder als Lebendgeburt verstorben ist« eher auf die »Lungenprobe«, bei der die Schwimmfähigkeit von Lungengewebe untersucht wird. »Diese ist gegeben, wenn sich aufgrund einer nachgeburtl. Atemtätigkeit (Lebensindiz) Luftreste im Gewebe befinden.« Doch ist, lautet der Befund von *Brockhaus,* auch die Lungenprobe »nur bedingt zuverlässig, weil z.B. auch Fäulnisgase (nach länger zurückliegendem Tod) das Ergebnis verfälschen können«.

OHRWURM kreucht und fleucht im *Brockhaus* 1882 unter dem Stichwort »Öhrling oder Ohrwurm« umher und ist »eine Insektengattung aus der Ordnung der Geradflügler, ausgezeichnet durch die Zange am Ende des Hinterleibes, die sehr kurzen Flügeldecken und die längs und zugleich auch quer gefalteten Hinterflügel«. 1996 zählt der *Brockhaus* »etwa 1300 Arten« und betont, daß der Ohrwurm »meist nachtaktiv« und »für Menschen harmlos« ist, aber »an Kulturpflanzen schädlich werden kann«.

OKKULTISMUS ist 1882 im *Brockhaus* noch kein eigenes Stichwort, lediglich der Begriff »Occulta« (»heimliche, verborgene Dinge, Geheimnisse«) wird als Zweizeiler aufgeführt. 1892 sieht *Brockhaus* im Okkultismus einen Sammelbegriff für »alles Unerklärliche in Natur und Seelenleben« (→**Spiritismus**). Im *Meyer* findet sich 1902 bereits ein eineinhalbseitiger Eintrag, in dem zunächst nüchtern unterschieden wird, daß alles Verborgene, Unerfahrene, Unbekannte »in das noch in Zukunft Erkennbare« und das »ewig Unerkennbare« zerfällt. Das Bemühen, dem Okkultismus gerecht zu werden, ist unverkennbar. Dennoch wird deutlich, wie vehement übliche Wahrnehmungsraster und Denkmodelle verteidigt werden müssen: »Durch die neuern Untersuchungen der transzendentalen Phänomene (übersinnlichen Erscheinungen, Grenzfakta) erscheint der Okkultismus als ein einheitliches und geschlossenes Tatsachen- und Gedankensystem von großer kultureller Bedeutung und Tragweite. Man erkennt, daß der Okkultismus etwas andres ist, als ein nur kulturhistorisch interessanter Komplex von wissenschaftlichen, philosophischen und religiösen Verirrungen des menschlichen Geistes; daß hinter ihm mehr steckt als bewußter Schwindel, beabsichtigter Betrug, mangelhafte Beobachtung und ungenügende psychologische Kenntnis.« Zwar kulminiert diese Ausführung in der Behauptung: »Jedes beliebige Fach der Wissenschaften führt, genügend weit verfolgt, schließlich zum Okkultismus.« Aber dann holt der *Meyer* von 1902 doch zum weltanschaulichen Rundumschlag aus gegen Fortschrittsfeinde, Reformer und Andersdenkende. Schließlich haben »diese Leute« durch ihre »religiösen und moralischen Nebeninteressen sowie durch ihr unwissenschaftliches Benehmen und Gebaren den Okkultismus vor dem Forum einer nüchternen Wissenschaft in Mißkredit gebracht«. Weitere Gründe, sich nicht »mit dem Studium des Okkultismus zu befreunden«, sind: »Leute die ihn pekuniär ausbeuten«, wobei neben Kurpfuschern und Schaustellern besonders die »Buchhändlerokkultisten« zu nennen wären. Auch der Umstand, daß manche okkultistischen Phänomene eine »krankhafte, oft der Sexualsphäre angehörende Basis haben«, weckt wenig Vertrauen in das Fach. Kurzum: »Diese Leute« sind gänzlich suspekt, denn wer sich »für eine einzelne ästhetische, ethische, hygienische, pädagogische, religiöse, soziale, etc. Reform« besonders interessiert, läuft Gefahr, »seine Sympathien auch sonstigen Pseudoreformen entgegen zu tragen«: »Daher liegen Antivivisektion, Homöopathie, Impfgegnertum, Mystik, Naturheilkunde, Spiritismus, Theosophie, Vegetarismus u. a. bedenklich nahe beieinander.« *Brockhaus* macht 1928 nicht soviel Aufhebens um den Okkultismus und handelt ihn mit 21 Zeilen sowie einem ausführlichen Literaturverzeichnis ab. Nüchtern wird beschrieben, daß der Okkultismus »als Sammelbegriff für alle Lehren vom Über- oder Außersinnlichen gebraucht« wird, z. B. von »Magie, Theosophie, Mystizismus u. a.«.

Auch in dem Artikel »Parapsychologie« (ein Begriff, der erstmals 1889 von Max Dessoir in der Zeitschrift *Sphinx* verwendet wurde) wird kein Kampf der Weltbilder beschworen. *Meyer* sah 1936 im Okkultismus ein »Sammelbecken artfremder und krankhafter Zwangsvorstellungen«; das nationalsozialistische Deutschland lasse »dem durch den Okkultismus und seine Nutznießer gefährdeten Volksgenossen polizeil. Schutz angedeihen«. 1996 ist der Okkultismus im *Brockhaus* wieder auf zwei Seiten aufgebläht worden. Das Lexikon beschäftigt sich ausführlich mit okkultem Wissen, wobei es für seine eigene Werbung (»Wissen ist Macht«, »Wer viel weiß, will noch mehr wissen«) manch okkulte Strategie nützlich gefunden haben mag: »Um auf das angeblich hohe Alter dieses Wissens hinzuweisen, geben sich seine Vertreter gerne alte Ordensnamen und okkulte Pseudonyme oder verwenden für ihre Gruppen Bezeichnungen alter Strömungen, die allerdings keine histor. Kontinuität in die Moderne aufweisen (z. B. Templer, Theosophen, Rosenkreuzer oder Hermetiker).« Heute wird der Okkultismus als Reaktion auf Rationalismus und Materialismus und als Religionssurrogat gedeutet, doch rechnet *Brockhaus* 1996 auch Erich von Dänikens »Präastronautik« zum Okkultismus.

ÖKOLOGIE ist im *Brockhaus* 1882 noch kein eigenes Stichwort, obwohl sich »ökolog. Gedankengut« laut *Brockhaus* von 1996 »schon in der Antike« findet und Ernst Haeckel den Begriff bereits 1866 als Bezeichnung für die Wissenschaft vorschlug, die sich mit der »Oeconomie der Natur« beschäftigt. Im *Meyer* wird die Ökologie 1902 als »Lehre von den Beziehungen der Organismen zur Außenwelt, zu ihrem Wohnort, zu den Organismen, mit denen sie zusammenleben, zu ihren Freunden und Feinden, ihren Symbionten und Parasiten, zu der Gesamtheit der organischen und anorganischen Existenzbedingungen« beschrieben. *Brockhaus* versteht 1928 Ökologie als ein »Gebiet der Anpassungen bei Tier (Tierökologie) und Pflanze (Pflanzenökologie) und arbeitet hauptsächlich mit Beobachtung, neuerdings auch mehr und mehr mit Experiment«. 1996 ist Ökologie im *Brockhaus* ein blau markierter Schlüsselbegriff, der zwischen den Artikeln »Öko-Institut« und »Ökoläden«, sowie »ökologisch« und »ökologische Bewegung« über mehr als zwei Seiten ausgebreitet wird. Schließlich kann die ökologische Bewegung »wohl als die aktivste und folgenreichste Initiative des ausgehenden 20. Jahrhunderts angesehen werden, die gleichermaßen den umweltpolit., wirtschaftspolit., gesellschaftspolit. und kulturellen Bereich beeinflußt«. Alles öko? Nicht ganz. Zunächst entstanden zwar zwischen 1980 und 1990 positiv konnotierte Schlagworte wie »Öko-Wald«, »Öko-Putzmittel« oder »Öko-Nahrung«. Städtische Kommunen schufen eine nie gekannte Mülltonnen-Vielfalt (→**Abfall**) und bewarben sich um den Titel einer »Öko-Hauptstadt«. Doch mit zunehmender Verwendung kam das dem griechischen »oikos«, dem Wort für »Haus« und »Haushalt«, entlehnte Präfix in Verruf. Hatte die Begriffsbildung »Ökopaxe« noch einen gutmütigen Beigeschmack, bevölkerten bald dogmatische »Öko-Fundamentalisten« Öffentlichkeit und

Blätterwald. Hinter den hehren Zielen des Umweltschutzes wurde »Öko-Wahn« vermutet, und aus der beschaulichen »Ökobetroffenheitsszene« ist sogar der bedrohliche »Ökochonder« hervorgegangen. Der Öko ist heute eher Feindbild als Leitbild, was *Brockhaus* 1996 allenfalls mit der Bemerkung andeutet, daß die Ökologie »jedoch kaum Richtlinien für eine Neuorientierung in wirtschafts- und sozialpolit. Bereichen anbieten« kann.

OMNIBUS heißen die »seit 1825 in Paris aufgekommenen neuen Fiaker« (*Brockhaus* 1843). »Die Art, wie sie ihre Annäherung anzeigen, ist originell«, staunt das *Damen-Conversationslexikon* 1835. »Eine Drehorgel unter dem Kutschersitze wird nämlich vom Kutscher getreten und spielt, so lange es diesem beliebt, verschiedene Volksmelodien.« Inzwischen hat der Fortschritt dem Kutscher kakophonische Hupen, Tröten und Kassetten mit Volksmusik an die Hand gegeben.

ONANIE. »Wie der übermäßige, mit der Ernährung des Körpers nicht Schritt haltende natürliche Geschlechtsgenuß den Körper (auch die Nervenapparate und somit die geistigen Fähigkeiten) wesentlich schwächt, übt auch die Selbstbefleckung unter denselben Bedingungen einen verderblichen Einfluß auf den Körper aus, so daß die bedenklichsten Störungen der Gesundheit herbeigeführt werden können«, weiß *Brockhaus* 1882 und 1892 im Windschatten einer bigotten Sexualmoral. Und, natürlich, auch »Rückenmarkslähmung« kann die Folge sein, »außerdem aber schädigt die Selbstbefleckung im hohen Grade den sittlichen Charakter des Menschen«. Doch das Lexikon weiß zu allen Zeiten Rat. 1892 hieß es: »Fleißiges Turnen, Baden und Schwimmen sind vortreffliche Ableitungsmittel.« 1882 wurde noch empfohlen, Kinder »zu überwachen, das Verweilen an versteckt gelegenen Orten zu verhindern«, sowie »aufregende Lektüre ihnen zu entziehen«. Und: Man »versorge sie mit genügender, kräftiger aber nicht übermäßiger Nahrung und lasse sie nicht länger im Bett liegen als nötig«. *Meyer* dämpft 1902 die Erregung, ohne zu verharmlosen: »Die schädliche Wirkung der Onanie, die infolge des Säfteverlustes und der für jugendliche Individuen viel zu früh herbeigeführten und darum unnatürlichen und viel zu starken Reizung des Nervensystems sowie wegen der stets gebotenen Möglichkeit zu exzessiver Ausübung die körperliche und geistige Zerrüttung des betreffenden Individuums herbeiführen kann, ist nicht zu verkennen; doch ist vor der übertriebenen Darstellung der Folgen der Onanie in populärmedizinischen Abhandlungen und schwindelhaften Reklamen dringend zu warnen.« *Brockhaus* gibt 1928 Entwarnung, denn »niemals führt Onanie selbst zu organischen Störungen, Rückenmarksleiden, progressiver Paralyse (Hirnerweichung) oder zu anderen Geisteskrankheiten«. Schädlich kann die Onanie nur werden »durch Erziehungsmaßnahmen, die Angst vor der Onanie erzeugen. Sie führen zu einem doch meist vergeblichen Kampf gegen das angebliche Laster, der unnütz Kräfte verbraucht und Minderwertigkeitsgefühle entstehen läßt, die dann wiederum zur Grundlage der Entwicklung neurotischer Zustände werden können.« Fast siebzig Jahre später betont der *Brockhaus* 1996 (Artikel »Masturbation«) immer noch: »Entgegen landläufigen Vorurteilen kommt Masturbation nicht als Ursache körperl. oder seel. Schäden infrage.«

OPERATEUR ist im *Brockhaus* von 1928 auf 27 ausführlichen Zeilen »im Lichtspielwesen der den kinematographischen Aufnahme- und Vorführungsapparat Bedienende«, worunter sowohl Kameramann (»Gehalt nach Übereinkunft«) als auch »Lichtspielvorführer« verstanden werden. Auf zwei Zeilen wird als weitere Bedeutung »in der Medizin« der Arzt aufgeführt, »der eine Operation vornimmt«.

OPERATION. Der Terminus war und ist Militärs ebenso geläufig wie Chirurgen und Mathematikern. Apart verwendet ihn die erste Auflage von *Meyer* (1839–55), von der ein Band im Revolutionsjahr 1848 erschienen ist: »Das Wesen des Weibes ist Liebe, aber weniger zum eigenen als vielmehr zum anderen Geschlechte … Hiernach wäre denn nun auch die allgemeine Bestimmung der Geschlechter für das äußere Leben überhaupt zu beurteilen. Soviel ist unzweifelhaft, daß die Bestimmung beider dieselbe ist, und daß beide dasselbe Ziel verfolgen; auch gibt es keinen Zweck, welcher dem einen oder anderen Geschlechte ausschließlich eigen wäre … Fortpflanzung ist nur durch Kooperation beider möglich, jedoch hat an dieser Operation das weibliche Geschlecht unverkennbar mehr Anteil als das männliche.« (Artikel »Geschlechtseigentümlichkeiten«) Sechzig Jahre später hat *Meyer* seine »Kooperation« wie seine »Operation« vergessen und bietet, was zwar älteren Datums ist, aber 1904 vom Frauenhasser Weininger auf den Punkt gebracht wurde, als wissenschaftliche Einsicht an: »Beim Weibe behaupten Gefühl und Gemüt, beim Mann Intelligenz und Denken die Oberhand; die Phantasie des Weibes ist lebhafter als die des Mannes, erreicht aber selten die Höhe und Kühnheit wie bei letzterem.« →**Operateur.**

OPERATION, BLUTIGE. »Vor allem sucht die Chirurgie durch operative Eingriffe zu heilen. Bei den meisten dieser Eingriffe fließt Blut, weshalb man sie auch als blutige Operationen bezeichnet.« (*Brockhaus* 1892, Artikel »Chirurgie«). Dieser messerscharfen Definition kann sich bis heute kein Schlüssellochchirurg entziehen, auch wenn er mit Hilfe des Endoskops den Körper von innen aufbohrt.

OPPOSITION. In der Mitte des 19. Jahrhunderts und auch noch im Kaiserreich galt die Opposition nicht als notwendiger Teil des politischen Systems, sondern war dem Verdacht ausgesetzt, »zum Werkzeug … des politischen Jesuitismus« zu werden (*Brockhaus* 1843). Selbst der »demokratische« *Meyer* druckte bis 1871 einen fast unveränderten Artikel »Opposition«, in dem vor »Fraktionen« und »Sonderinteressen« gewarnt wird und die Opposition auf »den rechten Kampf« um die Wahrheit verpflichtet wird, deren »Macht den Sieg« sozusagen automatisch garantiere. →**Wilde.**

ORGASMUS. Der Eintrag im *Brockhaus* ist 1882 mit dem von 1892 identisch: »(grch.), Wallung, Aufwallung, starker Blut- und Säfteandrang; strotzende Fülle, heftiger Trieb; orgastisch, strotzend, heftig wallend.« In beiden Lexika ist dies der komplette Eintrag. Noch bezeichnet Orgasmus einen »heftigen Trieb« und nicht dessen Erfüllung. *Meyer* sieht 1902 die »heftige Kongestion nach wichtigen Teilen« ähnlich, bemerkt aber, daß dabei »auch starker Trieb irgendwohin« vorkommen kann. Doch erst 1928 im *Brockhaus* wird der Orgasmus nicht mehr als Trieb – wohin auch immer –, sondern als »der Höhepunkt des Wollustgefühls beim Geschlechtsakt« bezeichnet. Allerdings ist die Beschreibung des Orgasmus noch etwas dürftig. Während sich die Herren der Schöpfung (»Im Orgasmus erfolgt beim Manne die Ejakulation«) zwar kurz, aber treffend wiederfinden dürften, ist die Schilderung des weiblichen Orgasmus nicht nur verkürzt, sondern auch falsch (»bei der Frau die Entleerung von Schleim aus den Bartholinschen Drüsen«). Die »Schleimentleerung« findet nämlich bereits vorher statt. Noch Ende des 20. Jahrhunderts ist *Brockhaus* mächtig komplexbeladen (»der Orgasmus ist ein vielschichtiger Komplex physischer, physiologischer und psychischer Komponenten mit erheblichen Geschlechtsunterschieden«) und billigt der Frau »mehrere (meist 5–10) rhythm. Kontraktionen der Scheiden- und Gebärmuttermuskulatur« zu (*Brockhaus* 1996). Außerdem liefert das Lexikon eine schlüssige Erklärung, warum Liebe – oder wenigstens Sex – blind machen kann: »Durch die starke Erregung kann es sogar zu einer kurzfristigen Bewußtseinstrübung kommen.«

OSTERHASE ist »der Hase, der nach dem deutschen Kinderglauben die Eier legt; außerhalb Deutschlands weiß man nichts von ihm« (*Brockhaus* 1892). *Meyer* wird 1902 noch deutlicher: »Der einst der Frühlingsgöttin heilige Osterhase, der meist in Kuchenform gebacken und verzehrt wird, ist heute ein ziemlich unverständliches Symbol geworden.« Tatsächlich ist der Osterhase, offenbar ein »mißverstandenes Gebildbrot« des Osterlamms, aber bis ins 19. Jahrhundert »in weiten Teilen Deutschlands unbekannt« (*Brockhaus* 1996) geblieben und erst »unter dem Einfluß der Süßwaren- und Spielzeugindustrie populär geworden«. Dafür kennen die meisten Kulturvölker das Osterei als Frühlingsboten und Schutzzauber gegen Hexen, Blitz und Viehseuchen sowie andere rätselhafte, um nicht zu sagen: nikolausartige Osterbräuche: »Früh am Ostermontag«, berichtet *Meyer* 1902, »suchen sich Kinder und Eltern in den Betten zu überraschen, um die gesundheitsbringenden Rutenstreiche einander applizieren zu können.« 1936 nahm das lustige Flagellanten-Brauchtum bei *Meyer* eine gespenstische Färbung an. Daß der deutsche Osterhase Ostereier legt, »wahrscheinlich weil die Häsin als erste Tierart im fruchtbringenden Jahre ihre Jungen setzt«, mag noch unfreiwillig komische völkische Mythologie sein. Nicht mehr zum Lachen sind dagegen die Ausführungen zum katholischen »Osterrad«: »Die Kirche hat diesen 743 von ihr noch verbotenen german. Feuerbrauch unter der Bezeichnung ›Judenverbrennen‹ in ihre Ostersamstagsliturgie aufgenommen und läßt das Feuer durch ihre Priester weihen.«

P

PANTOFFEL. »Die allerliebsten Pantöffelchen eleganter Damen«, schwärmt das *Damen-Conversationslexikon* 1835, »machen einen verführerischen Gegenstand ihrer Morgentoilette aus, und erklären ganz deutlich die allgemeine Redensart vom ›unter den Pantoffel gerathen‹ der Ehemänner. Nicht so anziehend erscheinen dagegen die massiven Holz- und Klappantoffeln der Dorfschönen, und doch sind sie höchst praktisch.« *Meyer* betrachtet 1902 den Pantoffel mehr aus der männlichen Stiefelperspektive und fühlt sich auf den Schlips getreten: »Der Tritt auf den Fuß war ein Zeichen der Besitzergreifung. Daher bedeutet ›den Pantoffel schwingen, führen‹ soviel wie ›das Regiment führen‹.«

PAPST. »Ein magenstärkendes Getränk, ganz nach der Art des Bischofs oder Kardinals bereitet, nur daß man guten Tokaier hierzu verwendet.« (*Brockhaus* 1892).

PARASIT. Die eher geistesgeschichtliche denn naturwissenschaftliche Prägung der frühen Lexika zeigt sich bei diesem Stichwort. *Meyer* verweist 1902 in dem Artikel »Schmarotzer« zwar auf tierische und pflanzliche Parasiten, führt aber unter Parasit selbst nur die geschichtliche Bedeutung auf. Demnach war der Parasit »bei den alten Griechen ursprünglich Gehilfe eines Beamten, namentlich einer, der mit der Einsammlung der Getreidelieferungen für Tempel beauftragt war; dann auch der auf öffentliche Kosten Gespeiste, später in übler Bedeutung soviel wie Schmarotzer. In dieser Bedeutung wurde er mit den Zügen des Hungerleidens und Fressens, des Schmeichelns und Possenreißens eine stehende Figur in der neuern Komödie und ist mit dieser von den Römern übernommen worden.« *Brockhaus* kennt 1928 Parasiten als »arme Schlucker, die sich bei den Reichen und Vornehmen ungeladen zur Tischzeit einstellten und sich für ein Mittagessen vom Gastgeber wie von den Gästen die erniedrigendste Behandlung und die gemeinsten Späße gefallen ließen«. Soviel Demütigung lassen Parasiten in Flora und Fauna nicht über sich ergehen, hier sind die Machtverhältnisse klar und deutlich ausgesprochen: Die tierischen und pflanzlichen Parasiten leben »auf Kosten des befallenen Tier- oder Pflanzenkörpers«, allerdings »ohne diesen unmittelbar zu töten«.

PARDON. »Pardon wird nicht gegeben!« hat Wilhelm II. in seiner berühmten »Hunnenrede« (27. Juli 1900) bei der Verabschiedung der Truppen zur Strafexpedition nach China gesagt: »Führt eure Waffen so, daß auf tausend Jahre hinaus kein Chinese mehr es wagt, einen Deutschen scheel anzusehen… Öffnet der Kultur den Weg ein für allemal!« – »Pardon« war während Jahrhunderten Teil des nicht-kodifizierten, aber gleichwohl praktizierten Kriegsrechts: »Im offenen Gefecht ruft der, welcher sich aus irgend einer Ursache nicht mehr verteidigen kann, Pardon!, wirft seine Waffen von sich und ergibt sich dadurch als Gefangener« (*Brockhaus* 1851, Artikel »Krieg«). Das Wort des kaiserlichen Kulturöffners ist weit herum als Freibrief zum Töten verstanden worden. Gut vierzig Jahre lang hat das Lexikon den »Kriegsgebrauch«, Pardon zu geben bzw. dieses zu verweigern, noch den Türken zugeschrieben: »So war es Kriegsgebrauch, daß die Türken jedem Gefangenen den Kopf abschnitten, weil sie nach der Anzahl der getöteten Feinde belohnt wurden, und wilde Völker peinigen ihre Gefangenen noch gegenwärtig auf das Grausamste.« (*Brockhaus* 1892, Artikel »Kriegsgebrauch«). Im unmittelbar folgenden Artikel über »Kriegsgefangene« wird die 1900 kaiserlich legitimierte und empfohlene Praxis noch beim Namen genannt als »Schandfleck im Völkerleben«.

PARFUM ist im *Brockhaus* 1882 kein eigenes Stichwort; hier findet sich nur der Eintrag »Parfumerie«. Dort wird allerdings ein ausführlicher Rückblick auf die Geschichte des Parfums gegeben und abschließend eine gewisse Blüte des Parfumwesens konstatiert: »Der Gebrauch von Parfum aller Art, sei es zur Besänftigung der Götter durch den Weihrauch seiner Opfer, sei es zur Ergötzung der Nase beim Gastmahle, oder endlich zum Schutze gegen die Ausdünstungen Lebendiger oder Todter, war im Altertum ein sehr großer. Nicht weniger ausgebreitet war der Verbrauch im Mittelalter; aber erst in der neuern Zeit ist es durch Auffindung neuer natürlicher und durch chem. Operationen erzeugter Wohlgerüche möglich gewesen, die Kunst der Bereitung von Parfum auf die hohe Stufe der Ausbildung zu bringen, auf der sie jetzt steht.« Bei der angegebenen Literatur fallen landestypische Unterschiede in der Titelgebung auf. Während »*Le livre des parfums* (Brüss. 1873)«, »*The art of perfumery* (Lond. 1874)« oder auch »*Des odeurs, des parfums et des cosmétiques* (Par. 1870)« durchaus Lust auf mehr machen, heißt das einzige erwähnte deutsche Standardwerk schlicht »*Toilettenchemie* (3. Aufl., Lpz. 1874)«. *Meyer* wird 1902 ausführlicher, erläutert en detail die Zubereitungstechniken von Extrakten, Pomaden, Buketten, Riechpulvern, Riechbüchsen (→**Schönheitsmittel**) und räumt mit einem alten Vorurteil auf: »Die Anwendung von Parfümerien ist sehr alt und stand von jeher in Verbindung zur Mystik und zum Geschlechtsleben. Alles deutet darauf hin, daß sich das Weib zuerst der Wohlgerüche als sexuellen Reizmittels und erst in zweiter Linie zur Bedeckung eigner übler Gerüche bediente.« Im *Brockhaus* wird Parfum 1928 »Parfüm« geschrieben und als Riechstoff bezeichnet. Der Eintrag ist kürzer und knapper als in den vorherigen Ausgaben. Der lustbetonte Aspekt, die »Verbindung zur Mystik und zum Geschlechtsleben« findet leider keine Erwähnung mehr.

PARTISAN. *Brockhaus* verbucht den Begriff 1875 unter dem eingedeutschten Wort »Parteigänger«: »Anführer eines Streifcorps, das getrennt von der Armee dem Feinde Abbruch tut ... Die Parteigänger ... heben Transporte aus, schneiden Zufuhr ab, nehmen Kriegskassen, fangen Kuriere ...« Der heutige Parteigänger hat sich zivilisiert und meint laut Duden (»oft abwertend«) »Anhänger einer Partei, einer politischen Richtung oder Persönlichkeit«.

PASTORALMEDIZIN ist »die zusammenfassende Darstellung solcher mediz. Anweisungen, deren Kenntnis den Landpfarrer befähigt, den Kranken als nächster Berater und dem Arzte als verständiger Gehilfe zu dienen« (*Brockhaus* 1892).

PAUPERISMUS. Die Gesellschaften, die von der ersten industriellen Revolution mehr oder weniger unvorbereitet erfaßt wurden, reagierten darauf etwa gleich hilflos wie die heutigen Gesellschaften auf die Folgen der Deregulierung, Flexibilisierung und Globalisierung der Wirtschaft. »Drängt sich der Reichtum mehr und mehr in wenigen Händen zusammen, so ist, auch das edelste Herz bei seinen Inhabern angenommen, doch ungleich weniger für die Milderung der Armuth zu erwarten, als wenn sich viele im mäßigen behaglichen Wohlstand befinden. Ist der kleine Bürger und Bauer selbst in gedrückten Verhältnissen, so wird er hart gegen die unter ihm Stehenden. Was aber ihm hilft, das ist auch diesen nützlich. Eine halbe Aufklärung hat bei vielen den religiösen Sinn geschwächt, und darüber werden die Ärmeren roher und leichtsinniger und die Reicheren gleichgültiger und härter. Aber dürfen wir nicht hoffen, daß wahre Bildung und reinere Wärme das Christentum zurückführt?« (*Brockhaus* 1843).

PERISPRIT ist eine besondere Art Kraftstoff, nämlich »eine ätherartige Substanz (das Perisprit)«, durch den der Geist »an den Körper gebunden sei, diesen nach dem Tode (gelegentlich auch im Leben) verlasse und eine selbständige Existenz führe« (*Meyer* 1902, Artikel »Spiritismus«). Manche Personen, die Medien, »besitzen einen Überschuß von Perisprit und sind dadurch imstande, freie Geister zu binden, zu materialisieren«. Leider kann man als »mißtrauische Person« keinen »spiritistischen Manifestationen« beiwohnen, gebundene Geister begutachten oder das Perisprit in Aktion sehen, denn Zweifler »werden fast stets entfernt, weil ›Skepsis das Zustandekommen der Phänomene stört‹«.

PERÜCKE. Eine Zeitlang galt die Perücke als »Heiligenschein« und »Nimbus der Majestät, Hoheit und Würde« (*Brockhaus* 1892); die Geistlichkeit hielt daher nach anfänglicher Ablehnung »um so hartnäckiger« daran fest. »Die Französische Revolution, welche so viele Köpfe abschlug, schonte auch die Perrücken nicht«, notiert das *Damen-Conversationslexikon* 1835 lakonisch. Heute wird die Perücke meist nur noch zur »Vortäuschung der Kopfbehaarung« oder als »Mittel der Rollengestaltung« (*Meyer* 1936) in Theater und Film eingesetzt. Die Kosten für den majestätischen Nimbus können nach neueren Gerichtsurteilen selbst von Beamten nicht vor dem 30. Lebensjahr gegenüber gesetzlichen Krankenkassen geltend gemacht werden.

PESSIMISMUS ist immer angebracht und eine sich selbst erfüllende Prophezeiung. »Hat der moderne philosophische Pessimismus einerseits mächtig auf den Zeitgeist eingewirkt«, gab *Meyer* 1902 zu bedenken, »so ist er doch andererseits unverkennbar selbst durch die gegebene pessimistische Disposition des letztern bedingt.« Die Grenzen zwischen dem subjektiven »Stimmungs-Pessimismus« und dem »als wissenschaftlich begründbare Überzeugung sich gebenden theoretischen Pessimismus« sind fließend. Der individuelle Pessimismus wird durch »physische und moralische Erschlaffung« und Übersättigung befördert und ergreift gerade »ideal angelegte Naturen« am stärksten; der kollektive gedeiht in Zeiten der Krise, wenn sich eine »Korruption der öffentlichen und privaten Sitten« und ein »Mangel an großen begeisternden Ideen und Aufgaben« bemerkbar macht. *Meyer* unterschied 1936 mit Nietzsche den »sentimentalen Pessimismus« vom heroischen Pessimismus: Jener ist eine krankhafte »Lebensuntüchtigkeit«, die sich oft in »unangenehm auf Mitleid abzielender Weise als →**Weltschmerz**« geltend macht, dieser dagegen der »Ausdruck männl. Wahrhaftigkeit und Aufrichtigkeit« bei kämpferischen Menschen, die »in der Wirklichkeit von vornherein nicht lauter Harmonie anzutreffen hoffen«. 1996 sieht *Brockhaus* den Pessimismus nach der Abdankung des Fortschritts- und Utopiedenkens schon wieder auf dem Vormarsch; er läßt sich jetzt sogar mathematisch berechnen. Die »Pessimismus-Optimismus-Regel« von L. Hurwicz erleichtert mit Hilfe der Formel $M_i = \alpha\,(\max D_{vj}) + (1-\alpha) \cdot (\min D_{ij})$ die »Auswahl von Handlungsalternativen in Entscheidungssituationen, bei denen Unsicherheit herrscht«. Der zu erwartende Nutzen i bei Eintreten des Umweltzustands j wird dabei offenbar als bekannt vorausgesetzt.

PFERD →**Identität, nationale**, →**Natur.**

PHILOSOPHEN. *Brockhaus* kann sie 1812 in dem Artikel »Temperament« immerhin ein wenig typologisieren. Demnach haben Phlegmatiker »die glückliche Anlage zur stillen Tugend und Zufriedenheit, es ist das Talent zur practischen Lebensphilosophie; wenn das Gefühl nicht zu langsam erregbar, die Thatkraft nicht zu schwach ist«. Eher zur Theorie neigen die Melancholiker: »Dies Temperament ist die Anlage zum metaphysischen Philosophen, zu einem guten Erfinder und genauen Beobachter, aber auch zur Selbstquälerei und Menschenfeindschaft, zur Schwermuth und Melancholie.«

PHLOGISTON galt als eine angenommene Substanz, die allen brennbaren Körpern innewohnt und aus ihnen während der Verbrennung freigesetzt wurde. Die Existenz des Phlogiston wurde bereits vor Erscheinen der ersten Konversationslexika widerlegt, noch Goethe glaubte daran. *Brockhaus* beschreibt 1827 (Artikel »Chemie«) die Phlogistontheorie ausführlich, schließlich bildeten die vorausgegangenen Entdeckungen in der Chemie bis dahin »kein Ganzes einer Wissenschaft, verbanden sich zu keiner allgemeinen Theorie, zu keinem vollständigen System«. Deshalb wird der erste systematisierende Forscher in der Chemie vom *Brockhaus* 1827 auf nachgerade hymnische Weise gewürdigt: »Stahl erschien. Er legte den Grund zu einer regelmäßigen Wissenschaft, der jedoch unzureichend war und auf einer Voraussetzung beruhte, welche spätere Beobachtungen widerlegt haben. Er fühlte, daß die meisten chemischen Erscheinungen von einer allgemeinen Ursache oder doch von wenigen Grundsätzen, woran sich nothwendig alle Combinationen anknüpften, abhängen möchten. Er nahm in den Körpern einen entzündbaren Grundstoff an, den die brennbaren Körper beim Verbrennen verlören, und den sie von noch brennbarern Körpern, als sie selbst, wieder annehmen könnten. Diesen Grundstoff nannte er Phlogiston. Ein großer Schritt war geschehen mit Aufstellung einer Hypothese, die solchergestalt fast alle beobachteten Erscheinungen unter einander verband.« Durch Georg Ernst Stahls System entstand die »philosophische Chemie«, und *Brockhaus* würdigt die Rolle für die weitere Entwicklung des Fachs, die durch diesen chemischen Irrtum möglich wurde: »Die Wissenschaft machte durch diese Philosophen Fortschritte, wenngleich die Grundsätze, von denen sie ausgingen, falsch waren.« Das Phlogiston war jedoch nicht nur ein hypothetisches Element der Verbrennung, ein Konstrukt der Einbildung, sondern Synonym für das Unsichtbare und für die besonderen Kräfte, die den Körpern innewohnten. Lichtenberg hielt in seinen Aufzeichnungen noch am Phlogiston fest, als seine Erscheinung längst widerlegt war. Novalis setzte das Phlogiston gar mit »Geist« gleich (→Gen). Und die Chemie bezeichnete sich in Abgrenzung zu ihrer früheren Glaubenslehre fast das ganze 19. Jahrhundert hindurch als antiphlogistische Chemie. Es verwundert daher nicht, daß *Brockhaus* 1882 dem Phlogiston deutlich weniger Platz als frühere Ausgaben einräumt. Dennoch wird etwas von der mythischen Aura beibehalten und das Phlogiston als »hypothetischer Stoff oder Feuergeist« beschrieben. Im *Meyer* handelt es sich 1902 nur noch um einen »hypothetischen Bestandteil der brennbaren Körper«; *Brockhaus* verweist 1928 auf »Chemie, Geschichtliches«, wo das Phlogiston auch mit den Gedankengebäuden der Diätetik und Säftelehre in Verbindung gebracht wird: Nach der Phlogiston-Theorie bliebe bei jeder Verbrennung der »dephlogistierte Körper, das ›Phlegma‹ zurück«. *Brockhaus* verschweigt 1996 in dem Artikel »Phlogistontheorie« jede geistesgeschichtliche Entwicklung und beschreibt sie nüchtern als »Theorie über Vorgänge, die später als Oxidation und Reduktion bezeichnet wurden«.

PHOTOGRAPHIE. Photoapparate wurden schon früh aus konspirativen Gründen immer handlicher. Die »Stirnsche Geheimcamera« etwa, von der sich *Brockhaus* 1892 höchst angetan zeigt, wurde unter dem »Rock« getragen, das Objektiv durch ein Knopfloch gesteckt. Momentkameras wie etwa das Modell Mars haben eine noch unauffälligere Gestalt (Handtasche, Koffer, Buch, Krimstecher) »und führen dann die Bezeichnung Detektivcamera«. Bei der Reisekamera läßt sich das Stativ »bisweilen in die Form eines Spazierstocks« zusammenlegen. Der bulgarische Geheimdienst liquidierte 1978 in London einen Verräter mit einem vergifteten Regenschirm, der aber offenbar keine Geheimkamera enthielt. In den Zeughäusern von KGB und CIA lagerten später Broschen mit eingebauten Minikameras, Gießkannen mit versteckten Wanzen, Krawatten mit Messerklingen, schießende Lippenstifte und hohle Zahnprothesen; die kühnsten Innovationen, etwa das Kondom mit Drosseldraht oder der rektal einzuführende Werkzeugsatz, stießen aber selbst bei James Bond auf Ablehnung. *Meyer* berichtet schon 1902, daß »Aufnahmen vom Luftballon aus« mit gutem Erfolg vom preußischen Ballondetachement und der Luftschifferabteilung der österreichischen Armee gemacht worden seien.

PLATITÜDEN können auffallen als »der allgemeinste Ausdruck für die Thatsache, daß irgend etwas irgend jemand bewußt ist« (*Brockhaus* 1892, Artikel »Bewußtsein«). Manchmal markieren sie allerdings auch »das Ende einer Sache, jenseit dessen sie aufhört« (*Meyer*, 1902, Artikel »Grenze«). Bei ihrem tieferen Verständnis hilft womöglich die Technologie, eine »in systematischer Ordnung gründliche Anleitung, wie man aus zuverlässigen Erfahrungen die Mittel finden lerne, die bei der Verarbeitung vorkommenden Erscheinungen zu erklären und zu nützen« (*Brockhaus* 1812, Artikel »Technologie«).

POGROM nennt der Nazi-*Meyer* 1936 die vor allem im halbbarbarischen Rußland auftretenden »Abwehrbewegungen des Volkes gegen die Juden«; doch habe die »jüd. Propaganda es verstanden, mit ›Pogromgreueln‹ in der Welt Mitleid für die ›unschuldigen‹ Juden zu erregen und Zurückweisungen der jüd. Anmaßungen, bes. auch im nat.-soz. Deutschland, zu Pogromen gestempelt«.

POLITIK. »Die Politik als Wissenschaft ist die Lehre der Staatspraxis, welche den Staat, seine Elemente und Bedingungen, die sich in ihm bewegenden Kräfte, den Charakter der Institute und der Verhältnisse mit Bezug auf Zweck und Leben des Staats zu erkennen und daraus die Gesetze des politischen Wirkens abzuleiten trachtet.« (*Brockhaus* 1875). Noch knapper faßt sich *Meyer* (1902): »Die Politik als Wissenschaft ist die Lehre vom Staatsleben.« Bürger, gesellschaftliche Vereinigungen und die Gesellschaft insgesamt sind im Horizont dieses Politikverständnisses nicht vorgesehen. Wo »politische Vereine« vorkamen, wie bei *Brockhaus* (1878, Artikel »politische Vereine«), wurde ihnen zugemutet, »sich organisch dem Staatsleben einzuordnen«. Die Fixierung der Wissenschaft auf den Staat sowie die Staatsfixierung der Bürger und ihrer Vereinigungen haben sich im Kaiserreich und darüber hinaus gegenseitig gestärkt und ergänzt. Es hat beiden – Wissenschaft und Bürgern – nicht zum Wohle gereicht, um das Mindeste zu sagen. Wie oberflächlich die fundamentale Demokratisierung nach 1945 auf die Lexika durchgeschlagen hat, ist im Artikel »Politik« bei *Brockhaus* (1952) nachzulesen. Quantitativ: Der Artikel »Polizei« ist viel umfangreicher als jener über »Politik«, in dem die Formulierungen von 1875 fast wörtlich wiederkehren: Politik ist demnach »das staatliche oder auf den Staat bezogene Handeln«, und obendrein wird ernsthaft die These vertreten, »die inneren Gesetzmäßigkeiten des politischen Handelns« wären »am klarsten in der Außenpolitik zu erkennen«. Da ist es nur logisch, daß der Artikel auch ohne die Begriffe »Bürger« bzw. »Staatsbürger« auskommt.

POLLUTIONEN. Unwillkürliche nächtliche Samenergüsse, die, solange sie nicht gehäuft und bei Tageslicht auftreten, »durchaus nichts Krankhaftes oder Nachteiliges« (*Brockhaus* 1892) haben müssen. »Fernhalten erotischer Vorstellungen« und scharfer Gewürze, kalte Bäder, Leibesübungen und vor allem »genügende Entleerung des Darmes und der Blase« schaffen Abhilfe, »wogegen vor allen Geheimmitteln und brieflichen Konsultationen eindringlich gewarnt werden muß«. *Meyer* warnt 1902 auch vor »langem Schlaf, besonders des Morgens und in Federbetten« und empfiehlt zum Schutz vor »Samenverlusten« Beschäftigung mit »ernsthaften Dingen und praktischen Arbeiten«. »Täglich sich tüchtig austurnen« hilft auch, aber ohne »reichliche Entleerung des Mastdarms« können die »Versudelungen« nicht völlig abgestellt werden.

POPART war 1977 für *Brockhaus* ein »programmatisches Konzept für kulturellen Wandel überhaupt«, bei dem die Künste sich nur deshalb als →**Avantgarde** verstehen konnten, weil sie »dem Leben eine Programmatik vorgaben«. 1996, kurz vor der Epiphanie Benjamin von Stuckrad-Barres, versteht *Brockhaus* unter »Popliteratur« noch die durch Autoren wie Rolf Dieter Brinkmann und Elfriede Jelinek repräsentierte literarische Schule, »die mit provokanter Exzentrik, Monomanie und Primitivität ebenso gegen eine derartige Unterhaltungsliteratur gerichtet ist wie gegen eine Elitekunst und gegen etablierte ästhet. Normen«. Auch die »Popmusik« zeichnet sich neuerdings durch »massenhafte Verbreitung und feste Verankerung im Alltagsleben« aus.

PORSCHE, Ferdinand, baute, wie *Meyer* 1936 meldet, den 32-cm-Mörser-Zugwagen für die österreichische Artillerie und den Volkswagen; noch vor dem Krieg »wurde ihm die Arbeit am dt. Volkspflug übertragen«. Der Konstrukteur zeigte sich dieser Aufgabe offenbar nicht gewachsen, doch pflügen seine Mörser-Zugwagen heute mit vielfacher Pferdekraft die →**Autobahnen** um.

POSTBEAMTE mußten sich einst durch »körperliche Rüstigkeit, namentlich gesunde Seh- und Hörwerkzeuge« (*Brockhaus* 1892) ausweisen. Als Postboten begehrt waren vor allem Kriegsveteranen und Militäranwärter, auch »Civilanwärter nach einer 8–10jährigen vorwurfsfreien Dienstzeit«. 1902 nahm *Meyer* auch Fräulein vom Amt in den Postdienst auf. Chancen hatten aber »nur wohlerzogene, vollständig gesunde Mädchen oder kinderlose Witwen von 18–30 Jahren, die richtig Deutsch schreiben und sprechen können und im Beschäftigungsorte Familienanschluß haben«. Im Dritten Reich kamen dann auch »Grobmechaniker« (*Meyer* 1936) als Postbeamte zum Zuge. Lange galt die Post als eines der »wirksamsten Beförderungsmittel der Kultur und Civilisation« (*Damen-Conversationslexikon* 1835); heute liegt die Beförderung sowohl der Briefe wie der Postbeamten im argen. *Brockhaus* widmet 1996 der »Postmoderne« einen längeren Essay, hält den Postbeamten aber offenbar für keine schützenswerte Beamtenspezies mehr.

POSTWESEN. »Seit 1824 … besteht eine tägliche Postverbindung zwischen Frankfurt und Paris, die den Postenlauf um einen ganzen Tag beschleunigt und in weniger als drei vollen Tagen ihren Bestimmungsort erreicht.« (*Brockhaus* 1827). Das vereinigte staatlich-französische und halbprivatisierte-deutsche Postwesen im Jahre 2002 schafft es nur gelegentlich, die Frist von drei Tagen für einen Brief von Frankfurt nach Paris einzuhalten. Bei Zeitungen und Paketen heißt die Devise im Postjargon »E plus 5«, das heißt Einlieferungstag plus 5 Tage. Im Jahre 1827 galt noch: »Soll eine Postanstalt ganz ihren Zweck und der Forderung des Publikums entsprechen, so muß sie wohlfeil, sicher, schnell und pünktlich sein.« Von den vier Anforderungen erfüllt die Post heute eine einzige – man kann relativ sicher sein, daß die teuer bezahlte Sache irgendwann ankommt. Daß eine als »eilig« deklarierte Tageszeitung zwischen Zürich und Frankfurt fünf, ein Buch – zollamtlich in Hamburg-St. Annen abgefertigt! – vierzehn Tage unterwegs ist, ist keine Seltenheit mehr in unseren sehr fortgeschrittenen Tagen. An den →**Postbeamten** liegt das sicher nicht.

PRESSEFREIHEIT. Die älteren Konversationslexika unterlagen alle den ziemlich unübersichtlichen Zensurbestimmungen bzw. den Zensur nur noch verklausuliert enthaltenden Pressegesetzen der Mitgliedstaaten des Deutschen Bundes. Ohne Durchmogeln und Wattieren ging das Geschäft nicht ab. Durchmogeln: »Die volle uneingeschränkte Preßfreiheit gehört zwar gewiß zu den Dingen, welche in einem vollkommenen Staate nicht fehlen dürfen, aber sie ist nicht in jedem Augenblicke und unter allen denkbaren Umständen schlechthin notwendig oder wünschenswert. Es kann außerordentliche Lagen geben, in welchen eine Beschränkung sehr heilsam und zur Besänftigung der aufgeregten Gemüter fast unentbehrlich ist. Sie findet sich mit der fortschreitenden Bildung des Volkes ohne großes Bemühen um sie von selbst ein. Damit wollen wir nicht sagen, daß es nicht immer für Regierung und Volk gleich heilsam wäre, sie zu besitzen, und wir meinen, daß eine Suspension derselben, deren wir eben erwähnten, nur eine sehr kurze und vorübergehende Ausnahme sein sollte.« Lauter Sätze im Wechselschritt von »ja« und »aber«. Der Emanzipationsanspruch dagegen wird in Watte verpackt dargeboten, wenn »das hervorbrechende Streben« der Völker bündig hergeleitet wird als jenes, »zu arbeiten für sich selbst und regiert zu werden zu ihrem eigenen Vorteil«. Damit werden die Ansprüche »bevorrechteter Classen« abgewiesen und »größere Aufklärung« gefordert. »Das ist der tiefere Grund des allgemeinen Rufs nach Preßfreiheit. Aber aus eben diesem Grund kämpft der Geist der Oligarchie dagegen und fühlt es sehr wohl, daß die Zeit herankommt, wo die geistige Bildung, die echte Ausbildung des inneren Menschen, den einzigen Maßstab auch für die äußere Schätzung und Ehre abgeben wird.« Zum Schluß werden die Lexikographen grundsätzlich und radikal: »Die Erfindung des Schießpulvers hat die Burgen zerstört, den Landfrieden gegen sie befestigt und die Ritter von den Höhen der Berge in die Ebenen getrieben; die freie Presse, die Kraft und Waffe der geistigen Bildung, ist im Begriff sie aus dem ausschließenden

Besitz der Höhen der bürgerlichen Gesellschaft zu vertreiben und zu einer gerechten Teilung zu nötigen.« (*Brockhaus* 1833). Der Pluralismus der Medienmacht ist heute nicht durch den Staat bedroht, sondern durch Fusionen und die Konzentration privaten Eigentums, das über seine Marktanteile die Pressefreiheit mit ökonomischen Mitteln ebenso gefährdet wie die staatliche Macht, bevor diese rechtsstaatlich beschränkt wurde.

PRESSEGESETZGEBUNG. Um die Pressegesetzgebung anzuklagen, greift *Brockhaus* (1864, Artikel »Presse«) voll in die Tasten des oppositionellen Denkens: »Wenn ein abergläubischer Mensch, der seinen Feind todt zu beten versucht, nicht vor das Strafgericht gestellt werden kann, so muß es auffallen, daß ein solches Schreiben und Sagen, welches sich an die Meinung und den freien Willen anderer richtet, auch ohne den Eintritt eines entsprechenden Erfolgs schwere Freiheitsstrafen mit sich bringen soll. Eine wirkliche Pressefreiheit wird daher erst zustande kommen können, nachdem allseitig die Erkenntnis zum Durchbruch gelangt, daß die allgemeinen Strafgesetze zur Ahndung aller Preßmißbräuche vollkommen hinreichen.« Dagegen fällt *Meyer* (1902, Artikel »Presse«) hinter diesen Befund zurück, indem er den vermeintlichen Straftatbeständen noch ein paar ganz besonders schwer justiziable hinzufügt: »Aufreizung zum Klassenkampf, Gotteslästerung, Verrat von Staatsgeheimnissen etc.« Die *idée fixe,* die bis in die Gegenwart die Pressegesetzgebung beherrscht, geht von einem Kurzschluß aus. Sie nimmt Worte umstandslos als Ankündigung von Taten oder gar – demagogisch – als Taten wahr. Das erlaubt das Verbot von Gedanken und Gesinnungen aus Gründen der Prävention, die Einführung von »Straftatbeständen« ohne Tat: »unehrerbietiger Tadel von Landesgesetzen, Verbreitung von staatsgefährlichen Lehren, öffentliche Aufforderung zum Ungehorsam« und allerlei Willkürlichem zum Thema »Majestätsbeleidigung«. Der Zweck solcher Doktrin bestand – wie *Brockhaus* 1864 erkannte – einzig darin, »den Schriftstellern eine Selbstcensur aufzunöthigen, während doch die Prinzipien eines aufgeklärten Criminalrechts gegen die Möglichkeit streiten, dem bloßen Aussprechen eines verwerflichen Meinens und Wollens einen Eindruck auf die äußere Rechtsordnung beizumessen«.

PREUSSENHASSER. »Deutsche Erhebung« nennt *Meyer* (1839–55, Artikel »Hecker, Friedrich«) die Revolution von 1848 und Hecker ihre »volkstümlichste Gestalt«. Nicht ohne Sympathie wird die Karriere Heckers in der badischen Revolution beschrieben, die ihn zum »Abgott, namentlich der arbeitenden Volksklasse« machte. Auf einer vollen Spalte zitiert das Lexikon einen Abschiedsbrief Heckers aus Europa mit einer scharfen Kritik des Preußen-Verächters an den Zuständen in den deutschen Ländern, die er »vollkommene Polizeistaaten« nennt. Im *Meyer* von 1902 (Artikel »Hecker, Friedrich«) werden aus der »Deutschen Erhebung« die »Februarereignisse 1848«. Mit der Reichsgründung Bismarcks von 1871 machte Hecker seinen Frieden und sah sie mit »lebhaftester Sympathie«; aber er blieb zeitlebens bei seiner Abneigung für Preußen, was das Lexikon beschönigt: Hecker habe sich mit den »hier waltenden Verhältnissen nicht ganz befreunden können«. Dafür krönte ihn *Meyer* jetzt mit dem Titel, er habe »zu den tüchtigsten Vertretern des Deutschtums ... in Amerika« gehört.

PRIESTERCOELIBAT. In kirchlichen Dingen sprach man beim protestantischen *Brockhaus* Klartext, wenn es um die katholische Konkurrenz ging. Das Reservoir an Adjektiven wurde voll ausgeschöpft: »Durch die lauten und zahlreichen Stimmen, die sich seit mehreren Jahrzehnten in Deutschland wider den Priestercoelibat erhoben, besonders in den gediegenen Schriften von Theimer, Münch und Carové, die mit flammenden Zügen die verwüstenden Spuren, die furchtbaren und zahlreichen Greuel dieses unchristlichen Gebots dem staunenden Blicke vorhalten, ist auf die öffentliche Meinung unstreitig ein nicht unbedeutender Einfluß geübt worden, insofern dadurch Klarheit und Bestimmtheit der Meinungen an die Stelle dunkler Ideen trat, und ein Element des Wahren sich mehr und mehr gestaltete zu festerer Vereinigung politischer und religiöser Wahrheitsfreunde, um dem dritten Decennium des 19. Jahrhunderts einen Schandfleck abzunehmen, den päpstliche Herrsch- und Genußsucht, elender Wahn und herzlose Politik den Zeiten geistiger Finsternis und Versumpfung anhefteten.« (*Brockhaus* 1833, Artikel »Coelibat«).

PRINZIPIELLES verrät *Brockhaus* 1843 im Artikel »Krankheit«: Krankheitsformen werden »durch die Individualität eines jeden Kranken modificirt« und zerfallen »so wieder in die einzelnen Krankheitsfälle«, von denen »kein einziger dem anderen gleicht«. »Der Grund aller dieser Unbestimmtheiten liegt in unserer Unkenntnis des Princips alles Seins und Lebens; die Wirkungen dieser Kraft sind wir im Stande zu erkennen, sowohl in ihrem normalen als anomalen Verlaufe, das Wesen des Princips selbst aber ist uns unbekannt und wird es auch wohl bleiben.« Trotz zahlreicher neuer Detailkenntnisse im Bereich der Medizin und der Wissenschaften hat sich an der Unkenntnis »vom Wesen des Princips« wenig verändert.

PROBLEM. »Schwierige Aufgabe, komplizierte Fragestellung, nicht gelöste Frage« (*Brockhaus* 1996). Das Problem begrifflich zu fassen ist selber eines der größten. Wittgenstein machte es sich leicht: »Das Problem gibt es nicht.« »Andererseits«, wirft *Meyer* 1936 hier in einer seiner raren unproblematischen Wortmeldungen ein, »wurde die betreffende Möglichkeit als der mögliche Sinn fraglicher Sachlagen angesehen, der als deren wirklicher Sinn erwiesen bzw. wiederhergestellt werden soll. Damit erhält Problem die Bedeutung von sachl. geforderter Fragestellung hinsichtlich eines Fraglichen und wird schließlich zur Bez. des betr. Fraglichen selbst, und zwar gerade dann, wenn dessen Fraglichkeit unaufhebbar erscheint ... So schwankt der Begriff des Problems zwischen einfacher Möglichkeit und verwickelt-unlösbarer Fraglichkeit.« Problematisierbarkeit im Heideggerschen Sinne ist »mehr als schlechthinnige Fraglichkeit«, nämlich »in gewissem Sinne Erkenntnis«. *Brockhaus* formulierte die Problematik 1928 unverwickelt-fragwürdig: »Dreierlei am Problem ist wichtig: 1) daß es gesehen oder gestellt wird, 2) ob es lösbar ist, 3) wenn es lösbar ist, wie es dann lösbar ist.« Daraus ergibt sich: »Die Aufzeigung und zweckmäßige Formulierung neuer Probleme ist oft nicht minder verdienstlich als die Lösung vorhandener.« (*Meyer* 1902).

PROPAGANDA. 1622 übernahm die von Papst Gregor XV. eingesetzte Propagandakommission die bis dahin durch das kanonische Strafrecht (Inquisition) geregelte »Arbeit der Bekehrung an Ketzern« (*Brockhaus* 1892). Sie feiert ihr Hauptfest am 6. Januar; die Zöglinge der Kongregation dürfen dann »in ihren Landessprachen Reden halten oder Gedichte deklamieren«. Später verstand man unter Propaganda jede Werbung für die »Ansichten und Grundsätze einer Vereinigung«; der Propagandist war eine Art Marktschreier in allen pfingstlichen Zungen. Lenin definierte Propaganda als »wissenschaftliche Unterweisung in revolutionärer Theorie«. Für *Meyer* war 1936 marxistische Propaganda »Verhetzung«, gute Propaganda aber ein »polit. Führungsmittel, mit dessen Hilfe eine geschlossene Ausrichtung des Volkes in allen polit. Fragen sichergestellt ist«, mithin eine »Kunst«. Die Ketzer widersetzten sich zu allen Zeiten den Einflüsterungen von Inquisition, →**Reklame** und Führungskunst. »Die Vorstellung, gezielte Propagandatätigkeiten führten zu Einstellungs- und Verhaltensänderungen«, wiegelt *Brockhaus* 1996 ab, »wurde bereits in den 1940er Jahren durch die Überredungsforschung relativiert.«

PROSTITUTION war für *Brockhaus* 1892 die »gewerbsmäßig betriebene Hingabe weiblicher Personen zur Befriedigung geschlechtlicher Triebe«. *Meyer* spricht 1902 etwas präziser von der »von einem Weib gewerbsmäßig betriebenen Preisgebung des eigenen Körpers gegen Entgelt an jeden Beliebigen«. Sie entspringt »zweifellos der Nachfrage seitens des Mannes«, aber das darf man ihm nicht übelnehmen: Sein geschlechtliches Bedürfnis ist einfach »lebhafter«, seine »Natur von Haus aus etwas polygam«. Leichtfertigkeit, Putz- und Genußsucht machen die Mädchen anfällig; bei den Modistinnen und Kellnerinnen widerstehen »nur kräftige Naturen der sich reichlich bietenden Verlockung«. Schwäbinnen und Sächsinnen waren früher in den europäischen Metropolen der Prostitution sehr begehrt. Auch »Frauen von hoher Intelligenz, ohne jede Spur eines geistigen Defekts«, prostituieren sich gelegentlich, wie überhaupt die Übergänge zur »geheimen Prostitution, die sich unter irgendeinem Deckmantel verbirgt« (Gastfreundschaft, Mätressenwirtschaft, Ehe, religiöser Kult) fließend sind. Prostituierte können im allgemeinen noch »gute Mütter, brauchbare Hausfrauen und meist treue Gattinnen« werden. Es gibt allerdings auch »geistig anormale, moralisch minderwertige, zu jeder Arbeit unbrauchbare (degenerierte) Mädchen, und diese ergeben sich ohne weiteres und sehr früh der Prostitution«. *Meyer* nennt 1936 »Intelligenz- und Charaktermängel«,

Geschlechtstrieb und Arbeitsscheu als Hauptgründe der Prostitution und empfiehlt als Gegenmittel Leibesübungen, Frühehen und die Wehrmacht. 1996 bezeichnet *Brockhaus* lakonisch (und ungenau) jede »gewerbsmäßige Ausübung sexueller Handlungen« als Prostitution und rückt sie damit in die Nähe jener »Sexarbeit«, die von der »Hurenbewegung« seit dem Jahre 1975 propagiert werde. Die Entscheidung zur Prostitution gilt jetzt als selbstbewußter »Entschluß«, der »auf Interessen, Neigungen und Umständen« beruht (wozu außer der klassischen Not neuerdings auch beschädigte Selbstbilder und eine »Neigung zu schnell verdientem Geld« gehören) und »zunehmend in die Richtung einer Berufswahl« geht. Indes schließt auch dieses »moderne Prostitutionsverständnis Emotionen nicht generell aus«.

PRÜGELKNABEN →Armenien.

PRÜGELSTRAFE »wird neuerdings fast allgemein als ein verwerfliches Strafmittel angesehen … Solange das Hinnehmenmüssen von Schlägen als unaustilgbare Beschimpfung angesehen wird, steht die körperliche Züchtigung mit dem Besserungszwecke der Strafe, bei dem Militär zugleich noch mit der heldenhaften Berufsaufgabe in nicht zu versöhnendem Widerspruche. Die meisten Gesetzgebungen haben daher die Prügelstrafe entweder völlig aufgehoben oder nur als Schärfung der schweren Freiheitsstrafen, besonders bei Rückfall, und als Disciplinarmittel gegen Sträflinge oder jugendliche Verbrecher beibehalten.« (*Brockhaus* 1864). Die gute Nachricht von 1864 kam etwas verfrüht: Als Disziplinarmittel im Strafvollzug findet die Prügelstrafe auch »in den deutschen Einzelstaaten reichliche Verwendung; so in Preußen (gegen männliche Zuchthausgefangene, denen die bürgerlichen Ehrenrechte aberkannt sind), Sachsen, Hamburg, Lübeck, Oldenburg, Mecklenburg und Schwarzburg-Rudolstadt« (*Meyer* 1902). In Dänemark wurde die Prügelstrafe zu diesem Zeitpunkt für gewisse Delikte erst eingeführt. Die »rheinisch-westfälische Gefängnisgesellschaft« trommelte Ende des 19. Jahrhunderts kräftig für die Prügelstrafe wegen »ihrer abschreckenden Kraft«, mußte jedoch einräumen, daß dem Vorteil der Prügelstrafe, die »entsittlichende« Gefängnisstrafe zu vermeiden, der Nachteil der »verrohenden Wirkung … auf die vollstreckenden Beamten« gegenüberstehe.

PSYCHODRAMA. Das Psychodrama ist eine von dem sächsischen Offizier R. von Meerheimb im 19. Jahrhundert erfundene Technik, durch die dramatisch bewegte, aber monologische Dichtung »ohne jeden scenischen Apparat zum Vortrag gelangt« (*Brockhaus* 1892). Dadurch gehen, wie *Meyer* 1902 tadelt, »wesentliche Reize des szenischen Spiels« verloren, und die dramatische Handlung verflüchtigt sich zu einem »Vorgang in der Seele des Zuschauers«. 1996 kennt *Brockhaus* das Psychodrama nur noch als »Verfahren der tiefenpsychologischen Gruppentherapie«, das vor allem in Selbsthilfegruppen und der Personalschulung zur Anwendung gelangt. Meerheimb war kein Vorläufer Freuds; auf der Couch kommt es immerhin gelegentlich auch zu dramatisch bewegten Seelendialogen zwischen →**Therapeuten** und Analysanden. *Meyer* unterstellte übrigens dieser »pseudowissenschaftlichen Theorie« 1936 ein Menschenbild, das nur die »feige, glaubenslose Bestie« kenne, »der alles Höhere und echt Wertige unecht erscheinen muß, weil sie sich nicht zu ihm aufzuschwingen vermag«.

PSYCHOTECHNIK ist eine »heute ungebräuchl. Bez. für die Anwendung psycholog. Erkenntnisse und Vorgehensweisen in praktischen Bereichen« (*Brockhaus* 1996). Umgangssprachlich werden darunter heute meist die verschiedenen Techniken und Methoden der Psychoanalyse und -therapie verstanden. *Brockhaus* erläutert 1928 die Psychotechnik als »Psychologie im Dienste des Wirtschaftslebens (Wirtschaftspsychologie) mit besonderer Berücksichtigung der industriellen Bedürfnisse (industrielle Psychotechnik)«. Was heute als Coaching oder Qualitätsmanagement daherkommt und mit Begriffen wie »soziale« oder »emotionale Intelligenz« ummantelt wird, war im *Brockhaus* 1928 noch praxisbezogener: »Aufgabe der Psychotechnik ist die Rationalisierung der menschl. Tätigkeit auf allen Gebieten des Wirtschaftslebens, bes. der menschl. Arbeit in den Betrieben, soweit dies durch eine psychol. Untersuchung geschehen kann. Dieses Ziel erreicht sie, indem sie entweder das wirtschaftlich tätige Subjekt, den arbeitenden Menschen, in seiner Eigenart den Forderungen des Wirtschaftslebens und des Betriebes anpaßt (Subjektpsychotechnik) oder indem sie umgekehrt die Arbeitsbedingungen, wie z.B. die Arbeitszeit, die Werkzeuge und Maschinen, den Arbeitsraum, der in gewissen Grenzen unveränderlichen seelisch-körperl. Natur des Menschen angleicht (Objektpsychotechnik).«

PUDDING. Die hochmütigen Engländer, empört sich das *Damen-Conversationslexikon* 1835, glauben, »daß man ihn auf dem Continente nicht richtig zu fabriciren verstehe … Puddings von Semmel, Kartoffelmehl u.s.f. sind bei uns beliebt, den Engländern jedoch ein Greuel.« *Meyer* kennt und schätzt 1902 auch Austern- Leber-, Fleisch- und »Dunstpuddings«.

PUPPEN. Das Mädchen »übt an der an's Herz gedrückten Puppe zuerst die heilige Empfindung der Mutterliebe« (*Damen-Conversationslexikon* 1835) und die Pflichten der →**Hausfrau.** »Darum gibt es kein gutes Vorzeichen, wenn sie die Puppe mit Vergnügen schlägt, ihre Gewänder zerzaust und ordnungslos herumhängen läßt.« Man sollte ihr die Puppen aber nicht wegnehmen; denn das »leere Herumschlendern mancher Gespielin, die bereits die Jungfrau affectirte«, ist noch bedenklicher. Schade wäre es allerdings, wenn die kostbaren Pariser Leder- und Nürnberger Gelenkpuppen »nur die Bestimmung hätten, von ganz kleinen Kindern zerrissen zu werden«. Puppen, ergänzt *Brockhaus* 1977, waren einst auch Grabbeigaben, menschliche Stellvertreter in magischen und kultischen Zeremonien sowie »Überbringerinnen der neuesten Modebotschaften von Paris (Mannequins)«. Gewisse Models affektieren heute zerzauste Puppen oder Mumien.

Q

QUERULANTENWAHNSINN ist eine Sonderform der →**Geistesschwäche,** »eine Art Geistesstörung, welche sich im wesentlichen kundgibt in rücksichtsloser, eventuell bis zu gewaltthätiger Selbsthilfe ausartender Verfolgung eines Rechtshandels« (*Brockhaus* 1882). Sie wird ausgelöst durch gewöhnlichen Schwachsinn (i.e. die »Unfähigkeit, die abstrakten Rechtsbegriffe zu fassen«) oder Verfolgungswahn, tritt aber auch bei sonst gesunden Rechthabern auf. Das Wissen um diese Michael-Kohlhaas-Krankheit fiel 1892 bei *Brockhaus* schon kürzer aus und verlor sich später ganz. Ob es daher hilfreich war, daß *Meyer* 1902 allein das Buch eines gewissen »Hitzig, *Über den Querulantenwahnsinn* (Leipzig 1895)« als Literaturangabe zu diesem heiklen Stichwort anführt? Schließlich ist der Querulantenwahnsinn nicht leicht zu erkennen, denn »da die Verteidigung von den ›Prozessern‹ meist mit großer Rechtskenntnis und nicht ohne Scharfsinn und Redegewandtheit geführt wird, so entgeht es der Umgebung meist lange Zeit hindurch, daß eine Geisteskrankheit vorliegt«.

QUIETISMUS. »Der Begriff meint eine religiöse Lebenshaltung, in deren Zentrum die innere Ruhe (lat. quies) steht. Der christliche Quietismus stand vor allem im 17. Jahrhundert hoch im Kurs«, bis die Lehren des Priesters M. de Molinos als okkultistisch verboten wurden. Was die älteren Lexika so sympathisch macht, ist, daß sie solche dürren Informationen mit historischen Details anreicherten und den Begriffen so gleichsam Leben einhauchten. Ab der zweiten Hälfte des 19. Jahrhunderts werden die Lexika immer mehr versachlicht. Dagegen baute *Brockhaus* 1843 die folgende kleine Geschichte in den Artikel »Quietismus« ein: »Die berühmteste Pflegerin des französischen Quietismus war eine am Hofe Ludwigs XIV. beliebte, schöne und reiche Witwe, Jeanne Marie Bourier de la Mothe Guyon. Ihr Beispiel, ihre Betstunden, ihre salbungsvollen Schriften und die Bemühungen ihres Beichtvaters Lacombe gewannen ihr Anhänger genug, um die Geistlichkeit aufmerksam zu machen. In der That geriet man in Versuchung, eine junge Frau für verrückt zu halten, welche sich für das schwangere Weib in der Apokalypse hielt und in ihrer Lebensbeschreibung von sich sagt, sie sei oft von einem solchen Übermaße der Gnade erfüllt, daß sie ihre Kleider auflösen lassen müsse, worauf dann diese Gnadenfülle sich über die, welche sich ihr hingeben, ergieße.« Die Geschichte endete schlecht und abrupt: »Lacombe wurde als ihr Verführer verhaftet und starb 1702 in Paris im Gefängnis.«

R

RACHITIS. Im *Brockhaus* finden sich 1892 in dem Artikel »Englische Krankheit« Hinweise auf den landestypischen Aufzug feuchter Witterung und andere Ursachen der Erkrankung. Soziale Mißstände werden allerdings auch erwähnt: »Das Entstehen der Rhachitis wird durch Erblichkeit, durch anhaltende Einwirkung einer naßkalten, feuchten, nebligen Witterung oder ungesunder Wohnungen, vor allem aber durch unzweckmäßige oder mangelhafte Ernährung begünstigt, weshalb vorwiegend gerade künstlich aufgezogene und aufgepäppelte Kinder von ihr befallen werden.«

RADARFALLE findet sich in älteren Lexika noch unter einem ehrlichen Stichwort. Eine Mausefalle wird ja auch nach dem, was damit gefangen werden soll, und nicht nach dem Schnappmechanismus benannt. Als »Autofalle« bezeichnet *Brockhaus* 1928 1) die »polizeiliche Einrichtung, um möglichst unbemerkt von dem Führer eines Kraftfahrzeugs dessen Geschwindigkeit zu kontrollieren«. Unter 2) kennt er noch die »Vorrichtung, um ein Kraftfahrzeug plötzlich zum Halten zu bringen (über die Straße gespanntes Drahtseil, über die Straße gelegte Baumstämme usw.)«, die aber »meist in verbrecherischer Absicht hergestellt« wurde. Heute werden Kraftfahrzeuge meist aus anderen Gründen zum Halten gebracht (→Stau).

RADFAHREN. *Brockhaus* reklamiert 1892 unter Berufung auf H. Hantschs sagenhaftes Fahrrad von 1649 und die Reitmaschine des Freiherrn von Drais das »Velociped« als deutsche Erfindung, gibt aber neidlos zu, daß erst Dunlops pneumatische Reifen und der angelsächsische Sportsgeist dem Radfahren breitere Volkskreise eroberten. Das Dreirad bietet zwar »größere Sicherheit als jede einspurige Maschine« und ist dem Geschäftsmann, dem Invaliden und der Dame »geradezu unentbehrlich« geworden. Der Herrenfahrer aber bevorzugt das Hoch- oder auch »niedere Sicherheitszweirad«. »In der Regel«, bestätigt *Meyer* 1902, »bezeichnet man heute mit Fahrrad das zweirädrige Niederrad auf zwei gleichhohen Rädern«. »Seine Billigkeit, Anspruchslosigkeit und stete Bereitschaft«, ergänzte er 1936, machen es zu einem »volkswirtschaftlich wichtigen Verkehrsmittel«. »Um mit Erfolg an Wettfahrten teilnehmen zu können«, warnt *Brockhaus* 1892 im Artikel »Radfahrtsport«, »ist eine Trainierung des Körpers erforderlich.« Doch auch für den Laien ist das Radfahren »im allgemeinen eine heilsame und nützliche Leibesübung, vorausgesetzt, daß der Radfahrer gesunde Brustorgane besitzt, während des Fahrens eine möglichst gerade, nicht vornübergebeugte Haltung einnimmt und sich keine übermäßigen Anstrengungen zumutet«. Ebendas ließ sich bei den bewaffneten Radfahrerbrigaden kaum umgehen. Bei uns ist erst »durch kriegsministerielle Anordnung vom 11. Oktober 1892 Offizieren und Mannschaften das Radfahren in und außer Dienst gestattet«. England, dessen Rüstungseifer sich nicht nur die Weltmeere beschränkte, hielt bereits seit 1889 dreißig Radfahrerbataillone unter Waffen, jedes bestückt mit zwanzig Mann, Offizier und Hornist. Ob letzterer freihändig oder vom Sicherheitsdreirad aus zur Attacke blies, überliefert *Brockhaus* nicht. *Meyer* schätzte 1936 an den Radfahrertruppen jedenfalls die »Vereinigung von Schnelligkeit und

Feuerkraft«, die bei der »Verschleierung« von Angriffen und auch bei der »Deckung des Rückzugs« zum Tragen komme. Inzwischen haben selbst die eidgenössischen Militärradfahrer ihre Velotruppen →**absitzen** lassen; radelnde Alphornisten kamen übrigens nie zum Einsatz. →**Heimweh.**

RADICALISMUS. Die Lexikographen fühlten sich immer mehr oder weniger der Objektivität verpflichtet. Das Gras wachsen zu hören – Prognosen zu stellen und Prophezeiungen zu wagen –, sind deshalb keine besonders geschätzten Eigenschaften unter Lexikographen. Aber deren offener Blick für Abweichendes ahnte oft Überraschendes: *Brockhaus* stellte dem »Radicalismus« (»das den Grund oder die Wurzel einer Sache Anrührende«) in der Politik 1843 eine schlechte Prognose, weil »ein edler Liberalismus« auf der einen und »ein weiser Conservativismus« auf der anderen Seite »dem Radicalismus« sozusagen das Wasser abgraben würden. Eine Ausnahme erwähnte das Lexikon: »Nur in der Schweiz scheint sein Stern noch im Aufsteigen.« 1847 brach dort der Sonderbundskrieg aus, der mit der einzigen siegreichen Revolution des demokratischen Radikalismus im sogenannten Völkerfrühling 1848 endete. – Der Verzicht auf ein einziges Wort kann die Tendenz eines Lexikonartikels kippen lassen. Unter »Radicalismus« im politischen Sinne verstand *Brockhaus* (1864) »diejenige Denk- und Handlungsweise, welche sich nicht mit einem bestimmten Maße von Reformen begnügt, sondern gewisse Principien der Freiheit, Gleichheit, Humanität oder dergleichen, in unbedingtester Weise und nach allen ihren Consequenzen sofort verwirklicht sehen möchte«. Die Distanz zur Sache ist deutlich, aber *Meyer* erweitert 1902 den Abstand, indem er die Möglichkeit, daß »gründlich« oder »von Grund aus« betriebenes Denken mit Humanität vereinbar sein kann, gar nicht mehr erwägt, sondern »Radikalismus« mit der »äußersten Richtung der Demokratie, welche die Grundsätze der Freiheit und Gleichheit in unbedingtester Weise und bis zu ihren letzten Konsequenzen sofort zu verwirklichen strebt«. Die Humanität fehlt nun vollends, dafür wiederholt *Meyer* den logisch prekären Superlativ von »unbedingt«, den *Brockhaus* schon 1864 mit dem politischen »Radicalismus« verbunden hatte.

RADIOAKTIVITÄT wird erstmals ausführlich im *Meyer* von 1902 erwähnt. Um ihre Wirkung abschätzen zu können, muß man vor allem warten können. Das fängt schon im Kleinen an: Wenn die Radioaktivität eine Eigenschaft der Atome wäre, so müßte »dieselbe Menge Radiumsalz unter allen Umständen dieselbe Aktivität zeigen«. Dem ist aber nicht so: »Indessen hat sie unmittelbar nach der Darstellung des Salzes noch nicht ihren vollen Wert, wächst vielmehr anfangs rasch, dann langsamer, bis sie nach einigen Wochen asymptotisch etwa auf das Fünffache gestiegen ist. Wird das Salz feucht, so nimmt die Aktivität rasch ab. Abkühlung auf die Temperatur der flüssigen Luft bringt dagegen keine Änderung der Strahlung hervor.« *Meyer* vermutet 1902, daß bei offenen stehenden Lösungen und hoher Temperatur Radioaktivität besonders leicht entweicht. Noch ist unklar, welche materielle Basis die Strahlen haben, ob sie auch korpuskuläre oder nur gasförmige Anteile besitzen. *Meyer* vermutet 1902 beides, »daß das Radium durch Zerfall seiner Atome beständig ein Gas, die Emanation, erzeugt, das einen stark radioaktiven Bestandteil, Exradio, enthält«. Die Berechnungen der Bestandteile sind später verfeinert worden: »Aus 1 Atom Radium bildet sich dabei 1 Atom Emanation. Von 1 g Radium ist in ca. 1300 Jahren 0,5 g in Emanation zerfallen.« Die gesundheitlichen Gefahren derartiger Emanationen sind anfangs massiv unterschätzt worden. Während amerikanische Aufklärungsfilme in den sechziger Jahren des 20. Jahrhunderts noch abrieten, direkt in den Blitz einer Atomexplosion zu schauen, und empfahlen, sich hinter einer Tischplatte zu verstecken (»Duck and cover«), geht *Meyer* 1902 mit Radioaktivität im Hausgebrauch unbekümmert um: »Da die Strahlen auch die Augenmedien zur Fluoreszenz erregen, empfindet man ein Leuchten, wenn man ein in eine Metallbüchse eingeschlossenes Radiumpräparat vor das geschlossene Auge bringt.« Aber Obacht: »Längere Einwirkung schädigt den Sehnerv und bringt lange andauernde Nachbilder hervor.«

RAKETEN hatten ihre besten Zeiten im *Brockhaus* von 1882 zunächst hinter sich. Das Lexikon versteht darunter »Feuerwerkskörper, welche nicht bloß auf dem Gebiete der Luftfeuerwerkerei eine Rolle spielen und hier zu den eindrucksvollsten Stücken gehören, sondern auch für ernstere Zwecke (Signalwesen) und insbesondere als Kriegsmittel Bedeutung haben und als solche zeitweise für hervorragend galten«. *Meyer* betrachtet 1902 die Erfindung ebenfalls bereits historisch und berichtet, daß »das österreichische Raketeurkorps, da es im Feldzug 1866 sich nicht bewährte, 1867 aufgelöst« wurde. In Deutschland brauchte man nur unwesentlich länger: »In Preußen schieden die Sprengraketen 1872 aus.« *Brockhaus* erwähnt 1928, daß Raketen nicht nur »in der Feuerwerkerei« und als Signalgerät, sondern »neuerdings als Beförderungsmittel für Post und meteorologische Instrumente konstruiert« werden. Von Wunderwaffen ist noch nicht die Rede. Am Ende des etwa einseitigen Artikels wird leicht resigniert festgestellt: »Dagegen hat man etwa seit 1925 die Verwendung der Raketen als Beförderungs- und Antriebsmittel (Raketenauto, Raketenflugzeug, Raketenpost, Raumschiffahrt) erwogen, ohne bis jetzt (1933) nennenswerte Erfolge erzielt zu haben.« Im und nach dem Zweiten Weltkrieg wurde für V2-, Sputnik- und Apollo-Programme viel Geld ausgegeben, die Post hat ihre Briefbeförderung mit und ohne Raketen nicht beschleunigen können (→**Postwesen**).

RASSE-GÜNTHER hieß der unter dem Nationalsozialismus hochdekorierte Priester der »Rassenideologie« (*Brockhaus* 1996, Artikel »Günther, Hans F. K.«). 1952 war er noch »Sozialanthropologe und Rassenforscher«, der »exakt wissenschaftliche Befunde oft mit einer idealisierenden Überbewertung der nordischen Rasse verknüpft« habe. »Seine vereinfachende Betrachtungsweise wird den komplizierten Problemen der Rassenbiologie Europas nur zum Teil gerecht.«

RATTEN sind für Lexikographen eine Art →**Neger** des Tierreichs. Wenn sie häufig unterwegs sind, werden sie auch schon mal Wanderratten genannt. Eine Spezies scheint besonders viel herumgekommen zu sein. Sie setzte laut *Brockhaus* von 1864 im Jahr »1727 bei Astrachan über die Wolga und wurde 1732 aus Indien nach England verschleppt. 1750 erschien sie in Ostpreußen« und ein Jahr später »in Paris, 1780 war sie in Deutschland überall häufig, in der Schweiz aber erschien sie erst 1809«. Freßgier und Kräfte der Ratten werden in alten Lexikonausgaben massiv übertrieben, im Volksglauben hat sich die Mär bis heute gehalten: Die Ratte »erwürgt junge Gänse, Enten und Küchelchen, junge Kaninchen, Tauben, mitunter sogar alte Hühner; sie frißt fetten Schweinen und brütenden Truthennen Löcher in den Leib, und auch kleine Kinder frißt sie an«.

RAUCHBILDER sind »Zeichnungen, welche ihren Ursprung der Laune der deutschen Künstler in Rom verdanken; sie schwärzten die Rückseite der leer gegessenen Teller, später Papier, über dem Licht und ritzten mit dem Zahnstocher Karikaturen, Landschaften u.s.w. ein« (*Brockhaus* 1892). »Landschafter«, berichtet *Meyer* 1902, »wählten gewöhnlich Mondscheineffekte.« Diese postkulinarische Kunst ist mit den Raucherzonen in Vergessenheit geraten; nur Altmeister der Nouvelle Cuisine malen gelegentlich noch Landschaften und Mondscheineffekte auf halbleere Teller.

REAKTION. Neben der chemischen und der physikalischen Reaktion geht *Brockhaus* 1843 auch kurz auf die politische Bedeutung des Wortes ein: »das Streben, die Errungenschaften der Zeit in kirchlicher und politischer Beziehung wieder aufzuheben und frühere Zustände geringerer bürgerlicher und politischer Freiheit zurückzuführen«. Dieses »Streben« wird als »unweise« bezeichnet. Im Laufe des 19. Jahrhunderts geht der Bezug auf »Freiheit« immer mehr verloren. An ihre Stelle tritt der viel vagere Begriff »Fortschritt«. *Meyer* definiert »Reaktion« 1902 nur noch als »Gegendruck gegen irgendeine fortschrittliche Kraft, insbesondere das Bestreben, veraltete öffentliche Zustände an die Stelle der besseren neuen wiederherzustellen«. 1936 historisiert *Meyer* den Reaktionsbegriff und bezieht ihn auf die erste Hälfte des 19. Jahrhunderts. Für die Gegenwart, tilgte man die Beziehungen zu »Freiheit« und »Fortschritt« und polte den Begriff vollständig um: »Als Reaktion bezeichnet die nationalsozialistische Bewegung jene Kreise, die aus geistiger Unbeweglichkeit, Dünkel oder Angst das Revolutionäre des Nationalsozialismus, und damit diesen selbst, ablehnten.« In der Vergangenheitsform drückt sich der exterminatorische Charakter des Systems gegenüber seinen Gegnern und Feinden aus.

RECHENVIRTUOSEN beschreibt *Meyer* 1902 als »Personen, die verwickelte Rechnungen ungewöhnlich schnell ausführen«. Diese Fähigkeit zeigte sich teilweise »bei mehr oder weniger bedeutenden Mathematikern, wie Ampère, Arago, Bailly, Bidder und

Gauß«, teils aber auch »bei mathematisch ungeschulten oder gar mathematisch schwerfälligen Menschen, selbst bei Kindern und schlichten Landleuten«. Tom Fuller etwa, berühmt-berüchtigt als »the Virginia calculator, gest. 1790«, hatte nie lesen und schreiben gelernt. Richard Whately (1787 bis 1863), ehemaliger Erzbischof von Dublin, verlor allerdings »bei fortschreitender allgemeiner Bildung die wunderbare Fertigkeit des kindlichen Alters«, ohne daß das Lexikon vermerkt, wann der Rechenvirtuose im Kirchenmann sein kalkulatorisches Geschick einbüßte. Deutsche Rechenvirtuosen beeindruckten besonders durch schnelles Addieren. So konnte Zacharias Dase aus Hamburg »nach einem Blick« angeben, »wie viele Bände in einem Bücherborte standen, wieviel Schafe eine Herde zählte etc.«.

RECHTSCHREIBUNG. Seit Jahrhunderten, klagt *Brockhaus* 1892, tobt ein »fortwährender und nie ausgleichbarer Kampf« zwischen den Prinzipien der phonetischen, historischen und etymologischen Rechtschreibung. »Der Deutsche meint so zu schreiben, wie er spricht. Dies ist jedoch ein Irrtum«: Die von Grammatikern wie Klopstock und Adelung favorisierte Regel »Schreib, wie du sprichst« habe sich »nur in geringem Maße als durchführbar« erwiesen. Die Rückkehr zu den lateinischen Buchstaben scheiterte am Widerstand von Fürst Bismarck persönlich, und auch die von den Gebrüdern Grimm geforderte radikale Kleinschreibung setzte sich nur vereinzelt bei avantgardistischen Literaten durch. Bis in die zweite Hälfte des 19. Jahrhunderts gab es keine behördliche Regelung der Rechtschreibung: *Brockhaus* selber schreibt 1875 im Artikel »Internationale« »pariser Kommune« klein, den »Versailler Frieden« von 1871 aber so groß, wie es dem großartigen Sieg geziemt. 1901 wurde dann, um die Anarchie zu beenden, die preußische Schulorthographie zur Norm erhoben und der darauf beruhende *Duden* als Oberlehrer institutionalisiert. »Rechtschreibreform« ist mithin die auf »optimale Funktionserfüllung« abzielende »Änderung des geltenden Schreibgebrauchs einer Sprache aus sprachwiss., pädagog. und gesellschaftl. Gründen«; *Brockhaus* nennt 1996 die umstrittene letzte »behutsam« und folgt ihr in vorauseilendem Gehorsam. Dennoch ist die deutsche Rechtschreibung immer noch und schon wieder »stark verwildert« (*Brockhaus* 1892).

RECHTSSTAAT. Den charakterisierte der Staats- und Verwaltungsrechtler Ernst Forsthoff als »Prototyp einer Gemeinschaft ohne Ehre und Würde«. Bei *Brockhaus* (1996, Artikel »Forsthoff, Ernst) zitiert man derlei nicht, sondern begnügt sich mit dem Bescheid, »seine Schriften aus der Zeit des Nationalsozialismus sind zum Teil umstritten«.

REFORM »ist das Mittel, die Revolution zu verhüten und die Neuerungen, welche wirklich notwendig geworden sind, langsam, ohne Erschütterung und ohne unbillige Verletzung der gegenwärtigen Privatinteressen herbeizuführen«. Dies schrieb *Brockhaus* 1843 – fünf Jahre vor der Revolution von 1848. Die damals Regierenden hörten die Botschaft der Lexikographen nicht.

REGIE. Ursprünglich der »unmittelbare Staatsbetrieb zum Zweck der Ausnutzung einer Einkommensquelle« (*Brockhaus* 1892), im modernen Subventionstheater eher das Gegenteil. Auch das reichsunmittelbare Verhältnis des Regisseurs zu den von ihm aufgeführten Stücken gilt heute als gestört. 1892 empfahl *Brockhaus* der Regie noch, »besonders Stil und Charakter« der Schauspiele zu wahren. 1996 hält er eine »kritische Neuinterpretation« für durchaus legitim, warnt aber vor einem Regietheater, das die Vorlage nur als »unverbindlichen Ausgangspunkt« der Inszenierung betrachtet. *Meyer* hielt 1936 die »subjektive« Regie für einen überwundenen Weimarer Exzeß: Der gute Regisseur sei der Zuchtmeister einer »Spielgemeinschaft«, der »aus den einzelnen Spielern höchste Leistung herausholt, ohne daß dabei Stars mit virtuosen Eigenheiten den Gesamtbetrieb stören«. Berti Vogts prägte für diese Regiekunst im Fußball das geflügelte Wort: »Der Star ist die Mannschaft.«

REGULATOREN. Ordnung war – zumal als politischer Begriff – immer eine ausgesprochen zwiespältige Angelegenheit, weil sie sich in der Regel nicht an verallgemeinerbaren rechtlichen und moralischen Normen orientiert, sondern an mehr oder weniger privaten Präferenzen und Interessen. »Regulatoren, d. h. Ordner nennen sich in den südlichen und südwestlichen Territorien der Vereinigten Staaten von Amerika mit besonderer Vorliebe engere oder weitere Privatgesellschaften, welche eine Art Feme bilden, um in jenen der Cultur neu eröffneten Gebieten der Gesetzlosigkeit der herzuströmenden rohen und verwilderten Bevölkerung zu steuern. Bei dem gänzlichen Mangel an einer geordneten Justiz verfahren die Regulatoren nach dem Lynchrecht und hängen, prügeln oder erschießen nach Umständen.« *Brockhaus* (1864) spricht nicht von längst vergangenen Zeiten, sondern im Präsens – um so erstaunlicher die nachgeschobene Rechtfertigung der Praktiken als »Product unfertiger socialer Zustände«: »Daß hierbei manche Ungerechtigkeiten und empörende Gewalttaten vorfallen, namentlich früher seitens der Sklavenhalter und ihrer Freunde gegen unbequeme nördliche und europäische Ansiedler, läßt sich nicht leugnen; doch erreichen solche Gesellschaften ... meistens ihren Zweck.« *Meyer* entdramatisiert die »Regulatoren« 1902 und bringt einen eher eigenartigen Beleg: »Regulatoren« (lat. Ordner), Name einer 1830 im nordamerikanischen Staat Arkansas zusammengetretenen Verbindung, die dem gesetzlosen Treiben, das in diesem entlegenen Teil der Union eingerissen war, durch Lynchjustiz steuern wollte. Bekannt ist Gerstäckers Roman *Die Regulatoren in Arkansas.*« Gemeint ist Friedrich Gerstäcker (1816–1872), der zeitweilig in den USA lebte und darüber mehr als 40 Bücher schrieb. 1890 stellte Pierers Lexikon über seine Romane fest: »Seine Werke sind populär, aber wissenschaftlich wenig ergiebig.«

REICH (regnum) definiert *Brockhaus* 1875 als »Inbegriff einer großen Zahl von Dingen, die vermittels eines allgemeinen Prinzips im Verhältnis der Zusammengehörigkeit miteinander stehen«. Als Bespiele erscheinen dann nacheinander das »Natur-, Mineral- und Tierreich«. Den Schluß des insgesamt nur fünf Zeilen umfassenden Artikels bildet die lapidare Feststellung, »früher nannte man aber Reich vorzugsweise das Deutsche Reich, als Inbegriff der Weltherrschaft«. Bevor das dritte in Sicht kam, demontierten die Lexikographen des zweiten Kaiserreichs den ganzen Reichsfirlefanz ziemlich nachhaltig.

REICHSBAHNVERWALTUNG →**Autobahnen.**

REIHENGRÄBER. *Meyer* verbürgt sich 1902 noch für die Integrität des Körpers, wenigstens des toten. Unter Reihengräbern versteht das Lexikon »reihenweise nebeneinander angeordnete Flachgräber mit ganzen Leichen«. Wie »eine schöne Leich« in einem Reihengrab zu liegen hat, wissen die Lexikographen auch ganz genau: »Die Toten ruhen meist in freier Erde in Holzsärgen, zwischen Platten oder in Steinsärgen in gestreckter Lage mit ausgestreckten oder gekreuzten Armen, mit den Füßen nach Osten, dem Kopfe nach Westen.« Auf dem Gottesacker wurde die Westorientierung schon früh vorweggenommen.

REISEN. Alles Unglück der Welt beginnt bekanntlich damit, daß der Mensch seine Stube verlassen zu müssen glaubt. Schon 1700 erließ der Preußenkönig Friedrich IV. daher ein Reiseverbot. P. J. Marperger plädierte schon 1720 für eine Reisesteuer, auf daß nicht »zuviel Geld ins Ausland geschleppt werde« (*Brockhaus* 1892). Die Reiselust an sich bezeichnet aber »stets einen vorgerückten Civilisationsgrad«; sie stärkt das »Band der Zusammengehörigkeit aller Nationen« und ist ein »Förderungsmittel der Volkswohlfahrt«. Im Zuge der Demokratisierung des Reisens verlor sich indes die Kunst des richtigen Reisens, die sogenannte Apodemik. »Tourist« war für *Brockhaus* noch 1875 nur der reisende Gelehrte oder gelehrte Reisende, »der keinen bestimmten wissenschaftlichen Zweck mit seiner Reise verbindet. Er muß ein Mann von feiner Weltbildung in Sitten, Gewohnheiten und Ansichten sein, außerdem aber in seinen Darstellungen eine möglichst unbegrenzte Subjecitivität walten lassen … Die Länder, welche von Touristen aufgesucht werden, sind meist Gegenstand der Mode.« Im 1897 erschienenen Nachtragsband der 14. Auflage wird »Touristik« neu definiert als »Wanderthätigkeit, die im Naturgenießen, dem Aufsuchen unbekannter oder landschaftlich hervorragender Gegenden, den hygienischen Wirkungen und geistigen Anstrengungen des Wanderns ihren Zweck sucht«. Während der Italiener unter Tourist »in erster Linie den Alpinisten« und der Franzose den Radfahrer begreife, sei der deutsche Tourist »im wesentlichen der Fußwanderer« und »zum größten Theil in Vereinen« organisiert (→**Wanderzwang**). Allerdings wird die Entwicklung des →**Radfahrens**, »Schneeschaulaufens und Rennwolffahrens« auch bei uns »zweifellos noch eine Zukunft haben«, wie überhaupt »mit dem Erstarken des Nationalgefühls auch der Drang (wächst), die deutschen Gaue im Wandern recht eingehend kennen zu lernen«. So wanderte der Bildungsreisende um die Jahrhundertwende in die vaterländische Tourismusindustrie aus: Sogenannte »Verschönerungsvereine« versuchten, »Fremdenzuzug anzulocken« (etwa durch Fischzucht, Flechtschulen, Wegemarkierungen und →**Propaganda**) und »auf Gastwirte belehrend einzuwirken«, hatten damit aber offenbar ebensowenig Erfolg wie mit ihrer »Agitation zu Gunsten billigerer Eisenbahnverbindungen« und ihren »Bestrebungen auf Erhalt der Volkstrachten, den Schutz der landschaftlichen Natur vor Zerstörungen aus gewinnträchtiger Absicht«. *Meyer*, dem die »staunenswerte« Entwicklung des Reisens auch zu »sanitären und Vergnügungszwecken« bereits 1902 auffiel, versteht unter »Tourist« noch 1936 den Wanderer und Bergsteiger und unter Touristik die »Kunst des Reisens«. 1996 widmete *Brockhaus* zwei der vier Spalten seines »Tourismus«-Artikels den ökonomischen und vielfach negativen sozialen Aspekten dieser »verbreiteten Freizeitaktivität«, die »einen gewissen Höhepunkt erreicht«, wenn nicht gar überschritten habe.

REIZ ist 1882 im *Brockhaus* noch kein eigenes Stichwort, das Lexikon führt nur Friedrich Wolfgang Reiz als »Begründer einer grammatisch-philol. Schule« auf. Der Artikel »Reizbarkeit« findet sich hingegen als den »lebenden Körpern eigenthümliche Fähigkeit, durch mechanische (Druck), dynamische (Elektricität, Temperaturwechsel) und chem. Einflüsse in Thätigkeit versetzt zu werden«. Als pathologische Reizbarkeit wird »eine gewisse Schwäche oder Empfindlichkeit der Organe« verstanden, »infolge deren die letztern leichter zu Erkrankungen neigen; so führt die Reizbarkeit der Lungen leicht zu entzündlichen Affektionen derselben, die Reizbarkeit des Darms zu Durchfall u.dgl.« Waren früher lediglich die Organe reizbar, so ist mittlerweile der ganze Mensch »anfällig« geworden. Das »nervöse« Modell zur Erklärung von Krankheiten um die Jahrhundertwende wurde im 20. Jahrhundert abgelöst durch eine immunologische Kampf- und Abwehrmetaphorik rund um den Körper, in dem Reize durchaus wieder eine Rolle spielen: »Sind sie zu stark, bist Du zu schwach.« Im *Brockhaus* ist 1892 der Reiz schon auf dem Weg, seinen Platz im Wechselspiel der Kräfte einzunehmen. Hier bedeutet Reiz »in der Physiologie jede Einwirkung, die bei Lebewesen oder Teilen derselben eine Umsetzung von Spannkraft, auf deren Vorhandensein die Reizbarkeit beruht, in lebendige Kraft hervorruft«.

REIZE, WEIBLICHE. »Der Mann der Cultur« (*Damen-Conversations-lexikon* 1835) hat dieselben von jeher »tiefer gesucht, als auf Stirne, Mund und Nacken«, aber nicht immer gefunden. »Ist das dunkelgefärbte Gesicht mit der Stumpfnase nicht oft reizender, als das hochgestirnte mit der Adlernase trotz der Regelmäßigkeit des Letztern? Ist oft nicht ein Mund mit rosigen, aufgeworfnen Lippen reizender, als jener schmalgespaltene, ernste, wehmüthige, manchmal, trotz der schmalen Lippen, ausdruckslose?« Der unwiderstehliche Reiz der deutschen Frau aber liegt weder in Schmollmund noch Stupsnase: »Er besteht – und zwar hauptsächlich – in jenen Reizen der Seele und des Geistes, die man nur ahnt und fühlt und nennt, ohne sie expliciren zu können ... Anmuth, Bescheidenheit, Sanftmuth, Ergebung, Milde, Frohsinn, Hingebung, Huld, Innigkeit, Treue, Naivetät, Humor, Herzlichkeit, Unbefangenheit und hundert andere mehr.« Diese Reize »blühen, entzücken und fesseln, wenn die vergänglichen Reize der Form längst verwelkt sind«.

REKLAME »heißt im Sprachgebrauch der neueren französischen Journalistik ein kleiner Artikel, der mit den Neuigkeiten und vermischten Nachrichten in den Hauptttheil des Journals eingerückt wird und das bezahlte Lob eines gewöhnlich weiter hinten angezeigten Buchs, Kunstgegenstandes u.s.w. enthält. Die schlechtesten Bücher und Kunstsachen bekommen oft lobpreisende Reclame.« Diese Rubrik »gehört nicht eben unter die erfreulichsten und macht sich über Gebühr breit«, entspricht aber vollkommen der »Charlatanerie« und »Marktschreierei der Annoncenwirthschaft« (*Brockhaus* 1864). 1892 definiert *Brockhaus* Reklame gelassener als »öffentliche Anpreisung von Gegenständen«; zu ihren »ausgeklügelten Mitteln« gehören jetzt Ausrufer, Plakatträger, »geheimnisvolle, die Neugier erweckende Überschriften, Raumverschwendung, Einkleidung in Verse«. Die journalistische Lobhudelei hat sich in dem Trick erhalten, »die bezahlte Annonce als ein von der Zeitungsredaktion oder auch von dritter Seite (z.B. in der Form des ›Eingesandt‹) ausgehende Empfehlung erscheinen zu lassen«. Die Reklame verschwendet nicht nur Raum, Zeit und »ungeheure Mittel«, sie macht auch »oft sehr übertriebene oder gar wissentlich unwahre Angaben«. *Meyer* will das Reklamewesen 1902 aber »trotz der Ausschreitungen und des Vorschubs, den es dem Schwindel leistet«, als »bedeutsames Kulturmoment unserer Zeit« anerkannt wissen; wobei Engländer und Amerikaner allerdings »mehr Zudringlichkeit vertragen als die Deutschen«. Das »Reklamewesen vornehmeren Stils« nennt sich →**Propaganda**; seine »mehr oder weniger schlau berechneten Mittel« werden auch von Schauspielern und Politikern (»Reklamehelden«) nicht mehr verschmäht.

RELATIVITÄTSTHEORIE. Die Floskel »Alles ist relativ« hat Eingang in die Alltagssprache und ihren festen Platz auf T-Shirts gefunden. Auch Politiker wie Guido Westerwelle versuchten sich bereits an einer Erklärung. Denn, so führte er aus: »Fünf Flaschen im Keller sind relativ wenig. Fünf Flaschen im Parlament sind relativ viel.« Weiter kommt man da schon mit dem *Brockhaus* von 1812. Fast 100 Jahre vor Einsteins Theorie findet sich hier, allerdings in dem Artikel »absolut«, ein hilfreicher Eintrag: Das Absolute »steht dem Relativen entgegen, das nur beziehungsweise und unter Bedingungen gewisse Beschaffenheiten hat«. Fragt man Physiker heute nach »gewissen Beschaffenheiten« oder einer Erklärung der Relativitätstheorie, ist die häufigste Reaktion ein verzweifeltes oder desillusioniertes Achselzucken. Manche versuchen Formeln abzuleiten. Gleichzeitig betonen sie, daß die für die Relativitätstheorie notwendige Mathematik jeder Achtkläßler verstehe. Hier liegt also nicht das Problem. Andere Physiker werden feierlich und geben dies als Philosophie aus. Gerne behaupten sie, daß eigentlich niemand – auch kein Physiker – die Relativitätstheorie verstanden habe, jedenfalls nicht in ihrer praktischen Konsequenz. Manche Physiker sagen, daß sich die Relativitätstheorie unserer Erfahrungswelt entziehe. Vielleicht ist dies der Grund dafür, daß etliche an der Physik Interessierte beträchtliche Teile ihres Vermögens geopfert haben, um in Büchern im Selbstverlag den Beweis zu führen, daß Einsteins Relativitätstheorie unwahr ist. Dabei kann ein befreundeter Physiker sie – im Gegensatz zum *Brockhaus* 1996 – ganz gut erklären. Dort finden sich folgende Zeilen: »Die Formulierung von Naturgesetzen muß nach der speziellen Relativitätstheorie lorentzinvariant erfolgen, d.h. in einer Form, die beim Übergang von einem Inertialsystem in ein anderes vermittels einer Lorentz-Transformation der Koordinaten und physikal. Größen unverändert bleibt (Kovarianz).« Wer weniger als drei Begriffe aus diesem Satz nachschlagen muß, ist wahrscheinlich Physiker und hätte kein Lexikon nötig, um die Relativitätstheorie zu verstehen. Wer kein Physiker ist, versteht sie nicht, auch wenn er drei und mehr Begriffe nachschlägt. Und was sagt der befreundete Physiker? Man stelle sich vor, zwei Autos fahren aufeinander zu (oder zwei Fahrräder), das eine mit 100 km/h, das andere mit 80 km/h (die Fahrräder mit 20 km/h und 10 km/h). Will man wissen, wie groß die Geschwindigkeit ist, mit der sich die Autos (bzw. die Fahrräder) aufeinander zubewegen, muß man die Geschwindigkeiten addieren: 180 km/h (bzw. 30 km/h). Fahren zwei Autos in der gleichen Richtung, das eine mit 100 km/h, das andere mit 120 km/h, beträgt die Geschwindigkeit, mit der sich der Abstand vergrößert, 20 km/h. Stellt man sich jetzt vor, daß in den Autos, die aufeinander zufahren (mit 100 km/h und mit 80 km/h), einer der Fahrer mit einer Taschenlampe leuchtet, kommt Einsteins Relativitätstheorie ins Spiel (für Fahrradfahrer gilt das Beispiel nicht, weil die meist ohne Licht fahren). Will man errechnen, wie schnell das Licht aus dem einen Auto bei dem anderen Autofahrer angekommen ist, müßten, nach dem bereits Gesagten, die Geschwindigkeit der Autos (180 km/h) und die des Lichts addiert werden. Genau dies wäre nach den Regeln der »klassischen« Physik richtig, »nach Einstein« aber falsch. Denn die Lichtgeschwindigkeit ist konstant und wird nicht übertroffen; »sie stellt als universelle Naturkonstante die obere Grenzgeschwindigkeit für jeden Transport von Energie und Materie dar und kann von keinem Körper überschritten werden.« (*Brockhaus* 1996). Deshalb, sagt der befreundete Physiker, müssen die Physiker andere Variablen ändern und relativieren, beispielsweise den Raum, die Zeit, die Masse. Dies ist nicht leicht mit unserer Erfahrungswelt vereinbar, wird als paradox empfunden und führt zu Büchern im Selbstverlag – siehe oben. Aber zum Glück macht sich die Relativitätstheorie erst bei wirklich großen Geschwindigkeiten bemerkbar, so schnell kann man mit dem Auto gar nicht fahren. Einschränkend sei bemerkt, daß sich die Geschichte mit der Taschenlampe im Auto nur zum Verständnis der speziellen Relativitätstheorie eignet. Die allgemeine Relativitätstheorie ist noch komplizierter und hat mit dem Kosmos zu tun. Hier versagt die Erfahrungswelt erst recht, dafür können wir uns mit einer Definition des Begriffs »relativ« aus dem *Brockhaus* von 1812 begnügen, in der Einsteins Erkenntnisse vorweggenommen zu sein scheinen. Dort heißt es: »Jede Größe oder besondre Merkmale irdischer Dinge sind für uns relativ.« Faßt man Einsteins Einsicht, die seit dem Jahr 1905 unter dem Begriff »spezielle Relativitätstheorie« als gesichert galt, zusammen – die Lichtgeschwindigkeit muß unabhängig von der Geschwindigkeit der Lichtquelle konstant sein; Zeit, Masse und Länge sind keine festen Größen, sondern relativ zur Geschwindigkeit, mit der sich die Dinge bewegen –, erscheint der *Brockhaus* 1892 ziemlich präzise. Hier findet sich unter dem Stichwort »Relativ« folgender Eintrag: »Die Relativität gehört zum wesentlichen Charakter der Erscheinung; am ersichtlichsten unterliegen ihr alle räumlichen und zeitlichen Bestimmungen der Objekte, die doch gerade in der Erkenntnis die Grundlage jeder weitern objektiven Bestimmung bilden müssen; und infolgedessen bleibt auch jede Bestimmung der Quantität und Qualität, des Beharrlichen oder der Substanz, desgleichen des Ursachverhältnisses der Erscheinungen, kurz alles, was irgendwie an die Grundbedingung des räumlich-zeitlichen Vorstellens gebunden ist, mithin unsere gesamte Erfahrungserkenntnis der Relativität unterworfen.« Erstaunlich hingegen, daß im *Meyer* 1902 (der Band mit dem Eintrag »Relativ« stammt aus dem Jahr 1907) nichts zu Relativitätsprinzip oder Relativitätstheorie zu finden ist. Auch der Band »Ergänzungen und Nachträge« aus dem Jahr 1909 vermerkt dazu nichts.

RENTENHYSTERIE. »Zustand, in den sich Unfallopfer manchmal hineinsteigern« (*Brockhaus* 1928), wenn sie sich durch Versicherungen oder Unfallverursacher um Entschädigungsleistungen betrogen oder unrechtmäßig behandelt fühlen. »Die reine Rentenhysterie (Rentenbegehrungskrankheit) ist prinzipiell zu unterscheiden von der primären Unfallneurose.« Vgl. »Estrau, *Geschehnis und Erlebnis* (1930)«. *Meyer* berichtet bereits 1902 unter dem Stichwort »Traumatische Neurose«, daß derlei Fälle »seit Einführung der Unfallversicherungsgesetzgebung besonders häufig« vorkommen, »da den Verletzten durch den Gedanken an eine ihnen möglicherweise zustehende Unfallrente oft eine übertriebene Selbstbeobachtung nahegelegt wird«. 1936 hielt *Meyer* die meisten Kriegs- und »Rentenneurosen« für einen Trick von Drückebergern und Simulanten.

REPRÄSENTATION. »Eigentümliche Spezialität« der französischen Salondamen. Eine repräsentative Dame tritt nach den Erfahrungen des *Damen-Conversationslexikons* von 1835 als Gastgeberin »mit jenem feinen Selbstbewußtsein, mit jener von Grazie und Humanität gemilderten Sicherheit auf, die in anmuthiger Offenheit und würdevoller Haltung sich geltend macht, und wiederum zugleich mit lächelnder Selbstverläugnung in die allgemeinen Schwingungen des Gesprächs verliert. Die Frau von Repräsentation hält an unsichtbaren Fäden die ganze Discussion. Sie führt nicht, sie leitet nur die

Unterhaltung, weiß mit einem ermutigenden Lächeln den Schüchternen, mit einem ermunternden den Mürrischen ins Gespräch zu ziehen, und lenkt mit dem feinsten Takte zu andern Gegenständen über, wenn sie nur von fern die Möglichkeit einer Unzartheit, einer Ermüdung ahnt. Alle verlassen befriedigt den Saal, in dem sie sich ganz selbständig zu bewegen glaubten, während doch die große socielle Künstlerin allein das Ganze übersah, ordnete, leitete, scheinbar dienend, während sie herrschte.« Diese »Wunderblüthe der Humanität« hat sich in TV-Talkmasterinnen wie Sabine Christiansen bis heute erhalten.

REPUBLIK. »Der Hauptunterschied der modernen Republik und der Monarchie« besteht »nicht mehr darin, daß die Freiheitsrechte der Staatsangehörigen in jener vollständiger geschützt würden als in dieser, sondern hauptsächlich in der verschiedenen Organisation der Regierung« (*Brockhaus* 1875). Das ist – im Prinzip – nicht falsch, aber eine Verharmlosung des Problems. Defizitär war das politische System des Kaiserreichs weniger im Hinblick auf »Freiheitsrechte« als ganz massiv hinsichtlich der Rechte des Parlaments. Es herrschte ein Scheinkonstitutionalismus, weil alle wichtigen Entscheidungen entweder auch gegen den Reichstag oder durch dessen Umgehung möglich waren. Teile des Militärs und der Reichsleitung liebäugelten immer mit einer militärischen Lösung der sozialen bzw. sozialdemokratischen Frage. Der Schlußsatz des Artikels »Republik« nennt auch das Problem offen beim Namen: »Ob ein Volk republikanisch oder monarchisch zu regieren sei, hängt wesentlich ab von seiner politischen Reife.« Solcher in Watte verpackter Nonkonformismus aus der Revolutionszeit von 1848 überlebte auch im Artikel »Patriotismus« (*Brockhaus* 1875): »Der Patriotismus findet einen umso größeren Spielraum seiner Betätigung, je mehr die demokratische Verfassung des Staates dem Einzelnen gestattet, an den öffentlichen Angelegenheiten teilzunehmen.«

RETTUNGSHÄUSER finden sich 1902 im *Meyer* zwischen den Artikeln »Rettungsgeräte« und »Rettungsmedaille«. Der zweispaltige Artikel führt etliche Anstalten, Häuser und Schulen auf, drückt sich aber um eine inhaltliche Beschreibung der dort betriebenen Pädagogik. Die »Besserungsanstalten für die verwahrloste Jugend als für diesen Zweck ausschließlich bestimmte Anstalten« sind ein »Erzeugnis des 19. Jahrh.«, im »weiten Maßstab angelegt und militärisch geordnet«. Es ist zu ahnen, wie die »verwahrloste« Jugend hier gebessert werden sollte.

REVOLUTION. Gelegentlich präsentieren die frühen Lexika geradezu subversive Gegenrechnungen. Um sich von jedem Verdacht zu schützen, »revolutionärer Freiheit« das Wort zu reden, beruhigt *Brockhaus* die regierenden Fürsten 1827 mit folgender Rechnung: »Seit der christlichen Zeitrechnung haben 135 Regenten den Thron verloren. Nur zweimal fällt diese Tat auf Volksrevolutionen; 47 mal auf Heere, 40 mal auf Rivalen der Macht, 17 mal auf Papst und Geistlichkeit.« Sollte das heißen, die wirklichen Revolutionäre seien die

Generäle, die Aristokratie, der Papst und der Klerus? →**Aufstand.**

REVUE. »Besichtigung des felddiensttüchtigen Zustands der Truppen, verbunden mit Übungen« (*Meyer* 1902) und einem Revuegeschenk, das bei Offizieren 1 Mark, bei Mannschaften 0,50 Mark beträgt. Später wurden in der Revue die literarischen und politischen Ideen der Zeit gemustert, die exerzierenden Geistessoldaten bekamen Honorare. Heute versteht man unter Revue die in Varietés und Fernsehshows gepflegte Kunst, weibliche Körper zum Massenornament zu arrangieren. *Meyer* lehnte 1936 die »Nacktrevue« als dekadent ab, brachte der Truppeninspektion im deutschen Revuefilm aber viel Verständnis entgegen.

RINGEN. »Natürlichste Form des Zweikampfs ohne Waffen« (*Meyer* 1936). Erlaubt sind Griffe wie der Seitenaufreißer, Kopfdurchzug und Ellenbogengelenkschlüssel, verboten hingegen Doppelnackenhebel, »amerikanische Krawatte« und Strangulation.

ROBINSONLISTE. Der Artikel »Robinsonade« (*Brockhaus* 1996) klärt auf über Romane und Erzählungen in der Nachfolge Daniel Defoes, »dessen Held als Verkörperung des aufgeklärten, rationalistisch-prakt. Menschen gilt, der, ungeachtet aller Schwierigkeiten, Zivilisation und Kultur in die Wildnis der Natur bringt«. Freitag, getreuer Diener und edler →**Wilder,** hilft ihm dabei und muß dazu so manche Fronarbeit verrichten. Wer sich heute unabhängig fühlen und ein bißchen Freiheit und Abenteuer schnuppern will, findet im *Brockhaus* (1996) erste Hilfe. Man muß nur in Wiesbaden anrufen. Dort gibt es »beim Dt. Direktmarketing-Verband« ein »seit 1971 geführtes Verzeichnis, in das sich jede Privatperson kostenlos eintragen lassen kann, wenn sie keine adressierte Direktwerbung erhalten will«.

ROBOTER. *Meyer* führt 1902 das Stichwort »Robot (v. slaw. robota, ›Arbeit‹)« auf, worunter »in den slawischen Ländern, namentlich auch Österreichs«, die »Bezeichnung für Frone« zu verstehen ist. »Nachdem die Robote schon durch das sogen. Robotpatent der Kaiserin Maria Theresia vom Jahre 1775 gemildert worden waren, wurden sie durch Gesetz vom 7. Sept. 1848 und kaiserliches Patent vom 4. März 1849 gegen Entschädigung aufgehoben.« Durch den Roman *R. U. R.* (1920) des tschechischen Schriftstellers Karel Čapek (1890–1938) wurde der heutige Begriff populär. Im *Brockhaus* von 1928 (der entsprechende Band ist 1933 erschienen) ist der Roboter »ein künstlicher Mensch, d. h. eine Puppe, die Bewegungen ausführt, aber nicht – wie gewöhnlich – durch Ablauf eines Uhrwerkes, sondern auf Grund bestimmter Befehle, die auf drahtlosem Weg übertragen werden. Der Roboter scheint daher von sich aus zu handeln, z. B. aus dem Sitzen plötzlich aufzustehen und zu gehen. Darin liegt das Mystische dieser Erscheinung.« Das Lexikon zeigt wenig Ehrfurcht vor der Erfindung, denn »der technischen Grundidee nach ist diese Figur ziemlich einfach: Im Innern des Roboters befindet sich eine drahtlose Empfangsanlage, in der die drahtlos erteilten Befehle aufgefangen werden.

Die hier in Stromschwankungen umgesetzten Befehle werden elektrischen Relais zugeführt, die entsprechende Bewegungen des ihnen zugeordneten Gliedes (z. B. Heben des Beines) auslösen.« Vielleicht gilt der Roboter 1933 als »ziemlich einfach«, weil ihn kein deutscher Wissenschaftler ersonnen hat: »der Roboter wurde um 1928–30 in Amerika erfunden«. Im *Brockhaus* ist 1996 von der Einfachheit der Roboter nicht mehr viel zu spüren. Anfangs behauptet das Lexikon, daß »im allgemeinen Sprachgebrauch« unter Roboter »eine automat. Maschine verstanden« wird, »die dem Aussehen des Menschen nachgebildet ist oder die Funktionen des Menschen ganz oder teilweise übernimmt«. Das klingt noch simpel, doch dann hagelt es Bedingungen und Kautelen: Roboter »müssen in der Lage sein«, benötigen »eine entsprechende Sensorik«, »Voraussetzung für ihren Einsatz ist«. Was sie können oder können sollen, erklärt *Brockhaus* 1996 nicht.

ROCKER. »Roller« nennt *Brockhaus* 1892 eine Schleichkatze, einen Käse, groben Schrot und eine »merkwürdige Wellenbewegung« im Südpazifik. 1996 bilden die einst so wilden Rocker und Roller nur noch eine »etablierte Subkultur mit Freizeitgruppen und Musikclubs«. Rollerähnliche Wellenbewegungen durchlief auch der Begriff »Rockmusik«: Noch 1977 galt sie *Brockhaus* als »Sammelbegriff für alle jugendspezif., gegen die Erwachsenenwelt gerichteten gruppenmusik., progressiven Stilrichtungen, die sich ab 1963 entwickelt haben«. Als man ihrer »lautstarken Monotonie« überdrüssig wurde, verbündeten sich »apparative Manipulationen« und Adaptionen anderer Musikstile zu einem »reizvollen Experimentierfeld«; allerdings würden die »differenzierten progressiven Gestaltungen« neuerdings von »regressiven« Revivals zurückgedrängt. 1996 ist für *Brockhaus* die Rockmusik von altem Schrot und Korn erledigt: Einst »naturhaftes Ausdrucksideal« einer halbstarken Generation, friste sie heute, trotz immer neuer Impulse aus Beat und Jazz, Funk und Punk, Reggae und Rap, nur noch eine eher kümmerliche Existenz als »schablonenhafte Massenware« im »lokalen Kulturangebot«.

ROMAN. Am Anfang war der Roman ein Ritterepos. Allein, die Welt wurde prosaischer, die Männer schwächlicher und griffen immer »seltener mit entschiedener Willenskraft in das Leben ein« (*Meyer* 1902); sie bildeten sich, zumal in Deutschland, lieber tatenarm und gedankenvoll zum Menschen fort. Der Romanheld, höhnte Hegel, will ein »Loch in die Ordnung der Dinge« stoßen und begnügt sich dann doch mit seinem Mädchen; deshalb nennt man zuweilen mit *Meyer* auch die »Liebesangelegenheiten des wirklichen Lebens« einen Roman. *Brockhaus* unterschied 1817 voller Pathos die dramatisch-heroische Zeit des Aufstiegs der »lebendigen Tätigkeit und Kraftäußerung« von der götter- und heldenlosen Epoche des Abstiegs, in der »mehr die Kräfte und Elemente der Handlungen als die Handlungen selbst zum Vorschein kommen« und »der kalte Ernst einer strengen Causalität« die epische Lust am phantastischen →**Abenteuer** abkühlt. Im Zeitalter der Prosa und der Vereinzelung kann die »Charakterzeichnung der Menschheit« nur noch als Bildungsroman gelingen: »Individuelle Bildungsgeschichte derselben, Leben und Schicksal eines Einzelnen von seiner Geburt bis zu seiner vollendeten Bildung, an und mit welchem aber der ganze Baum der Menschheit nach seinen mannichfaltigen Verzweigungen in der schönen Stillstandszeit seiner Reife und Vollendung deducirt wird. Lehrjahre des Jüngers, bis er zum Meister erhoben ist, das ist der Roman«, dekretiert *Brockhaus* und meint damit im Grunde nur einen: Goethes *Wilhelm Meister.* Nur »in dem so idealisch organisirten Deutschlande mit der schönen wirklich eigenthümlichen Empfänglichkeit seiner Bewohner für reine Ausbildung des Menschen an sich« konnte der Roman so zu seiner »schönsten Blüthe« reifen. Die Engländer und Franzosen schufen dagegen »vermittels des Raffinements und Verachtung aller Gesetze der Kunst kolossale Gebilde riesenhafter Kraft«, wie das jungdeutsch inspirierte *Damen-Conversationslexikon* 1835 nicht ohne Neid anerkennt: den realistischen Gesellschaftsroman, der »alle Interessen der Zeit« und selbst die Poesie der Zukunft in seinen Kreis zieht. Der deutsche Roman, das Leitmedium der idealistischen Selbstvergewisserung des Bürgertums, aber zog »auf den Höhen der Litteratur« (*Brockhaus* 1892) weiter einsam seine Kreise und behauptete sich bis heute als »Gattung der unbegrenzten Möglichkeiten« (*Brockhaus* 1996).

ROMANTIK. Als Bezeichnung für etwas formlos Verworrenes ist der Begriff seit dem 17. Jahrhundert belegt. Rousseaus Erben deuteten Romantik pathetisch-schwärmerisch in die Einheit von Seele und Landschaft um; vor allem in Deutschland ging daraus eine Kunstreligion hervor, die den Bruch zwischen Endlichkeit und Unendlichkeit, Natur und Geist im Subjekt aufheben und so die Wirklichkeit poetisch wiederverzaubern wollte. Das *Damen-Conversationslexikon* insistierte 1835 noch ganz in diesem Sinne auf den progressiven Seiten einer Schule, die, wenn sie sich nicht wie der französische Romantizismus »in alle Abscheulichkeiten der Materie« verliere, dereinst das »wahrhaft Moderne einer schönen, freien Zeit« hervorbringen könne. Die 15. Auflage des *Brockhaus* – der entsprechende Band erschien 1933 – machte daraus eine Art konservativer Revolution: Seine Romantik »vertieft das Gemeinschaftsgefühl und begreift Staat und Nation als sinnvollen Organismus«; »das vergöttlichte Ich tritt zurück gegenüber einem mystischen Volksbegriff«. Auf diesem Begriff konnte *Meyer* 1936 aufbauen. Romantik gilt ihm als Gegenbewegung zu Aufklärung und »abstraktem Kosmopolitismus«, als Vorläuferin einer »totalen Aufnahmebereitschaft des subjektiven Ichs« auch für die dunklen Seiten von Natur und Geschichte. Die »Überschätzung des Kontemplativen« und Fragmentarischen, die Flucht in die Vergangenheit oder gar in den Schoß der Kirche, vor allem aber die »allzu willige Hingabe« an eine »vielstimmige Gefühlsanarchie«, waren der »zuchtvollen Vitalität des neuen Menschentyps« allerdings weniger geheuer. *Meyer* tendiert unter Berufung auf Goebbels mehr »zu dem kraftvollen Bekenntnis einer ›stählernen Romantik‹«.

RÖMERIN. In alten republikanischen Zeiten, plaudert das *Damen-Conversationslexikon* 1835, sandte die Römerin »gern auch den Gemahl in die Schlacht, wenn es des Vaterlands Ruhm und Wohl galt«. In der Kaiserzeit wurde sie dann »prunksüchtig, üppig und grausam« und oft von ihren vernachlässigten Kindern ermordet. Heute ergibt sie sich fast nur noch dem »Lieben, Beten und Nichtsthun«, was sie indes nicht am Morden hindert: In ihrer Eifersucht wird ihr die Haarnadel »bisweilen zum Dolche«. »Es ist so leicht zu sündigen, wenn man liebt, und die Römerin liebt glühend, rücksichtslos.« Bei Volksfesten läßt sie die Maske fallen und »Neigungen blicken, die es begreiflich machen, wie einst ihre Ur-Urältermütter mit kaltem, ruhigem Auge dem Martertode der Blutzeugen, den schauerlichen Kämpfen der Bestien und Gladiatoren zusehen konnten.« Das Einkaufen und Kochen überläßt diese träge Bestie ihrem →**Cicisbeo.** Das römische Dienstmädchen hat daher genug Zeit und Talent, »ganz unberechnet plastische Stellungen anzunehmen« und macht sich dadurch den Malern unentbehrlich. »Nicht selten läßt sich sogar der Künstler von seinen Augen so weit fortreißen, daß er dem entzückenden Modell die Hand zum Ehebunde bietet, ein Verein, der gewöhnlich wegen der großen Trägheit und des heftigen Charakters der Römerinnen üble Folgen hat.«

ROTHÄUTE. Der »komplizierte Ursprung« (*Brockhaus* 1996) dieses Wortes hat in den Lexika viel Verwirrung gestiftet. *Meyer* führte es 1936 ahnungslos auf die bei Indianern »allgemein übl. rote Bemalung der Haut« zurück. *Brockhaus* dagegen hielt »redskin« schon 1892 für eine »augenscheinliche Mißdeutung des spanischen ›gente colorada‹«. Von einer roten oder gar bunten Hautfarbe des Indianers könne keine Rede sein; die Bezeichnung »rote Rasse« sei daher »ebenso falsch wie die andere Indier oder Indianer«. Noch 1864 aber sprach *Brockhaus,* ohne zu erröten, vom schwach ausgeprägten »Begriffsvermögen der rothen Rasse«. Kein Wunder, daß »aus dem Antlitz des rothen Mannes überall ein düsterer, theilnahmsloser Ernst, Trauer und Gedrücktheit« hervorleuchtet. 1996 weiß *Brockhaus* endlich, warum die Indianer sich in der ihnen von den Bleichgesichtern gleichsam aufgemalten Rothaut »aus traditionellen Gründen richtig umschrieben« sahen: Rot ist ihre Symbolfarbe für »kriegerisch«, und »viele Stämme betrachteten sich als aus roter Erde (Ton) geschaffen«. Noch verworrener ist übrigens die Etymologie des natürlichen Feindes der Rothäute, des »Yankees«. 1892 vermutet *Brockhaus* darin 1892 eine indianische Verballhornung von English oder Anglais, vielleicht auch Jankin (John); 1996 spricht er von einer Rückbildung des holländischen Jan Kees oder Kaas. In jedem Falle ist der Yankee, wie *Brockhaus* schon 1843 erkannte, ein »kalter Egoist«. Idealismus, Sentimentalität und die »abstracten Doctrinen des alten Europas« sind ihm fremd, und als Händler »hält er Betrug und List nur für zweckmäßigen Gebrauch seiner Kenntnisse und Fähigkeiten und Zutrauen für Beschränktheit«. Immerhin, sein »naturwüchsiger Humor läßt ihn das Unvermeidliche ertragen.« Der berühmte

»Yankee-Doodle« kann unter diesen Umständen aber nur ein »äußerst geistloses Lied« (*Brockhaus* 1892) sein.

ROUTINE war dem vormärzlich unruhigen *Brockhaus* 1843 noch eine längere Rüge wert. Der Routinier geht »auf der gewohnten Bahn fort, ohne zu wissen, daß es auch kürzere und sicherere Wege zum Ziel gibt«. Er mag »zuweilen ein brauchbarer Geschäftsmann« oder guter Beamter sein, aber er ist »verloren, sobald ihm etwas Ungewohntes aufstößt«; am häufigsten trifft man ihn unter Medizinern, wo der »Übergang vom Routinier zum Charlatan sehr gewöhnlich« ist. Routine verhindert manchmal »voreilige Versuche einer noch nicht reif gewordenen Theorie«, ist aber meist nur ein »Deckmantel veralteter Mißbräuche, das Schild der Trägheit und Unredlichkeit«. Überwunden wird sie durch »eine echt wissenschaftliche Bildung und mit diesem Geist studirte Theorie«. 1892 fertigte *Brockhaus* die »durch Übung erlangte Kunstfertigkeit« auf drei Zeilen ab; nach *Meyers* Eindruck von 1902 wird der Begriff »in der Theatersprache neuerdings mit dem Beigeschmack einer glänzenden, aber erstarrten Manier gebraucht«. Heute gilt der Routinier nicht mehr als geistloser Scharlatan, sondern, wenigstens im Fußball und in der Politik, als ganz ausgekochter Profi.

RUMORMEISTER. »Zur Zeit der Landsknechte ein zum Regimentsstabe gehöriger, dem ›Hurenwaibel‹ zugeordneter Offizier, der diesem im Lager, namentlich aber auf dem Zuge und während des Treffens in der Leitung des zahlreichen Heeresgefolges, der ›Huren und Buben‹, unterstützte. In der Regel ernannte man hierzu einen alten, kriegserfahrenen Krieger, der zum Waffendienste nicht mehr geeignet war.« (*Brockhaus* 1892).

RUTSCHBERGE sind »geneigte, auf einem schiefgebauten hölzernen Gerüste aufliegende Eisflächen, von welchen man mit Blitzesschnelle auf Schlitten herabgleitet« (*Damen-Conversationslexikon* 1835). In Paris gab es damals russische Rutschberge, »wo man auf Lehnsesseln in gerader Linie, schweizerische mit Felsdekorationen, wo man auch frei sitzend auf hölzernen Pferden hinrollen kann. Die prachtvollsten sind jedoch die französischen, auch Promenades aériennes genannt, wo man von einer weit beträchtlicheren Höhe in einem Halbzirkel hinab, und in der Mitte des Zirkels angekommen, gleich wieder hinauffährt, also die Reise gar nicht zu unterbrechen braucht.« Erlebnis-Achter-Eisbahnen, Halfpipes für Snowboards und Skihänge im urbanen Flachland sind also älter, als man bisher annahm.

S

SAISON. Mit der »fashionablen Welt« freute sich 1835 auch das *Damen-Conversationslexikon* auf die Zeit der festlichen Bälle und Konzerte. Nur die Kutscher sahen damals mit leiser »Schwermuth« der »Erntezeit der Modistinnen und Spieler, dem Opferungstermin der Ehemänner, dem point de mire aller gefall- und genußsüchtigen Schönen« entgegen: In Paris fällt die Saison nämlich auf die kalten Wintermonate. Im November bricht der Kulturherbst an. »Sie sind da, die tonangebenden Männer und Frauen, vor denen das neue Drama gelesen, die neue Composition aufgeführt werden soll… Sie sind da, die Schönen, die erobert sein wollen, die reichen Gimpel, die man rupfen muß.« Erst nach Ende der Saison darf »Madame wieder Mutter sein« und der gerupfte Monsieur seine »Angelegenheiten des Luxus in Ordnung bringen«. *Meyer* verstand 1902 unter Saison »die für bestimmte Gesellschaftsklassen oder Orte aus irgend einem Grund wichtigste Zeit des Jahres«; alles andere war »Saison morte« oder »Sauregurkenzeit«. Später verkam die Hochzeit geselliger Vergnügungen zur »Hauptzeit geschäftlicher Unternehmen« (*Brockhaus* 1928), die »stets einen erhöhten Arbeitsanfall mit sich bringt« (*Meyer* 1936). Im *Brockhaus* von 1996 ist die Saison nur noch in prosaischen Komposita mit »Schlußverkauf« und »Arbeiter« präsent.

SALON. *Meyer*s Eintrag von 1902 ist ziemlich kryptisch: »Männerasyl, s. Kornwestheim«. Während man in Deutschland mit einer Gesellschaft »klappernde Schüsseln, pokulirende Männer und stummlächelnde Frauen« (*Damen-Conversationslexikon* 1835) assoziiert, verstand Frankreich darunter eine Art Frauenasyl. Den Salon führte meist eine Dame von Esprit und →**Repräsentation**, um die sich Herzöge, Politiker, Gelehrte, Schauspielerinnen, »Mimen von Ruf« und andere Künstler scharen, die »ihren Eintrittspreis mit süßen Tönen und angenehmer Conversation zahlen«. Aber »man muß nicht sprechen, wenn man keine Lust dazu hat, und man kann die witzigsten Wortspiele wagen, wenn man Geist genug dazu in sich spürt… Es wird nur Thee servirt, man will sich lediglich unterhalten, causer – schwatzen.« Die Schattenseiten dieses schönen Instituts sind denn auch »verderbliches Geklätsch«, vernichtende Bonmots und »Coterien von jeder Farbe«: Der Salon war nämlich auch eine »Pflanzschule der Eitelkeit, die nur auf das Effectmachen speculirt«. Die geistreichen Zirkel, einst Bühnen des freien Gedankenaustauschs zwischen Adel und Bürgertum, degenerierten im 19. Jahrhundert vom »Brennpunkt der Avantgarde zum Refugium der Tradition« (*Brockhaus* 1996). Die Talkshows (und angeblich auch die →**Berliner**) haben, wenn nicht den ästhetischen Tee, so doch das Geschwätz des Salons wiederzubeleben versucht.

SAMOA. Die Samoaner sind »schlank und gut gebaut« (*Meyer* 1902) bzw. »kräftig und schön gebaut« (*Brockhaus* 1902), in jedem Falle aber »reinlich und sittenstrenger« als die anderen Südseeinsulaner. Und unruhiger: Die »fortwährenden Ruhestörungen der Eingeborenen erwiesen die Notwendigkeit eines kräftigen einheitlichen Regiments, das naturgemäß den Deutschen hätte zufallen müssen«; englische Tücke, australische »Handelseifersucht« (*Brockhaus* 1892) und amerikanische »Quertreibereien« (*Meyer* 1902) zögerten dies bis 1899 hinaus. Von da an gediehen die »Rindviehherden der Deutschen Handels- und Plantagengesellschaft gut«. Zwar ließen sich die Samoaner »zur Eingehung eines dauernden Arbeitsverhältnisses nicht herbei«, sie zahlten aber »pünktlich« ihre Kopfsteuer. So sind inzwischen fast alle Bewohner des Paradieses an »europäische Civilisation, doch auch an deren Laster und Entartungen gewohnt« (*Brockhaus* 1892, Artikel »Sandwichinseln«).

SATIRE war für *Zedlers Großes vollständiges Universal-Lexicon* 1742 ursprünglich ein artiges »Schertz- und Stachelgedicht«, das trauernde Römer »ein wenig aufmuntern« sollte, später jede Schreibart, die »in der Freiheit des Geistes und in lustigen Einfällen« Torheiten und Laster der Zeit verspottet. Satire kann »gar vernünftig und nützlich« sein, denn »durch gründliche Demonstrationen überweiset man nur kluge Leute«, während man »bey Durchhechelung einer groben Narrheit« auch die dummen hin und wieder bessern kann. Sie darf ihre Opfer nicht schonen, weil »die Liebe der gantzen menschlichen Gesellschaft die Liebe einer eintzelnen Person« überwiegen muß. Der Satiriker trägt die Fackel der Aufklärung wie eine Schale mit Früchten (satura) vor sich her. Er bekämpft jede in »unverantwortlicher Weise gebrauchte Autorität und Herrschaft über den Verstand der Menschen, welche man zur Verblendung des von GOtt uns verliehenen Lichts der Vernunft, zur Erlangung grosser Macht, den Fortgang nöthiger und nützlicher Wahrheiten kräftig zu hindern, mißbrauchet«. Allerdings, so *Zedler* in einem verblüffenden Salto mortale, werden die Menschen durch Satire selten gebessert, indem dem Spötter nämlich immer wieder »Affecte wider gewisse Leute unterlauffen«: »Man erweckt damit Zänckerey, Verbitterung, und indem sich allezeit Leute finden, die sich damit kützeln, so kan darüber in einer Republik grosse Unruhe entstehen.« Viel mehr haben die Lexika über die Satire seither nicht in Erfahrung zu bringen gewußt; nur, daß ihr ästhetischer Wert davon abhängt, ob der Satiriker »vom Standpunkt eines Ideals oder einer persönlichen Befangenheit seine kritischen Urteile fällt« (*Meyer* 1902). 1936 wurde *Meyer* deutlicher: »Der Mißbrauch der Satire führt zu Zersetzung, Zerstörung oder Verhöhnung aller Lebenswerte.«

SATTELSELBSTGURTER. Der Sicherheitsgurt des Reiters: Spiralfedern ziehen den Sattelgurt selbsttätig um so fester an, je mehr »der Pferdeleib (besonders infolge der Verdauung) allmählich an Umfang verliert« (*Brockhaus* 1892). Die alten Deutschen betrachteten jede Art von Sattel als Verweichlichung und »griffen infolgedessen die Kavallerie der Römer rücksichtslos als Weichlinge an« (*Meyer* 1902). Später lernten sie ihren Komfort aber schätzen. »Im Jahre 1649«, berichtet *Zedler* 1742 im Artikel »Sattel« von einem Vorläufer des Campinganhängers, »ist in Straßburg ein Sattel verfertiget worden, in dessen Fächern ein Zelt, ein Falttisch, sechs Stühle, und ein gantzes Tischgeräthe verborgen gelegen.« Früher mußten straffällig gewordene Adlige einen Sattel zur Hinrichtungsstätte tragen, als Zeichen dafür, daß sie sich wie »unbändiges und unter den Sattel gehöriges Vieh verhalten« hatten. Diese Form des Justizstrafvollzugs –

es konnte statt des Sattels auch ein Hund sein – ist im modernen Straßenverkehrsrecht nicht einmal dann mehr vorgesehen, wenn dem Kavalier am Steuer Vieh unter die Räder gerät.

SAUERKRAUT. »Die Bereitung und der Gebrauch dieses Nahrungsmittels in der Küche dürfte wohl jeder Hausfrau bekannt sein, vielleicht aber nicht, daß in neuerer Zeit ein Doktor Huhn in Moskau den Versuch gemacht, es zu trocknen. Allein 1 Pfund davon soll zur Sättigung von 30 Menschen hinreichen.« (*Damen-Conversationslexikon* 1835).

SCHACHSPIEL. Eines der »edelsten und nachdencklichsten Spiele« (*Zedler* 1742), überaus beliebt bei Indern, Indianern und den Bauern »zu Ströpke im Halberstädtischen«. Manche verwerfen es jedoch, weil »allzu vieles Nachdencken dazu erfordert wird, mithin ein guter Theil der Zeit, die man unstreitig zur Erlernung besserer Künste und Wissenschaften verwenden könnte, dadurch verderbet wird«.

SCHAFFEN, positives. »Das französische Volk hat, wie im Staate so auch im Sozialen, bisher nur das Verneinen verstanden, nicht das positive Schaffen; es hat für die Besserung des politischen wie des socialen Zustandes jene ausdauernde Hingebung nicht besessen, welche notwendig ist, um langsam aber sicher vorwärts zu kommen.« (*Brockhaus* 1875, Artikel »Arbeiterbewegung«). Der bündige Bescheid über den Rhein hinweg kam, ziemlich genau drei Jahre bevor das »positive Schaffen«, zwar nicht des deutschen Volkes, aber der Reichsleitung unter Bismarck, in der »socialen Frage« die Gestalt eines Ausnahmegesetzes »wider die gemeingefährlichen Bestrebungen der Sozialdemokratie« (21. Oktober 1878) annahm.

SCHAMHAFTIGKEIT. Die Schamesröte auf den Wangen einer Jungfrau war für das *Damen-Conversationslexikon* 1835 der »glänzende Faden am Gürtel der Venus«, der »gleich einem himmlischen Thautropfen den zartesten und zugleich reinsten Seelenschmerz birgt«. Es gibt keine »reinere und geistigere Wallung als die, welche bei unzarter Berührung des idealen Selbstbewußtseins die Frauen plötzlich bewegt«. Und doch haben Männer immer wieder roh an diesem Keuschheitsgürtel herumgefingert, um jenes ideale Selbstbewußtsein aufzuschließen. »Meist errötet man nur bis zum Halse«, enthüllte 1902 der vorwitzige *Meyer* im Artikel »Schamröte«, »viele erröten bis zur Brust, manche auf dem ganzen Körper.« Das Tier kann im Prinzip auch →**erröten,** »es fehlt ihm nur an einer feinfühlig entwickelten Psyche«. *Brockhaus* ließ 1928 seine Blicke bei der ägyptischen »Scham« noch tiefer schweifen: »So schämt sich z. B. die Fellachin, ihr Gesicht zu zeigen, und entblößt ihren Körper, um es verhüllen zu können.«

SCHÄNDUNG. »Befleckung oder körperliche Verletzung einer Person oder einer von den Menschen mit Pietät gepflegten Sache« (*Brockhaus* 1892), z.B. Entmannung, Defloration, Päderastie, »Abschneiden von Nasen und Ohren«, Leichenschändung. Eine Schändung gilt nicht immer als »qualifiziertes Verbrechen«, manchmal sogar nur als grober →**Unfug.**

SCHAUSPIEL. Schon im alten Griechenland, mutmaßt 1742 *Zedlers Grosses vollständiges Universal-Lexicon,* erkannte die weise Obrigkeit, daß »die Leute doch auch ihre Ergötzung haben wolten und haben müßten, welche man ihnen lieber öffentlich in gewisser Ordnung vergönnen, als sie heimlich zu schlimmen Dingen, nach eines jeden unordentlichen Einfall und Neigung verfallen lassen wolte«. So entstanden, um Schlimmeres zu verhindern, Komödien (Gassenspiele) und »dergleichen Unfug«. Dabei ging es anfangs »gar beißig und aufwieglerisch her, daß manchem ehrlichen Manne dadurch das Volck auf den Hals gehetzet und selbiger dergestalt um Leib und Leben gebracht wurde; welches doch mit der Zeit nachließ«, aber nie ganz aufhörte. Statt in sich zu gehen, bekam der Pöbel nur immer »mehr Lust, die gesehene Narrheit und Bosheit nachzuahmen«, in dem Irrglauben, daß, »was den Göttern recht wäre, noch mehr denen Menschen billig seyn« müßte. Tragödien dagegen zeigen »grosse und wichtige Dinge, die einen unglückseligen Ausgang genommen«, um das Publikum »zu witzigen und zu warnen«. Ein vernünftiger Christenmensch darf demnach kein »ärgerliches« oder »anzügliches« Schauspiel besuchen, aber durchaus ins Theater gehen, selbst wenn »Unflätereyen und unsinnige Erdichtungen« ihm oft nur »einen Eckel« machen. Immerhin halten die »offenbaren Ergötzlichkeiten« das Volk vom »Sauffen und Kartenspiel in Häusern, Faullentzen, Spatzier- und Müssiggang« ab. Nützlicher wären freilich »ehrliche Leibes-Übungen«, Pferde- und Schlittenrennen oder Exerzieren; und auch das Geld, »welches die Zuseher, jedoch gar leidlich, geben müssen«, könnte besser angewendet werden. Aber weil das Schauspiel durch Erbauung und Erweckung der »schläffrigen Einbildungs-Krafft« philosophische Seelenruhe und gute Sitten befördert, darf man sich ruhig hin und wieder »zierliche Täntze und mäßig angebrachtes Singen« im Theater zu Gemüte führen. »Lächerliche Stellungen und Verdrehungen des Leibes« sind aber unbedingt zu meiden.

SCHEIBENWISCHER. Lexika hatten schon immer den Anspruch, technische Errungenschaften der Zeit zu erklären (→**Digital-Analog-Umsetzer,** →**Kommunikation).** Was einst die →**Dampfmaschine,** ist heute der Scheibenwischer. *Brockhaus* erklärt 1996 mit akribischer Liebe zum Detail die »Reinigungsvorrichtung für die Windschutzscheibe (auch Heckscheibe) von Kraftwagen, Schienenfahrzeugen, Schiffen, Flugzeugen«. Dabei führen »ein oder zwei Wischerhebel, die die mit Wischgummis versehenen Wischblätter tragen, eine gleich- oder gegenläufige Pendelbewegung aus und halten die i.d.R. kreissegmentförmigen Blickfelder frei. Der Antrieb erfolgt meist über ein Gestänge durch einen Elektromotor mit umlaufender oder pendelnder Antriebswelle. Bei starker Verschmutzung lässt sich eine Scheibenwaschanlage zuschalten, die mittels einer Pumpe Spülflüssigkeit aus einem Vorratsbehälter zu Sprühdüsen fördert und auf die Wischfläche spritzt (auch für Fahrzeugscheinwerfer).« Die verschiedenen Formen der Hebelsysteme werden in einer Abbildung gezeigt.

SCHEINCONSTITUTIONALISMUS »nennt man ein politisches System, welches unter den äußeren Formen des Constitutionalismus mehr oder weniger eine Fortdauer absolutistischer und bureaukratischer Herrschaft Vorschub leistet. Ein solcher Scheinconstitutionalismus bestand bis 1848 in allen deutschen Staaten, auch den der Form nach nicht mehr absolutistisch regierten.« (*Brockhaus* 1875, Artikel »Constitutionalismus«). Das Lexikon deutet nur ganz vorsichtig an, daß trotz Verfassung, allgemeinem Wahlrecht und (beschränkten) Grundrechtsgarantien auch das Bismarckreich im Kern scheinkonstitutionalistisch blieb, insofern »der Reichkanzler der einzige verantwortliche Minister« war und »in Hinsicht auf parlamentarische Ministerverantwortlichkeit« auch nach 1871 ein erhebliches konstitutionelles Defizit bestehen blieb – ganz zu schweigen von den Verhältnissen in Preußen mit seinem Dreiklassenwahlrecht und einer extrem ungleichen Wahlkreiseinteilung, die die Konservativen auf Kosten von Liberalen und Sozialdemokraten bevorzugte.

SCHEINTOD. Die Urangst vor dem Lebendigbegrabenwerden brachte, wie *Meyer* 1902 stirnrunzelnd bemerkt, allerlei »wunderliche Schutzmaßnahmen« und »überflüssige Erfindungen« hervor: Alarmsarg, Totenklingel und »Ventilation der Gräber«. Dabei schließt doch »die Feststellung der sogen. Totenflecke jedes Lebendigbegrabenwerden mit Sicherheit aus«. Für »zweifelhafte Fälle« schlägt *Meyer* zur Vorsicht aber die »Anwendung von Ätzpaste«, Elektrizität und Kitzeln der Nase vor. Nach dreitägiger Leichenschau, versichert er 1936 mit einigem Recht, besteht »die Furcht, scheintot begraben zu werden, zu Unrecht«. *Brockhaus* empfahl schon 1892 als absolut »sichere Vorbeugungsmaßregeln« das »Verbot der zu frühen Beerdigung, Überwachung der Leichen und obligatorische Leichenöffnung«; relativ sicher als Maßnahmen zur Wiederbelebung sind demnach »reizende Klistiere« und Brechmittel. Bei der Wiederbelebung nach Marshall-Hall wird der Scheintote fünfzehn Mal pro Minute hin- und hergewälzt; die »Methode von Sylvester« besteht darin, die Zunge des Halbtoten längere Zeit herauszuziehen; in höchster Not hilft auch die »Scheintodpistole«, eine Art Schreckschußrevolver. Das *Damen-Conversationslexikon* hielt 1835 Frauen für »mehr zum Scheintode geneigt als Männer« und alle Reanimation letztlich für überflüssig. Warum sollte ein »glimmender Lebensfunke mit zarter, leiser Hand wieder angefacht« werden? »Der Tod lauert stets in der Nähe, um die Rolle seines gespensterhaften Doppelgängers selbst zu übernehmen.«

SCHICKSAL. Ein Schicksal zu haben war im Dritten Reich eine »Hervorhebung«, denn »dem Unwesentlichen und Wehrlosen wird kein Schicksal zuerkannt«, wie *Meyer* 1942 mehr drohte als versprach. Freilich enthob die Einsicht in die »reine, unabänderliche Tatsächlichkeit« allen Geschehens nicht von der Verpflichtung, den »Schicksalskampf« bis zum bitteren Ende auszufechten. Im Gegensatz zum feigen Kismet- und Karmaglauben der Orientalen und dem »verängstigten, tatenlosen, unschöpferischen Fatalismus« von Christen- und Judentum ist der Deutsche nämlich »in bezug auf das Schicksal frei, zu schaffender Tätigkeit und, unausweichlich, zu tapferem Ausharren oder Kampf, ja oft zu heroischem Untergang bestimmt«. Es gehörte, unausweichlich, zur Ironie des Schicksals, daß die 1936 begonnene achte Auflage des *Meyer* über den Buchstaben S nicht hinauskam.

SCHIESSPULVER. Die *Brockhaus*-Ausgabe von 1882 widmete dem Thema viereinhalb Spalten, die Komposita eingeschlossen sogar sieben Spalten. Halb soviel reichte für die Schlacht bei Sedan am 1./2. September 1870, die wegen der Gefangennahme Napoleons III. angeblich »weltgeschichtliche Bedeutung« erlangt und diesseits des Rheins »allgemeinen Jubel« hervorgerufen hat. Im Artikel »Republik« waren die Lexikographen weniger gesprächig. Dafür genügte ihnen eine halbe Spalte.

SCHLACHTFELDER sind, wie wir aus Karl Kraus' *Reklamefahrten zur Hölle* wissen, »vielleicht gut genug zur Hebung des Fremdenverkehrs, aber niemals ausreichend zur Hebung des sittlichen Niveaus dieser Menschheit«. Einer Welt, die in Reiseprospekten (»Schlachtfelder-Rundfahrten im Auto! Unvergeßl. Eindrücke – Als Herbstfahrt besond. zu empfehlen«) das Grauen von Verdun zum Ziel einer Vergnügungsfahrt machte, glaubte Kraus nicht mehr helfen zu können. *Brockhaus* war 1892 kein zynischer Schlachtenbummler: Er kümmerte sich im Gegenteil mit einspaltiger deutscher Gründlichkeit um die Kadaver- und Altlastenbeseitigung auf dem Schindanger der Geschichte, vorzüglich also darum, »ob alles zur Fäulnis Neigende gehörig beerdigt, verscharrt oder beseitigt« sei. Die »Hygiene der Schlachtfelder« ist »von größter Bedeutung«: »Dieselbe soll derartig sein, daß der Verpestung der Luft durch Fäulnisgase wie einer Durchsetzung des Wassers mit Leichenjauche vorgebeugt wird.« Die deutsche Kriegsführung trug immer schon ökologischen, um nicht zu sagen: grünen Einsichten Rechnung. »Namentlich Massengräber« durften keinesfalls zu dicht an Landstraßen, auf Wiesen oder an Quellen angelegt werden; auch ein »Tieferlegen der Gräber« kam nur ausnahmsweise in Betracht. Dagegen sind »die Anwohner der Leichenfelder, wenn möglich, zu veranlassen, ein Besäen oder Bepflanzen der Begräbnisstätten, nötigenfalls auch →**Desinfektionen** und Neuaufschüttungen, vorzunehmen«. Was aber, wenn die Anwohner nicht mehr zur Begrünung der Leichenhügel herangezogen werden können? Der zuverlässigste Totengräber ist noch immer die Natur. »Bei genügender Eindeckung der Gräber gewährleistet der Erdboden die größte Sicherheit gegen Gesundheitsschädigungen durch Leichenanhäufung … Theoretisch wäre gerade auf Schlachtfeldern die Verbrennung von Menschen- und Tierleichen und anderem fäulnisfähigen Material sehr zweckmäßig. Praktisch hat sich dieselbe nicht bewährt. Durch die neuern Verbrennungsöfen ist die Frage in ein neues Stadium getreten«. Offenbar stand die deutsche Schlachtfeldhygiene damals an einem Wendepunkt; die Folgen der Tieferlegung des sittlichen Niveaus ließen sich in ihrem ganzen Ausmaß erst nach 1945 überblicken. »Zwischen ungesunder, weil das Wesen des Krieges völlig verkennender Verlustscheu und unnützem Hinopfern der Truppe den richtigen Weg zu finden«, bemerkte *Meyer* 1902 unter dem Stichwort »Schlacht«, »ist Sache der Führer.«

SCHLAGER. Österreichische Wortschöpfung von 1881. Das Phänomen ist allerdings gesamtdeutsch und älter; als erster deutscher Schlager gilt »Freut euch des Lebens« von 1793. Für *Brockhaus* war Schlager 1928 »zunächst Schlagwort der musikal. Zeitungskritik für ein Stück, das durchschlagenden Erfolg hat, jetzt für Bücher oder Waren, die reißend abgesetzt werden«. Formal bezeichnet es ein →**Lied** mit einprägsamem Kehrreim, das »inhaltlich nicht selten die Grenzen sinnloser Albernheit überschreitet« und »in rein geschäftl. Absicht vielfach beinahe fabrikmäßig hergestellt wird«. *Meyer* rechnete den Schlager 1936 schon deshalb nicht zur »echten Volksmusik«, weil es »sich nur selten um volksmäßige Melodien« handle. Vor 1933 hätten »die aus Juden- und Negerkreisen der Vereinigten Staaten von Amerika importierten Schlager mit ihren schwül-sinnlichen, sentimentalen oder läpp. Texten zersetzend gewirkt«. Die Denunziation des Schlagers als Schund und »Negermusik« (→**Neger**) setzte sich nach 1945 fast bruchlos fort. »Der Plattenspieler ist die Gebetsmühle des von Weltangst befallenen Zivilisationsmenschen«, predigte A. M. Rabenalt 1959, »der Schlager ist seine betäubende Litanei.« Er beliefert, so Adorno, »die zwischen Betrieb und Reproduktion der Arbeitskraft Eingespannten mit Ersatz für Gefühle überhaupt, von denen ihr zeitgemäß revidiertes Ich-Ideal sagt, sie müßten sie haben«. In den 1970er Jahren wurde der Schlager im Zuge der Entdeckung von Alltags- und Trivialkultur zögernd rehabilitiert; nur böse Menschen hatten keine Lieder. 1971, als Roy Black und Rex Gildo im Zenit ihres Ruhms standen, hält *Meyer* den Schlager zwar immer noch für ein »typ. kommerzielles Massenprodukt«, dessen Texte »einige wenige Reizvokabeln um die Wunschprojektionen Liebe, Sehnsucht, Abenteuer, Heimweh« gruppieren. Der Sozialarbeiter im Enzyklopädisten entdeckt jedoch erstmals »anspruchsvolle, chansonartige, selbst sozialkritische« Untertöne, die dem »Jugendlichen auch als scheinbare Orientierungshilfe in einer komplexen, nicht durchschaubaren Umwelt dienen« und »vielfach gesuchten Bindungsersatz« bieten. Selbst läppische Schnulzen können jetzt zu »gewichtigen Indikatoren individueller Erfahrung und Entbehrung« werden, obwohl ihre Wirkung »nach Ansicht der Sozialpsychologie oft überschätzt« wird. Seit 1996 mag *Brockhaus* die klassische Trennung zwischen Schlager und Volkslied »nicht mehr aufrechterhalten«.

SCHLANGE. Das *Damen-Conversationslexion* beschreibt Evas Schoßtier 1835 als laszive Klimaanlage: »Jede vornehme →**Römerin** hatte außer ihrem Mathesischen Schooßhündchen auch eine eigene Favoritschlange… Es war dieß eine kleine Schlange von der zahmen und unschädlichen Art, die man gewöhnlich epidaurische Drachen nannte. Man nahm diese Lieblinge mit an Tisch und in's Bett, und die Damen von etwas hitzigem Temperament rühmten die kältende Natur dieser Thiere außerordentlich, ließen sie sich wie eine Halskette um den Nacken winden und hatten sonst mancherlei Kurzweil und Zeitvertreib mit ihnen. Streckte die Römerin die Hand aus, so schlang sich der Drache aus dem Schooße seiner Pflegerin an die Herrin hinan, und sie wies nun dem schmeichelnden Liebling unter allerlei Liebkosungen sein Ruheplätzchen an ihrer Brust unter der Tunica an, wo er, zwischen dem Busen sich anschmiegend, eine angenehme Kühlung ausströmte.«

SCHLITTENFAHRER nennt *Brockhaus* 1892 englische Schwindelfirmen, die von London aus arglose Deutsche betrogen; großes Aufsehen erregte damals der Kölner »Schlittenfahrerprozeß«. Hierzulande heißt eine »derartige Gaunergesellschaft häufiger ›Schwarze Bande‹«.

SCHMERZ. Das Unangenehmste am Schmerz ist, daß er weh tut. Schmerz »nennt man eine eigenthümliche hervorstechende und unangenehme Empfindung. Ursprünglich bezieht sich dieses Wort nur auf unangenehme körperliche Empfindungen, dann aber bezieht man es auch auf Unlustgefühle, die in der Seele selbst ihren Grund haben.« So beginnt *Brockhaus* 1827 mit der Definition des Schmerzes. Der Artikel weist auch auf positive Aspekte hin, die heute kaum noch betont werden: »Wohlthätige Folgen kann der Schmerz haben, indem er die Seele aufmerksamer auf das Leiden ihres Körpers macht, als es ohne ihn geschehen würde, und daher den Menschen antreibt, sich um Hilfe zu bemühen. Aber auch als mächtiges Ableitungsmittel wirkt der Schmerz oft heilsam auf die verirrte Aufmerksamkeit der Seele, wenn das Bewußtsein selbst schlummert oder unterdrückt ist.« Außerdem kann er zur Mäßigung beitragen: »Endlich müssen wir auch noch in Anschlag bringen, daß der Schmerz als Zaum und Gebiß für das Übermaß in sinnlichen Genüssen und als moralisches Zuchtmittel bei Manchen wohlthätig wirkt, deren harte Haut schon starke Schläge verlangt, wenn das moralische Selbstgefühl erwachen soll. Jeder zu hoch getriebene Genuß wird zum Schmerz, weil er als störendes Object für das Gemeingefühl wirkt und also Schmerz erregt, sowie das Aufhören eines jeden Schmerzes schon an sich als Lust empfunden wird, weil die Störung in den Nervenverrichtungen des Gemeingefühls aufhört und das Selbstgefühl wieder zur vorigen Klarheit und Ruhe zurückkehrt.« Schön, wenn der Schmerz nachläßt. Später, etwa 1882, wird im *Brockhaus* die subjektive Seite des Schmerzes betont, denn Schmerz ist »jede unangenehme körperliche Empfindung, wenn sie einen gewissen Grad erreicht, deren eigentümliche Bestimmtheit aber nur durch die eigene Erfahrungen des Befallenen erkannt wird«. Im *Meyer* ist der Schmerz 1902 nicht mehr nur Gefühl, sondern eher eine auf physiologischen Vorgängen beruhende Empfindung: »Man nimmt jetzt meistens an, daß der Schmerz durch eigne, keine weitere Leistung übernehmende Nerven vermittelt werde, und rechnet ihn zu den Sinnesempfindungen. Früher zählte man ihn zu den Gemeingefühlen, also zu denjenigen Empfindungen, die im Bewußtsein das ganz allgemeine Gefühl des körperlichen Wohl- und Unwohlbefindens hervorrufen.« Schmerz wird als ein Phänomen betrachtet, das die Gattung Mensch neben wenigen anderen Tierarten auszeichnet: »Der Schmerz ist ein Warnungs- und Schutzmittel, das erst auf den höheren Stufen der Tierwelt zur Geltung kommt und gewissermaßen eine Errungenschaft der fortgeschrittenen Entwickelung darstellt.« – »Die Aufmerksamkeit steigert den Schmerz«, ist 1902 im *Meyer* zu erfahren. Auch die Schmerzbetäubung nimmt – etwa ein halbes Jahrhundert nach Erfindung der Anästhesie – jetzt breiteren Raum ein: »Die Schmerzempfindung kann zeitweise fehlen bei Abwendung der Aufmerksamkeit, bei örtlicher Einwirkung der Kälte (lokale Anästhesie durch Ätherdampf oder Äthylchlorid), nach Bepinselung der betreffenden Stelle mit Kokainlösung, nach Einspritzung von Kokain und ähnlichen Mitteln ins Rückenmark (Lumbalanästhesie), bei gehemmter Leitung durch die Nerven (z. B. nach Nerven- oder Rückenmarksverletzungen) und bei gehinderter Perzeption durch das Gehirn, z. B. im Rausch oder der Narkose.« Allerdings gehören Schmerz und Gefühl trotz aller Hinweise auf die Sinnesphysiologie noch immer eng zusammen: »Die gewöhnliche Folge und Äußerung des Schmerzes besteht im Weinen.« (*Meyer* 1902). Erst am Ende des langen Artikels kommt die Rede kurz auf den psychischen Schmerz, dem in früheren Ausgaben mehr Platz eingeräumt wurde: »Dem gewöhnlichen körperlichen, physischen Schmerz steht gegenüber der Seelenschmerz, der psychische, ein bis zum Affekt gesteigertes Gefühl, das durch gewisse Vorgänge in der geistigen Sphäre, im Gebiete der Vorstellungen entsteht, seien diese mehr intellektueller oder mehr moralischer Natur, so bei großem Verlust, Reue, Trauer etc. Ist der Seelenschmerz dauernd und tief, so macht er allmähliche Übergänge zur Melancholie; ist er heftig und plötzlich, so kann er sich ebenso wie der körperliche zu Exaltationszuständen steigern.« Im *Brockhaus* wird 1928 dem Seelenschmerz immerhin zugestanden, daß er »viel zur Vergeistigung des Menschen beitragen« kann (→**Weltschmerz**). Vgl. dazu das Standardwerk von »L. Dumont: *Vergnügen und Schmerz* (1876)«. In der neuesten Ausgabe des *Brockhaus* sind die Ausführungen über psychische und physische Ursachen und Auswirkungen des Schmerzes erheblich zusammengeschnurrt. Sie werden als »primär subjektives Erlebnis mit sensor. und emotionalen Anteilen« beschrieben (*Brockhaus* 1996). Vielleicht liegt es an dieser Sprachlosigkeit, daß hierzulande immer noch so wenig gegen Schmerz getan werden kann: »Die Situation in Dtl. ist bis heute durch eine Unterversorgung chron. Schmerzpatienten (8–11% der Bev.) gekennzeichnet. Dem geschätzten Bedarf von 1500 bis 2000 schmerztherapeut. Einrichtungen stehen etwa 150 vorhandene gegenüber, davon nur eine einzige spezialisierte (DRK-Schmerzzentrum Mainz).« (*Brockhaus* 1996, Artikel »Schmerzklinik«).

SCHNUPFEN. Die Dinge, die Menschen wirklich beschäftigen (→**Erkältung**), kommen in heutigen Lexika (wie auch in heutigen Medizinbüchern) kaum noch vor. 1812 werden dem Schnupfen im *Brockhaus* hingegen ganze sechs Seiten gewidmet. Schließlich handelt es sich ja auch um »die bekannte Krankheit«, bei der »ein leichtes Frösteln«, »Hitze des Körpers, besonders Nachmittags und Abends«, »zuweilen selbst Kopfschmerz, besonders vorn in der Stirn« den Betroffenen heimsucht. Zusätzlich entsteht »ein häufiger Ausfluß einer dünnflüssigen Feuchtigkeit, die nicht selten tropfenweise beständig aus der Nase fließt«. »Man hielt den Schnupfen für einen Ausfluß einer schädlichen Schärfe im Körper und deshalb für ein Beförderungsmittel der Gesundheit«, schreibt *Brockhaus*, der sodann die lexikalische Rolle in der Gesundheitsvorsorge selbstbewußt betont. »Da deshalb die am Schnupfen Leidenden selten ein Mittel dagegen anwenden, und sein Einfluß auf die Gesundheit wirklich sehr bedeutend ist, so liegt es uns ob, durch eine nähere Betrachtung desselben die Urtheile darüber zu bestimmen.« Über den »Ausbruch des Schnupfens« ist zu erfahren, daß die Ursachen solche sind, »welche nun wirklich die Thätigkeit des arteriellen Haargefäßsystems der Schleimhaut zum Exzeß bringen«, was »vorzüglich bei Nordost- und Nordwestluft« der Fall ist. Mit einem bis heute über Generationen weitergetragenen Volksglauben räumt *Brockhaus* bereits 1812 auf: »Es ist irrig, wenn man glaubt, daß man dem Schnupfen dadurch entgeht, wenn man sich recht warm hält.« Im Gegenteil: »Gerade diejenigen, die in warmen Stuben sich aufhalten, sich in Pelz und Wolle einhüllen, erkälten sich, wenn sie von einem rauhen Lüftchen bestrichen werden, und haben beinahe beständig den Schnupfen. Die krankhafte Empfindlichkeit, in welche die Haut durch diese Verzärtelung versetzt wird, pflanzt sich auch auf die innere Haut der Nasenhöhle fort, und gibt die Anlage zu chronischem Schnupfen, der aus Mangel an Energie sich nicht entscheidet, sondern sich immer auf jede kleine Veranlassung erneuert.«

SCHNÜRBRUST. 1812 will *Brockhaus* dem Körper der Frau zu mehr Geltung verhelfen, kann sich aber nicht entscheiden, wie bemerklich oder unmerklich die dressierenden Eingriffe sein sollen: »Die Idee der Schönheit fordert, daß der weibliche Körper in harmonischen Verhältnissen schlank, rund und voll sey, daß der Busen und Unterleib, jener in stärkerem, dieser in schwächerem Maße nach außen sich bemerklich mache. Der Uebergang in beiden Fällen auf die Hüften muß in ganz unmerklichen Wellenlinien von der Seite der Brust herunter mit unmerklich einwärtsgehenden, von Seiten über die Hüfte mit sanft auswärtsgehendem Bogen geschehen.« Aber Obacht: »Bei allen muß auch die schädliche Einwirkung auf die Nerven des Unterleibes in Erwägung kommen, die durch öftern Druck beleidigt und in ihrer Verrichtung gestört werden.« Schließlich kommt *Brockhaus* 1812 in einer überraschenden Volte sogar wieder auf die Natürlichkeit des Körpers zu sprechen und erweist sich außerdem als Kenner der weiblichen Anatomie: »Die Natur hat die Brüste nicht unter das Kinn versetzt, wohinauf man jetzt zuweilen sie gepreßt erblickt, sondern ihr Platz ist von der dritten bis zur sechsten oder siebenten Rippe, und hier sollen sie nicht als ein plattgedrücktes Bret, sondern in ihrer runden gewölbten Form erscheinen.«

SCHOKOLADE. Bedauerlich, daß die Zeiten vorbei sind, da Ärzte ihren Patienten Schokolade als →**Therapie** verabreichten. Dabei haben Schokoladen »einen Gehalt von Fett, das wegen seiner Emulgierbarkeit vom Körper leicht verdaut wird, wodurch der Arzt im Stande ist, einem Patienten eine genau dosierbare Menge Fett in wohlschmekkender Form zuzuführen« (*Brockhaus* 1892).

SCHÖNHEIT DES FRAUENZIMMERS ist nach den vollständigen Begriffen von *Zedlers Großem vollständigen Universal-Lexikon* von 1743 »eine äußerlich wohlgefällige Gestalt und höchstangenehme Disposition des weiblichen Leibes, so aus einer richtigen Proportion, Grösse, Zahl und Farbe der Glieder herrühret, und dem weiblichen Geschlechte von Gott und der Natur mitgetheilet, auch durch eigene Politur und angewendete künstliche Verbesserung immer mehr und mehr erhöhet wird.« Zu den dreißig Attributen der Schönheit des Frauenzimmers gehören: »nicht zu fett, nicht zu mager«, »kleine rötliche Ohren, so nicht allzu weit vom Haupte abstehen«, auch »weisse, mittelmäßige, runde und derbe Brüste«. Die »schlechte Pöbels-Gestalt« mag »nicht sonderlich anmuthig« sein; aber solche Weiber »gehen auch noch mit, und sind formae quotidianae, Alltagsgesichter«. Verbindliches kann man ohnehin nicht sagen, alldieweil »einer dieses, der andere wieder anderes schön und seinen Augen gefällig heißt«. Sind alle Merkmale der Schönheit versammelt, entsteht beim Mann »eine Begierde und Sehnsucht, der Liebe von der Schönheit zu genüssen«, aus welcher leicht »eine viehische und verbotene Liebe« wird. Umgekehrt haben sich die schönen Frauenzimmer »sonderlich wohl vorzusehen, daß sie nicht in Versuchung und schädliche Stricke fallen, und die edle Gabe nicht, sonderlich durch Unkeuschheit, Hochmuth und dergleichen, etwan mißbrauchen«. Dies um so mehr, als ihre Schönheit nur zu leicht verwelkt. Schon »ein kleines unsanfftes Lüfftgen eines Widerstands oder Widerwärtigkeit verkehret die klare weisse und zarte Haut in eine lappe, hangende, bleiche oder schwartzgelbe Haut«. Übrigens läßt sich Schönheit durch barocke Einbildungskraft frühzeitig planen. Bekanntlich müssen Schwangere nur das Bildnis eines artigen Kindleins anschauen, um schönen Nachwuchs zu gebären; am besten also, man beginnt »flugs mit dergleichen Einprägung im Beyliegen«. *Zedler* verwendet acht Spalten auf die Schönheit des Frauenzimmers; beim folgenden Stichwort, »Schönheit des Pferdes«, faßt er sich entschieden kürzer.

SCHÖNHEIT, männliche →**Lebenslauf.**

SCHÖNHEITSMITTEL. Schminke, Putz und »niedlichrüchende Delicatessen« sind, wofern nicht allzu üppig, »aus bösem Vorsatz, Geilheit und dgl.«

aufgetragen, durchaus erlaubt, um »schändliche Mißfarbe, Befleckung, Gestanck und andere widernatürliche Dinge abzuschaffen oder doch wenigstens zur Besserung zu bringen«. Kosmetik im Sinne von *Zedlers Großem vollständigem Universal-Lexicon* von 1743 ist praktizierte Nächstenliebe und ein Schutzschild der Gattentreue, denn wenn bei »einem Theile die Hässlichkeit einreisset«, frönt die andere ihrer Geilheit außerhalb des ehelichen Bettes. Es ist »demnach keine Sünde, sich nett und reinlich zu halten«, auch »jungfräuliche Eigenschafften wieder anzukünsteln« (sophisticatio virginum). Noch schöner ist es freilich, wenn das Frauenzimmer »starcke Compagnien«, Branntwein, Honig, Milch, Pfeffer (»machet geil und garstig«), warmes Wasser (machet »runtzlicht«) und Seife (»nutzt nicht eher als zur Noth, den Schmutz wegzunehmen«) meidet. Was die Ingredienzien der Schönheit betrifft, so rühmt Zedler Froschlaich-Pflaster, Ochsengalle und Ziegenfett. Der chemisch versiertere *Brockhaus* fügt 1882 Specksteinpulver, Wismut- und Zinkoxyd sowie die Harnsäure hinzu, die mit Hasenpfötchen oder Schwanenpelzbäuschchen aufgetragen wird. Das *Damen-Conversationslexikon* empfahl 1835 Erdbeeren, Bohnen, Gurken und andere Gartenfrüchte. »Die Kunst soll den Lauf der Natur hemmen«; doch sind nicht alle Schönheitsmittel dafür geeignet: Die törichte Lappländerin z. B. »salbt sich mit Thran, um den ewigen Schmutz zu bedecken«. Grundsätzlich will die europäische Frau ohnehin mehr durch »den Liebreiz einer reich ausgestatteten, frei sich äußernden Seele als durch des Körpers blendenden Reiz auf das Gemüth des Mannes wirken«. Insofern ist »jetzt die Zeit der Schönheitsmittel so ziemlich vorüber, und man sieht ein, daß Luft und reines Wasser die besten Kosmetika sind ... Dies also benutze die Jungfrau und das Weib, und sicher wird sie nie der trügerisch prahlenden und nur schädlichen Toilettenkunst zu huldigen brauchen, welche vom Parfümeur oder Apotheker den Liebreiz zu kaufen wähnt.« Die »Schönheitspflege« hat ungeachtet dessen weiter – und nach 1945 auch unter den Männern »beträchtlich« – an Boden gewonnen, so daß *Brockhaus* sie 1996 als »ursprüngliches Bedürfnis der Menschen« bezeichnen kann.

SCHREIBKRAMPF kommt bei Männern und »nervösen Individuen« häufiger als bei Frauen vor und macht »in hartnäckigen Fällen das Schreiben ganz unmöglich« (*Brockhaus* 1892). Abhilfe schaffen dickere Federhalter, Stromstöße oder aber »völliges Aufgeben des Schreibens«; ähnliches gilt übrigens für Melker, Schuster und Klavierspieler. »Neuerdings hat Nußbaum einen sehr zweckmäßigen Apparat angegeben, der mit gespreizten Fingern gehalten wird und die Führung des Federhalters erleichtert.« *Meyer* hält Nußbaums Bracelet, Maas' Atremograph und andere krampflösende Apparate dagegen für wenig sinnvoll und empfiehlt schon 1902 als »unter Umständen bestes Mittel gegen den Schreibkrampf die →**Schreibmaschine**«; 1936 legt er dem ermüdeten →**Schriftsteller** psychotherapeutische Entspannungsübungen ans Herz und »bei Erfolglosigkeit (häufig!): Schreibmaschine«. Heute gilt der

Schreibkrampf als »neurotisch bedingtes Symptom« (*Brockhaus* 1996) und Fluch jedes sensiblen Dichters.

SCHREIBMASCHINE. Wohltätige Erfindung, mit deren Hilfe jedermann »absolut schön und deutlich schreiben kann« (*Brockhaus* 1892). Einer ihrer Vorteile besteht darin, daß endlich auch Frauen, Invalide, Blinde und andere »billige Hilfskräfte zu geschäftlichen und amtlichen Schreibarbeiten herangezogen werden« können. Von geübten Maschinenschreibern wird »allgemein versichert, daß die Denkarbeit beim Arbeiten an der Schreibmaschine leichter vonstatten gehe, als beim Schreiben mit der Feder«. Allerdings ließ sich der alte Remington Type Writer nicht so leicht bedienen wie eine Erika, Gabriele oder gar die PC-Tastatur: »Die Hebel schwingen um Zapfen D in der Gestellplatte. Die kurzen Hebelarme B sind durch Drähte W mit den hölzernen Tastenhebeln L verbunden, welche um die Achse F des Maschinengestells schwingen. Beim Anschlag einer Taste A schlägt der Hebel H aus der Ruhelage in die Arbeitslage…«

SCHRIFTSTELLER. Früher – und leider oft noch heute – »Bez. für jemanden, der berufsmäßig (Bitt- oder Rechtfertigungs-)Schriften verfaßte« (*Brockhaus* 1996). Anders als beim Dichter setzt man bei ihm keine »bes. sprachschöpferische Phantasie und darstellende Gestaltungskraft« (*Meyer* 1936) voraus. Auch *Zedlers Großes vollständiges Universal-Lexicon* hat 1743 keine gute Meinung von den »Scribenten«: Sie wollen sich oft nur »unsterblich machen« und schreiben dafür ungereimtes Zeug zusammen, bei dem »das Hintere nicht mit dem Förderen zusammenhänget«. »Ob sie gleich in den Vorreden setzen, daß die Liebe zur Wahrheit, oder das Verlangen, ihrem Nächsten zu dienen, ihnen die Feder in die Hand gegeben, so glaubt man doch, daß viele wohl nichts antreibet als der Ruhm, ein Autor zu seyn, und die Begierde, ihren Nahmen in den Buchläden oder in den Journalen gedruckt zu sehen… Wer sich bey solchen Scribenten, die zum Ehrgeitz incliniren, einschmeicheln will, der muß ihnen viel vorschwatzen, wie ihre Schrifften trefflich abgiengen, wie noch keiner die Materie so, als wie sie, abgefaßt, wie die Ausländer wohl von ihnen urtheilten« etc. Zur Beurteilung ihres wahren Werts dienen alle Nachrichten über Name, Herkunft, Alter, Stand, »Gemüths- und Leibes-Gaben, Thaten und Verrichtungen, Todt und Begräbniß«. Kenner können auch aus den Büchern selbst (»theils aus dem Titul, theils aus der Vorrede«) »ziemlichermassen der Verfasser Gemüthe erkennen«, wie *Zedler* 1743 im Artikel »Schriften« selber unter Beweis stellt: Wer »nichts als Romainen und Liebes-Bücher schreibet, der scheinet wohl mehr zur Liebe und den Wollüsten als zur Gottesfurcht geneigt zu seyn.«

SCHRÖDER. Friedrich Ludwig (1744 bis 1816), Reformator des deutschen Bühnenwesens. Nach dem frühen Tod des Vaters von seiner Mutter erzogen, 1756 »in hilfloser Lage« in Moskau zurückgelassen, glänzte er erst als Schauspieler in Lustspielen und Balletten, später auch im tragischen Fach und als Theaterdirektor. »Schröders Streben nach Herstellung eines tüchtigen Repertoires und nach Ensemble der Darstellung, sein strenges Halten auf Sittlichkeit und Ordnung, v. a. sein eigenes Beispiel« (*Brockhaus* 1892) waren legendär. Er verschmähte »Zugeständnisse an wohlfeilen Beifall«, hatte jedoch als Autor mehr »die Anforderungen der Bühne als die der Dichtkunst im Auge«. Seine reizende Frau Sophie drang – unter anderem mit dem »drastischen Faltenwurf ihres Gewandes« – als Burgschauspielerin bis in »alle Tiefen eines blutenden Seelenschmerzes« vor und wurde nach der Heirat vollends »von dem heiligen Wehen des ernsteren Genius erfüllt« (*Damen-Conversationslexikon* 1835).

SCHULHYGIENE. Um Schülerleiden wie Veitstanz, Bleichsucht oder Schulkropf zu steuern (die »Schullehrerbräune« gehört als Rachenkrankheit eher zum Burn-Out-Syndrom der Pädagogen), empfiehlt *Brockhaus* 1892 ein »tadelloses Heizsystem«, saubere Turnhallen und gutgelüftete Aborte. Sein besonderes Augenmerk aber gilt, ähnlich wie beim →**Hühnerhaus**, der zentimetergenau gelösten »Schulbankfrage«: Die Höhendifferenz zwischen Bank und Tisch soll bei Knaben ein Achtel der Körpergröße plus 2,2 bis 4 cm (bei Mädchen 1–1,4) nicht unterschreiten; »sehr empfehlenswert sind Subsellien mit verschließbarer Minusdistanz nach Kunzes oder Kaisers System«. *Meyer* will 1902 die Mädchenbänke »der Kleidung halber um 1,3–1,5 cm erhöht« wissen, um den richtigen »Abstand zwischen Ellbogen und Sitzknorren« zu gewährleisten. Noch wichtiger ist die ergonomisch und medizinisch korrekte Verabreichung der Prügel, die »unbedingt den Forderungen des Schülers zu dienen haben, also eine ›Wiedergutmachung‹ sein müssen« (*Brockhaus* 1928). »Bezüglich der Schulstrafen verlangt die Hygiene, daß sie die Gesundheit der Schüler nicht schädigen dürfen; es sollen deshalb körperliche Züchtigungen keine edlen Teile, insbesondere nicht den behaarten Kopf, die Schläfe, das Ohr, den Nacken, die Kniekehle, den Unterleib treffen.« (*Brockhaus* 1892). *Meyer*s »Schulstrafen« durften 1902 überhaupt nur »bei moralischen Fehlern, Bosheit oder Roheit, nie bei Versäumnissen Platz greifen«. Unter diesen beengten Umständen konnte sich die Hygiene des Rohrstocks in der Kunze-und-Kaiser-Zeit kaum noch entfalten.

SCHWIMMEN. Das *Damen-Conversationslexikon* kennt das Schwimmen 1835 vor allem als bewährtes »Heilmittel wider das Schielen« und das Wasser als Laufsteg. Die Pariser Badeanstalten etwa sind »vollkommen im Interesse der Sitten organisirt«, der »etwas barokke Schwimmanzug« der Damen ist es nicht so ganz: Das Beinkleid ist unziemlich eng, »das Kamisol wie ein Nachtmantel gemacht«, und »der Kopf wird ziemlich ungraziös in eine Binde aus gummirtem Taffet gehüllt«. Im Grunde schwimmt der Mensch aber von allein. »Daher würde sich auch der des Schwimmens Unkundige vor dem Sinken bewahren, wenn er die Geistesgegenwart hätte, mit der Luft in seinen Lungen sparsam zu sein und keine seinem Halten über Wasser entgegengesetzte Bewegungen zu machen, namentlich nicht die Hände über das Wasser zu erheben.« (*Brockhaus* 1892) Gleichwohl hat sich, auch im Zivilleben, der Schwimmunterricht »des preußischen Generals von Pfuel vorzüglich bewährt«. *Meyer* rät 1902 zu Vorsicht (»Der Mensch kann sich nur durch geeignete Bewegungen vor dem Untersinken bewahren«) und ästhetischer Haltung bereits beim Kopfsprung: Die Engländer legen »Wert auf möglichst geräuschloses Hineingleiten des Körpers in das Wasser, während Schönheit der Haltung und Eleganz beim deutschen Springen maßgebend sind«.

SCHWINDEL ist »der Zustand von Verwirrung, in welchem sich die Seele wegen einer zu schnellen Folge von Körperbewegungen befindet. Sollen nämlich die Vorstellungen zu völliger Klarheit kommen, so muß dabei die Thätigkeit der Seele mehr oder weniger verweilen, um sie vollständig fassen zu können.« (*Brockhaus* 1812). Für das *Damen-Conversationslexikon* war der Schwindel 1835 kein Seelentaumel, sondern ein Mangel an mannhafter Vernunft, »eine Art Trunkenheit, welche stets die Folge einer Schwäche ist … In solchen Fällen gilt es sich zu ermannen, sich zuzurufen, daß man thöricht sei«. Man schließe die Augen und denke »erst vernünftig über die Lage und Unmöglichkeit der Gefahr nach«, ehe man sie wieder aufschlägt. Auf hoher See erhebe man sie besser zu Gott. Die Seekrankheit, »der höchste Grad von Schwindel«, ist nämlich »unbeschreiblich fürchterlich«. »Man möchte sich mit den Nägeln in die Pfosten eingraben, die Sinne schwinden, die Lust zum Leben und selbst die Gefühle für das Theuerste hören auf … Das beste ist Heiterkeit und Erlernen des Matrosengangs, Aufschauen gen Himmel und Muth.« Auch an der Reling gilt: »Geistige Kraft, fester Wille helfen unendlich viel, denn diese Krankheit ist zum Theil Nervenschwäche und Verzagtheit.«

SCHWINDSUCHT gilt in der folklorisierenden Rückbetrachtung als Modekrankheit bei Künstlern und Literaten des späten 19. und frühen 20. Jahrhunderts und wird heute gerne mit der Tuberkulose gleichgesetzt. *Brockhaus* versteht 1812 darunter jedoch jedweden »langwierigen krankhaften Zustand unter Abnahme der Masse und der Kräfte des Körpers. Unter dieser Benennung wird oft auch Auszehrung, Abzehrung, Hektik, Phthisis und Lungensucht verstanden. Wir behalten die Benennung Schwindsucht für den gemeinschaftlichen Namen aller der Krankheiten, bei welchen die Kräfte und das Fleisch des Kranken allmählig abnehmen und gleichsam verschwinden.«

SCHWULST. Plastische Beispiele für »die unrichtige Anwendung des Pathetischen und Erhabenen auf einen niedrigen und gemeinen Gegenstand« führt *Brockhaus* 1812 an. So berichtet das Lexikon von einem Geistlichen, der »in einer Leichenpredigt auf eine Bauersfrau« deklamiert haben soll: »Klagt ihr Eichen im Thale Josaphat, denn die Ceder aus Libanon ist gefallen!« Das andere Beispiel bezieht sich auf rhetorische Figuren, »die nur einer höhern Rede oder Schreibart zukommen«, etwa, wenn man »in einer gewöhnlichen Rede« sagen würde »es wird Tag! und man drückte dies durch die Worte aus: Schon hebt Aurora ihr Strahlenantlitz aus den Fluthen des Meeres empor.«

SECHSTER SINN. 1928 führt *Brockhaus* die »Blindenpsychologie« als eigenen Artikel auf, beschreibt darunter allerdings physiologische Phänomene. Schließlich ist ein Blinder »gezwungen, da ihm der Gesichtssinn fehlt, seine andern Sinne desto feiner auszubilden, um diesen zu ersetzen«. Dann wird die Argumentation ausholend. Zunächst geht es um Raumgefühl und Abstandsmessungen der Blinden: »Größere Gegenstände werden mit beiden Armen umfaßt und dadurch ungefähr abgeschätzt, noch größere Entfernungen werden durch Bewegungen des ganzen Körpers gemessen. Daß der Blinde dabei wirklich ›Raum‹ erlebt, beweist am besten die Existenz von blinden Mathematikern.« Dann wird den Blinden »der sog. Fernsinn oder sechste Sinn« unterstellt, denn »es fiel auf, daß die Blinden ruhende und geräuschlose Dinge, die sich in der Nähe ihres Kopfes befinden, wahrnehmen können, ohne sie zu berühren«. Auch konzise anatomische Angaben werden gemacht: »Der Sitz dieser Empfindung wird gewöhnlich in der Stirn lokalisiert.«

SEELE. Den Zusammenhang zwischen Seele, Himmel und (Fege-)Feuer haben Generationen von Klerikalen zu ergründen versucht; allein der Naturwissenschaft im 19. Jahrhundert ist es im Ansatz gelungen. *Brockhaus* erklärt 1882 (Artikel »Raketen«), daß die Raketen zu den »Steigfeuern« gehören, die als »Hauptteil eine cylindrische Röhre von starkem Papier oder Eisenblech« haben, »welche mit einem raschen Treibsatz in verdichtetem Zustande derart angefüllt ist, daß innerhalb des Satzes eine an einem Ende offene Höhlung, die Seele, bleibt«. Die Seele ist an einem Ende geöffnet, »an dem der Öffnung entgegengesetzten Ende durch ein Stück massiven Satzes, die sog. Zehrung, geschlossen«. Die genauen Vorgänge bei Entzündung sind unklar, doch »der Satz auf den Seitenwänden der Seele« fängt Feuer, verzehrt sich und »brennt unter starker Gasentwicklung allmählich ab«. Ob und, wenn ja, durch welche Öffnung sich die Seele verflüchtigt und mit welcher Geschwindigkeit sonstwohin aufsteigt, führt das Lexikon nicht weiter aus.

SELBSTENTZÜNDUNGEN wurden »lange bezweifelt«, sind für das *Damen-Conversationslexikon* 1835 »aber nichtsdestoweniger authentisch«. In jedem Falle trifft dieses »schreckliche Ende« meist nur »Trunkenbolde« und »alte Frauen, die sehr fett waren«; schuld daran sind ihre leicht entzündlichen alkoholischen Ausdünstungen. Bei der Obduktion von »Trinkern und Verbrechern, die sich vor der Hinrichtung Muth zutranken und, wie bekannt, aus Angst nicht berauscht werden und viel vertragen, roch nach Berichten bewährter Männer das Fett nach Alkohol«. Selbstverbrennungen traten erstmals bei »Gräfin Zangari und Bundi, die sich viel mit Kampferspiritus wusch«, auf, später auch bei einem Köhler und einem Fischerweib, das »todt, aber rauchend gefunden« wurde; »seit dieser Zeit sind die Beispiele häufiger geworden«. Doktor Muraire berichtet 1783 vom Fall einer »außerordentlich fetten«

alten Frau, die kurz vor ihrem Tod drei Flaschen Wein getrunken hatte; bei Madame Jauffret war »das Fett so reichlich vorhanden, daß es durch die Dielen des Fußbodens suppte«. Selbstentzündungen waren ein beliebtes Motiv des Schauerromans, etwa in Charles B. Browns *Wieland,* Kapitän Marryats *Jacob Faithful* und Dickens' *Bleak House. Brockhaus* verweist die »Selbstverbrennung« 1892 unter Berufung auf Liebigs Gutachten zum Fall der Gräfin Görlitz ins Reich der Fabel. Auch *Meyer* hält sie wegen des »großen Wassergehalts des menschlichen Körpers« für »unmöglich«; merkwürdig sei, daß in Frankreich, »namentlich von Säufern« oft, in Deutschland aber so gut wie nie über sie berichtet wurde.

SELBSTMORD war für *Brockhaus* 1812 »unsittlich« und eine Sünde wider den Geist, weil das »irdische Daseyn des Menschen« eine »Bedingung seines höhern Vernunftlebens« darstellt, auf dem seine Würde beruht. Der »freiwillige Tod« dagegen ist kein Selbstmord, insofern er »gewählt wird, um diese Würde zu behaupten, und für Ideen zu sterben«. Auch bei der gewöhnlichen Selbstentleibung sollten wir uns »bei allem Abscheu doch ein verdammendes Urtheil nicht anmaßen dürfen«, weil hierbei »physische und moralische Krankheit« zusammenkommen. Aus der statistischen Proportionalität zwischen Selbstmord und Ehescheidungen zog *Brockhaus* 1892 den Schluß, »daß diese beiden socialen Einrichtungen auf ähnliche Ursachen zurückzuführen sind«. *Meyer* widmet 1902 auch dem umstrittenen »Selbstmord bei Tieren« eine halbe Spalte. Es gibt ihn nicht. Wenn gefangene oder verwaiste Tiere in den Hungerstreik treten, so ist dies »eher auf eine Störung des Wohlbefindens als auf Selbstmordabsichten zurückzuführen, ebenso wie der Hund auf dem Grabe seines Herrn nur aus Trauer und Unlust zu fressen zugrunde geht«. Auch das Abstoßen von einzelnen Körperteilen bei Schalentieren geschieht nicht in selbstmörderischer Absicht; es gehört vielmehr zu den »Wohlfahrtseinrichtungen« der Natur.

SELTSAM ist 1812 im *Brockhaus* ein eigener Artikel und bezeichnet »alles Neue, was den Charakter oder Anstrich des Seltenen trägt, und daher von dem Gewöhnlichen und Erwarteten abweicht«. Es gibt jedoch feine Unterschiede zu anderen unerwarteten Adjektiven: »Sonderbar« sind demnach Handlungen, Ansichten, Ereignisse und Erscheinungen, die »in der Willkür des Menschen ihren Grund haben« und »in so fern sie von dem Allgemeinen abweichen, oder ein Streben nach dem Seltsamen verraten«. »Wunderbar« ist das Seltsame, »wenn es von der gewöhnlichen Naturordnung abzuweichen scheint«. Wenn das Seltsame »ein Ergebnis der menschlichen Laune« ist, »so heißt es bizarr«.

SENSIBILITÄT, sprachliche. Sie war nicht gerade das Markenzeichen von *Brockhaus* (1952), wenn es um die jüngste Vergangenheit ging. In dieser Ausgabe wird die Verfolgung und Vernichtung der »Zigeuner« gar nicht erwähnt. In der Ausgabe von 1966 wurden »Zigeuner« während des Nationalsozialismus nicht »ermordet« (*Brockhaus* 1996), sondern »hatten … schwere Verluste« (1966, Artikel »Zigeuner«), und die Indianer Haitis »starben« angeblich »durch Infektionskrankheiten bis 1533 nahezu aus« (1966, Artikel »Haiti«). 1996 heißt es dagegen: »Die Indianer wurden ausgerottet.«

SENSOPHON. Nachfolger des »physiologischen Telegraphen« des Holländers Vorsselmann, 1885 patentiert. Der leider in Vergessenheit geratene Apparat, ein Schreibtelegraph mit »Klopfer«, brachte auf elektromagnetischem Wege »das Gefühl zur Wahrnehmung«, indem er leichte Stromstöße auf die »Finger des empfangenden Beamten« (*Brockhaus* 1892) leitete.

SEUFZER. »Der unarticulirte, wehende Laut bei heftiger Affection des Gemüthes durch Sorge, Sehnsucht, bei großer Ermattung, körperlicher Anstrengung, oder auch Lungenbeschwerden und Engbrüstigkeit, welcher durch ein langsames, tiefes Einathmen, begleitet von einem schnellern Ausathmen, hervorgebracht wird. Tritt er bestimmter, stärker hervor, so geht er in Aechzen über, und endlich, in seiner höchsten Steigerung, ›erstöhnt er brunnentief, ein schweres, leeres / Qualerpreßtes Ach!‹« (*Damen-Conversationslexikon* 1835).

SEXUALITÄT ist 1882 im *Brockhaus* noch kein eigener Beitrag, obwohl der Begriff von dem Botaniker August Henschel schon 1820 in einer wissenschaftlichen Arbeit erwähnt wurde. Wohl aber kommen die Artikel Sexualorgane und Sexualsystem (»in der Botanik das von Linné aufgestellte Pflanzensystem«) vor. *Meyer* kennt 1902 zusätzlich noch die Sexualcharaktere und führt als umfangreichsten Beitrag die Sexualpsychologie auf, worunter »die Lehre von den Gefühlen und Trieben geschlechtlicher Art« verstanden wird. Allerdings geht es dann hauptsächlich um die »Verirrungen« der Gefühle und in der Psychopathia sexualis des *Brockhaus* ganz schön zur Sache. Liberal behauptet das Lexikon zwar: Das Geschlechtsgefühl »ist anfangs nicht mit völliger Sicherheit auf das andre Geschlecht bezogen und daher manchmal in der Form einer sinnlich angehauchten Freundschaft enthalten«. Der »Drang nach Ausübung des körperlichen Geschlechtsaktes (Detumeszenztrieb)« ist »normalerweise« mit dem »auf Besitz des Individuums des andern Geschlechts gerichteten Trieb (Kontrektationstrieb)« verbunden. Ein isoliertes Vorhandensein des erstgenannten Triebes »findet sich häufig zu Beginn der Pubertät und bei Schwachsinnigen und führt zu Onanie, die ohne Berührung oder auch nur Vorstellung eines Individuums des andern Geschlechts Befriedigung herbeiführt«. *Meyer* hält 1902 allerdings nicht nur einsame Onanisten für anormal, sondern auch den »Drang, das Individuum des andern Geschlechts nur zu berühren, auch wohl nur geistig sich ihm zu nähern (›platonische‹ Liebe), ohne daß dabei Erregung der Geschlechtsorgane vorhanden ist«. Zu den Perversionen zählt *Meyer* den Sadismus, die »Verbindung von Wollust mit der Lust an Schmerzen«. Wollüstig zählt der Artikel auf, daß sich Sadismus in »schmerzhaftem Pressen, Kratzen, Beißen« äußern kann, ja es »steigert sich zum Blutigstechen, Schlagen, Geißeln, Besudeln und gipfelt in Notzucht, Lustmord, Leichenschändung (Nekrophilie), Anthropophagie«. *Meyer* vermutet 1902, daß »dieser Verirrung« meist Männer erliegen, um dann die rassistische Keule zu schwingen: Denn »von vielen Naturvölkern wissen wir, daß ihnen der Raub, ja selbst die Wehrlosmachung durch Keulenschläge die Liebeswerbung ersetzt«. Der Masochismus hingegen ist »eine Übertreibung spezifisch weiblicher seelischer Eigentümlichkeiten«. Unter den Fetischisten sind besonders »Zopfabschneider, Stiefelfreier« zu nennen. *Brockhaus* räumt 1996 den »sexuellen Störungen« immer noch ebenso viel Raum ein wie den »biologischen Voraussetzungen sexueller Erregbarkeit« oder der »sexuellen Entwicklung des Menschen«. Ausführlicher noch werden die »Theorien sexueller Motivation« verhandelt. Hier scheint *Brockhaus* 1996 noch ganz dem Therapeuten- und Soziologenduktus verhaftet zu sein, etwa wenn »das frühe Trauma ichstabilisierend gewendet und symbolisch überwunden wird in einem erregenden Erlebnis des Triumphes über diese früheren psych. Verletzungen«. Daß Macht besser als Sex sei, wie manche Führungskraft gerne behauptet, darf bezweifelt werden, wenn sich in der sexuellen Erregung und im Orgasmus wirklich »Gefühle narzisst. Großartigkeit mit Gefühlen der Auflösung von Ichgrenzen, die kurzfristig wiedererlebbar sind«, überlagern sollten.

SICHERHEIT. Norbert Bischoff unterscheidet in einem »biologisch begründeten« Modell der Sexualität »zwei Komponenten« (*Brockhaus* 1996, Artikel »Sexualität«): »Die Bindung mit primär vertrauten Partnern bietet Sicherheit, aber wenig Erregung; dagegen kann sich sexuelle Motivation i.e.S. nur auf Partner richten, die zunächst fremd sind und erst sekundär vertraut werden.«

SIEBEN. Die heilig-magische Zahl par excellence – von den sieben Weltmeeren, den sieben Weisen bei den Griechen, den sieben Weltwundern, dem siebten Himmel im Islam, den sieben freien Künsten, der siebentägigen Schöpfungsgeschichte, den sieben Tugenden und den sieben Worten Christi am Kreuz usw. Auf das Wort »Besiebnen« weist *Meyer* (1839–55) hin. Es bezeichnet den mittelalterlichen strafrechtlich-prozeduralen »Gebrauch, vermöge dessen ein Verbrecher, welcher der Tat nicht geständig ist, durch die beschworene Aussage von sieben Zeugen für überwiesen geachtet und verurteilt wurde«. Man hielt das Verfahren für unzuverlässig, aber was man statt dessen einführte, war nicht genauer, sondern nur brutaler: die Folter.

SILO war zunächst keine in der Landwirtschaft gebräuchliche Einrichtung, sondern eine in der französischen Fremdenlegion (gegründet 1831) »eingeführte außerordentliche Disziplinarstrafe«: »Eine Art von Bärengrube, so tief und eng, daß die hinein geworfenen Soldaten in der Regel weder ordentlich sitzen noch stehen können. Der Verurteilte, falls er nicht gutwillig hinabsteigt, wird hinab geworfen, so daß er die Leiter hinunter auf die Köpfe seiner Kameraden rollt. Im Sommer ersticken die Armen fast vor Hitze, während sie im Winter bis an die Knie im Wasser stehen müssen. Die einzige Nahrung ist Brot und Wasser.« (*Meyer* 1839–55).

SKLAVEREI. Gustave Flaubert zählte die »Verteidigung der Sklaverei« ebenso zu den »schicken Ideen« der zeitgeistigen Salonkultur wie die Verteidigung der Bartholomäusnacht. – Victor Schoelcher (1804–1893) lebte noch, als *Brockhaus* 1882 den elsässischen Journalisten und Philanthropen, der in der Revolution von 1848 den Vorsitz in einer Kommission der Nationalversammlung zur Abschaffung der Sklaverei innehatte und später Abgeordneter von Martinique wurde, ins Lexikon aufnahm und seine Verdienste für »die Freilassung der Negersklaven« würdigte. Schoelcher steht bis heute in jedem französischen Schulbuch für den Geschichtsunterricht, und François Mitterrand würdigte ihn (neben dem Sozialisten Jean Jaurès und dem Widerstandskämpfer Jean Moulin) in seiner prächtigen Inszenierung zur Amtseinführung am 21. Mai 1981 mit einer Kranzniederlegung im Panthéon. – Die letzte Ausgabe von *Brockhaus* (1996) belehrt über die Verdienste des Journalisten Peter Scholl-Latour (geb. 1924), des Choreographen Uwe Scholz (geb. 1958) und des Theologen Friedrich Schorlemmer (geb. 1944). Die Leistung Schoelchers für die universelle Durchsetzung der Menschenrechte steht seit über hundert Jahren außerhalb jeder Diskussion, aber »brockhauswürdig« ist sie nicht mehr.

SOLDATEN. Einer populären Wandersage zufolge war die häufigste Verletzung bei in Deutschland stationierten US-Soldaten auf defekte Getränkeautomaten zurückzuführen. Aus Wut über eine verweigerte Ausgabe demolierten die G.I.s nicht selten den →**Automaten**, der ihnen das Bier vorenthielt, daraufhin umstürzte und seinen potentiellen Kunden verletzte. So weit hätte es nicht kommen müssen. *Brockhaus* klärt 1928 – lange vor der Stationierung amerikanischer Truppen in Deutschland – über die rechtlichen Aspekte auf (Artikel »Automat«): Beim Kauf aus dem Automaten liegt »ein gewöhnl. Kaufvertrag vor, bei dem Vertragsschluß und Erfüllung zeitlich zusammenfallen«. Noch wichtiger: »Versagt der Automat, so hat der Käufer gegen den Verkäufer einen Bereicherungsanspruch.« Beim Automatendiebstahl kommt es außerdem darauf an, was geklaut wird. »Will der Täter lediglich Nahrungs- oder Genußmittel oder andere Gegenstände des hauswirtschaftl. Verbrauchs in geringer Menge oder von unbedeutendem Wert zum sofortigen Verbrauch entwenden, so handelt es sich in allen Fällen, auch bei gewaltsamem Erbrechen, nur um Mundraub.« Will der Soldat in der Fremde einheimischen Weisen lauschen und hat nicht das passende Kleingeld, sind die rechtlichen Folgen 1928 noch unklar: »Das Erschleichen der Leistung eines sog. Leistungsautomaten (automatische Musikwerke und Waagen usw.), z. B. durch Hineinwerfen eines falschen Geldstückes, ist bisher strafrechtlich kaum zu erfassen.«

SOLDATENSPRACHE. Der braune *Meyer* attestiert der Soldatensprache 1942 unter Berufung auf Begriffe wie Gulaschkanone, Spieß oder Knarre »Ursprünglichkeit, Sinnlichkeit und Angemessenheit des Ausdrucks« sowie einen »stark satirischen und selbstironischen Charakter, der aber i. allg. in den Grenzen eines urwüchsigen Humors bleibt«. Nur wenige Seiten nach seiner Hymne auf das deutsche »Soldatentum« (»Durchbruch zu höchstem Sinne und letzter Weihe … edle Verbindung von Wahrhaftigkeit und Friedensliebe«) und seine Sprache verschlug der Weltkrieg *Meyer* selber die Soldatensprache. Immerhin konnte er noch festhalten, daß die Soldatensprache zusammen mit Gauner- und Studentensprache, Jiddisch und Jägerlatein zu jenen »niederen Sondersprachen« gerechnet wird, die »meist barbarischen Mischungen mit Fremdsprachen« entspringen.

SOMNAMBULISMUS. Man hat schon schlafwandelnde »Bediente gesehen, die aufstanden, ein Licht ergriffen, die Treppe herabstiegen, als ob sie Jemand vorleuchteten, und an der Hausthüre ein tiefes Compliment zum Abschiede machten« (→**Fernsehen**). Bei Geistesmenschen und solchen, die sich dafür halten, beobachtet *Brockhaus* 1812, daß sie nicht nur ihr Tagwerk fortführen, sondern auch bei vormaligen Schreibhemmungen oder anderen Beeinträchtigungen der Schaffenskraft somnambul schöpferischer wurden als während mancher tagträumerischen Tätigkeit: »Gelehrte standen auf, gingen an ihr Pult, und schrieben das bei weitem genügender nieder, was sie im Wachen beschäftigt hatte, als es sonst würde geschehen seyn, machten bessere Vorträge als sonst u. s. w.« Das Lexikon gibt auch in folgenden Ausgaben nicht Goethes Tip aus *Dichtung und Wahrheit* weiter. Goethe, der schon mal nachts ein Gedicht »in der Diagonale herunterschrieb«, hatte damit zu kämpfen, daß ihn »das Schnarren und Spritzen der Feder« aus seinem »nachtwandlerischen Dichten aufweckte« und sein »kleines Produkt in der Geburt erstickte«. Nach diesen Erfahrungen benutzte er »weit lieber einen Bleistift«.

SOUFFLEUR. Einbläser im Theater. *Brockhaus* hatte 1892 von der deutschen Schauspielkunst keine allzu hohe Meinung: »In Frankreich spricht der Souffleur infolge der vielen Proben nur bei wirklicher Gedächtnislücke, in Deutschland verbitten sich nur einzelne Künstler das ständige Begleiten.«

SOZIALISTENGESETZ. Am 21. Oktober 1878 verabschiedete der Reichstag ein Gesetz »gegen die gemeingefährlichen Bestrebungen der Sozialdemokratie«, wodurch die Partei verboten und die Parteiführung zum Teil ins Exil vertrieben wurde. Bismarck nutzte zwei Attentate, um im Reichstag eine Mehrheit zusammenzutrommeln für das Ausnahmegesetz. Die Attentäter hatten mit der sozialdemokratischen Partei nichts zu tun. Auch die ab 1875 publizierte aktuelle Auflage des *Brockhaus* (der Band mit dem Artikel »Sozialdemokratie« erschien 1879) stellte schon fest, daß »kein direkter Zusammenhang der Attentäter mit den sozialdemokratischen Führern nachgewiesen worden ist«, konstruierte aber – ersatzweise – einen »indirekten Zusammenhang zwischen den Attentaten und der sozialdemokratischen Bewegung«. Über die Natur dieses Zusammenhangs erfährt man nur recht Ominöses von der Art,

»daß Geist und Gemüt der urteilslosen Masse von dem sozialdemokratischen Gift des Umsturzes infiziert« worden seien. Mit Bismarcks Rücktritt endete auch die Zeit des Ausnahmegesetzes, während dessen Geltung die Sozialdemokratie zur wählerstärksten Partei geworden war. Fast dreißig Jahre später werden die Sachverhalte bei *Meyer* (1902) noch unklarer dargestellt: »Die ganze Agitation war seit 1870 eine entschieden revolutionäre... Nachdem die Reichsregierung, um dieser Agitation, die zu einer ernsten Gefahr für den sozialen Frieden und das gemeine Wohl geworden war, wirksam entgegentreten zu können, im Reichstag vergeblich eine Verschärfung des Strafgesetzbuches versucht hatte, griff man nach den Attentaten von Hödel und Nobiling auf Kaiser Wilhelm (11. Mai und 2. Juni 1878), in denen man eine Folge jener Agitation erkennen mußte, zu dem Mittel eines Ausnahmegesetzes gegen die Sozialdemokratie.« →**Ausnahmegesetze.**

SPION. »Person, die mit Anwendung von Täuschung, List und Betrug Nachrichten über das feindliche Heer einzuziehen versucht« (*Brockhaus* 1892). »Die öffentliche Meinung hält die Thätigkeit des Spions überhaupt für ehrenrührig, doch widmen sich auch Offiziere im Interesse des eigenen Heers dem Spionendienst im anderen Lande selbst in Friedenszeiten.« Diese ehrbaren Spione heißen, wie später auch in der DDR, »Kundschafter«. Auch der »Doppelspion« kann »ausgezeichnete Dienste leisten«, wenn es sich um eine »für uns unbedingt zuverlässige Persönlichkeit« handelt. Da dies aber selten zutrifft, darf man potentielle Verräter nur mit Unwesentlichem und »gänzlich Überflüssigem« füttern.

SPIRITISMUS. »Je wilder und roher die Zustände der Menschheit sind«, befand *Brockhaus* 1892 selbstgefällig, »desto mehr pflegt dieser Glaube zu herrschen, der sich erst bei höhern Graden zunehmender Verstandesthätigkeit mehr und mehr verliert.« Ungeachtet dessen treibt dieser »uralte Spuk im aufgeklärten Europa ärger denn je« sein Unwesen. Überhaupt ist die theoretische Unmöglichkeit des Verkehrs mit Geistern »keineswegs streng beweisbar«; Lessing und Kant verwandten sogar viel Scharfsinn auf die Erkenntnis der Bedingung der Möglichkeit des Spiritismus. Doch ist hier, wie auch bei den →**Geistersehern,** das meiste »grobe Mystifikation« und geschmackloser »hinterlistiger Betrug«. »Selige und unselige Geister« sollen – etwa auf Dr. Hares »Psychographen« – Gedichte schreiben oder Harmonika (»die dabei gelegentlich im Zimmer sich herumbewegen«) spielen, Tische rücken und Ofenschirme zertrümmern können? »Reiner Humbug«: Jeder Hund leistet mit seiner Nase Erstaunlicheres als das spiritistische Medium »unter Beihilfe ungewöhnlicher Organisationsverhältnisse der Muskulatur«. Erzherzog Johann von Österreich entlarvte eigenhändig etliche Schwindler. »Die angeblichen Geister«, höhnte 1902 selbst der aufgeschlossenere *Meyer* über läppische Manifestationen und Materialisationen, »entpuppten sich nicht selten als weiße, künstlich gefaltete Lappen.« Gleichwohl feiert der »weitgehend diskreditierte« (*Brockhaus* 1996) Spiritismus neuerdings wieder fröhliche Urständ auch im Herzen der Zivilisation.

SPIRITUOSEN. »Die geringere Empfänglichkeit der Farbigen gegen Wechsel- und Sumpffieber beruht auf allgemeiner Anpassung der tropischen Bevölkerung an ihr Klima, vielleicht auch darauf, daß im Gegensatz zu den in den Tropen lebenden Europäern die Eingeborenen meistens keine Spirituosen genießen.« (*Meyer* 1902, Artikel »Krankheit«).

SPLEEN. Für Baudelaire Frucht des Ennui, für *Brockhaus* 1892 »eine Form der Melancholie mit hypochondrischen Zügen«, die durch »Mangel an geregelter Beschäftigung, Übersättigung an allen Lebensgenüssen« und eine »besonders nach der Pubertät stärker hervortretende Konstitutionsanomalie« verursacht wird und daher zu Unrecht als englische Nationalkrankheit gilt. 1827 waren es für *Brockhaus* jedoch bloß die Engländer, die »bei aller Glücksfülle und Wohlbefinden ihrem Leben ein Ende machen, ohne daß sich ein moralischer Grund des →**Selbstmords** entdecken ließe«. Das *Damen-Conversationslexikon* erklärt sich den Widerspruch 1835 so: Was das unerträgliche Klima nicht vermag, vollendet das »durch Schwelgereien zerrüttete und in Folge deren überreizte und daher schwache Nervensystem« des Briten. Der Spleen führt bei den »von ihren fast verrückt zu nennenden Ideen eingenommenen Sonderlingen« zu den »possierlichsten Sonderbarkeiten«, meist aber nur zu Langeweile. »Merkwürdig, daß der reisende Engländer häufig von Spleens heimgesucht wird, die den Charakter des →**Heimwehs** annehmen.« Lord Lindsay, Mitglied des Traveller Club und bekennender Exzentriker (»Ich bin Englishman und tue, was mir beliebt«), galt Karl May daher als »spleenig«.

SPORT ist, wie der →**Spleen**, »ein eigentümlicher Zug des englischen Nationalcharakters« (*Brockhaus* 1892), später dann jede »im Freien ausgeübte Tätigkeit zur Förderung der körperlichen Leistungen, verbunden mit dem ehrgeizigen Bestreben, auf einem bestimmten Gebiete Hervorragendes zu leisten« (*Meyer* 1902). »Als ideale Seite des Sports wird oft angegeben, es solle dem Vaterland ein starkes Geschlecht erzogen werden, in der Praxis tritt aber oft die Gewinnsucht in den Vordergrund«, zu schweigen von Krankheiten, Verkrüppelungen und der »Vernachlässigung der Schönheit der Körperhaltung«. »Man sieht«, tadelt *Meyer*, »nur auf die Erreichung eines bestimmten Ziels und nimmt äußerst häßliche Stellungen und Bewegungen selbst bei Frauen gleichgültig in den Kauf.« Für die Wehrkraft »ist die Pflege des Sports zweifellos von Vorteil«; dagegen geschieht die Übertragung des Begriffs auf das »Fahren in Motorwagen«, Geflügelzucht, Briefmarkensammeln und Aquarienliebhaberei »unberechtigterweise«. 1928 fand *Brockhaus* das »Herz von Sportsleuten bedeutend größer als bei normal arbeitenden Menschen«: Seine maximale Ausdehnung erreicht das sogenannte »Sportherz« ausgerechnet bei den Rennfahrern, während das von Max Schmeling so großartig besungene »Herz eines Boxers« und auch das des Schwerathleten ganz am Schluß der Rangliste schlägt. Sport gilt jetzt als liberalistischer Exzeß, »ein Kampf, ein Spiel der freien Kräfte«, bei dem im Gegensatz zu den »mannigfaltigen Bindungen« beim Turnen die Höchstleistung und das Individuum herausgestellt wird; 1936 kennt der Wehrsport-*Meyer* nur noch völkische »Leibesübungen«. Der jüngste *Brockhaus* beschreibt 1996 den Sport als »spielerische Selbstentfaltung«, Freizeiterfüllung, »zweckfreies Leistungsstreben«, Mittel gesellschaftlicher Bildung und, wofern im Verein betrieben, auch als »Teil einer im Sozialen angesiedelten Lebenshilfe«. Die »Versportung der Gesellschaft« ist kaum noch aufzuhalten; doch werfen unschöne Begleiterscheinungen wie Tierquälerei, Doping und Hooligans die »Frage nach den ethischen und sinnhaften Grundlagen des Sports neu« auf.

STAAT. »Der Staat ist mit den Menschen von selbst gegeben.« (*Brockhaus* 1864). Der Satz stand wörtlich schon in *Brockhaus' Bilder-Conversations-Lexikon* von 1837 mit dem Untertitel »Ein Handbuch zur Verbreitung gemeinnütziger Kenntnisse und zur Unterhaltung«. Damals unterschied *Brockhaus* zwischen »menschlichen Gesellschaften ... welche der Natur des Menschen ihr Dasein verdanken«, und solchen, »welche von der Willkür der Menschen geschaffen sind«. Diese sinnvolle, wenn auch im Einzelfall sehr schwer belegbare Unterscheidung fehlt in der Ausgabe von 1864. Das führt geradewegs in die mißliche Situation, daß das Lexikon – zwei Zeilen nachdem es dem Staat »Natur- und Vernunftnotwendigkeit« attestiert hat – sich halbwegs selbst dementieren muß: »Die Geschichte zeigt uns aber bei der Bildung wie Weiterentwicklung der Staaten viel Mechanisches, Gemachtes, Erzwungenes und daneben nicht minder viele Einseitigkeit in der Pflege der Lebenseinrichtungen.« Jeder Versuch, gesellschaftliche Einrichtungen dadurch zu legitimeren, daß man sie sozusagen als Naturprodukte verewigt, führt in solche Aporien. Das gilt auch für die Rechtfertigung der Todesstrafe als »natürlich« oder »angeboren« bzw. damit, »daß Thiere den Tritt mit Bissen, Naturmenschen einen Eingriff mit Gegeneingriffen erwidern«, da dies für den Staat keinen »Verpflichtungsgrund« abgeben kann, sondern diesen allenfalls auf dasselbe »bestialische Benehmen« reduziert wie den Mörder – heißt es sehr einleuchtend im Artikel »Todesstrafe« bei *Brockhaus* (1864).

STAATENGEMEINSCHAFT. Dieser gemütlich-anheimelnde Ausdruck spielt neuerdings immer dann eine besondere Rolle, wenn es um die Legitimation von militärischen Interventionen geht. So verwendet, erfüllt er etwa die gleiche Funktion wie der Begriff »Gleichgewicht, politisches« (*Meyer* 1839–55). Der Unterschied besteht freilich darin, daß die Begriffe »Gleichgewicht« und »Balance der Mächte« damals im kritischen Sinne gebraucht wurden, während »Staatengemeinschaft« rundgeschliffen affirmativ daherkommt. »Der an sich unbestimmte und vage Gedanke, der nie völlig realisiert, sondern in Bündnissen, Kriegen, Friedensschlüssen immer nur vorübergehend, im Interesse des Ehrgeizes und der Selbstsucht der Kabinette auf das Verschiedenartigste gewendet und gedeutet worden ist ... bahnte sich ... in die weiteren Krise der europäischen internationalen Staatsverhältnisse Bahn, wo ausschließlich Kabinettsintrigen und Machtvergrößerungsgelüste, nicht aber wahrhafte Volksinteressen und gerechte Volkswünsche die bewegenden Momente abgeben.« Was im Namen des »Gleichgewichts« nie gelang, sollten »die Grundsätze einer wahren menschenwürdigen internationalen Politik in Geltung« bringen.

STAATSRÄSON. →Legitimität.

STAKKATO. Aus Platzgründen bedienen sich Konversationslexika seit ihren Anfängen des Stilmittels der Verknappung. »Polen, amtlich Polska Rzeczpospolita Ludowa, Volksrepublik zwischen Karpaten und Ostsee, grenzt mit den unter poln. Verwaltung stehenden Gebieten im N (Ostpreußen), O, SO an die Sowjetunion, im S und SW an die Tschechoslowakei, im W an die Dt. Dem. Rep.« (*Brockhaus* 1966, Artikel »Polen«). Es ist ein weiter Weg von diesem platzsparenden Stakkato zurück zum poetischen, mit dem 1819 der Artikel »Polen« begonnen hatte: »Polen, ein Land, ein Volk und ein Staat, seit tausend Jahren fast nur durch Unglück denkwürdig.«

STAMMBUCH. Im 15. Jahrhundert begannen die Fürsten und Herren nach Abschluß ihrer Reichstage und Feste das Bedürfnis zu verspüren, ihren Kollegen »nach so viel fröhlich verlebten Tagen noch etwas bleibend Schönes« (*Damen-Conversationslexikon* 1835) mit auf den Heimweg zu geben: freundschaftliche Sentenzen, kraftvolle Devisen, Denksprüche, meist mit Wappen oder Zeichnung verknüpft. Später führten auch adlige Fräulein, Studenten und Gelehrte, ja sogar Handwerker und Mägde Buch. »Eine wahre Wuth, sein Stammbuch zu füllen, ergriff die Menschen, und viele Phlegmatiker wurden bloß aus diesem Grunde die leidenschaftlichsten Touristen und bestürmten mit ihrem Erinnerungsvademecum die Cabinete und Ateliers aller Celebritäten.« Der kleine Autogrammsammler und der Backfisch mit seinem Poesiealbum rächen sich mit ihrer Zudringlichkeit heute also nur dafür, daß die Großen der Welt ihnen nie etwas bleibend Schönes ins Stammbuch schreiben wollten.

STAND, DRITTER. Bei der Behandlung des »tiers état« (»dritter Stand«) macht es sich *Brockhaus* (1833, Artikel »Stand, dritter«) leicht, wohl auch aus Angst vor der Zensur. »Es gab eine Zeit, wo diese Benennung in Frankreich nicht unpassend war, als die Geistlichkeit und der Adel fast das ganze Land besaßen, die Städte unbedeutend waren, und daher auch Geistlichkeit und Adel allein auf den Reichs- und Landtagen erscheinen konnten.« Dann folgen zehn Zeilen über die Ständeverhältnisse im Mittelalter, vier über die berühmte Streitschrift des Abbé Sièyes aus dem Jahre 1789 (»Was ist der dritte Stand?«) und schließlich der bündige Schluß: »Jetzt ist die Benennung dritter Stand verfassungswidrig«, was durchaus den autokratischen Allüren von Karl X., der im Juli 1830 gestürzt wurde, entsprach, aber so nicht in der »Charte von 1814« stand. Insofern fungierten Lexikographen gelegentlich auch als selbsternannte und vorauseilende Verfassungsschützer.

STAU. Heute trägt der Stau als ziemlich überall und dauerhaft auftretender Verkehrsstau ganz maßgeblich und informell zur Geschwindigkeitsbegrenzung auf Autobahnen bei und verschafft der Eisenbahn gelegentlich zusätzliche Kunden. Im Gegensatz dazu verstand man früher darunter eine reine Naturerscheinung: »Wenn das Meer« zwischen Flut und Ebbe bzw. Ebbe und Flut »nun seinen höchsten oder niedrigsten Stand erreicht hat, so verharrt es eine kurze Zeit darin, ehe es wieder merklich zu fallen oder zu steigen anfängt, und dieser Zustand scheinbaren Stillstandes wird Stau genannt« (*Brockhaus* 1833, Artikel »Ebbe und Flut«). Der heutige Stau hat also dem früheren voraus, daß er vom nur scheinbaren zum wirklichen Stillstand fortschritt bzw. fortgebremst wurde.

STEINREGEN. Im Gegensatz zu den heutigen berücksichtigten die frühen Lexika auch ausgesprochen vorübergehende Phänomene. »Am 16. Juni 1794« – ein früher Blooms-Day – »erschien abends gegen sieben Uhr in der Gegend von Siena eine länglich-runde, ganz isolierte finstere Wolke ... und plötzlich fiel unter schrecklichem Donner und Blitz ... eine Menge glühender schlackenartiger Steine herab« (*Brockhaus* 1833). Kurz danach soll in Yorkshire ein 56 Pfund schwerer Stein gefunden worden sein. Schon in der nächsten Auflage verschwand dieser Artikel aus dem Lexikon. Ähnlich kurzlebig waren auch wichtigere Themen. →**Volksfreiheiten.**

STIERGEFECHTE. *Brockhaus* bringt 1812 ein Argument für den Stierkampf, das von seinen Gegnern bis heute völlig außer Acht gelassen wird: »Der Vorwurf der Grausamkeit, den man den Spaniern deswegen macht, scheint wohl übertrieben zu seyn; die Fälle, daß Menschen bei diesen Kampfspielen getödtet würden, sind sehr selten.« Andere Verluste kommen hingegen gelegentlich vor: »Ist einer der Stiere zu träg, so werden Hunde auf ihn gehetzt; ist er zu wüthend, so gehen bisweilen viel Pferde verloren.«

STILLE NÄCHTE können – trotz vielem Lärm – verständlich machen, warum es am Rhein so schön ist. Dieser »prächtigste Fluß Deutschlands, einer der ansehnlichsten Flüsse Europas« (*Brockhaus* 1882, Artikel »Rhein«), fließt in der Nähe von Schaffhausen »zwischen ungeheuren Felsen«, dann bei »immer zunehmendem Abhange in unzähligen Buchten von Fels zu Fels« mit einem »in der Nähe betäubenden und bei stiller Nacht auf 15 Kilometer weit hörbaren Getöse« in drei nebeneinander liegenden Fällen steil hinab (→**Ohrwurm**).

STINKBOMBE. »Früher als Kriegsmittel verwendetes stark riechendes, häufig arsenhaltige Stoffe enthaltendes Geschoß, das auch als Handgranate in Gebrauch gewesen ist. Die Stinkbombe ist die Vorgängerin der Gasgeschosse. In neuerer Zeit werden ganz kleine Stinkbomben ... zum Sprengen von Versammlungen u. dgl. verwendet.« Was *Brockhaus* 1934 über die Stinkbömbchen der SA schrieb, stank bereits gewaltig zum Himmel.

STÖRENDE BEWEGUNGEN nennt *Brockhaus* 1892 alle Bewegungen einer Lokomotive, die von der gleichförmigen, achsparallelen Bewegung im Geleis abweichen: Zucken, Rucken, Schlingern, Wogen, Wanken und Nicken; die letzten drei fallen unter den Oberbegriff »Gaukeln«.

STRAHLENDE MATERIE ist wie auch »strahlende Wärme« 1882 im *Brockhaus* ein eigener Artikel, der in späteren Ausgaben wieder fallengelassen wurde. Bereits die Ausgabe 1882 äußert sich abfällig über den Gegenstand: »So viel Beifall auch Crookes' schöne Variationen jener Hittorfschen Versuche über elektrische Lichterscheinungen in höchst verdünnten Räumen fanden, so konnte sich doch seine Hypothese von der Existenz einer strahlenden Materie gegenüber den Widerlegungen von Puluj, Gintl u. a. m. nicht behaupten.« Die negative Bewertung durch das deutsche Lexikon war falsch, aber zeit- und landestypisch. Während William Crookes und seine englischen Landsleute an materiell-korpuskuläre Erscheinungen glaubten, die bei Experimenten mit Kathodenstrahlen und Gasentladungen in Glasröhren zu beobachten waren, hielten dies deutsche Naturforscher für Vorgänge im ominösen »Äther«. *Meyer* verweist 1902 unter dem Stichwort Strahlende Materie auf »Elektrische Entladung«. Hier wird sich zwar nicht mehr über die »Crookessche Röhre für elektrische Schatten« lustig gemacht. Doch das Lexikon betont, daß Goldstein und andere Forscher in Deutschland sich »dieser Emissions- oder Emanationstheorie nicht anschließen konnten, sondern die Strahlen ähnlich wie Lichtstrahlen als einen Vorgang im Äther betrachteten«. Wenig später stellte sich heraus, wie wichtig Crookes' Arbeiten für die Entdeckung der Röntgenstrahlen waren, und die Vorstellung vom Äther mußte – zumindest in der Physik – als Erklärungsmodell aufgegeben werden (→**Phlogiston**).

STRINGS haben wenig mit entsprechenden Tangas zu tun, auch wenn ihre Beschreibung 1996 im *Brockhaus* (Artikel »Stringtheorie«) als »kurvenartig ausgedehnte Objekte«, deren »Anregungszustände (›Vibrationen‹)« punktartigen Elementarteilchen entsprechen, manchen Physiker auf andere Gedanken kommen lassen mag. Was Strings allerdings wirklich sind, entzieht sich dem gemeinen Lexikonbenutzer, es sei denn, er vermag etwas damit anzufangen, daß »die ›überzähligen‹ sechs Dimensionen kompaktifiziert« sind, »d.h. als ›kleine‹, in sich geschlossene Hyperflächen mit Krümmungsradien von der Größenordnung $R \leq -33$ cm aufzufassen«.

STROM wird »im gewöhnlichen Leben gleichbedeutend mit Fluß (s.d.) gebraucht; im strengern Sinne aber versteht man darunter nur große Flüsse« (*Brockhaus* 1882). Folgerichtig wird unter »Strommesser« ein Werkzeug verstanden, »um die Geschwindigkeit des Wasserzugs im Strome zu messen« (*Brockhaus* 1812, Artikel »Strommesser«). →**Platitüden**.

STUDENTENWESEN erscheint im *Brockhaus* (1833) als »Unwesen, das man Pennalismus oder Nationalismus nannte«. Gemeint ist freilich nicht die moderne Nation, sondern die nach Herkunft gegliederten »abgesonderten Gesellschaften«, studentische Landsmannschaften, die bis zum Anfang des 18. Jahrhunderts an den Universitäten in ganz Europa existierten. Diese Gesellschaften gliederten sich in »Aufseher und Praeceptoren« auf der einen, »Pennale (Untergebene, Lehrlinge)« auf der anderen Seite. Erstere behandelten letztere wie »Schuljungen«, bis die Regierungen »Nationen in dieser Form« auflösten. Zumindest harmloser waren diese »Nationen« als jene, die danach mit den Ansprüchen »Nationalstaat« und »nationale Selbstbestimmung« das Theater der Geschichte betraten und Gegenwart, Zukunft und Vergangenheit »national« ausstaffierten. Aus dem lokal begrenzten »Unwesen« wurde ein fast unbegrenztes Schlachthaus.

SÜNDE. »Jeder Fehltritt in dem Leben wird ein Rückschritt in der sittlichen Vervollkommnung. Ihn thut die Sünde. Sie steigt über Linien und Schranken und bricht die verbotene Frucht… Und was ist der Gewinn dieser Abschweifung? Ein verheerter Körper und eine wüste Seele, ein Herz voll Gift und eine Erinnerung voll Reue.« (*Damen-Conversationslexikon* 1835). *Brockhaus* definiert die Sünde 1892 nüchterner und barmherziger als eine von »relativer Vermeidlichkeit« geprägte, oft nur aus dem Übergewicht sinnlicher Triebe entspringende »gottwidrige Bestimmtheit des menschlichen Willens«, die durch das auf dem Fuße folgende Schuldbewußtsein immerhin das »Erlösungsbedürfnis« des Sünders verrät. Die neuere Theologie bevorzugt den Begriff der »strukturellen Sünde« und verweist gern auf die »psychosozialen Bedingungen von Sünde und Schuld« (*Brockhaus* 1996).

T

TABAK. Katharina von Medici warf, wie das *Damen-Conversationslexikon* 1835 berichtet, »alle Künste ihrer Schlauheit« und Macht in die Waagschale, um »ihren heißen Wunsch zu erfüllen, daß das Kraut nach ihr Medicea genannt werde«; es wurde dann aber doch nach Jean Nicot »Nikotin« getauft. Anfangs hieß der Tabak wenigstens »L'herbe de la Reine«; dann aber begannen sich die Könige energisch um die Gesundheit ihrer Untertanen zu sorgen. Der türkische Sultan ließ rauchende Untertanen »mit durch die Nase gestochener Pfeife durch die Straßen Constantinopels führen« – und weckte damit nur »die Neugierde des Volkes«. Der russische Zar »nahm die Sache etwas ernster« und ließ Rauchern die Nase ganz abschneiden. Papst Urban VIII. verhängte 1624 einen Kirchenbann über das Schnupfen in Gotteshäusern; Innozenz XII. beschränkte ihn 1690 auf den Petersdom, und Benedikt XIII., »welcher selbst stark schnupfte, hob dieses Verbot wieder auf«. So ging der Tabak gestärkt aus allen Antidrogenkampagnen hervor. Heute ist der »stolze Sprößling« Mexikos selbst den Damen ein »freundlicher Begleiter« und überall »im unangefochtenen Besitze seiner Herrlichkeit«. Krankenkassen und militante Nichtraucher würden den Sklaven des Tabaks heute zwar am liebsten wieder Nasen oder Lungenflügel abschneiden; aber die ärztliche Fachwelt konnte sich lange nicht zu einer eindeutigen Verurteilung durchringen. »Der medicinische Gebrauch des Tabaks hat fast ganz aufgehört«, meldet *Brockhaus* 1864 mit leisem Bedauern; »höchstens werden Klystiere von Tabaksrauch oder Tabakaufguß bei eingeklemmten Brüchen und Wiederbelebungsversuchen Scheintodter angewandt.« Noch 1882 schrieb er dem Tabak »Beförderung der Verdauung, Schutz vor miasmatischer Ansteckung und Stillung nervöser Zahnschmerzen zu«; das Schnupfen verhalf überdies zu »wohlthätiger Absonderung aus der Nasenschleimhaut, Erleichterung bei gewissen Augenübeln, bei Kopfschmerzen, Stockschnupfen« und anderen Gebresten. Dennoch wußte *Brockhaus* nicht mehr anzugeben, »worin dieser Genuß bestehe, ob sich derselbe bloß auf den Nervenreiz, der mit dem Narkotikum verbunden, beschränke«. Für *Meyer* war der Tabak 1902 eine Art Opium des Volkes: »Nach schwerer Arbeit bringt der Tabak Beruhigung, er mildert leidenschaftliche Erregung und führt zu ruhiger Tätigkeit oder beschaulichem Sinnen. Bei mäßigen Menschen kann diese Wirkung leicht dahin führen, daß eine zu oft gesuchte unbestimmte Träumerei zu einer Gewohnheit des Geistes wird... Ohne Zweifel besteht ein Zusammenhang zwischen Tabakgenuß und Geisteskrankheit«, wie Kjelbergs Studien zur primären »Nikotinpsychose« belegen. Im Artikel »Rauchgeräte« breitet *Meyer* dennoch unbefangen die ethnologische Vielfalt der »Zuführungswerkzeuge« aus. »Das Höchste leisten die Witiko mit ihrer Schnupfröhre. Sie besteht aus zwei X-förmig gekreuzten Knochen, mittels deren Hilfe zwei Freunde das Pulver sich gleichzeitig in die Nasen blasen«: Gekreuzte Knochen sind fürwahr ein makabres Menetekel, das die Aufschrift »Rauchen gefährdet Ihre Gesundheit« überflüssig macht. Südamerikanische Schnupfer bewahren ein »Pulver unbekannter Zusammensetzung« im Gehäuse einer »großen Vielfraßschnecke« auf, das sie mit Fledermausflügeln verschließen. Überhaupt lieben die Indianer »die Phantastik, wie die übliche Verbindung von Wurfaxt und Rauchgerät (Tomahawk) als die bekannte Friedenspfeife zeigt«. In Europa begann man die orale Einführung der »Sargnägel« erst zu dulden, als die Regierungen erkannten, »welche ergiebige Finanzquelle man im Tabak besitze« (*Brockhaus* 1892). Deshalb sind auch die »Cigarren«, die 1788 in Deutschland mangels Nachfrage noch verschenkt werden mußten (später jedoch von Sigmund Freud und Monica Lewinsky libidinös mißbraucht wurden), »noch lange nicht auf dem Höhepunkt angelangt«.

TABU. »Satzung über die Heiligkeit und Unantastbarkeit gottgeweihter Gegenstände, Personen und Orte« (*Brockhaus* 1892), die den polynesischen Eingeborenen »eine Menge Entbehrungen auferlegte und vielen Tausenden unschuldiger Menschen das Leben kostete.« Ein schlimmer Aberglaube also, aber doch viel zu praktisch, um von den Kolonialherren nicht ausgenutzt zu werden. »Die Europäer«, schmunzelt

Meyer 1902, »tabuisieren das ihnen von den Eingeborenen abgetretene Land, das nun von den früheren Besitzern nicht mehr betreten werden darf«: So kann das ursprünglich religiöse Tabu zur privatrechtlichen »Schutz- und Polizeieinrichtung« umgewidmet werden und »wirtschaftlich direkt erziehend auf die Ozeanier« einwirken. Heute ist das Tabu nur noch dazu da, um mit großem Aplomb gebrochen zu werden. Tür und Tor für die »Enttabuisierungen« öffnete natürlich Sigmund Freud, der das Tabu als »Verdrängung attraktiver, doch verbotener Handlungstendenzen« (*Brockhaus* 1996) begriff.

TALK. Weiches, »fettig anzufühlendes« Mineral, das zum Polieren und zur »Darstellung von Schminke«, als Maschinenschmiere, »Einstreupulver in Stiefel« sowie zum »Entfetten von Zeugen« (*Meyer* 1902) verwendet wird. Das Schmiermittel der Fernsehindustrie heißt daher »Talkshow«. Talkmaster nennt *Brockhaus* 1996 den Gastgeber, der die »Gäste durch Fragen zu Äußerungen über private, berufl. oder allgemein interessierende Dinge anregt und sie ggf. miteinander reden läßt« (→**Repräsentation**).

TANZ. »Kann ich dir in irdische Worte bannen das himmlische Äthergebild?« fragt das *Damen-Conversationslexikon* 1835, um neun Seiten lang munter im daktylischen Takt zu hüpfen: »Des Wohllauts mächtige Gottheit ordnet den tobenden Sprung zum geselligen Tanz und leitet an des Rhythmus' Zügel die seligen Paare!... Nie ohne Seele darf sich die Sinnlichkeit zeigen; gleichmäßig widerstrebt es den edlen Naturen, die rohe Thierheit zu gesellen der göttlichen Intelligenz. Von jeder Bewegung fordert der Künstler den Ausdruck seiner edlen Bestimmung, die Wunderblüthe der Sittlichkeit und Humanität muß selig durchduften auch die verführerischen Irrgänge des Tanzes.« Das alles wird heute leicht vergessen, vor allem vom Manne, der seiner graziösen Partnerin oft nur »starr und trotzig« seine Stärke entgegenzusetzen vermag. Die Griechen, bemerkt *Brockhaus* 1892, tanzten noch den »Achilles« oder »Alexander« (so wie die »Neue Deutsche Welle« einst den »Mussolini«). Inzwischen hat sich aber die »Tanzkunst« von ihren dramatischen Ursprüngen entfernt und einen mehr lyrisch-stimmungsvollen Charakter angenommen. »Zu leugnen ist jedoch nicht, daß der theatralische Tanz vielfach zu einem Kunststückmachen ausgeartet ist und die plastische Bedeutung verloren hat.«

TASCHENBUCH. »Der Herbst erscheint; die Lieder des Waldes verstummen; der Nordwind jagt die falben Blätter von den Bäumen. Doch dafür erscheinen jene goldenen Blätter im zierlichsten Maroquin- oder Moirékleide, jene buntschimmernden, frischblühenden Velinsträußchen mit den duftigen Liedern der Minne und Freundschaft.« Sie hießen 1835, zu Zeiten des biedermeierlich verzückten *Damen-Conversationslexikons*, *Cornelia* und *Urania*, *Vergißmeinnicht* und →***Vielliebchen*** und blickten »sehnsüchtig nach milden Augensternen, nach sanft verlangenden Lippen«. Doch, »wundere dich, Fremdling, nicht: Aus dem Niedrigen blüht das Erhabene empor«: Aus dem niedlichen »Toilettengeschenk« von einst erblühte das Taschenbuch, das »in handlicher Gestalt einen leicht unterhaltenden Inhalt einschließen«, »irgend einem bestimmten praktischen Zweck«, ja sogar den »ernstern Wissenschaften« (*Brockhaus* 1892) dienen kann. Aus dem Vademecum für Offiziere und Jäger, aus dem Püppchen der Verliebten und Hofdamen (der Gotha war seit 1764 ein Taschenbuch-Bestseller) schlüpfte der regenbogenfarbene Schmetterling der *Edition Suhrkamp,* und der *Hinkende Bote* verwandelte sich in einen Marathonläufer. Aber welcher Leser wird das Taschenbuch noch küssen?

TEE. Das »Teetrinken bürgerte sich in Dtl. erst seit Beginn des 19. Jahrhunderts ein« (*Brockhaus* 1996) und war zunächst eine Gepflogenheit der höheren Schichten, wie im *Brockhaus* 1812 deutlich wird: Während »in verschiedenen Ländern Asiens« der Teekonsum »fast bis zur Ausschweifung getrieben« wird, kannten »unsre Vorfahren« vor der Hälfte des 15. Jahrhunderts »dieses ausländische Getränk nicht; bei Krankheiten bedienten sie sich eines Aufgusses von inländischen heilsamen Kräutern, und das gesellschaftliche Getränk für die Reichen und Vornehmen war Zimmtwasser«. Zu Zeiten des *Brockhaus* von 1882 und identisch im *Meyer* von 1902 hat »die Sitte nur in Städten und den höhern Schichten der Bevölkerung Eingang gefunden«. Allerdings ist der Tee, »den wir aus China zur See erhalten, nicht immer ganz rein, und oft aus Gewinnsucht mit anderen Blättern vermischt; auch verliert er auf der See durch den langen Transport viel von den salzigen Bestandtheilen, die er von Natur hat«, schreibt *Brockhaus* 1812. Im *Meyer* erfahren wir 1902, daß Tee immer noch »vielen Verfälschungen« unterliegt, doch der experimentell geübte Forscher im Teetrinker »erkennt fremde Blätter nach dem Einweichen des Tees in heißem Wasser durch Ausbreiten der Blätter auf einer Glastafel und mit dem Mikroskop«. Über die Auswirkungen des Tees auf die Gesundheit waren sich die Lexikographen über die Jahre nicht recht einig: »In China ist der Gebrauch des Thees allgemein, zum Theil aus Nothwendigkeit, weil das Trinkwasser fast überall schlammig ist. Man schreibt aber auch da dem Thee größere Heilkräfte zu, als er wirklich besitzt.« (*Brockhaus* 1812). Mögliche schädliche Nebenwirkungen werden 1882 im *Brockhaus* erwähnt: »Obwohl der Tee, mäßig genossen, die Verdauung befördert und auf Reisen bei trübem, feuchtem, kaltem Wetter nach großer Anstrengung ein treffliches Stärkungsmittel ist, erschlafft er doch bei häufigem Genuß die Verdauung, steigert die Empfindlichkeit der Nerven und wird in höherm Grade als der übermäßig gebrauchte Kaffee der Grund zu mannigfaltigen Kachexien.« *Meyer* weiß 1902 nichts mehr von Auszehrungszuständen nach Teegenuß. Dafür werden positive Wirkungen erwähnt, mögliche Gefahren einer Überdosierung aber auch nicht verschwiegen: »Die Kraft, erhaltene Eindrücke zu verarbeiten, wird durch den Genuß von Tee gesteigert; es findet sich ein Gefühl von Wohlbehagen und Munterkeit ein, und die produktive Tätigkeit des Gehirns gewinnt einen Schwung, der bei der größern Sammlung und der bestimmter begrenzten Aufmerksamkeit nicht leicht in Gedankenjagd ausartet. Wird der Tee im Übermaß getrunken, so stellt sich erhöhte Reizung des Nervensystems ein, die sich durch allgemeine Schlaflosigkeit, allgemeines Gefühl der Unruhe und Zittern der Glieder auszeichnet.« *Brockhaus* sieht 1928 Tee als »hauptsächlich anregendes Genußmittel«, das bei »zu reichlicher und häufiger Aufnahme zu Beschwerden führen« kann, »die denen nach Kaffee ähnlich, aber – angeblich wegen des im Tee enthaltenen, dem Koffein entgegenwirkenden Adenins (ein Aminopurin) – meist geringer sind (Herzklopfen, Zittern, Unruhe, Schlaflosigkeit und andere nervöse Erscheinungen«. Das Adenin war späteren Lexikonausgaben zufolge nicht mehr im Tee enthalten. Der *Brockhaus* von 1996 (der Band ist im Jahr 1998 erschienen) drückt sich um eine Beurteilung der nützlichen oder schädlichen Wirkungen des Tees, weist aber dafür im Kleingedruckten auf das 1991 in dritter Auflage erschienene Buch *T'u ch'uan. Grüne Wunderdroge* von A. Pontvik, sowie auf C. Teufls *Grüner Tee. Die gesunde Alternative* (1997) hin.

TELEPHON oder Ferntöner. *Brockhaus* verwendet 1892 viel Mühe und Platz auf die Beschreibung von Anruftrompete, Spindelblitzableiter, Stöpsel und Kurbelumschalter, doch erscheinen uns seine Handreichungen (»Der Stromweg ist jetzt L, S, y, f, i, x, s, v, F_1, t, F_2, r, E«) heute so verständlich wie die Gebrauchsanleitung eines japanischen Handys (→**Kommunikation**). Prof. Weinhold machte es sich mit seinem »Bindfaden-Telephon« 1870 jedenfalls zu leicht. Ohnehin hatte Ph. Reis den ersten Fernsprecher schon 1861 erfunden und mit dem Testsatz »Das Pferd frißt keinen Gurkensalat« auch ein gut Teil der kommenden Telekommunikation vorweggenommen. »Die Anwendung des Telephons hat dem socialen und öffentlichen Leben ein anderes Gesicht gegeben. Sehr viele Geschäfte werden jetzt mittels Telephon abgeschlossen; leichter und schneller wickelt sich die Arbeit in den Schreibstuben und Staatskanzleien ab.« Das um 1890 in Paris eingeführte »Theatrophon« war eine »telephonische Einrichtung, bei welcher man nach Einstecken eines Geldstückes die Aufführung in einem Theater, Opernhause u. dgl., eine Zeitlang verfolgen kann«; sie hat sich nur in stark modifizierter Form durchgesetzt (→**Automat**). Telefonsex und -terror sucht man noch 1996 im *Brockhaus* vergebens.

TEMPERAMENT scheint den Menschen in den letzten 200 Jahren immer mehr abhanden gekommen zu sein. Während *Brockhaus* die unterschiedlichen Temperamente 1812 noch auf fast sechs Seiten abhandelt, kommt *Brockhaus* 1996 mit 17 Zeilen aus, um »die typ. Eigenschaften einer Persönlichkeit« zu erklären. In der Darstellung des Themas gibt sich der frühe *Brockhaus* überdies weitaus volksnäher als der aktuelle. Auch wenn die aus der Antike überlieferten Bezeichnungen und Charakteristika der Sanguiniker, Choleriker, Phlegmatiker und Melancholiker auch 1812 »nur ein entfernteres ursächliches Verhältnis andeuteten, auch nach den jetzigen physiologischen Ansichten nicht einmal alle in dieser Bedeutung können gelassen werden, so sind doch die Beobachtungen und die Classification der verschiedenen

Geistesäußerungen nach den Temperamentsunterschieden so naturgemäß, daß wir keinen Anstand nehmen können, die gewöhnlichen Benennungen beizubehalten, um so mehr, da sie seit so langer Zeit gebräuchlich sind.« Hier zeigt sich eine wahrhaft tolerante Zurückhaltung der Lexikographen, fernab jeder Besserwisserei: Die Temperamentelehre wird ausführlich dargestellt, nicht weil sie richtig, sondern weil sie brauchbar und verständlich ist. So mag auch heute noch gelten, daß Sanguiniker »ein Uebergewicht des Gefühls und viel Empfänglichkeit« haben. Obgleich ihr »Leben voller Entschlüsse« ist, kommt »weniges durch eigene Energie der Thatkraft zur Ausführung«. Der Sanguiniker »ist leicht zu überreden, aber meistens behält derjenige Recht, welcher zuletzt mit ihm sprach«. Und: »Anhaltender, anstrengender Arbeit ist er nicht gewachsen; lieber ist ihm rastlose, abwechselnde, spielende Thätigkeit. Dies Temperament ist die Anlage zur Liebenswürdigkeit und zum Edelmuth, aber auch zur Sinnlichkeit und zum Leichtsinn.« Der Choleriker hingegen wird »schnell und heftig erregt, und immer haben die stürmischen Gemüthsbewegungen etwas scharfes und bitteres bei sich«. In der Liebe hat er es nicht leicht, denn »sein Begehrungsvermögen lodert heftig auf, und wird zu starker Thatkraft, allein auch dieses neigt sich mehr zum Haß als zur Liebe. Liebe und Haß sind daher heftig in ihren Aueßerungen, aber eben so wenig von Dauer.« So unangenehm der Umgang mit einem Choleriker auch sein kann, als Führungskraft erweist er sich von großem Nutzen. Denn »Arbeit, selbst die schwerste, scheut er nicht, allein er arbeitet nicht gerne anhaltend, zumal kleinliche Geschäfte. In das Einzelne gehende, oder gar zu leichte Beschäftigungen sind ihm zuwider. Er stellt lieber an und dirigiert, als daß er selbst mit der Ausführung sich abgibt. Er macht hochfliegende Pläne und Entwürfe, überläßt aber die Ausführung gern andern. Ruhm und Ehre sind meistens die glänzenden Phantome, denen er mit allen Kräften nachjagt. Er liebt äußere Pracht und schimmernden Pomp, nimmt gern die Huldigung der Niedern an, ist deshalb auch großmüthig, nicht sowohl aus reiner Menschenliebe, sondern um dafür gepriesen zu werden, denn er ist auf der andern Seite wieder habsüchtig, um der Sucht zu glänzen Genüge leisten zu können. Er nimmt, wo man es nicht sieht, um zu geben, wo man es sieht.« Dieser Charakter eignet sich zwar je nach sozialer Schicht zum Herrscher, »im Mittelstand zum edeln, rasch thätigen Geschäftsmann, zum einsichtsvollen Director« oder einfach nur zum »würdigen Herrn«. »Wenn aber die Leidenschaften dieses Temperaments die Vernunft überwältigen, so machen die unaufhörlichen, widrigen Affecten den Menschen zum Tyrannen und Despoten, im Mittelstande zum unbesonnenen Stürmer, zum Zänker mit Frau und Kindern und Gesinde, zum aufgeblasenen arroganten Narren und zum prozeßsüchtigen Streitkopf.« Ja, wenn die »Ehrsucht« besonders vorherrschend ist und zum »Hochmuth« wird, »kann eine plötzliche und heftige Kränkung desselben Veranlassung zum völligen Ausbruche des Wahnsinns geben, der sich dann jedesmal als Narrheit oder ausgebildete Manie äußert« (→**Querulantenwahn-**

sinn). Der Phlegmatiker hingegen ist »weniger erregbar«, und *Brockhaus* hält ihn 1812 »in den meisten Fällen den Menschen von den vorher erwähnten Temperamenten überlegen, weil er nicht leicht gereizt werden kann, durch Affecten und Leidenschaften nicht verblendet, zu keiner Unbesonnenheit hingerissen wird«. Außerdem ist der Phlegmatiker »ein treuer Freund, ein guter Ehemann, ein gütiger Vater, aber nicht immer nach Wunsch des Gesindes Herr und Gebieter; denn er ist ordnungsliebend, schwer zu täuschen, und hat keine übereilte Kränkung durch Geschenke gut zu machen«. Melancholiker sind »von langsam erregbarem, aber zu dauerhafter Empfindung werdendem Gefühl«, doch ihr Blut ist »schwärzer, dickflüssiger«. Außerdem sind sie »besonders zum Geize geneigt«, weiterhin »mißtrauisch und bedenklich«. Der Melancholiker »lernt schwer; was er aber einmal begriffen hat, bleibt sein Eigenthum. Vergnügungen, besonders die öffentlichen, rauschenden, sind ihm zuwider. Er liebt mehr ein stilles Vergnügen unter Wenigen, ernste Gespräche, tiefe Betrachtungen über einen Gegenstand; er sucht die Einsamkeit, und zieht sie jeder Gesellschaft vor.« →**Philosophen** scheinen sich hauptsächlich unter Melancholikern und Phlegmatikern zu finden.

TEMPERATUR, GEFÜHLTE. Meßmethoden müssen nicht immer furchtbar kompliziert sein: »Wenn ein gesunder, starker und ruhiger Mensch die atmosphärische Luft weder kalt noch warm findet, so sagen wir, sie habe eine gemäßigte Temperatur.« (*Brockhaus* 1812).

TERROR. Der Begriff kam nicht erst in der Zeit der Französischen Revolution auf, als er die Herrschaft der Jakobiner (1793–94) meinte – also unmittelbare Gewaltanwendung unter dem Schutz und im Interesse des Staates. Der Begriff bezeichnete kein Erstes, sondern stand für die Steigerung bzw. Anwendung vorhandener Gewalt. Das meinte schon Hobbes, wenn er vom »terror of the law« sprach. Im technischen Sinne erläuterte noch *Zedler* (1744) den Begriff »Schreckung« (lat. territio) in bezug auf Folterpraktiken. Die Schreckung war deren erste Stufe: Man zeigte dem Angeklagten die Folterinstrumente, um ihn zum Reden zu bringen. Die großen Enzyklopädien des 18. Jahrhunderts dokumentierten diese Zusammenhänge ansatzweise. Im 19. Jahrhundert ging dieses Wissen fast restlos verloren (eine Ausnahme bildet *Meyer* 1839 bis 55, Artikel »Jakobiner«). *Brockhaus* dagegen enthält 1882 keine Sacherklärung des Begriffs, sondern lediglich eine etymologische Herleitung, eine wörtliche Übersetzung sowie eine denkbar weitläufige Verallgemeinerung: »Terrorisieren, eine Gewaltherrschaft ausüben.« Differenzierte Artikel zu »Terror« bringen erst die Ausgaben nach dem Zweiten Weltkrieg, die unterschieden zwischen »Gruppen-Terror«, »Staats-Terror« und »militärischem Terror« (*Brockhaus* 1952).

TEUFEL. Die »Vorstellung von einem bösen Geist, der in beständigem und rastlos thätigem Gegensatz« zu Gottes Wirken steht, ist dem Christentum – das zumindest glaubt der protestantische *Brockhaus* 1892 zu wissen – im Grunde fremd. Bei den Germanen, die in ihren Sagen von der »riesischen Tölpelei« und Übertölpelung des Teufels eine »bisher unbekannte humoristische Seite« entdeckten, war der Teufelsglaube jedenfalls »ungleich reicher« ausgebildet. Ernst nehmen muß ihn heute aber niemand mehr. Der Glaube an die »unheimliche Macht des Bösen« ist zwar ein »religiös unentbehrlicher Gedanke«, dem Gebildeten jedoch nur als »Versinnlichung einer geistigen Wahrheit« erträglich. Schon 1827 war der Teufel für *Brockhaus* nur ein trauriges Schreckgespenst, bestenfalls eine Sonntagsmetapher für die unteren und frommen Stände: »So werden wir den Teufel in der Bibel und in der Dogmatik dulden, wenn er auch aus der Sprache des guten Thons verschwinden mußte.« 1864 war der altböse Feind dann »so ziemlich überall« aus dem öffentlichen Bewußtsein exorziert, und selbst die weniger aufgeklärten Theologen begannen sich »immer allgemeiner seiner zu schämen«. Heute glaubt offenbar nur noch Kardinal Ratzinger an die personale Existenz des »allzeit geschäftigen Veranlassers böser Lüste und unfrommer Gedanken« (*Meyer* 1902). Der allzeit geschäftige Versucher *Brockhaus* versucht uns 1996 jedenfalls einzuflüstern, die neuere Theologie könne mit der »Rolle eines Normverstöße sanktionierenden Advokaten« nichts mehr anfangen, weil sie sich lieber an die »konkreten Erscheinungen des Bösen in der Welt (Unterdrückung, Ungerechtigkeit, Gewalt)« halte.

THERAPEUTEN. Obskure jüdische Sekte von Asketen. *Brockhaus* vermutet 1892, daß »die angebliche Schrift Philos: *De vita contemplativa,* die das einzige Zeugnis über die Therapeuten enthält, erst später zur Verherrlichung des christl. Mönchtums untergeschoben ist«. Heute machen die angeblich so beschaulichen und bedürfnislosen Therapeuten viel Aufhebens um ihren Altar: die Couch.

THERAPIE bestand lange in der »Ableitung« von Körperflüssigkeiten, um das Gleichgewicht der Säfte zu gewährleisten. Die Therapie bezeichnet 1812 laut *Brockhaus* »den Inbegriff alles dessen, was zur Umwandlung des kranken Zustandes eines lebenden Körpers in den gesunden gehört«. Im *Brockhaus* wird 1827 bereits darauf hingewiesen, daß es sich bei der Suche nach den richtigen Heilverfahren um ein »ärztliches Geschäft« handelt. Die »allgemeine Therapie« wird als »lebendige Idee« verstanden, »die dem Organismus einwohnt, die Norm desselben gegen die feindlichen Auswirkungen von außen sowohl als von innen selbständig zu erhalten, woraus die Heilkraft der Natur ihre Entstehung hat«. Die Anerkennung der Selbstheilungskräfte des Körpers geht mit einer – sicher auch durch die begrenzten therapeutischen Möglichkeiten der Zeit bedingten – Bescheidenheit einher: »Dieses Heilvermögen der Natur liegt jeder Heilung durch die Kunst zum Grunde; denn letztere kann erst dadurch heilen, daß sie jene Thätigkeiten des Organismus aufruft, welche der Krankheit Gränzen zu setzen vermögen.« Im *Brockhaus* findet sich 1928 der Hinweis, daß unter Therapie auch »die Anwendung von Mitteln durch den Arzt zur Ermöglichung natürl. Heilung« zu verstehen ist. 1996 ist dieser Vorgang im *Brockhaus* abgeschwächt zur »allgemeinen Steigerung der Widerstandskraft und eine Förderung der Heilungsvorgänge«. Daß allein ein Kurieren der Symptome wenig nützt, betont bereits der *Brockhaus* von 1812: »Dagegen behilft sich die Stümperei jedesmal nur damit, einzelne Krankheitsäußerungen zu heben, ohne die Ursachen derselben wegzunehmen.« Wenn ein Patient wieder gesund wird, behaupten Ärzte gerne: »Wer heilt, hat Recht«, ohne sich über die Gründe für die Genesung auszulassen. »Da bisher noch kein einziges mediz. Verfahren eine durchgängig untrügliche Therapie entwickelt hat, so zieht der rationelle Arzt außer diesem auch die Erfahrung zu Hülfe und berücksichtigt daneben auch noch die Individualität des Kranken (Eklektizismus, praktischer Takt).« (*Brockhaus* 1864). Im *Brockhaus* wird 1928 die »experimentelle Therapie« erwähnt, die »in bahnbrechender Weise der Therapie neue Wege« weist, indem sie »künstlich Krankheiten an Versuchstieren« erzeugt und »an diesen methodisch die Wirkung von Arzneimitteln, Hormonpräparaten usw.« prüft. Allerdings wird neben dieser »künstlichen« Herangehensweise auch »mehr als je versucht, dem Körper die Geheimnisse seiner eigenen Heilmaßnahmen (Fieber, Hautausschlag, Durchfall, Entzündung, usw.) abzulauschen; so ist es das oberste Ziel fortschrittlicher Therapie, nicht durch künstliche Eingriffe in Gang befindliche natürl. Heilvorgänge zu stören, sondern diese vielmehr zu unterstützen oder nachzuahmen (Heilfieber, Hyperämiebehandlung usw.) und die Schädigungen, die die Abwehrerscheinungen ›Krankheit‹ hervorrufen, aufzuspüren und nach Möglichkeit zu beseitigen oder auszuschalten.« Daß bei der Behandlung Körper und Seele berücksichtigt werden sollten, betont der *Brockhaus* 1812: »Da wir es aber mit dem Menschen zu thun haben, dessen Seelenthätigkeit zum Theil an den Organismus gebunden und von ihm abhängig ist; dagegen auch wieder auf denselben wirken kann, so dürfen wir überdies bei der nähern Bestimmung der Menschenheilkunde auch die geistige Region nicht unbeachtet lassen.« Als Verbesserungsvorschlag für die Medizinerausbildung, die bis heute zu wenig praktische Fertigkeiten und Erfahrungen vermittelt, kann der letzte Satz im *Brockhaus* von 1827 gelten: Die Behandlung des individuellen Falles »kann, wie jede Kunst, nur durch Ausübung, nur am Krankenbette selbst erlernt werden«.

TIERBÄDER finden sich als spezielle Behandlungsform (→**Hund**) im *Brockhaus* 1864, 1875 und 1882 (Artikel »animalische Bäder«). Nach *Brockhaus* von 1882 bestehen sie »in der Regel in dem Einbringen einzelner Glieder oder auch (z. B. bei kleinen Kindern) des ganzen Körpers des Patienten in die geöffnete Leibes- oder Brusthöhle frisch geschlachteter, noch lebenswarmer Tiere«. Doch rechnet man zu denselben auch »die Behandlung kranker Glieder durch Auf- und Umlegen von Teilen frisch geschlachteter Tiere, oder durch Hineinhalten in deren Eingeweide oder noch warmes Blut. Solange man noch in der tierischen Wärme spezifische Lebensgeister zu sehen glaubte, knüpfte man auch an solche Bäder große Hoffnungen; vorzugsweise wurden gelähmte Glieder, in seltenen Fällen auch zu früh geborene Kinder, auf diese Weise behandelt.« *Brockhaus* rückt 1882 von dem Verfahren ab: »Gegenwärtig weiß man, daß die tierische Wärme nicht anders wirkt als Wärme überhaupt, und die Erfahrung hat außerdem gelehrt, daß die tierischen Bäder keinen Vorzug vor andersartiger passender Anwendung der feuchten Wärme haben. Ihre Anwendung ist daher nur noch eine sehr beschränkte.«

TIERPSYCHOLOGIE hat sich bis heute als Disziplin nicht recht durchsetzen können. *Brockhaus* bezeichnet sie 1882 als »in neuerer Zeit vielfach bearbeiteten Zweig der allgemeinen Psychologie, welcher das Ziel verfolgt, die Erscheinungen und Gesetze des Seelenlebens der Tiere durch vergleichende Betrachtung zu verfolgen«. Da die Tierhalter häufiger seelische Betreuung benötigen als ihre Begleiter, ist die Menschenpsychologie bis heute ungleich verbreiteter. Andererseits beschäftigt die Notwendigkeit des Vorhandenseins von Tieren im Psychohaushalt vieler Menschen unzählige Psychologen und →**Therapeuten.**

TIERVERSUCHE. *Brockhaus* spricht 1882 unter dem Stichwort »Tierschutz« umstandslos die Probleme an: »Zu den offenen Fragen der Zeit gehören indes noch die Einschränkung der Vivisektionen an den höhern Lehranstalten, ferner das sog. Schächten, das den Todeskampf sehr in die Länge zieht, das zum noblen Vergnügen gehörende Taubenschießen und andere Dinge mehr.« In dem Artikel »Vivisektion« wird in der gleichen Ausgabe eindeutiger Stellung bezogen. Zwar erwähnt das Lexikon, daß »der Afrikareisende Ernst von Weber mit einer Schrift (*Die Folterkammern der Wissenschaft. Eine Sammlung von Thatsachen für das Laienpublikum,* Lpz. 1879)« gegen Tierversuche auftrat. Doch wird Webers Werk als »nicht frei von mannigfachen Übertreibungen und Entstellungen« bewertet, in dem er sogar »die berühmtesten Physiologen als ruchlose Verbrecher brandmarkt, den Nutzen der Vivisektion als einen vollkommen illusorischen hinstellt und sämtliche deutsche Tierschutzvereine zu einer energischen Bekämpfung der vivisektorischen Richtung und Physiologie und zu großen Massenpetitionen an den Reichstag« auffordert. Als »das wirksamste Mittel zur Verhütung der Tierquälerei« betrachtet der *Brockhaus* von 1882 (Artikel »Tierschutz«) die »Erziehung des Menschen«, weshalb auf diese »alle Aufmerksamkeit verwendet werden muß«.

TOAST. Englischer »Trinkspruch auf die Gesundheit jemandes« (*Brockhaus* 1892), so genannt nach der »gerösteten Brotschnitte«, die hier zum Tee gegeben oder ins Trinkglas getaucht wird. Das *Damen-Conversationslexikon* kannte 1835 noch eine pikantere Version: »Die Geliebte eines Königs badete sich; von diesem Badewasser ließ sich ein übergalanter Hofmann eine Quantität bringen und trank auf ihre Gesundheit. Die sämmtlichen, anwesenden Gäste mussten es ihm natürlich nachthun, und der Letzte sagte scherzend: ›Ich behalte das geröstete Brod (the toast) zurück‹, womit er auf die damalige Sitte anspielte, ein Stückchen geröstetes Brod ins Glas zu thun.« Die alten Deutschen schlürften nicht das Badewasser ihrer Frauen, haben aber das »eigentliche Gesundheittrinken« erfunden. Dabei tranken sie »wie Rasende Gesundheiten um die Wette, und glücklich war der zu preisen, der nach einem solchen Zechen mit dem Leben davon kam«.

TODESSTRAFE. Seit Cesare Beccarias *Über Verbrechen und Strafen* (1764) und Voltaires Streitschrift gegen den Justizmord an Jean Calas (1763) wurde europaweit über die Todesstrafe diskutiert. Mit bemerkenswerten Sätzen bezweifelte *Brockhaus* 1875 deren Sinn, obwohl sie im Kaiserreich für Mord und Hochverrat noch nicht abgeschafft worden war. »Die salbungsvolle Würde«, mit der Hinrichtungen inszeniert würden, könnten nicht über die moralischen Bedenken hinweghelfen, »den Mörder ebenso bestialisch« zu behandeln, wie dieser »sein schuldloses Opfer« behandelt hatte. Den Rigorismus des ultimativen Strafanspruchs hält das Lexikon für »Verstandesfanatismus«, der darauf hinauslaufe, »daß es richtiger sei, neun Unschuldige zu strafen als einen Schuldigen frei ausgehen zu lassen«. Konsistente Begründungen für die Rechtmäßigkeit der Todesstrafe sind dagegen selten. Nebeneinander stehen zum Beispiel die Sätze, daß Töten unerlaubt, aber auf die Verbrechen »Mord und Totschlag … der Tod die vollkommen angemessene Strafe« sei. Der Ausweg aus dem Widerspruch lautet so: »Denn es gibt einmal eine Strafgewalt, und kommt dieselbe dem Staat als Rechtsgesellschaft, um seines Zweckes willen, notwendig zu, und ist die Anwendung derselben nur durch das Verbrechen bestimmt, so muß dieselbe sich auch auf das Leben der Bürger erstrecken, gegen welches von dem pflichtvergessenen Bürger gefrevelt werden kann; und das unmittelbare Verbrechen gegen das Leben der Bürger wird am natürlichsten mit dem Leben des Verbrechers gebüßt.« (*Brockhaus* 1833, Artikel »Todesstrafe«). Mit ebenso »natürlicher« Logik wird schließlich der Mord an einem Menschen gleichgesetzt mit »Verbrechen gegen die Existenz des Staats« (»Hochverrat«) und ebenfalls als der Todesstrafe würdig abgeleitet. Nach 1870 galt die Todesstrafe sogar für den Mordversuch am Kaiser oder einem Landesherrn. Bleibt die Frage der Rechtmäßigkeit der Todesstrafe unbeantwortet oder inkonsistent, so hat sich die Frage der abschreckenden Wirkung längst von selbst erledigt. In Ländern, in denen auf Mord die Todesstrafe steht, liegt die Mordrate nirgends unter, meistens über dem Durchschnitt. Das wußte schon *Brockhaus* (1833, Artikel »Zuchthaus«): »Daß die härtesten Strafen den Verbrecher nicht abschrecken, hat längst die Erfahrung gelehrt.«

TRAINIEREN heißt 1892 für *Brockhaus:* »bei reichlichem Körnerfutter und wenig Heu eine scharfe Arbeit« verrichten, dabei immer auf »Wohlbefinden (Freßlust, Nährzustand, Aussehen im Haar, Temperament)« achten und das Ziel nie aus dem Auge verlieren: Nur das »auf der Höhe seiner Rennkondition stehende Pferd nennt man fit«. Statt Arbeit und Diät erlaubt *Meyer* 1902 auch Abführpillen (physic) und das »Schwitzen unter Decken«, das die Pferde aber »unleidlich und nervös« machen kann. 1928 beschreibt *Brockhaus* Trainieren immerhin schon als Vorbereitung auf sportliche Wettkämpfe, 1996 endlich als »geplanten, komplexen Handlungsprozeß mit dem Ziel der planmäßigen Entwicklung und Verbesserung funktioneller und morphologischer Anpassungen an spezifische Belastungen«. Versteht sich, daß sich in diesem Stall ohne vertiefte »sportwissenschaftliche Kenntnisse, besonders in der Trainingslehre sowie in Sportpsychologie, -pädagogik und Biomechanik« nichts mehr ausrichten läßt.

TRAUER zerfällt »jetzt bekanntlich in eine tiefe um den nächsten, in eine Halbtrauer um entferntere Verwandten, und in die Austrauer als die Beendigung der Trauerzeit. Die Hoftrauer bezieht sich auf die Hofdienerschaft, die Kammertrauer nur auf die fürstlichen Personen … Alles dieß ändert sich jedoch von Jahr zu Jahr, und die Zeit macht an die Trauerförmlichkeiten immer neue und zwar geringere Forderungen.« (*Damen-Conversationslexikon* 1835). *Brockhaus* bestätigt 1928 die historische Tendenz, »ein Übermaß der Trauerklage zu mildern«; so sind z. B. die »gemieteten Heulweiber«, die den Toten schmeicheln und den Lebenden »seelische Entspannung verschaffen« sollten, fast ganz ausgestorben. »Das sogen. Trauerjahr der Witwen«, klagte *Meyer* schon 1902, kann auf ärztliches Attest abgekürzt werden«. So buntscheckig wie die Formen waren einst auch die Farben der Trauer: »Trauern die Europäer gewöhnlich schwarz, so bedienen sich die Syrer der himmelblauen oder violetten Trauer«, wußte das *Damen-Conversationslexikon* noch. »Die Ägypter trauern dunkelgelb, die Äthiopier grau oder braun, die Chinesen und Japanesen weiß, die Türken blau.« Die Kenntnis der »tieferen Bedeutung« dieser Farben hat sich aber im Zuge der vielbetrauerten »Unfähigkeit zu trauern« verloren.

TRAUM. »Wie du so lind, o Traum, die Schläfe umwehst des Schlummernden mit deinem sternen- und liliendurchbrochenen Schleier!« säuselt das *Damen-Conversationslexikon* 1835. »Wie du so lieblich zur sanftzitternden Äthergestalt wandelst die bange Trauergestalt des tiefsten Leibes! Wie unter deinem Scepter so zauberisch die heimlichsten Gedanken und Gefühle zu sichtbaren Sylphiden voll süßen Zwielichts werden!« 1892 weckte *Brockhaus* die Schlafenden roh aus diesem süßen Traum: Der Traum ist jetzt das »Erzeugnis der Seelenthätigkeit im Schlafe«, mehr von Sinnesreizen und Phantasie als vom Bewußtsein regiert. Wohl sind »sogar → **Probleme** der Philosophie, der Physiologie, der Poesie u. s. w.« im Traum gelöst worden; »doch sind das Zeichen der krankhaften Überreizung des Nervensystems, und man behauptet mit Recht, daß traumloser oder mit besonders sinnlosen, phantastischen Träumen ausgefüllter Schlaf der gesündeste sei«. Freud machte den Traum später zum »Hüter des Schlafes«, die neuere Traumdeutung machten ihn zu einer Art Neuronengewitter im Hirnstamm, in dessen Verlauf unterbelichtete Tagesreste gleichsam »nachentwickelt« (*Brockhaus* 1996) werden. Den Seinen gibt's der Herr allerdings immer noch im Schlaf. Der Chemiker Friedrich August Kekulé entdeckte im Traum die Grundzüge der atomaren Valenztheorie, 1865 sogar die berühmte Schlange des Benzolrings. Kekulé verbrachte den Rest der Nacht damit, »die Consequenzen meiner Theorie auszuarbeiten«. Der ungemein produktive psychoanalytische Traumarbeiter Horst-Eberhard Richter kommt sogar ohne diese manifeste Nachentwicklung latenter Trauminhalte aus. Er konnte, wie er in seinen *Gedanken und Erinnerungen* berichtet, schon immer mit Problemen einschlafen, »für die sich oft schon im Traum oder im morgendlichen Halbschlaf klare Antworten herausbildeten. Bis heute ist für mich die schöpferische Produktion des Schlafes ein Wunder, das aber nur eintritt, wenn man einschlafend die Gedanken an der Stelle spielen läßt, wo man sie am Tage abgebrochen hat.« Ganz Ausgeschlafene geben allerdings zu bedenken, bei Tageslicht betrachtet verflüchtige sich oft das Wunder von Richters Gedankenflucht. »Trotz vieler richtiger Grundgedanken«, sagt *Brockhaus* 1928, »wird die Freudsche Traumtheorie als Ganzes vielfach umstritten und abgelehnt«.

TRENDSPORTARTEN kennt der *Brockhaus* von 1996 und macht sich damit zum Makler äußerst flüchtigen Wissens (→**Okkultismus**). Trendsportarten sind »v. a. dadurch gekennzeichnet, dass sie neue Bewegungsformen mit neuen Sportgeräten kreieren; Spaß und Aktion stehen im Vordergrund«. Laut Lexikon ist der Übergang von der Trendsportart zur etablierten Sportart abgeschlossen, »wenn die jeweilige Trendsportart in den nat. und internat. Sportgremien formalrechtl. Bestätigung und Aufnahme gefunden und sich durch Austragung von nat. und internat. Meisterschaften, Cupwettbewerben u. Ä. bereits bewährt hat«. Wenn das Lexikon (der Band ist 1999 erschienen) zu den Trendsportarten »(bedingt)« unter anderem Beachvolleyball, Segelsurfen und Triathlon zählt, hält es sich nicht an die eigenen Kriterien, denn in allen drei Sportarten gibt es bereits seit Jahren nationale und internationale Meisterschaften, alle drei waren im Sommer 2000 in Sydney olympisch.

TRINKGELD ist »eine Gabe in Geld für eine Dienstleistung oder Gefälligkeit, die man niedriger Stehenden freiwillig zukommen läßt« (*Brockhaus* 1892). Aber was heißt schon »freiwillig«! Dürer »erbat« 1509 Trinkgeld für einen Altar, die Handwerksmeister und Beamten seiner Zeit forderten es sogar für ihre Gehilfen und Frauen. Laut *Brockhaus* wurde dieser »Unfug« in Bayern schon 1553 abgeschafft; dennoch ist das »Trinkgelderunwesen« gerade »in neuerer Zeit zu großer Blüte gelangt«. Bei den Russen heißt es Schnapsgeld, »bei den Türken wird Badegeld, bei den Chinesen Theegeld verabreicht«. Trinkgeld, das einem Unterbeamten »aus allgemeinem Wohlwollen gegeben wird, fällt regelmäßig nicht unter die Strafbestimmung«; überflüssig, ja schädlich aber ist es allemal. »Einige Gasthäuser haben das Trinkgeld vollständig abgeschafft und erfreuen sich infolgedessen zahlreichen Zuspruchs.« Vgl. *»Das Trinkgeld, ein Krebsschaden der Gastwirtschafts-Industrie und seine Beseitigung, ein*

Mittel zur Hebung des Kellnerstandes von einem erfahrenen Gastwirte (Breslau 1888)«. Auch *Meyer* reitet 1902 auf der »üblen Nebenbedeutung« des Trinkgelds herum, »um nicht geradezu die Ausdrücke Bestechlichkeit und Käuflichkeit zu gebrauchen«. Sein Tip: »In den sogen. Reformhotels und insonderheit in den christlichen Hospizen ist das Trinkgeld völlig abgeschafft.« – »Ein anerkennendes Wort«, empfiehlt übrigens selbst *Das Einmaleins des guten Tons,* »wiegt mehr als ein hingeworfenes Geldstück.« 1996 kümmert sich *Brockhaus* in seinem Trinkgeld-Artikel leider nur noch um Buchführungs- und Steuerfragen.

TÜRKENPASS. Den Plan der rot-grünen Bundesregierung, generell eine doppelte Staatsbürgerschaft zuzulassen, durchkreuzten die christlichen hessischen Demokraten mit einer stimmungsmäßig von der Boulevardpresse orchestrierten Kampagne gegen den »Doppelpaß«, die sich unausgesprochen gegen Türken bzw. deren Anspruch auf einen zweiten Paß richtete. Daß nach zuverlässigen Schätzungen bereits etwa zwei bis drei Millionen deutsche Frauen, die mit Ausländern verheiratet sind, längst zwei Pässe besitzen, blieb in der Kampagne unerwähnt. Früher meinte »Türkenpaß« ein etwas anderes quasi-völkerrechtliches Arrangement zwischen christlichen Seefahrern und den Freibeutern und Seeräubern rund um das Mittelmeer: »Ein Schiffpaß im mittelländischen Meere besteht in einer sogenannten *carta partita,* auf welcher oben ein Schiff durchschnitten ist. Die Türken- oder Barbaresken-Corsaren haben die andere Hälfte des Passes: begegnen sie einem christlichen Schiffe, das eine solche *carta partita* hat, so fügen sie die beiden Hälften zusammen, um die Echtheit des Passes zu prüfen. Die Schiffe derjenigen Mächte, welche mit den Barbaresken (den Staaten der Berberei) Friedens- oder Tributverträge geschlossen haben, müssen solche Pässe an Bord führen, sobald sie das Cap Finisterra (an der nordwestlichen Küste der spanischen Provinz Galizien) umschiffen wollen. Der Versicherungsvertrag ist nichtig, wenn das Schiff diesen Paß auf Reisen, wo er nach dem Seerechte geführt werden muß, nicht führt. Er heißt auch algerischer Paß.« (*Brockhaus* 1833). Mit der Kolonisierung Algeriens durch französische Truppen im selben Jahr verlor auch der »Türkenpaß« seine Geltung.

U

UMFANG. Die Frage des Umfangs von einzelnen Artikeln und ganzen Lexika ist für jedes Unternehmen von zentraler Bedeutung. Die Kriterien und Präferenzen sind oft durchsichtig. Gelegentlich kommt der Benutzer aus dem Staunen oder Grübeln nicht hinaus. *Meyer* (1839–55) dehnte den Artikel »Arsenik« auf stolze 69 Spalten! →**Arsen,** →**Alpenbewohner.**

UMTRIEBE (demagogische) in Deutschland. Darunter fiel nach den Karlsbader Beschlüssen (20. September 1819) fast alles, was in den »dunklen Sinn der Bundesacte« von 1815 etwas Licht bringen wollte – insbesondere »eine lebhafte Bewegung in der Meinungswelt einiger Schriftsteller«. *Brockhaus* (1827) ließ es sich trotz Zensur und Repression nicht nehmen, die Verantwortlichen beim Namen zu nennen: »Die Anhänger des Feudalsystems schienen nun in dem Wunsche des Volkes nach einer zeitgemäßen Feststellung der Grundlagen der bürgerlichen Gesellschaft ein revolutionäres Bestreben zu sehen, dem sie entgegenstehen müßten. Es entstanden dadurch gegenseitig Mißtrauen und Erbitterung.« Bei deren Beschreibung rekurriert das Lexikon auf Stereotype, denen man seither auf Schritt und Tritt begegnet. »Die Jugend« mißbrauchte die »ungewohnte Redefreiheit«, weil »die alte fromme Zucht und Ordnung schon längst aus der häuslichen Erziehung großentheils und zum Theil auch aus den Schulsälen entwichen war.« Zum allgemeinen Trend gesellten sich bald »deraisonnierte Phantasten, ungezogene Tadler und unberufene Staatsprojectschreiber in Menge«. Als Staats- und Gesellschaftskritiker benötigte man in »Deutschland« – das im Vormärz nichtexistierende, aber überall herbeigehoffte – sozusagen eine Lizenz. Und wer sollte diese vergeben? Nach der Meinung von *Brockhaus* genau jene Staaten, für die die bloße Existenz von »Phantasten«, »Tadlern« und »Staatsprojectschreibern« schon »das Vorhandensein revolutionnairer Verbindungen zu rechtfertigen schien«. Das war der pseudologische Zirkelschluß für das Urteil gegen »Umtriebe« jeder Art: »Die Freiheit endlich ist eine allen angeborene Idee, und das Ideal der bürgerlichen Entwicklung überhaupt, oder wie ein alter Purist diese Worte übersetzt: ein Schöngedacht!« Woraus messerscharf geschlossen wird, daß »blinder Fürstenhaß« von »jugendlichen Schwindelköpfen« der so definierten Freiheit schaden und obendrein »das deutsche Volk«, das schon den Gedanken an eine Revolution als »ebenso sinnlose wie strafbare Lehre« ablehne, aus seiner »Zufriedenheit« aufschrecke. Sehr schön gedacht.

UMWELT. Die Erde haben wir von unseren Kindern (oder Enkeln?) angeblich nur geborgt (**→Erbe, →Ökologie**). Laut *Brockhaus* von 1928 wird »in der Gesellschaftslehre« zwischen der physischen und der gesellschaftlichen Umwelt unterschieden. Danach ist »auch die physische Umwelt nicht nur äußerlich. Ein Eisenerzvorkommen hat für eine europ. Gruppe ganz andere Bedeutung als für primitive Stämme. Die Umgestaltung der Erdoberfläche in den modernen Industriestaaten ist hierfür Beweis.« Unter Umwelt in der Biologie wird 1928 im *Brockhaus* hauptsächlich die Erlebniswelt der Lebewesen – »dieser Beziehungen zwischen Wirk- und Merkwelt der Tiere« – verstanden. Die »Umweltforschung sucht darzutun, wie sich z. B. die Dorfstraße im Auge einer Fliege, die Kirche in der Welt eines Kindes, der Duft einer Blüte im Dasein der Honigbiene auswirkt«. Die Beteuerungen heutiger Umweltaktivisten (»erst wenn der letzte Baum gerodet und der letzte Fluß vergiftet ist, werdet ihr merken, daß man Geld nicht essen kann…«) wirken im Vergleich zu diesem recht umfassenden Forschungsanspruch ungleich egoistischer und anthropozentrischer.

UNENDLICH ist »niemals ein Prädikat des unmittelbaren Wahrnehmungsinhalts, welcher vielmehr stets eine begrenzte Größe bildet«, tröstet uns *Brockhaus* 1882 über unser limitiertes Vorstellungsvermögen hinweg, »sondern vielmehr ein Merkmal der aus konstruktiver Phantasie entstehenden Begriffe, welche deshalb niemals in der Form von Anschauungen realisiert werden können«. Dazu gehört etwa die Vorstellung einer unendlichen Raumgröße, die wieder als in einem anderen Raum befindlich vorgestellt werden muß. Daher ist der Begriff des Unendlichen »nur der Versuch, diese Prozesse der Phantasiethätigkeit als beendigt zu denken: das Unendliche ist ein Grenzbegriff für die Fortsetzung einer sich stets notwendig wiederholenden Thätigkeit«. Elegant leitet *Brockhaus* dann von der Physik zur »neuern Philosophie« über: »Da nämlich alle Dinge der empirischen Wirklichkeit endliche Größen und als solche wiederum durch andere endliche Ursachen bedingt sind, so versteht man unter dem Unendlichen auch im Gegensatze dazu das höchste metaphysische Prinzip, das Absolute oder das ›Unbedingte‹, welches seinerseits alles Endliche bedingt und bestimmt.« Im *Brockhaus* ist unendlich 1928 ein ausschließlich mathematisch oder physikalisch verwendeter »Begriff, der in verschiedenem Sinn gebraucht wird«. In der Mathematik wurde das potentiell Unendliche und das aktual Unendliche eingeführt. Doch »die logischen Schwierigkeiten, die in beiden Begriffen des Unendlichen liegen, sind noch nicht völlig erledigt, und die verschiedenen mathem. Richtungen, nämlich der Formalismus, Logizismus und Intuitionismus, nehmen dem Begriff des Unendlichen gegenüber eine verschiedene Stellung ein«. Das tut 1996 auch der *Brockhaus*, der die philosophische Bedeutung des Unendlichen erklärt als »das, was ohne →**Grenze** ist, daher nicht bestimmt werden kann, das unvorstellbar Große, Göttliche« (→**Problem**).

UNFUG ist »jedes ungeziemende Benehmen«. *Brockhaus* rechnet 1892 dazu auch die Machinationen der Boulevardpresse: »Es ist dem Gesetz entsprechend z.B. Erregung falschen Feuerlärms (unzweifelhaft grober Unfug) nicht anders zu behandeln, als die Verbreitung erfundener Sensationsnachrichten durch die Presse.« Der »bubenhafte Straßenunfug« war schon damals auf dem Rückzug. »Kautschukparagraphen« nennt *Meyer* 1902 gesetzliche Bestimmungen, deren Bedeutung »überaus dehnbar« sei, wie etwa die Paragraphen im Bürgerlichen Gesetzbuch über »groben Unfug« oder den »Verstoß gegen die guten Sitten«. »Humbug« ist kein Unfug, sondern »ein Mann, der auf Kosten seiner Nebenmenschen lebt, ihre Schwächen ausbeutet und ihre Leichtgläubigkeit mißbraucht« (*Brockhaus* 1864).

UNTERHALTUNG war den Lexika im 19. Jahrhundert durchaus fremd; noch 1928 kennt *Brockhaus* nur die »Unterhaltungsmathematik«, also die Theorie der Brett- und Kartenspiele, Trugschlüsse etc. Heute gilt die lang verfemte Unterhaltung als – »prinzipiell wertfreie« – »Bezeichnung für die Qualität der Beziehung einer Person zu Objekten oder anderen Personen, für die das Empfinden von Spass, Abwechslung und Genuss zum Zweck der Entspannung kennzeichnend ist« (*Brockhaus* 1996). Adornos Kritik der »Kulturindustrie« jedenfalls wird der »Funktionsvielfalt der Unterhaltung nicht mehr gerecht«. Überhaupt ist jede wertende Unterscheidung von U und E, Trivial- und Hochkultur »problematisch« geworden. Unterhaltung ist »anthropologische Grundkonstante« und legitimes Bedürfnis. Ihr Konsument amüsiert sich nicht etwa zu Tode; er beteiligt sich vielmehr an einer besonderen, wenn auch oft nur »parasozialen« Form von Interaktion und offener Kommunikation, Selbstverwirklichung und »Verständigung mit der Außenwelt«. Von *Brockhaus* beherzt in die Neue Mitte der Kultur zurückgeholt, zeichnet er sich vor allen anderen Spaßverderbern dadurch aus, daß er mediale Kulturprodukte aktiv und »bewusst auswählt und seinen Vorstellungen gemäß spielerisch verändert«. So verstandene Unterhaltung ist nicht nur »kontrollierte Innovation«, sondern wirkt auch als »soziale Klammer einer sich immer weiter ausdifferenzierenden modernen Gesellschaft und der Wertsysteme ihrer Subkulturen«. Die »geringere gedankliche Tiefe« der »Unterhaltungsliteratur« läßt sich unter diesen Umständen verschmerzen.

UNTERRICHTSSYSTEM. Die Industrialisierung des Schulbetriebs als Standortsicherung und Kompatibilisierungsmaschinerie: »Bell-Lancaster'sches Unterrichtssystem ... Die Unterrichtssysteme beider Männer stimmen im wesentlichen miteinander vollkommen überein ... Die Schüler werden in eine Menge kleiner Classen geteilt und jede derselben durch einen geübteren Schüler in den nötigsten Fertigkeiten wie Lesen, Schreiben, Rechnen und Auswendiglernen eines Religionsbuchs so weit geübt, als dieser sie selbst vorher von dem Lehrmeister erlernt hat.« Der Lehrer selbst unterrichtet also nur seine Gehilfen, von denen die besten zu »Obergehülfen« gemacht werden, die »die Aufsicht über die Unterlehrer« übernehmen. »Andere Gehülfen besorgen den kleinen Dienst der Schulpolizei und guten Ordnung, einer das Aufzeichnen der Abwesenden, ein anderer das Linieren der Schreibbücher.« Die Schule wird zum »Triebwerk«, und dieses funktioniert durch »ein strenger gehandhabtes System der Strafen und Belohnungen, die teils körperlich, teils auf den Ehrtrieb berechnet sind«. Mit dem ganzen Unternehmen werden auch noch Lehrergehälter eingespart. Das Vorbild der Schulreform ist »die Arbeit in einer Fabrik, wo jeder Arbeiter einen Teil des Fabrikats fertigt und der Meister bloß anordnet« (*Brockhaus* 1843, Artikel »Bell-Lancaster'sches Unterrichtssystem«).

UNTERWANDERUNG
→Wanderung.

UNZART. Julie Bondeli (1731–1778) war »Tochter eines Patriziers und Ratsherrn. Unschön und kränklich, übte sie doch durch seelische und geistige Vorzüge auf bedeutende Männer mächtige Anziehungskraft aus und verlobte sich 1759 mit dem jungen Wieland, der nach einigen Jahren das Verhältnis unzart löste«. In welcher Epoche bewegt man sich, wenn das seltene Wort angewendet wird, um etwas über das Verhältnis zwischen einer Frau und einem Mann zu sagen? Antwort: im 20. Jahrhundert (*Brockhaus* 1928, Artikel »Bondeli, Julie«).

UTOPIEN. »Das Land Nirgendwo, Schlaraffenland, – ein zum Scherz erdachtes Reich, in dem sich für den Faulen alle Vortrefflichkeiten der Welt aufgehäuft vorfinden: Teiche voll gesottener Fische, Wild, welches gleich zur Mahlzeit zubereitet umherläuft etc. Daher Utopist, Jemand, der will, daß ihm die gebratenen Tauben in den Mund fliegen sollen.« (*Damen-Conversationslexikon* 1835). *Brockhaus* hält die Utopisten 1892 für »Socialreformer, welche den Boden der Wirklichkeit verlassen und sich mit phantastischen Weltverbesserungsplänen beschäftigen«. Der autoritäre Utopiediskurs kam 1989 an ein Ende. Seither »stehen die Überlebensbedingungen der Menschheit selbst auf der politischen Tagesordnung« (*Brockhaus* 1996). Der utopische »Problemdruck« besteht aber fort, ja, er stellt sich heute »erneut mit aller Schärfe«: Wie kann die bedrohte Spezies der gebratenen Taube vor dem Aussterben bewahrt werden?

V

VAMPYR. Von Vampiren, die »schmeichelnd Kühlung zufächeln, während sie den Schlafenden das Blut aussaugen«, berichtet das *Damen-Conversationslexikon* 1835 unter dem Stichwort »Mexiko«. Die eigentliche Heimat der Untoten, die »in heimlicher, unnatürlich lüstelnder Gier« tagsüber »an sich saugten und nagten, des Nachts aber aus den Gräbern hervorgingen und befreundeten Personen das Herzblut auszögen«, ist jedoch der südosteuropäische Aberglaube. »Noch heute«, klagt *Meyer* 1902, »führt dieser Wahn häufig zu Leichenschändungen und Friedhofsentweihungen.« *Meyer* verweist auf Ranfts *Traktat von dem Kauen und Schmatzen der Toten in Gräbern* (Leipzig 1734); das »Mitgeben von allerlei Beschäftigungsmitteln« ins Grab soll der Friedhofsruhe zuträglich sein.

VEGETARIANER. Um 1811 gegründete englische Sekte, deren Mitglieder gern »auf ihr eigenes Wohlbefinden und gutes Aussehen« (*Brockhaus* 1892) verweisen; viele sind auch »begeisterte Verfechter der Kaltwasserkur«. Die Vegetarianer verwerfen den Genuß von Fleisch, »weil er etwas Stimulierendes, zur Leidenschaftlichkeit Anregendes haben«, auch Laster und Verbrechen fördern soll. Zu ihren stärksten Argumenten gehört die Behauptung, daß alle nützlichen Tiere – Rinder, Elefanten, Pferde – und »sogar die kräftigsten Athleten Griechenlands und Roms nur Pflanzenkost zu sich nahmen«. Widerlegt werden sie aber durch »die schlechten Erfahrungen, die man früher mit der ausschließlich vegetabilischen Ernährung der Gefangenen gemacht hat«. Ergo macht pflanzliche Kost allein aus Verbrechern noch keine zahmen Nutztiere.

VEREINIGTE STAATEN. Ihre Bewohner, bemerkte das *Damen-Conver-*

sationslexikon 1835, sind tüchtig, frei und unabhängig, aber – bis auf →**Rothäute**, Sklaven und Hinterwäldler – von einer Kälte, die der Europäer leicht »für Hochmuth und Unhöflichkeit zu halten geneigt« ist. »Der Amerikaner, lediglich mit seinen positiven und materiellen Interessen beschäftigt, hat keine Zeit für zärtliche Schwärmerei und Galanterie. Selbst eine Liebschaft ist ihm nur ein Geschäft. Er hat nicht Zeit zu lieben, noch liebenswürdig zu sein. Wird ein junger Mann in →**Amerika** sentimental, so wird er es auf Kosten seines guten Rufes und verscherzt sein Glück.« Die Amerikanerinnen sind zwar »im Durchschnitt hübsch«, verblühen jedoch vor der Zeit im »ungleichen Kampfe mit der Strenge eines rauen Klima's«. Weil beide Geschlechter sich mit ihrer Paarung beeilen, ist »nichts Selteneres in Amerika als ein Eheloser von 25 Jahren« – und nichts gewöhnlicher als eine junge Praktikantin, die ihr Schicksal beherzt in die Hand nimmt (→**Tabak**). »Frühzeitig Herrinnen ihrer selbst, suchen sie sich selbst Männer, da überhaupt letztere kalt und an ihre Geschäfte gefesselt sind. Die Mädchen können ungenirt allein ausgehen, und die jungen Herren sie begleiten, jedoch ohne sie zu führen.« Diese frühe Selbständigkeit raubt den Amerikanerinnen »Naivetät und Unschuld« und trägt auch in ihre Ehen ein rauhes Klima: Der Gatte nennt seine Frau »Mistress«, sie ihn »Master«.

VERWICKLUNG. *Brockhaus* beschreibt 1996 (Artikel »Bakterien«) die Geschwindigkeit der Geißelbewegungen bei einer Gruppe besonders aktiver Mikroorganismen: »So kreisen Spirillengeißeln mit durchschnittlich 3000 U/min (Drehzahl eines mittleren Elektromotors).« Das mag ja noch angehen. Doch wie schaffen es die Spirillen, bitte schön, sich nicht zu verwickeln oder selbst zu fesseln, wo doch ihr »Körper mit etwa einem Drittel der Geschwindigkeit in entgegengesetzter Richtung rotiert«?

VIELLIEBCHEN-ESSEN, bezeichnet »die Sitte, Zwillingsfrüchte oder die in Krachmandeln etc. vorkommenden Doppelkerne geteilt zu essen, worauf die Beteiligten sich beim Wiedersehen mit ›Guten Morgen, Vielliebchen‹ zu begrüßen haben und derjenige, der dies zuerst tut, vom anderen ein Geschenk erwartet. Das Wort Vielliebchen ist eine volksetymologische Umformung des litauischen Wortes *filibas*, das die ›Pärchen‹, zwei Haselnußkerne in einem Gehäuse, bezeichnet« (*Meyer* 1902). Das müssen die Hersteller von »Ferrero-Küßchen«, »Nimm Zwei« und »Mon Cheri« irgendwie mitbekommen haben.

VITAMINE wurden in der Mehrzahl zwischen 1920 und 1940 entdeckt, der Begriff jedoch bereits 1912/13 von dem Chemiker Casimir Funk (ursprünglich nur für Vitamin B1) vorgeschlagen. Im *Brockhaus* kommen Vitamine erstmalig 1928 vor – und mit ihnen auch ein eigener Artikel »Vitaminpräparate«. Das Lexikon beschreibt 1928, was bis heute gilt: »Bei normalen Lebensbedingungen nimmt der erwachsene Mensch mit seiner gemischten Kost immer so viel Vitamine auf, wie er zur Erhaltung seiner Gesundheit braucht. Nur bei einseitiger Nahrung kann der Erwachsene an Avitaminosen erkranken.«

Dennoch sind die Vitamine schon bald nach ihrer Entdeckung zu einer geradezu mythisch überhöhten Substanz geworden. Sie gelten manchen Menschen als legales Doping, Allheilmittel gegen Altersleiden, Krebs und Gefäßverkalkung. In die Umgangssprache sind sie als »Vitamin-B« eingegangen, das für die »richtigen« Beziehungen steht. Es bildete sich bereits in der ersten Hälfte des 20. Jahrhunderts ein »Vitamin-Bewußtsein« und »vitaminschonende« Küchengeräte wurden entwickelt. *Brockhaus* weist 1928 (Artikel »Kochen«) auf die Gefahr des Vitaminverlusts hin: »Bestimmte Vitamine werden gelöst und unwirksam gemacht. Um die Auslaugung von Nährstoffen, die beim Kochen die Nahrungsmittel trifft, zu verhindern, greift man zum Dämpfen.« Seither boomt der Markt der Vitaminpräparate. Der Glaube an ihre Wirkung zusätzlich zu einer ausgewogenen Ernährung beruht auf der Vorstellung, Vitamine könnten »Freie Radikale« abfangen und dadurch Krebs und Gefäßverkalkung verhindern. Vielleicht hilft der Literaturhinweis aus dem *Brockhaus*-Ergänzungsband des Jahres 1935 weiter: »H. Guggisberg: *Die Bedeutung der Vitamine für das Weib* (1935)«.

VOLK, DEUTSCHES. Im Blick auf das frühe Mittelalter (5.–8. Jahrhundert) stellt *Brockhaus* (1882) fest: »Das deutsche Nationalgebiet beginnt im Westen auf dem Boden Frankreichs.« Mit einem Satz faßt das Lexikon die ganze Verwirrung, die die relativ junge Vorstellung von »Nation« im 19. und 20. Jahrhundert gestiftet hat. Es gab im frühen Mittelalter kein »Nationalgebiet«. Und »die Franken« haben Frankreich so wenig geschaffen wie »die Germanen« Deutschland. Die Vorstellung, ethnisch homogene Großgruppen hätten die Geschicke Europas bestimmt, ist abwegig und an den biblisch-fiktionalen Stammesgeschichten ausgerichtet. Nicht die kleine Gruppe ethnischer Franken bildete Frankreich, sondern Herrschergeschlechtern und sozialen Eliten mit zum Teil fränkischen Vorfahren ist es gelungen, die andern dort siedelnden Eliten und sich laufend vermischenden Verbände zu einem Gemeinwesen zu formen. Ähnlich auf der anderen Rheinseite: die »nationes theodiscae« waren keine »Deutschen«, sondern Deutsch sprechende Franken, Baiern, Sachsen, Alemannen etc., die sich selbst bis weit in die Neuzeit hinein weder als Deutsche bezeichneten noch einem Deutschland zugehörig fühlten. »Das heilige römische Reich«, erst seit 1512 mit dem Zusatz »deutscher Nation« versehen, war keine Nation im modernen Sinne. Zuvor war der Zusatz »germanischer Nation« üblich und genauer, weil er nur auf eine geographische Präzisierung zielte. Denn er diente der Abgrenzung der rechtsrheinisch-germanischen Franken, von den linksrheinisch-französischen Franken bzw. der rechtsrheinisch-germanischen Sachsen von den »linksrheinisch« (in England siedelnden) englischen Sachsen.

VOLK, HELLSEHENDES. Trotz Zensur und Verfolgung riskierte *Meyer* 1839–55 (Artikel »Anarchie«) nicht nur die Verteidigung der Julirevolution und des Bürgerkönigtums, sondern schiebt die Verantwortung dem »verächtlichen und eidbrüchigen König« zu (Karl X., ohne ihn beim Namen zu nennen). »Vierzig Jahre« nach 1789 »steht es wieder auf; aber nicht mehr als ein blindes, rohes, sondern als ein hellsehendes und in jeder Hinsicht gebildet gewordenes Volk – und siehe! inmitten der blutenden Leichenhaufen seiner Söhne, während tausend Wunden klaffen, nach Rache an ihrem Urheber schreien, vom Sieg gekrönt, allgewaltig und los jeden anderen Zügels als des seines Willens, schont es mit einem Ehrfurcht gebietenden Edelmute nicht nur das Leben seines verächtlichen, eidbrüchigen Königs, es achtet in ihm selbst das Unglück.« Das bürgerliche Pathos verblaßte schnell. Sechzig Jahre später (*Meyer* 1902, Artikel »Frankreich«) wurde aus dem »hellsehenden Volk« eine »aufrührerische Volksmasse«, und nicht ohne Befriedigung wird vermerkt, daß »die Vorkämpfer« der Revolution, »die Arbeiter, ihr Ziel: die Errichtung der Republik« nicht erreicht hätten.

VOLKSBERAUBUNG. Insbesondere *Meyer* bediente sich in seiner ersten Auflage (1839–55) ausgesprochen starker demokratischer Wertungen. Im Artikel »Aristokratie« (der Band erschien 1842) zum Beispiel ist unumwunden von »Volksberaubung« die Rede – obendrein selbstbewußt, was den Vorsprung gegenüber den europäischen Nachbarstaaten betrifft: »Zu einer Zeit, wo in den benachbarten Ländern die öffentliche Meinung an den eingebildeten Vorzügen der Geburtsaristokratie noch gar nicht zu rütteln wagte, hatte die deutsche Nation längst begriffen, daß die Geburt keinen Menschen über den anderen hebe, daß von Natur keiner des andern Herr oder Knecht sei, und daß jede andere Begründung von Würde und Ansehen als durch das persönliche Verdienst – ein Unding sei, eine Fiktion der Unvernunft, der Schlechtigkeit und der Volksbetrügerei. Sie hatte nie ganz vergessen, wie die Geburtsaristokratie und ihre sogenannten historischen Vorzugsrechte bloß in Usurpation, Gewalttat, Unterdrückung, Volksberaubung Wurzel hatten, und daß nach den Reichsrechten im deutschen Reiche der Sohn jedes Freien so gut als der Adlige die höchste Würde in Staat und Kirche erlangen sollte und nicht nur Bischof, kaiserlicher Geheimrat und Gesandter vom ersten Range werden konnte, sondern auch Reichsfürst, Erzbischof und Kurfürst.« Illustriert wurde die radikale These mit dem Hinweis auf nicht namentlich genannte französische Schriftsteller, die noch 1780 behauptet hätten, das Volk würde »mit Sätteln auf dem Rücken und mit Gebiß im Maule geboren, der Adel mit Stiefeln und Peitsche«. 1902 pries *Meyer* sich dann als »der Vertrauensmann der Familien wie der Gelehrtenwelt« an. Die unbezweifelbare Versachlichung und Verwissenschaftlichung des Lexikons hatten ihren politischen Preis, ablesbar im Artikel »Aristokratie«, wo es jetzt trocken resümierend hieß: »Wenn aber auch der Begriff der Aristokratie heutzutage als Staatsform nicht mehr von praktischer Bedeutung ist, so spricht man doch noch von Aristokratie in dem Sinne, daß man darunter eine bevorzugte Klasse der Staatsangehörigen versteht, so vom Adel als einer Geburts- oder Geschlechts- (Standes-, Erb-)Aristokratie; ferner von einer Beamten- und von einer Geldaristokratie (Plutokratie) sowie auch nicht selten von einer Aristokratie des Geistes, der ein besonderer Grad von Bildung eine bevorzugte Stellung in der bürgerlichen Gesellschaft verschafft.« →**Adel.**

VOLKSFREIHEIT. Das Wort taucht überhaupt nur in den Lexika auf, die in unmittelbarer Nähe zu den Revolutionen von 1830 und 1848 erschienen sind – hier aber als ein revolutionäres Fanal. »Wie in den dreißiger Jahren spielt auch jetzt in diesem Kampfe der Reaktion gegen die Volksfreiheit die feindliche Stellung des Militärs gegen die Staatsbürger eine Hauptrolle; man braucht wieder dieselben Worte von ›Aufrechterhaltung des Gesetzes, der Ordnung und von Wiederherstellung der gestörten Ruhe‹ wie damals, und mordet das Volk mit denselben Bajonetten. Auch deshalb ist es an der Zeit, einen Blick in jene Tage der Soldatentyrannei zu werfen und zum Zorn über die Regentenkabalen der Gegenwart den Ingrimm über die alten Missetaten zu fügen. Denn daran haftet ein großer Teil des Unglücks der Völker, daß sie im Vergessen und Verzeihen zu viel und im Strafen zu wenig getan haben.« (*Meyer* 1839–55, Artikel »Hambacher Fest«).

VOLKSFREIHEITEN sind Volkspflichten. Die frühen Lexika vermuten hinter dem Wort regelmäßig ein ebenso ominöses wie willkürliches »Recht des Widerstandes«, wonach »jeder Landbote die Beschlüsse des Reichstags aufhalten« könne und womit angeblich Polen seinen Untergang besiegelt habe. »Man wird über die den Völkern unentbehrliche Freiheiten einen richtigeren Begriff aufstellen können, wenn man nicht sowohl ihren rechtlichen als ihren moralischen Charakter ins Auge faßt; nicht was der Mensch darf, sondern was er als vernünftiges Wesen soll, gibt das Merkmal und den Maßstab seiner unveräußerlichen Rechte.« (*Brockhaus* 1833). Nach 1848 erscheint in den Konversationslexika eine Vielzahl von neuen Komposita mit »Volk« – von »Volksbelustigungen« bis »Volkszeitung«. Sie beerben den frei gewordenen Platz, ohne die politische Lücke zu schließen. Die »Volksfreiheiten« fanden in den Lexika kein Asyl und gingen nach 1848 im strikten wie im metaphorischen Sinne ins Exil.

VOLKSHEIM. Puppenhaus der schwedischen Sozialdemokratie, im 19. Jahrhundert noch Vereinshaus für abstinente »Männer und Frauen aller Stände, mit Lesezimmer, Bibliothek, Garten, Speise- und Unterhaltungsräumen, in denen jedermann ohne Trink- und Verzehrzwang einen freundlichen Aufenthalt finden kann« (*Brockhaus* 1892). Statt Schnaps schenkt man großzügig »edle Geselligkeit« und Kaffee – 1891 allein in den fünfzehn Hamburger Volksheimen 1777091 Tassen – aus.

VOLKSMUSIK. Musizierformen und -praktiken unterschiedlicher ethnischer und sozialer Gruppen, die den »Vollzug gruppengebundenen Lebens« (*Brockhaus* 1996) feiern, einst Ernte oder Kirchweih, heute die Prime Time im Fernsehen. Das »lückenhafte Gedächtnis« der Volksmusiker begünstigt die Entstehung von Stereotypen. Von Entwicklung oder gar Geschichtsbewußtsein kann man bei der Volksmusik kaum sprechen, »da das musik. Denken und Handeln ihrer Träger nicht theoriebezogen ist«. Die theoretisch reflektierte Variante der Volksmusik heißt »Volkstümliche Musik« und wird von ihren Trägern (Stefanie Hertel, Wildecker Herzbuben) »kommerziell konzipiert und forciert«. Das »Volkslied« dagegen besang nach *Brockhaus'* absolutem Gehör von 1892 ohne Anspruch auf »litterarische Eleganz«, aber in »köstlicher Einfachheit und Natürlichkeit« das Zechen und Reisen, das Leben in der Natur und die Liebe »von der derbsten Zote bis zur zartesten Sehnsucht«; es profitierte dabei von »geistlichen Gassenhauern« wie »Den liebsten Buhlen, den ich han / der ist in Himmels Throne«. Das Volkslied war noch unseren Klassikern ein »erfrischender Jungbrunnen«; die »bessern Stände« wandten sich allerdings schon im 16. Jahrhundert von ihm ab.

VOLKSSOUVERÄNITÄT. Der Begriff »gehört zu denen, welche für so gefährlich gehalten werden, daß man sie lieber, anstatt öffentlich davon zu reden, wie Gift in den Apotheken, nur den Vertrautesten vorzeigen oder wie ehemals verbotene Bücher in den Bibliotheken an Ketten verwahren und nur den Geprüften und Zuverlässigen mitteilen sollte. Allein leider geht das nicht mehr an; die Wissenschaft und das Wohl des Staates vertragen beide nicht mehr doppelte Lehre, welche eine andere für die Schüler vor der Türe und eine andere für die Vertrauten innerhalb der Türe ist. Niemand wird ein bloßer Exoteriker sein wollen, und Esoteriker werden von Staats wegen nicht geduldet. Die Güter der Wissenschaft sind ein Gemeingut für alle, selbst für die Unvernünftigen.« (*Brockhaus* 1843). Ohne »doppelte Lehre« ist freilich die von Bürgern abgelehnte Exoterik sowenig zu überwinden wie die Esoterik der Staatsdiener. Wie kann das Volk souverän sein, ohne »die Ruhe der Staaten« zu stören? Die doppelbödige Lehre macht aus der Souveränität einen einmaligen und unwiderruflichen Akt und beseitigt sie, indem sie den Grundsatz verkündet: »Die oberste Autorität, auf welche sie (die Regierung) sich stützt, ist aber das Recht des Volkes, nicht ohne Regierung und Verfassung zu sein und sich derjenigen zu unterwerfen, welche tatsächlich vorhanden ist. Und da derjenige, welcher die höchste Staatsgewalt einsetzen kann, selbst die höchste Gewalt ausübt, so kann man unbedenklich dem Volke die Souveränität in diesem Sinne beilegen. Absprechen muß man aber dem Volke durchaus die Befugnis einer beliebigen Zurücknahme oder Abänderung seines einmal getroffenen Beschlusses.« Also lautet der bündige lexikalische Bescheid: die Sache des Volkes ist, wie sie ist, und bleibt, was sie ist – unklar.

W

WAHRHAFTIGKEIT ist nicht meßbar, aber gelegentlich umgekehrt proportional zur Länge des Satzes – je länger dieser, desto weniger von jener. »Nach Beendigung der Straßenkämpfe in Berlin im Januar 1919 verhaftet, wurde sie den Begleitmannschaften von der Menge entrissen und getötet.« (*Meyer* Artikel »Luxemburg, Rosa«, 1936). »Mit K. Liebknecht wurde R. Luxemburg nach der Festnahme von Regierungstruppen ohne Verfahren erschossen.« (*Brockhaus* 1952). »Sie wurde von Freikorpsoffizieren ermordet.« (*Brockhaus* 1996).

WALDMENSCHEN haben im Gegensatz zu anderen Menschenkindern wenigstens im Lexikon die weitgehende Gleichstellung der Geschlechter eingeführt. Während *Brockhaus* 1882 nur den »Wilden Mann« aufführt, darunter aber keine Waldmenschen, sondern Verbrecher versteht, »welche während der Untersuchungshaft und der Schlußverhandlung Geisteskrankheit simulieren, um der Strafe zu entgehen und in eine Irrenanstalt gebracht zu werden«, kennt *Meyer* 1902 »Wilde Männer« als »halbtierische Bewohner der Wälder (bisweilen auch Frauen), Abkömmlinge der klassischen Faune, Silvane und Panisten, allwissende und kräuterkundige Elementargeister und Vegetationsdämonen«. *Brockhaus* befreit die Frauen 1928 aus der Klammer, verweist in dem Artikel »Wilde Frau« und »Wilde Leute« aber jeweils auf »Wilde Männer« (»Sinnbilder der ungezähmten Fruchtbarkeit der Wildnis«). 1996 beschreibt *Brockhaus* diese »ungezähmte Daseinsform als extremen Gegensatz zum idealisierten Menschentum« gleichberechtigt unter dem ungezähmt mehr als eine Zeile langen Stichwort »Wilde Männer, Wilde Frauen, Wilde Leute, Wildleute«.

WANDERUNG. Anfang des 20. Jahrhunderts bezog *Meyer* (1902) den Begriff noch ausschließlich auf »Tiere«, die »zu regelmäßigen Zeiten im Jahr oder anscheinend regellos ihren Standort verlassen und vorübergehend oder für immer eine andere Heimat suchen«. Der Definition gemäß geht es dann um den »Wandertrieb«, »Zugstraßen« und »Luftlinien«. Im Artikel »Einwanderung« ist auf 16 Zeilen von Menschen die Rede, aber ein Problem war das nicht, denn man verwies den Leser auf den beträchtlich umfangreicheren Artikel »Auswanderung«. Etwa dreißig Jahre später geht es im *Brockhaus* ausschließlich um »Wanderungen der Menschen«, mit dem kleinen Unterschied, daß die Bewegungen gleichsam »biologisiert« und rassistisch umgedeutet werden: »Für die Einwanderungsländer bedeuten also die Wanderungen einen Gewinn an Arbeitskraft und an wirtschaftlicher Kultur. Sie können jedoch auch zu einer Gefahr für das Volkstum werden, wenn durch massenweise Einwanderung rassisch und kulturell fernstehender Menschen die Einheit des Volkskörpers bedroht wird. Man hat für diesen Vorgang neuerdings die Bezeichnung ›Unterwanderung‹ geprägt« (*Brockhaus* 1928; der Band mit dem Artikel »Wanderungen« erschien 1935).

WANDERZWANG. Deutsche Zwangsneurose. Trotz der »bekannten Wanderlust der Deutschen« (*Brockhaus* 1892) mußten die Handwerksgesellen einst mit sanftem Zwang auf die Walz geschickt werden: Sie wanderten nur, um Meister zu werden. 1869 wurde der Wanderzwang endlich aufgehoben bzw. in den Freizeitpark Deutschland integriert. 1928 war das »Wandern« (»früher auch Touristik genannt«) für *Brock-*

haus »eine bes. von den Deutschen gepflegte Art des Reisens«, die »planvolle körperl. Anstrengung mit Charakterschulung«, Willensbildung und →**Kameradschaft** mit »sittlicher Ertüchtigung« verbindet. In Zeiten des Power-Walking gilt die »aus sozialen und kulturellen Gründen betriebene« (*Brockhaus* 1996) Wanderlust als »aktive Erholung« und Vehikel von Naturerlebnis. Dennoch reserviert der neue *Brockhaus* dem Stichwort »Wandern« nur noch ein bescheidenes Ruhebänkchen in der Nähe von »Wanderbischof« und »Wanderhoden«.

WEHRWISSENSCHAFTEN. Durch den Versailler Friedensvertrag wurden mit den Kriegsakademien auch die Wehrwissenschaften verboten. Kaum an der Macht, gründeten Nationalsozialisten in Berlin die »Deutsche Gesellschaft für Wehrpolitik und Wehrwissenschaften«. Und *Brockhaus* registrierte 1935, daß »an einigen Hochschulen ... auch bereits Lehrstühle für Wehrwissenschaften errichtet« wurden. – Die 15. Auflage von *Brockhaus* erschien zwischen 1928 und 1935. Neu schreiben wollte und konnte man die Bände, die nach 1933 herauskamen, nicht. Man bediente sich der Technik des ergänzenden Umschreibens. In Dutzenden von Artikeln wurde zum Beispiel Alfred Rosenbergs Machwerk *Der Mythus des 20. Jahrhunderts* in der Literaturliste hinzugesetzt, gelegentlich mit dem halbfett gedruckten Winkwort »Kritik« vor der bibliographischen Angabe. Bei Schlüsselbegriffen freilich beließ man es nicht bei der Kosmetik: »Die Weltanschauungen sind an die biologisch-geistigen Grundformen des Menschen, aber auch an seine geschichtliche Situation gebunden.« (*Brockhaus* 1935, Artikel »Weltanschaungen«) →**Werkgemeinschaft.**

WELTAUSSTELLUNGEN. »Die Ansicht, daß Weltausstellungen schlechte finanzielle Ergebnisse liefern, ist nicht richtig«; allfällige Defizite gehen, gleich ob in Paris oder Hannover, aufs Konto einer »schlechten Geschäftsführung« (*Brockhaus* 1892). »Die Erfolge der letzten Weltausstellung haben so gewirkt, daß die Befürchtung besteht, die Weltausstellungen möchten sich zu schnell folgen.« Der finanzielle Gewinn aber wird vom politischen Verlust völlig aufgezehrt. Denn obschon die Weltausstellungen »immer innigere Beziehungen der Kulturvölker knüpfen wollen, haben sie doch keine kosmopolitische Tendenz, da nirgends sonst so schroff wie gerade hier jedes Land bemüht ist, seine nationale Besonderheit zum Ausdruck zu bringen.«

WELTLEUTE, »nervenschwache«, nennt *Brockhaus* 1843 (Artikel »Proselytenmacherei«) Menschen, insbesondere »Gelehrte, Dichter, Künstler«, die dem »herrschenden Indifferentismus der Gesinnung« verfallen sind und »den Prinzipien des Katholizismus mit Hilfe philosophischer Phantasien und Axiome« Ansehen verschaffen, um schließlich selbst »der katholischen Kirche« beizutreten. Den ideologischen Kirchenkampf hat in der Tat nicht erst Bismarck erfunden; das lutheranisch geprägte Selbstverständnis der frühen *Brockhaus*-Ausgaben verstand sich gut darauf – trotz des Bekenntnisses zum Religionsfrieden.

WELTLITERATUR. Der Begriff wird heute »immer schwerer fassbar«: Er umfaßt mal die Summe aller Literatur, mal den Kanon ihrer herausragenden Werke, mal das »Gemeingut aller Menschen« (*Brockhaus* 1996). Goethes Prophezeiung – »Die Epoche der Weltliteratur ist jetzt an der Zeit, und jeder muß dazu wirken, diese Epoche zu beschleunigen« – ließ im 19. Jahrhundert sowohl die deutsche Literaturwissenschaft wie auch *Brockhaus* unbeeindruckt. »Literatur« galt zwar als »Gesamtheit aller schriftlichen Denkmale, in denen das Menschengeschlecht sein Wissen, Denken und Fühlen niedergelegt hat« (*Brockhaus* 1892), wurde aber nach strikt nationalen Kriterien beschrieben und bewertet; erst 1928 räumt *Brockhaus* der Weltliteratur ein eigenes Stichwort ein.

WELTORDNUNG →**Friede.**

WELTSCHMERZ, »der schmerzliche Gemütszustand, der aus der gefühlsweichen und willensschwachen Hingabe an das moralische oder physische Elend in der Welt sich ergibt und wohl auch auf die theoretische Überzeugung von dem tatsächlichen oder notwendigen Übergewicht des Elendes in der Welt sich gründet« (*Meyer* 1902). Viele deutsche Literaten und Intellektuelle (→**Melancholie**) erholten sich im Weltkrieg von ihrem Weltschmerz.

WERBUNG. *Brockhaus* wußte 1928 über Werbemaßnahmen: »Die Werbung allein auf Billigkeit abzustellen ist falsch, weil ungeeignete Werbemittel ihre Wirkung verfehlen. Selbständigkeit und Zeitgemäßheit der Werbegedanken erhöhen die Wirkung (›Komme eher als alle anderen und sei immer anders als alle anderen!‹). Oberster Grundsatz der Werbung aber sei die Wahrhaftigkeit, denn der Dauererfolg hängt davon ab, ob und inwieweit sich das Vertrauen, das durch die Werbemaßnahmen hervorgerufen worden ist, auch wirklich rechtfertigt.« →**Reklame** für den aktuellen *Brockhaus* machen unter anderem ausgewiesene Geistesmenschen wie Joschka Fischer (»Wer keine Ahnung hat, hat auch keine Meinung.«), Sabine Christiansen (»Wer viel weiß, stellt die richtigen Fragen.«), Heiner Geißler (»Wissen ist Macht, Unwissen ist Ohnmacht.«), Alice Schwarzer (»Ich weiß mehr, als vielen Männern lieb ist.«) und Marcel Reich-Ranicki (»Wer viel weiß, will noch mehr wissen.«).

WERKGEMEINSCHAFT. Die Werkvereine waren bereits im Kaiserreich vom Staat und Unternehmern geförderte »gelbe Gewerkschaften« gegen die sozialdemokratisch beeinflußten Verbände. 1933 kamen die Werkvereine nach Hause. *Brockhaus* 1935: »Die nationale Revolution von 1933 hat die Idee der Werkgemeinschaft durch das Gesetz der nationalen Arbeit vom 20. Jan. 1934 verwirklicht. Das Gesetz wurzelt in dem Gedanken der Schicksalsverbundenheit von Unternehmer als ›Führer‹ des Betriebs und Arbeitnehmern als ›Gefolgschaft‹. Führer und Gefolgschaft bilden eine ›Betriebsgemeinschaft‹. Die Einflußnahme Außenstehender auf den Betrieb, wie sie bis hierher durch die ›Interessenvertretungen‹ (Gewerkschaften und Arbeitgeberverbände) ausgeübt wurde, ist durch das Gesetz aufgehoben; die Verbände selbst sind durch die Errichtung der Deutschen Arbeitsfront verschwunden.« »Verschwunden« gehört zur Technik des Umschreibens (→**Wehrwissenschaften**) des Konversationslexikons, nachdem die Nationalsozialisten 1933 an die Macht gelangt waren. Die Gewerkschaften des DGB wurden am 2. Mai 1933 mit einem Gewaltakt überrumpelt und »ausgeschaltet«. Bei den »Wirtschaftlichen Vereinigungen«, das sind die tariffähigen Organisationen der Arbeitgeber, bediente sich das Lexikon einer sanfteren Terminologie. Dieser zufolge sind diese Organisationen mit der »Neugestaltung des Arbeitsrechts weggefallen« (*Brockhaus* 1935, Artikel »Wirtschaftliche Vereinigungen«).

WHITEBOYS. Damit sind nicht Tennisspieler gemeint. Zu den zwiespältigeren Erfahrungen des Lexikonbenutzers gehört jene, daß unter verschiedenen Namen identische Probleme, Konflikte und Sachverhalte über relativ lange Zeiträume hinweg zur Sprache kommen. Anders gesagt: die Namen wechseln, die Probleme bleiben. *Brockhaus* berichtete 1827 im fast drei Seiten umfassenden Artikel über die »Whiteboys« als einen »bereits über 30 Jahre bestehenden Verein« der »Orangemen«. Diese standen »der ärmeren katholischen Volksklasse« gegenüber. »Aller Stoff bürgerlicher Zerrüttung ist seit längerer Zeit in Irland angehäuft: politischer und religiöser Fanatismus, jakobinische Gleichheitsschwärmerei und demokratischer Schwindelgeist, tief verwurzelter Nationalhaß und seit Jahrhunderten von den Vätern auf die Kinder fortgeerbte Rachsucht; dazu kommt noch in dem unwissenden und rohen Volkshaufen der Katholiken das zur Verzweiflung hintreibende Gefühl der Armuth und des Drucks der Abgaben, besonders der Pachtgelder und Zehnten.« Und diese Verhältnisse waren so seit dem Beginn der elisabethanischen Herrschaft im 16. Jahrhundert. Die politisch-ikonographische Besonderheit, daß die protestantischen »Orangemen« als Banden von »Whiteboys« auftraten, klärt auch *Meyer* (1902) nicht, der den Artikel über die »Weißburschen« auf 18 Zeilen kürzt, aber sonst bestätigt, was fast 80 Jahre zuvor gesagt wurde. Freilich war schon damals diffus, wer gegen wen weshalb »das Racheamt« beanspruchte, zumal noch andere Banden mit so blumigen Namen wie »Hearts of steel« (»Eisenherzen«), »Rightboys« (»echte Burschen«) und »Hearts of oak« (»Eichenherzen«) bei der »Volksjustiz« mitmischten. Legendär wurde dabei Captain Rock. An diesem Szenario haben sich nach der Teilung der Insel durch die Gründung des irischen Freistaates (1922) nur Details geändert. Allein seit dem Bloody Sunday (30. Januar 1972), als britische Soldaten 13 Demonstranten erschossen, fielen dem Bürgerkrieg in Nordirland etwa 3000 Menschen zum Opfer.

WIEDERVEREINIGUNG →**Annexion.**

WILDE werden 1882 im *Brockhaus* wie 1902 im *Meyer* als »die keiner Fraktion angehörigen Mitglieder einer Volksfraktion« bezeichnet. *Brockhaus* führt 1928 die widerspenstigen Abgeordneten erst unter 3) auf. Unter 2) werden Studenten erwähnt, »die keiner

Fraktion angehören«. Am ausführlichsten wird im Lexikon (Band 24 ist 1935 erschienen) jedoch der völkerkundliche Aspekt beschrieben. Unter 1) lesen wir, daß es sich um eine »früher allgemein und heute noch teilweise gebräuchliche Bezeichnung für die außereurop. Naturvölker« handelt. Dem völkischen Zeitgeist durchaus zuwiderlaufend, schränkt das Lexikon jedoch ein, daß die Bezeichnung Wilde »eine bewußte Geringschätzung« ausdrückt, »obwohl man daneben teilweise in jenen Völkerschaften die Träger und die Verkörperung eines bessern Zustandes und einer schöneren Zeit sah«. *Brockhaus* führt 1996 weder edle, noch glückliche, noch junge Wilde auf, dafür aber den Wilde-Intelligenztest.

WILHELM ist 1892 mit respektablen 36 biographischen Porträts im *Brockhaus* vertreten. Wilhelm I. war, um mit dem ersten und besten anzufangen, »gleich frei von nachgiebiger Schwäche wie von verletzender Herausforderung«, unnachgiebig gegenüber Katholiken und Sozialdemokraten, aber »fast beispiellos mildherzig und weich, wo er fremdes Elend sah«. Obwohl er den politischen Tagesströmungen »reserviert gegenüberstand«, konnte er doch alle »der Nation vorschwebenden Ideale ... praktisch und ohne Schwärmerei, aber mit treuem und warmem Herzen in das Leben führen«. Wilhelm II. legt einen »intensiven Drang, den Forderungen des modernen Lebens gerecht zu werden«, an den Tag, mußte sich aber schon als Prinz gegen die Verleumdung verwahren, »daß ihn Sehnsucht nach kriegerischen Lorbeeren beseele«. Das war kein Hofknicks mehr, sondern nach heutigen Maßstäben ein durchaus kritisches Arbeitszeugnis. *Meyer* kennt 1902 über vierzig Wilhelme, verweigert aber dem ewigen Zweiten weiter die gebührende Ehrfurcht. Zwar hat Wilhelm II. – etwa durch die »persönlich von ihm entworfenen vergleichenden Flottentabellen« – »das Verständnis für die Notwendigkeit einer deutschen Weltpolitik im Volke zu wecken« verstanden (→**Pardon**), aber seine Kulturleistung wird doch eher gering veranschlagt: »Wilhelm hat sich als Dichter und Komponist (Sang an Ägir) versucht und namentlich der bildenden Kunst selbst Anregung gegeben, wenn auch die Künstlerwelt darin vielfach eine Einschränkung der Individualitäten erblickt und objektiv eine vielleicht nicht gewollte Bevorzugung älterer Kunstwerke zu beobachten ist.« Entsprechend kümmerlich fielen auch die wenigen zeitgenössischen Monumente seines Ruhms aus: »Standbilder von ihm befinden sich in der Ruhmeshalle von Barmen (Marmor) und an der Eisenbahnbrücke in Mainz (Erz).«

WIRTSHÄUSER sind in Deutschland noch meist »ziemlich ärmliche Lokale«, doch zeichnet sich unter dem wohltätigen »Einfluß der Münchner Brauereien« ein unverkennbarer »Fortschritt in der Dekoration« ab. *Brockhaus* rühmt 1892 das Berliner Café Bauer und Sedlmayrs Löwenbräukeller in München (Nymphenburger Straße), der von einem gewissen Gabriel Seidl betrieben wird. Nach diesem Vorbild entstünden jetzt überall »Bierpaläste«, einer der »künstlerisch reizvollsten«, Spatenbräu in Berlin, wird wiederum von G. Seidl vorbildlich betreut. Warum diese auffällige →**Reklame**? Sollte *Brockhaus* sein unbestechliches Urteil für ein paar Humpen an einen bayrischen Biertycoon verkauft haben?

WISSENSCHAFT. Das ist immer auch das, was sich ziemlich schnell verändert und überholt. In bestimmten geschichtlichen Konstellationen des Bruchs wie dem Untergang der Weimarer Republik und dem Aufstieg des Nationalsozialismus geschieht dies besonders häufig und aus notorisch »praktischen Bedürfnissen«: »Die Wissenschaften entspringen nicht einem vorbedachten oder rational-konstruierten Plan, sondern entwickeln sich aus dem Druck und Reiz bestimmter Aufgaben, die das Leben beständig stellt. Sie gliedern ihre einzelnen Zweige vielfach stärker auf Grund praktischer Bedürfnisse als theoretischer Überlegungen aus. Ihre Systematik als die einheitliche Zusammenfassung ihrer Zweige beruht allerdings meist auf weltanschaulichen Grundlagen.« Diese Begründung ist das Fundament für eine These, deren Monströsität nur durch ihre praktische Verwirklichung durch die deutsche »Wissenschaft« zwischen 1933 und 1945 übertroffen wird: »Der Nationalsozialismus fordert, daß auch die Wissenschaft sich nach den durch Volk, Staat und Rasse gegebenen Zielen ausrichten müsse, unbeschadet der ihr durch die methodische Strenge aufgelegten Verpflichtung zur Sachlichkeit.« So geraten »Rassenkunde« neben »Anatomie« unter die Naturwissenschaften, »Geopolitik« und »Rassenpolitik«, »Eugenik« und »Psychotechnik« neben »Sozialpolitik« und »Pharmazie« unter die »angewandten Wissenschaften« (*Brockhaus* 1928: der Band mit dem Artikel »Wissenschaft« erschien 1935). →**Wehrwissenschaften**, →**Grenzwissenschaft**.

WITZ. Im älteren Sinne Esprit, »rasche Auffassungs- und Beurteilungsgabe«, im neueren dagegen »das Talent, zwischen zwei scheinbar völlig fremden und voneinander entlegenen Vorstellungen unvermutete Ähnlichkeiten zu entdecken, im Gegensatz zum Scharfsinn, der zwischen Gleichem oder Ähnlichem das Ungleichartige auffindet. Doch muß dabei die Pointe leicht und ungesucht ins Auge springen.« (*Brockhaus* 1892). Die »psychophysische Wirkung« besteht in jener »plötzlichen Innervation gewisser Muskelgruppen, deren Gesamtwirkung als →**Lachen** bezeichnet wird«. Nach hundert Jahren Witzforschung hat *Brockhaus* 1996 die Muskelzuckung als kreative Triebabfuhr und geselliges Phänomen durchschaut. Die Pointe dabei: »Als soziales Ereignis setzt der Witz daher eine Berücksichtigung der kognitiv-affektiven Struktur und des sozialen Spannungsfeldes des Rezipienten voraus.«

WITZIG ist für den gebildeten Leser von Lexika nur wenig, und auch dann geht er zum Lachen schon mal in den Keller, wenn man dem *Brockhaus* von 1812 (Artikel »Lachen«) Glauben schenken mag. Denn »größere Einsicht des Verstandes hingegen, mit einem gebildeten Geschmack verbunden, würdigt höchstens das unerwartet Komische, das complicirte Ungereimte mit gemäßigter Fröhlichkeit zu belachen«. Außerordentlich witzig ist dann die Anekdote, die das Lexikon über Voltaire zum besten gibt. Dieser »stellte einstmals einem Fremden, der ihn besuchen wollte, seinen Sekretär, der Adam hieß, mit folgenden Worten vor: Das ist Herr Adam, aber nicht der erste Mann (Mensch) auf der Welt.« Das Lexikon erklärt, warum Witzischkeit keine Grenzen kennt. »Obenerwähntes Bonmot Voltaire's bei der Vorstellung seines Sekretärs Adam enthält nichts Komisches, sondern etwas Witziges, weil eben das Zweckwidrige nicht in einer Handlung sondern in einem Urtheile liegt.« Noch einer aus dem *Brockhaus* von 1812 gefällig? »Einst gratulierte man in einer Gesellschaft einem jungen Geistlichen, der zum ersten Male Beichte gehört hatte. Dieser dankte; setzte aber hinzu, es zeuge von keiner guten Vorbedeutung für ihn, daß gerade seine erste Beichttochter eine Ehebrecherin gewesen sey. Hierbei nannte er jedoch, wie sich von selbst versteht, den Namen derselben nicht. Nicht lange darauf trat eine Dame in das Zimmer, und freute sich sehr, den Geistlichen hier zu finden. Man fragte sie, ob sie den Herrn kenne. ›Ei freilich‹, antwortete sie, ›ich bin ja sein erstes Beichtkind gewesen.‹ Hier konnte sich niemand des Lachens enthalten.« Ähnliche Herrenwitze haben sich erhalten, doch spätere Lexika enthielten sich zunehmend des Witzeerzählens (→**Humor**, →**Lachen**).

WÜSTENHALLUCINATION. Sinnesstörung bei Säulenheiligen und Wüstenreisenden: »Der Ergriffene erblickt lachende Landschaften, lange Züge von Kamelen, Wagen oder Soldaten, schattige Bäume, Brunnen u. dgl.« (*Brockhaus* 1892). Anders als die Fata Morgana tritt die Wüstenhallucination meist nachts auf, »das beste Mittel dagegen ist der Schlaf«.

X

XANTHIPPE. Sokrates' zänkische Frau ist »zur Bezeichnung eines bösen Weibes sprichwörtlich geworden« (*Brockhaus* 1892). Der Philosoph ertrug ihr Keifen »mit der Ruhe eines Weisen«, konnte aber nicht verhindern, daß Zeller 1877 eine »halb scherzhafte, halb ernstgemeinte *Ehrenrettung der Xanthippe*« versuchte. Ganz im Ernst nahm das *Damen-Conversationslexikon* schon 1835 Xanthippe als »gute Hausfrau und sorgsame Mutter« in Schutz; jedenfalls habe sie ihrem Gatten ein »sittliches Gefühl«, Menschenkenntnis und Selbstdisziplin eingeflößt. 1996 tut *Brockhaus* Damengalanterie und Herrenwitze lakonisch ab: Xanthippes übler Ruf ist »historisch nicht begründet«.

Z

ZEIT hat manchmal mit Geschwindigkeit zu tun, und wenn sich diese beschleunigt, können schon mal Irritationen bei der Fahrplangestaltung entstehen, wie im *Brockhaus* 1892 (Artikel »Eisenbahnzeit«) nachzulesen ist: »Die durch die Bewegung der Erde von

Westen nach Osten bedingte Änderung der sog. mittleren Zeitdifferenz hatte bei Ortsveränderungen in der Richtung der geographischen Länge für den Verkehr so lange nichts Störendes, als man an einem Tage Entfernungen von nur 40 bis 50 km zurücklegen konnte. Als es aber möglich wurde, mit der Eisenbahn in wenigen Stunden Strecken von mehreren 100 km zu durcheilen, wurde die stete Veränderung des Zeitmaßes unbequem empfunden. Die Notwendigkeit einer einheitlichen Zeitrechnung trat daher im Eisenbahnbetrieb schon frühzeitig hervor, indem es sich schon bei verhältnismäßig kurzen Linien als unthunlich erwies, den Fahrbetrieb nach den verschiedenen mittlern Ortszeiten der einzelnen Stationen einheitlich zu gestalten.«

ZEITGEIST. »Das gedankenlose Umhertreiben in leeren Allgemeinheiten« hat das Wort schon 1833 – so *Brockhaus* – »in Verruf« gebracht. Sei es »das süßlich fade Gerede« vom »himmlischen Seelenbräutigam« oder jenes von der »Sentimentalität«: zum »Zeitgeist« verdichteten sich »die gerade geltende Sprachmode« und die »neuen Modeworte Volkstum, Nationalität usw.« Goethe spottete schon: »Was ihr den Geist der Zeiten heißt, / Das ist im Grund der Herren eigner Geist, / In dem die Zeiten sich bespiegeln.« Als Signatur des Jahrzehnts sieht das Lexikon »den Kampf der Proletarier mit den Reichen« und den Frieden, während sich »die Ungleichheit des Besitzes« ständig vergrößere. Der lexikographische *common sense* erwartete Abhilfe auf befremdliche Art: »Wie der Friede die Wunden des Krieges heilt, so ist dieser letztere eine Correctur für die Fehler des Friedens, die im weiteren Sinne gleichfalls Fehler des Druckes sind; er ist namentlich ein Mittel zu der wenigstens annähernden Herstellung eines Gütergleichgewichts.« Umverteilung durch Krieg und die Verspottung von Kants »Ewigem Frieden« als »gedankenlos philanthropischem Traum« ergänzen sich. Sechs Jahre zuvor sah das Konversationslexikon im Begriff »Zeitgeist« eine Quelle von »größten Mißverständnissen«, weil mit Berufung auf ihn »subjective Ansichten« mit »dem Bedürfnisse der Völker und Staaten verwechselt« würden (*Brockhaus* 1827). Trotzdem wollte das Lexikon eines sein, »welches dem Geist der Zeit« entspricht. 1892 verschwand der Begriff; von 1952 bis 1996 faßt ihn *Brockhaus* fast unverändert als Summe »der geistigen Haltung, des Stils, der Lebensformen und Ideen«, die »einer »historischen Epoche die vorherrschend prägende Ausrichtung« verleihen.

ZEITUNGEN. Der französische Arzt Renaudot ließ Anfang des 17. Jahrhunderts »alle möglichen Neuigkeiten sammeln und wöchentlich einige Blätter damit füllen« (*Damen-Conversationslexikon* 1835), in der Hoffnung, damit »seine zahlreichen Kranken zu unterhalten« (→**Krankenzerstreuung**). In Deutschland machte die »Verbreitung der Intelligenz« auch unter der gesunden Population rasch Fortschritte. *Brockhaus* rügt 1892 an den Zeitungen das Überhandnehmen der »Plaudereien« und Fortsetzungsromane unter dem Strich: »Die Zeitungen, welche für eine große Zahl von Menschen die hauptsächliche, ja fast einzige Lektüre sind, suchen auf diese Weise deren Verlangen nach ›Dichtung‹ (Fiction) zu befriedigen und so ihre Unentbehrlichkeit zu behaupten.« Goethe fühlte sich ohne seine tägliche Ration Dichtung und Wahrheit »ordentlich wohler und geistesfreier«, mußte aber anerkennen: »Ha, es ist nichts so schlimm, die Zeitung macht es gut.«

ZIGEUNER. *Brockhaus* berichtet 1892 Eigenartiges über Herkunft und Brauchtum dieses »eigenartigen Wandervolks«. Die Frauen etwa, von jeher Ikonen und Operettenheldinnen antizivilisatorischer Sehnsucht, sind »in ihrer Jugend oft von angenehmem Äußern«, altern aber »ungemein schnell«. Schuld daran ist wohl ihre merkwürdige Diät: »In der Wahl der Nahrung ist der Zigeuner nicht heikel. Am liebsten ißt er recht fettes Fleisch, vor allem den Igel, das Nationalgericht. Pferdefleisch verschmäht er im allgemeinen, nimmt aber keinen Anstand, sogar Aas zu essen«; man hat ihn »auch, doch mit Unrecht, beschuldigt, Menschenfleisch zu essen«. Seine Moral ist »lax«, und »echte Religion besitzt der Zigeuner nicht. Er führt zwar beständig den Namen Gottes im Munde; wenn ihm aber ein Unglück geschieht, überhäuft er Gott mit Schimpfworten.« Dennoch läßt er seine Kinder »gern taufen, möglichst oft an verschiedenen Orten, um Patengeschenke herauszuschlagen«. In den Künsten und Wissenschaften hat er, mit Ausnahme der Musik, »nichts geleistet«. Er kann nur Vogelbauer und Mausefallen schnitzen, als Schmied, Scherenschleifer, Seiltänzer und Kammerjäger Tüchtiges leisten und als »äußerst geschickter Roßtäuscher« Christenmenschen übervorteilen. *Meyer* wollte 1902 wenigstens die »geistigen, insbes. künstlerischen Anlagen der Zigeuner nicht gering« schätzen; auch seien sie »keine gewohnheitsmäßigen Kinderräuber«. Sie ernähren sich nämlich »am liebsten« durch Stehlen, Betteln und »betrügerische Viehkuren«. Folge: »Aus den lang gewimperten, schwarzen, höchst lebendigen Augen blitzt Schlauheit, Furcht und Haß.« Nicht nur im Dritten Reich hatten solche »antiziganistischen Vorurteile« (*Brockhaus* 1996) tödliche Folgen.

ZINNSOLDATEN erwecken nicht nur den »kriegerischen Geist der Jugend« (*Meyer* 1902). »Künstlerisch veredelt«, illustrieren sie auch die Fortschritte von Kriegskunst wie Military-Look: »Früher meist flach gehalten, werden die Zinnsoldaten neuerdings öfter plastisch ausgeführt, die Kavallerie zum →**Absitzen,** die Pferde zum Absatteln eingerichtet.« (*Brockhaus* 1892).

ZUKUNFT muß gesichert werden. Dazu gab es in Deutschland vor dem letzten Millenniumswechsel für wenige Jahre einen bereits wieder vergessenen Zukunftsminister. Eine Jahrhundertwende früher machten sich Physiker sogar namensgebend um die Zukunft verdient, als sie mit Kathodenstrahlen (→**Strahlende Materie)** experimentierten: »Puluj und Tesla haben diese Art von Lichterzeugung zur Konstruktion sogen. Phosphoreszenzlampen (Teslas Licht der Zukunft) verwertet«, schreibt *Meyer* 1902. »Die Annahme, daß dadurch Licht billiger erzeugt werden könnte als auf anderm Wege, hat sich indes nicht bestätigt.«

ZWEIKINDERSYSTEM. Französische Verhütungstechnik. Die Beschränkung der natürlichen Fortpflanzung führt, wie *Brockhaus* 1892 mit Genugtuung registriert, beim Erbfeind zu schwacher »Volksvermehrung« und auf »unsittliche und gesundheitswidrige Abwege«. Nicht einmal das Einkindersystem konnte die →**Chinesenfrage** lösen.

ZWERGE. Kleinwüchsige Menschen, deren »geistige Ausbildung in der Regel gering bleibt, während gewisse moralische Fehler stärker hervortreten«. (*Brockhaus* 1892). In der germanischen Mythologie bewachen unangenehme Giftzwerge Schätze und Jungfrauen; sie schmieden Waffen und geben auch »neues Haupthaar« aus. Im Mittelalter waren die Zwerge dem Krüppel gleichgestellt und damit weder erwerbs- noch lehnsfähig, jedoch als →**Hofnarren** zu gebrauchen; »heutzutage lassen sie sich vielfach für Geld sehen«. 1996 beschreibt der um Rehabilitation diskriminierter Minderheiten bemühte *Brockhaus* Wichtel, Heinzelmännchen, Quergel und andere anthropomorphe Zwergarten als »meist gutartig« veranlagte, in unterirdischen sozialen Kollektiven lebende Handwerker; hierzu gehören auch die »zwergartigen Figuren in der Fernsehwerbung«. Fritz Friedmann, führender Nanologe und Präsident der »Internationalen Vereinigung zum Schutz der Gartenzwerge«, schürft noch tiefer: »Der Mensch sucht nach einem Gegenüber, das ihm immer zuhört, aber nie widerspricht.«

STICHWORTVERZEICHNIS

DIE AUTOREN

WERNER BARTENS, geboren 1966 in Göttingen, hat Medizin, Geschichte und Germanistik studiert und war lange als Arzt und in der medizinischen Forschung tätig. 1999 ist sein Buch *Die Tyrannei der Gene* erschienen. Seit 2000 ist er Redakteur der *Badischen Zeitung*.

MARTIN HALTER, geboren 1953 in Oppenau (Schwarzwald), studierte Germanistik, Geschichte und Politische Wissenschaften; 1982 Promotion mit der Dissertation *Sklaven der Arbeit – Ritter vom Geiste*. Er lebt und arbeitet in Freiburg als Literatur- und Theaterkritiker unter anderem für die *Frankfurter Allgemeine Zeitung*, die *Badische Zeitung* und den *Tages-Anzeiger*.

RUDOLF WALTHER, geboren 1944, studierte Geschichte, Philosophie und Deutsch in Basel und Frankfurt am Main. Fast zwanzig Jahre lang war er Mitarbeiter der Heidelberger Redaktion des Lexikons *Geschichtliche Grundbegriffe*. Seit 1994 arbeitet er als freier Publizist für deutsche und schweizerische Zeitungen und Zeitschriften.

DAS LETZTE LEXIKON,
das Werner Bartens, Martin Halter und Rudolf Walther
aus einem zweihundertjährigen Fundus zusammengetragen haben,
ist im April 2002 als zweihundertundachter Band der *Anderen Bibliothek* im Eichborn Verlag, Frankfurt am Main, erschienen.
Das Lektorat lag in den Händen von Rainer Wieland.

Dieses Buch wurde in der Petit Century light Condensed von Wilfried Schmidberger in Nördlingen gesetzt und bei der Fuldaer Verlagsagentur auf 100 g/m^2 holz- und säurefreies mattgeglättetes Bücherpapier der Papierfabrik Schleipen gedruckt. Den Einband besorgte die Buchbinderei G. Lachenmaier, Reutlingen. Ausstattung und Typographie von Franz Greno.

1. bis 9. Tausend, April 2002.
Von diesem Band der *Anderen Bibliothek* gibt es eine handgebundene Lederausgabe mit den Nummern 1 bis 999; die folgenden Exemplare der limitierten Erstausgabe werden ab 1001 numeriert.
Dieses Buch trägt die Nummer:

6550 *